Als de doden niet herrijzen

Van dezelfde auteur:

Berlijnse trilogie
De een van de ander
Een stille vlam

Philip Kerr

Als de doden niet herrijzen

2009 – De Boekerij – Amsterdam

Oorspronkelijke titel: If the Dead Rise Not (Quercus)
Vertaling: Herman van der Ploeg
Omslagontwerp: HildenDesign, München
Omslagbeeld: © Artwork HildenDesign, Munich, using an image from Abey / iStock
Zetwerk: Mat-Zet bv, Soest

ISBN 978-90-225-5270-4

Voor Caradoc King

Wat baat het mij dat ik in Efeze met wilde beesten gevochten heb? Als de doden niet herrijzen, laten ons dan eten en drinken, want morgen gaan we dood.

1 Corinthiërs 15, 32

Deel Een

Berlijn, 1934

1

Het was zo'n geluid in de verte dat je niet meteen herkent: het kon een smerige, walmende stoomboot op de Spree zijn; of een trage locomotief die wordt gerangeerd onder het grote, glazen dak van het *Anhalterstation*; of de hete, gretige adem van een enorme draak, alsof een van de stenen dinosaurussen in de dierentuin van Berlijn tot leven was gekomen en nu door de Wilhelmstraße denderde. Het leek niet eens op muziek, totdat het tot je doordrong dat het ging om een militair muziekkorps, maar dan nog klonk het te mechanisch voor muziek die door mensen werd gemaakt. Plotseling was overal het slaan van bekkens en het tinkelen van klokkenspelen te horen en ten slotte zag ik het: een detachement soldaten dat stampend marcheerde alsof het probeerde de weg zo veel mogelijk te beschadigen. Alleen al van het kijken naar die mannen kreeg ik pijn aan mijn voeten. Ze marcheerden door de straat met hun Mauserkarabijnen links aan de schouder. Hun gespierde rechterarmen zwaaiden langs hun koppelriemen heen en weer met de precisie van een slingeruurwerk. Op de gesp van hun riem stond een adelaar. Ze hielden hun hoofden met de grijze stalen helmen fier omhoog en dachten, áls ze al iets dachten, aan onzin als: één volk, één *Führer*, één rijk – Duitsland!

De mensen stopten om de kluwen nazivlaggen en banieren die de soldaten met zich mee troonden, te bekijken en te begroeten: een complete fourniturenwinkel van rood, zwart en wit gordijnmateriaal. Anderen kwamen aanrennen, vol patriottisch enthousiasme om hetzelfde te doen. Kinderen werden op brede schouders gehesen of glipten tussen de benen van een politieman door om toch vooral maar niets te missen. Alleen de man naast me maakte een minder geestdriftige indruk.

'Let op mijn woorden,' zei hij. 'Die gestoorde idioot Hitler is van plan weer een oorlog met Engeland en Frankrijk te beginnen. Alsof we de vorige keer niet genoeg mannen hebben verloren. Ik word misselijk van dat marcheren. God mag dan de duivel hebben uitgevonden, maar het was Oostenrijk dat ons de Führer heeft gegeven.'

De man die deze woorden sprak had een gezicht als de golem van Praag en een tonvormig lichaam dat je eerder op een bierwagen zou verwachten. Hij droeg een korte leren jas en een pet met een klep die recht uit zijn voorhoofd leek te komen. Hij had oren als een Indische olifant, een snor als een wc-borstel en een onderkin die dikker was dan het telefoonboek van Shanghai. Al voordat hij zijn sigarettenpeuk wegknipte naar de muzikanten en de basdrum trof, had zich een lege ruimte gevormd rond deze onverstandige commentator, alsof hij was besmet met een dodelijke ziekte. Niemand wilde immers in de buurt zijn als de Gestapo arriveerde met hun gebruikelijke remedie.

Ik wendde me van hem af en liep snel door de Hedemannstraße. Het was een warme dag, tegen eind september. Bij het woord zomer moest ik aan iets kostbaars denken dat bijna voorbij was. Net zoals vrijheid en rechtvaardigheid. 'Duitsland ontwaakt' was de leus die op ieders lippen lag, alleen leek het mij dat we in onze slaap in gelid naar een of andere vreselijke maar nog onbekende ramp liepen. Dit betekende niet dat ik zo dom was om iets dergelijks in het openbaar te zeggen, en zeker niet wanneer vreemdelingen meeluisterden. Ik had principes, zeker, maar ik had ook nog steeds al mijn eigen tanden.

'Hé jij daar,' zei een stem achter me. 'Wacht even. Ik wil met je praten.'

Ik liep door. Pas op Saarlandstraße – voorheen Königgratzerstraße geheten, totdat de nazi's besloten dat we allemaal herinnerd moesten worden aan het Verdrag van Versailles en de onrechtvaardigheid van de Volkenbond – had de eigenaar van de stem me ingehaald.

'Heb je me niet gehoord?' vroeg hij. Hij pakte me bij mijn schouder, duwde me tegen een reclamezuil en liet een bronskleurige politiepenning zien die in de palm van zijn hand lag. Het was moeilijk te beoordelen of hij van de plaatselijke politie was of van de recherche, maar afgaande op wat ik wist van Hermann Görings nieuwe Pruisische politie hadden alleen de lagere rangen bronskleurige penningen. Er liep verder niemand op de stoep en de reclamezuil onttrok ons aan het zicht van de mensen op straat. Niet dat er veel echte reclame op was aangeplakt. Tegenwoordig is reclame niets anders dan een bord waarop wordt meegedeeld dat Joden niet op het gras mogen lopen.

'Nee,' zei ik.

'Die man die zo verraderlijk sprak over de Führer. Je moet toch gehoord hebben wat hij zei. Je stond vlak naast hem.'

'Ik heb niets verraderlijks over de Führer gehoord,' zei ik. 'Ik luisterde naar het muziekkorps.'

'Waarom liep je dan plotseling weg?'

'Het schoot me te binnen dat ik een afspraak had.'

De wangen van de agent werden een beetje rood. Hij had geen aangenaam gezicht. Hij had donkere, diepliggende ogen, een strakke, spottende mond en een nogal vooruitstekende kin. Het was een gezicht dat de dood niet hoefde te vrezen, want het zag er al uit als een schedel. Als Goebbels een langere, nog fanatiekere nazibroer had gehad, zou deze man hem geweest kunnen zijn.

'Ik geloof je niet,' zei de agent terwijl hij ongeduldig met zijn vingers knipte. 'Identiteitspapieren graag.'

Het was aardig dat hij 'graag' had gezegd, maar ik had helemaal geen zin mijn papieren te tonen. In paragraaf acht op pagina twee stonden alle details over het beroep waarvoor ik was opgeleid en wat ik nu werkelijk deed voor de kost. En aangezien ik niet langer politieman was maar hotelwerknemer, kon ik hem net zo goed meteen vertellen dat ik geen nazi was. Erger nog, van iemand die was gedwongen de Berlijnse recherche te verlaten vanwege zijn trouw aan de oude Weimarrepubliek, kon je haast verwachten dat hij iemand die verraderlijk over de Führer sprak, zou negeren. Als dat al verraderlijk was. Maar ik wist dat de agent me vermoedelijk zou arresteren om mijn dag te verpesten, en het was zeer waarschijnlijk dat een arrestatie zou leiden tot twee weken in een concentratiekamp.

Hij knipte weer met zijn vingers en keek weg, bijna verveeld. 'Kom op, kom op, ik heb niet de hele dag.'

Even beet ik op mijn lip. Het irriteerde me dat ik voor de zoveelste keer met minachting werd behandeld, niet alleen door deze kadaverkop maar door de hele nazistaat. Ik was ontslagen als rechercheur bij de Kripo, een baan waar ik dol op was geweest, en voelde me een paria vanwege mijn trouw aan de oude Weimarrepubliek. Die republiek kende vele fouten, dat was waar, maar het was er tenminste democratisch aan toe gegaan. Sinds de republiek was ingestort, was Berlijn, mijn geboortestad, nauwelijks meer herkenbaar. Vroeger was het de liberaalste stad ter wereld. Nu was het net een militaire paradeplaats. Dictaturen lijken goed tot het moment dat ze je dictaten beginnen op te leggen.

'Ben je doof? Kom op met die verdomde papieren!' De agent knipte weer met zijn vingers.

Mijn ergernis veranderde in woede. Ik stak mijn linkerhand in mijn jasje en draaide mijn lichaam net voldoende van hem weg om te verbergen dat ik mijn rechterhand tot een vuist balde. En toen ik die in zijn maag begroef, zat de kracht van mijn hele lichaam erachter.

Ik sloeg hem te hard. Veel te hard. De klap benam hem compleet de adem. Als je iemand zo hard in zijn maag raakt, is hij een behoorlijke tijd uitgeschakeld. Ik hield het bewusteloze lichaam van de agent even tegen me aan. Toen walste ik hem door de draaideur van het Deutscher Kaiser Hotel. Mijn woede begon te veranderen in een gevoel van paniek.

'Ik geloof dat deze man een toeval heeft,' zei ik tegen de bezorgd kijkende portier. Ik liet het lichaam in een leren leunstoel zakken. 'Waar zijn de telefoons? Ik zal een ambulance bellen.'

De portier wees naar een plek om de hoek bij de receptie.

Om een goede indruk te maken, knoopte ik de stropdas van de agent los en deed ik alsof ik naar de telefoons liep. Maar zodra ik de hoek om was, glipte ik een personeelsingang door, liep een trap af en verliet het hotel via de keuken. Ik kwam terecht in een steeg die uitkwam op Saarlandstraße. Ik liep snel naar het Anhalterstation. Even overwoog ik een trein te nemen. Toen zag ik de metro-ingang die het station verbond met hotel Excelsior, het op één na beste hotel in Berlijn. Niemand zou me daar ooit zoeken: niet zo dicht bij een vervoersmiddel om overduidelijk te ontsnappen. Bovendien beschikte hotel Excelsior over een uitstekende bar. Van het neerslaan van een politieman krijg je namelijk ongelofelijke dorst.

2

Ik liep rechtstreeks naar de bar, bestelde een grote schnaps en goot de drank naar binnen alsof het half januari was.

Hotel Excelsior zat vol met politiemensen, maar de enige die ik herkende was de huisdetective, Rolf Kuhnast. Vóór de zuiveringen van 1933 had Kuhnast bij de politieke politie van Potsdam gewerkt. Hij had redelijkerwijs mogen verwachten dat hij lid van de Gestapo zou zijn geworden, ware het niet dat dat om twee redenen niet kon. De eerste reden was dat Kuhnast de leider was geweest van het team dat in april 1932 was aangewezen om SA-leider Graaf Helldorf te arresteren. Dat gebeurde in opdracht van Hindenburg, die een mogelijke nazicoup wilde voorkomen. De andere reden was dat Helldorf nu de politiecommissaris van Potsdam was.

'Hallo,' zei ik.

'Bernie Gunther. Wat heeft de huisdetective van hotel Adlon in hotel Excelsior te zoeken?' vroeg hij.

'Ik vergeet altijd dat dit een hotel is. Ik wilde hier een treinkaartje kopen.'

'Je bent een grappige vent, Bernie. Altijd geweest.'

'Ik zou zelf ook lachen, als hier niet zoveel politie rondliep. Wat is hier aan de hand? Ik weet dat hotel Excelsior de favoriete kroeg is van de Gestapo, maar meestal maken ze er niet zo'n show van. Er zijn hier kerels met voorhoofden die de indruk wekken dat ze net uit het Neanderthal zijn komen lopen... op hun knokkels.'

'We hebben een vip op bezoek,' legde Kuhnast uit. 'Iemand van het Amerikaans Olympisch Comité logeert hier.'

'Ik dacht dat het Kaiserhof het officiële olympische hotel was.'

'Dat is ook zo. Maar dit bezoek is op het laatste moment geregeld en het Kaiserhof was al volgeboekt.'

'Dan was het Adlon zeker ook vol.'

'Je mag me best aanvallen,' zei Kuhnast. 'Je gaat je gang maar. Die stomkoppen van de Gestapo hebben me de hele dag al om de oren gegeven. Dus ik zit echt niet te wachten op de een of andere zeikerige klootzak van het grote Adlon-hotel die mij even de waarheid komt vertellen.'

'Ik val je niet aan, Rolf. Echt niet. Kom op, ik zal je trakteren op een drankje.'

'Het verbaast me dat je dat kunt betalen, Bernie.'

'Ik vind het niet erg dat ik het gratis krijg. Een hoteldetective is niks waard als hij niet iets belastends over de barman weet. Kom eens langs bij het Adlon, dan zal ik je laten zien hoe filantropisch de barman van ons hotel is geworden nu hij is betrapt met zijn hand in de geldla.'

'Otto? Dat geloof ik niet.'

'Je hoeft het niet te geloven, Rolf. Maar Frau Adlon gelooft het wel en zij is niet zo begripvol als ik.' Ik bestelde nog een drankje. 'Kom op, neem wat. Na wat me net is overkomen heb ik iets nodig om mijn ingewanden bij elkaar te houden.'

'Wat is er gebeurd?'

'Doet er niet toe. Laat ik alleen zeggen dat bier het niet kan goedmaken.'

Ik goot de schnaps naar binnen, achter de vorige aan.

Kuhnast schudde zijn hoofd. 'Dat zou ik graag doen, Bernie. Maar Herr Elschner vindt het niet leuk als ik er niet ben om te verhinderen dat die ellendige nazi's de asbakken stelen.'

Hij durfde die ogenschijnlijk indiscrete woorden te gebruiken omdat hij wist dat ik een republikein in hart en nieren was. Maar desondanks verloor hij de voorzichtigheid niet uit het oog, dus nam hij me mee de bar uit. Via de entreehal liepen we naar de Palmenhof. Boven de orkestbak was het gemakkelijker om vrijuit te praten en kon niemand ons afluisteren. Het enige veilige gespreksonderwerp in Duitsland is tegenwoordig het weer.

'Dus de Gestapo is hier om de een of andere Amerikaan te beschermen?' Ik schudde mijn hoofd. 'Ik dacht dat Hitler niet van Amerikanen hield.'

'Deze Amerikaan kijkt rond in Berlijn om te beoordelen of we geschikt zijn om over twee jaar als gastheer voor de Olympische Spelen op te treden.'

'Er zijn ten westen van Charlottenburg tweeduizend arbeiders aan de slag die sterk de indruk hebben dat we al gastheer zijn.'

'Het schijnt dat er veel Amerikanen zijn die de olympiade willen boycotten vanwege het antisemitisme van onze regering. Die Amerikaan is hier om zelfstandig uit te zoeken of Duitsland de Joden discrimineert.'

'De conclusie van die missie is zo zonneklaar dat het me verbaast dat hij überhaupt nog de moeite heeft genomen om in te checken bij een hotel.'

Rolf Kuhnast grijnsde terug. 'Ik heb gehoord dat het een pure formaliteit is. Hij zit op dit moment in een van onze werkkamers boven, waar hij een lijst met feiten krijgt die is samengesteld door het ministerie van Propaganda.'

'O dát soort feiten. Natuurlijk, we zouden niet willen dat iemand een verkeerde indruk kreeg van het Duitsland van Hitler, toch? Ik bedoel, het is niet zo dat we iets tegen Joden hebben. Maar ja, we zitten hier wel met een nieuw uitverkoren volk.'

Het was moeilijk te begrijpen waarom een Amerikaan bereid zou zijn de anti-Joodse maatregelen van het nieuwe regime te negeren. Vooral omdat er in de hele stad zo veel flagrante voorbeelden van te zien waren. Alleen een blinde had de grove en beledigende spotprenten over het hoofd kunnen zien die op de voorpagina's van de fanatieke nazikranten stonden, de davidsterren die op de ramen van Joodse winkels waren geschilderd en de bordjes in de parken met de tekst UITSLUITEND DUITSERS. Om maar niet te spreken van de pure angst in de ogen van elke Jood in het Vaderland.

'Brundage – zo heet die Amerikaan…'

'Zijn naam klinkt Duits.'

'Hij spreekt niet eens Duits,' zei Kuhnast. 'Zolang hij geen Joden ontmoet die Engels spreken, moet alles op rolletjes lopen.'

Ik keek om me heen in de Palmenhof.

'Bestaat het gevaar dat hij dat zou doen?'

'Het zou me verbazen als er hier in een omtrek van honderd meter een Jood is, als je bedenkt wie hier komt om hem te ontmoeten.'

'Toch niet de Führer?'

'Nee, zijn duistere schaduw.'

'Komt de rechterhand van de Führer naar hotel Excelsior? Ik hoop dat je de toiletten hebt schoongemaakt.'

Plotseling stopte het orkest met het spelen van hun nummer. Ze schakelden over op het Duitse volkslied en de hotelgasten sprongen op en staken hun rechterarm gestrekt uit in de richting van de entreehal. En ik had geen andere keus dan mee te doen.

Omgeven door stormtroepen en Gestapo-leden marcheerde Rudolf

Hess het hotel in, gekleed in het uniform van de sa. Zijn gezicht was zo vierkant als een deurmat, maar op de een of andere manier minder uitnodigend. Hij was van gemiddelde lengte en slank, met donker, golvend haar, een Transylvanisch gelaat, de ogen van een weerwolf en een mond zo dun als een scheermes. Hij reageerde plichtmatig op onze begroetingen en stormde met twee treden tegelijk de hoteltrap op. Zijn onstuimige enthousiasme deed me denken aan een Duitse herder die door zijn Oostenrijkse bezitter van de lijn wordt losgelaten om de hand te likken van de man van het Amerikaanse Olympisch Comité.

Ik moest trouwens zelf ook iemands hand likken. De hand van een man die lid was van de Gestapo.

3

Als een van de huisdetectives van hotel Adlon werd van mij verwacht dat ik het hotel vrijwaarde van misdadigers en moordenaars. Maar dat werd moeilijk als de misdadigers en moordenaars partijleden van de nazi's waren. Sommigen van hen, zoals Wilhelm Frick, de minister van Binnenlandse Zaken, hadden zelfs in de gevangenis gezeten. Het ministerie was gevestigd op Unter den Linden, vlak om de hoek bij hotel Adlon, en Frick, een echte Beierse mof met een wrat op zijn gezicht en een vriendin die de vrouw bleek te zijn van een of andere prominente nazi-architect, kwam vaak in het hotel. Die vriendin waarschijnlijk ook.

Ook het grote verloop onder het hotelpersoneel was lastig voor een hoteldetective. Eerlijke, hardwerkende medewerkers die toevallig Joods waren, werden vervangen door mensen die veel minder eerlijk en hardwerkend waren, maar die, zo leek het althans, wél Duitser waren.

Ik bemoeide me zo weinig mogelijk met dit soort zaken, maar toen de vrouwelijke huisdetective van het Adlon besloot Berlijn voorgoed te verlaten, voelde ik me verplicht haar mijn hulp aan te bieden.

Frieda Bamberger was meer dan een oude vriendin. Van tijd tot tijd waren we gelegenheidsminnaars, wat een nette manier is om te zeggen dat we graag met elkaar naar bed gingen, maar dat we niet verder konden gaan omdat ze nog een soort los-vaste echtgenoot in Hamburg had. Frieda was een voormalig olympisch schermster, maar ze was ook Joods en om die reden was ze in november 1933 uit de Berlijnse Schermclub gezet. Een gelijksoortig lot had bijna elke Jood getroffen die lid was van een gymclub of sportvereniging. Jood zijn in de zomer van 1934 was als een verontrustend sprookje van de gebroeders Grimm waarin twee verlaten kinderen merken dat ze verdwaald zijn in een bos vol hongerige wolven.

Het was niet zo dat Frieda dacht dat de situatie in Hamburg beter zou zijn dan in Berlijn, maar ze hoopte dat de discriminatie die ze nu ondervond gemakkelijker te dragen zou zijn met behulp van haar niet-Joodse echtgenoot.

'Luister,' zei ik tegen haar. 'Ik ken iemand die bij de Joodse afdeling van de Gestapo werkt. Een politieman die ik heb gekend toen ik nog op Alex werkte. Ik heb hem een keer voorgedragen voor promotie, dus hij staat bij me in het krijt. Ik zal hem opzoeken en kijken wat er te regelen valt.'

'Je kunt niet veranderen wie ik ben, Bernie,' zei ze.

'Misschien niet. Maar misschien kan ik verandering brengen in wat anderen zeggen dat je bent.'

In die tijd woonde ik in de Schlesische Straße, in het oosten van de stad. En op de dag van mijn afspraak met de Gestapo had ik de U-Bahn genomen in westelijke richting naar Hallesches Tor en was ik vervolgens in noordelijke richting door de Wilhelmstraße gelopen. En zodoende was ik terechtgekomen in dat akkefietje met die politieman voor het Deutscher Kaiser Hotel. Van het tijdelijke toevluchtsoord hotel Excelsior was het maar een paar stappen naar het Gestapo-huis op nummer acht in de Prinz-Albrecht-Straße – een gebouw dat niet zozeer leek op het hoofdkwartier van de nieuwe Duitse geheime staatspolitie als wel op een elegant, Wilhelminisch hotel; een effect dat nog werd versterkt door de nabijheid van het oude hotel Prinz Albrecht, dat nu diende als hoofdgebouw van de administratieve top van de ss. Er liep niet veel volk in de Prinz-Albrecht-Straße, en zeker geen mensen die net een politieman hadden neergeslagen. Misschien dacht ik om die reden dat dit wel de laatste plaats was waar men mij zou zoeken.

Met zijn marmeren balustrades, hoge gewelfde plafonds en een trap zo breed als een spoorweg zag het Gestapo-hoofdbureau er meer uit als een museum dan als een gebouw van de geheime politie; of misschien leek het op een klooster, hoewel de monniken in het zwart gekleed gingen en er plezier in hadden mensen te folteren zodat ze hun zonden zouden bekennen. Ik liep het gebouw in en kwam bij de receptie, waar een niet onaantrekkelijk meisje in uniform zat dat met me meeliep, de trap op en een hoek om naar Afdeling II.

Toen ik mijn oude kennis zag, glimlachte en zwaaide ik tegelijkertijd. Een stel vrouwen van de nabijgelegen typekamer keek me geamuseerd aan, alsof mijn gedrag buitengewoon ongepast was. En dat was natuurlijk ook zo. De Gestapo bestond pas achttien maanden, maar had inmiddels al een geduchte reputatie verworven. Dat was de belangrijkste reden dat ik zenuwachtig was en waarom ik glimlachte en wuifde naar Otto Schuchardt. Hij zwaaide niet terug. Hij glimlachte evenmin. Schuchardt was nooit de vrolijkste jongen van de partij geweest, maar ik wist vrij zeker dat ik hem had horen lachen toen we beiden nog als politieman op het Alex werkten. Maar mogelijk had hij alleen gelachen omdat ik zijn meerdere was. Terwijl we elkaar nu de hand schudden, besefte ik dat ik een fout had begaan en dat de dappere jonge politieman van vroeger nu uit hetzelfde materiaal bestond als de balustrades en de trap aan de andere kant van de afdelingsdeur. Het was alsof ik de hand schudde van een bevroren begrafenisondernemer.

Schuchardt was knap, als je houdt van mannen met helblond haar en lichtblauwe ogen. Ik ben zelf blond en heb blauwe ogen, en ik vond dat hij eruitzag als een verbeterde, efficiëntere naziversie van mezelf; een halfgod in plaats van een arme Fritz met een Joodse vriendin. Maar van de andere kant had ik ook nooit echt een god willen zijn of de hemel willen betreden. Niet zolang slechte meisjes als Frieda in het Berlijn van Weimar zaten.

Hij ging me voor naar zijn kantoortje en sloot een deur met matglas, zodat we apart zaten in een ruimte met een klein houten bureautje, een grote hoeveelheid archiefkasten van grijs metaal en een mooi uitzicht op de achtertuin van de Gestapo, waar een man met veel toewijding de bloembedden onderhield.

'Koffie?'

'Graag.'

Schuchardt liet een dompelaar in een kan heet water zakken. Hij leek het vermakelijk te vinden me te zien, althans, zijn gezicht had de uitdrukking van een havik die net een paar mussen als lunch heeft verorberd.

'Nou, nou,' zei hij. 'Bernie Gunther. Dat is twee jaar geleden, schat ik.'

'Dat moet haast wel.'

'Arthur Nebe is hier, uiteraard. Hij is adjunct-commissaris. En ik denk dat er velen zijn die je zult herkennen. Persoonlijk heb ik nooit begrepen waarom je bij de Kripo bent weggegaan.'

'Het leek me beter te vertrekken voor ze me daartoe zouden dwingen.'

'Ik denk dat je je daar erg in vergist. De partij heeft veel liever pure criminalisten zoals jij dan een stelletje groentjes die op grond van allerlei heimelijke bijbedoelingen willen meeliften met de partij.' Zijn messcherpe neus werd rimpelig van ongenoegen. 'En uiteraard zijn er nog steeds een paar bij de Kripo die nooit lid zijn geworden van de partij. Ze worden er zelfs om gerespecteerd. Ernst Gennat, bijvoorbeeld.'

'Je hebt gelijk.' Ik had een lijstje kunnen opsommen van alle goede politiemensen die de Kripo waren uitgeschopt sinds de grote politieke zuivering van 1933: Kopp, Klingelhöller, Rodenberg en vele anderen. Maar ik was niet gekomen om een politiek discussie te voeren. Ik stak een Muratti op, liet mijn longen even in rook opgaan en vroeg me af of ik zou durven beginnen over de kwestie die me naar het bureau van Otto Schuchardt had gebracht.

'Rustig maar, oude jongen,' zei hij en hij gaf me een verrassend lekkere kop koffie. 'Jij hebt me uit het uniform geholpen en je hebt ervoor gezorgd dat ik bij de Kripo kwam. Ik vergeet mijn vrienden niet.'

'Ik ben blij dat je dat zegt.'

'Op de een of andere manier heb ik de indruk dat je niet hier bent om iemand aan te geven. Nee, ik geloof niet dat jij daar het type voor bent. Dus wat kan ik voor je doen?'

'Een vriendin van me is Joods,' zei ik. 'Ze is een goede Duitse. Ze heeft Duitsland zelfs vertegenwoordigd bij de Olympische Spelen in Parijs. Ze is niet religieus. En ze is getrouwd met een niet-Jood. Ze wil uit Berlijn weg. Ik hoop dat ik haar kan overhalen dat niet te doen. Ik vroeg me af of het mogelijk is dat haar Joodse komaf vergeten kan worden, of misschien genegeerd. Ik bedoel, soms hoor je dat dergelijke dingen gebeuren.'

'Echt waar?'

'Nou, ik dacht van wel.'

'Ik zou dergelijke geruchten niet herhalen, als ik jou was. Hoe waar ze ook mogen zijn. Maar vooruit, vertel me eens… hoe Joods is die vriendin precies?'

'Zoals ik al zei, tijdens de olympiade van…'

'Nee, ik bedoel qua afkomst. Dat is waar het echt om gaat, tegenwoordig. Die vriendin van je kan eruitzien als Leni Riefenstahl en getrouwd zijn met Julius Streicher, dat zou er allemaal niet toe doen als ze van Joodse afkomst was.'

'Haar beide ouders zijn Joods.'

'Dan kan ik niets doen om je te helpen. Sterker nog: ik adviseer je dat je niet langer moet proberen haar te helpen. Zei je dat ze Berlijn wilde verlaten?'

'Ze had het plan opgevat om in Hamburg te gaan wonen.'

'Hamburg?' Schuchardt werd nu echt vrolijk. 'Ik denk eigenlijk niet dat daar gaan wonen de oplossing voor haar probleem is. Nee, ik zou haar adviseren helemaal uit Duitsland te vertrekken.'

'Dat meen je niet.'

'Ik vrees van wel, Bernie. Er zijn nieuwe wetten in de maak die alle Joden in Duitsland effectief zullen denaturaliseren. Ik mag je dit eigenlijk niet vertellen, maar er zijn veel veteranen die voor 1930 lid van de partij zijn geworden en die geloven dat er niet genoeg is gedaan om het Joodse probleem in Duitsland op te lossen. Er zijn mensen – en daar hoor ik ook bij – die geloven dat het er nogal ruig aan toe zal gaan.'

'Ik begrijp het.'

'Nee, je begrijpt het niet, helaas. In ieder geval nog niet. Maar dat komt nog wel, dat weet ik zeker. Ik zal het uitleggen. Volgens mijn chef, adjunct-commissaris Volk, zal het als volgt gaan: iemand wordt alleen als Duits geclassificeerd als alle vier zijn grootouders van Duitse afkomst zijn. Een persoon wordt officieel Joods verkaard als hij afstamt van drie of vier Joodse grootouders.'

'En als die persoon slechts één Joodse grootouder heeft?' vroeg ik.

'Dan wordt die persoon geclassificeerd als zijnde van gemengd bloed. Iemand van gekruist ras.'

'En wat gaat dat allemaal voor gevolgen hebben, Otto? In praktische zin, bedoel ik.'

'Joden wordt het Duitse staatsburgerschap ontnomen. Ze mogen niet langer seksuele relaties onderhouden of trouwen met zuivere Duitsers. Werkzaamheid in de publieke sector zal volledig worden verboden. Mensen van gemengd ras zijn verplicht een verzoek in te dienen bij de Führer zelf om in aanmerking te komen voor herclassificatie of een ariërverklaring.'

'Jezus christus.'

Otto Schuchardt glimlachte. 'O, maar ik betwijfel ten zeerste of die in aanmerking zou komen voor herclassificatie. Tenzij je zou kunnen bewijzen dat Zijn Hemelse Vader een Duitser was.'

Ik zoog de rook van mijn sigaret op alsof het moedermelk was en drukte de peuk uit in een bladmetalen asbakje ter grootte van een tepel. Er bestond waarschijnlijk een samengesteld puzzelwoord – bestaande uit aan elkaar geplakte stukjes Duits – dat zou beschrijven hoe ik me voelde, maar voorlopig wilde het me niet te binnen schieten. Maar ik wist vrij zeker dat woorden als 'ontzetting' en 'verbijstering' en 'trap' en 'maag' er een rol in zouden spelen. Ik wist nog niet de helft. Nog niet.

'Ik waardeer je openhartigheid,' zei ik.

Opnieuw kreeg hij een uitdrukking van gepijnigde vreugde. 'Nee, dat doe je niet. Maar ik denk dat je wel op het punt staat om dat te doen.'

Hij trok zijn bureaula open en nam er een grote beige map uit. Op de linkerbovenhoek van het omslag zat een wit etiket met de naam van de persoon van het dossier en de naam van het bureau en de afdeling die verantwoordelijk waren voor het bijhouden van het dossier. De naam op het dossier was mijn naam.

'Dit is jouw personeelsdossier. We hebben zo'n dossier van alle politiemensen. En ook van alle ex-politiemensen, zoals jij.' Schuchardt opende het dossier en haalde de eerste pagina eruit. 'Het indexblad. Elk item dat aan het dossier wordt toegevoegd krijgt een nummer op dit blad. Eens kijken. Ja. Punt drieëntwintig.' Hij bladerde door de pagina's van het dossier tot hij vond wat hij zocht. Hij gaf me het blad.

Het was een anonieme brief waarin werd onthuld dat ik een Joodse grootouder had. Het handschrift kwam me vaag bekend voor, maar ik had geen zin om onder de ogen van Otto Schuchardt te raden naar de identiteit van de auteur. 'Het lijkt me weinig zin hebben om dit te ontkennen,' zei ik, terwijl ik het stuk papier teruggaf.

'Integendeel,' zei hij. 'Dat heeft juist heel veel zin.' Hij streek een lucifer af, stak de brief in de brand en liet hem in de prullenmand vallen. 'Zoals ik al zei, ik vergeet mijn vrienden niet.' Toen pakte hij zijn vulpen, schroefde de dop eraf en schreef iets in het vakje opmerkingen van het indexblad. 'Geen verdere actie mogelijk,' zei hij terwijl hij schreef. 'Maar toch zou het het beste zijn als je hier een oplossing voor zou vinden.'

'Dat lijkt me nu wat laat,' zei ik. 'Mijn grootvader is al twintig jaar dood.'

'Als iemand van tweedegraads gemengd ras,' zei hij, mijn schertsende opmerking negerend, 'is het goed mogelijk dat je in de toekomst te maken krijgt met zekere beperkingen. Als je bijvoorbeeld van plan bent een bedrijf te beginnen, kan het, onder de nieuwe wetgeving, vereist zijn om een verklaring omtrent ras af te geven.'

'Het is inderdaad zo dat ik eraan denk om te beginnen als privédetective. Even aangenomen dat ik het geld bij elkaar weet te krijgen. Huisdetective in hotel Adlon is niet erg uitdagend na het werk bij Moordzaken op het Alex.'

'In dat geval is het zeer raadzaam dat je je ene Joodse grootouder uit de officiële rapporten laat verdwijnen. Geloof me, je bent niet de eerste die zoiets doet. Er lopen meer mensen van gemengd ras rond dan je zou denken. Ik ken er al ten minste drie in de regering.'

'We leven in een gekke wereld, dat staat wel vast.' Ik haalde mijn sigaretten te voorschijn, stopte er een in mijn mond maar bedacht me toen en stopte hem terug in het pakje. 'Hoe zou je dat precies aanpakken? Een grootouder laten verdwijnen?'

'Eerlijk gezegd zou ik dat niet weten, Bernie. Maar het kan zeker geen kwaad om eens een woordje te wisselen met Otto Trettin, op het Alex.'

'Trettin? Hoe zou hij me kunnen helpen?'

'Otto is heel vindingrijk. Kent veel belangrijke mensen. Je weet dat hij de afdeling van Liebermann von Sonnenberg bij het Alex heeft overgenomen toen Erich het nieuwe hoofd van de Kripo werd.'

'De afdeling Falsificatie,' zei ik. 'Ik begin het te snappen. Ja, Otto was altijd nogal ondernemend.'

'Je hebt het niet van mij gehoord.'

Ik stond op. 'Ik ben hier zelfs nooit geweest.'

We gaven elkaar een hand. 'Geef mijn raad door aan je Joodse vriendin, Bernie. Dat ze moet maken dat ze wegkomt nu het nog kan. Duitsland is nu voor de Duitsers.' Toen hief hij zijn rechterarm. '*Heil* Hitler,' zei hij. Het klonk bijna beklagenswaardig, als een mengeling van overtuiging en, wellicht, gewoonte.

Op alle andere plaatsen had ik dit kunnen negeren. Maar niet op het terrein van de Gestapo. Bovendien was ik hem dankbaar. Niet alleen voor mezelf maar ook voor Frieda. En ik wilde niet lomp overkomen, dus bracht ik ook de Hitlergroet, al de tweede keer vandaag. Als dat zo doorging, was ik voor het einde van de week een doorgewinterde naziklootzak. Nou ja, voor driekwart dan.

Schuchardt liep met me mee naar beneden, waar verschillende politiemensen opgewonden in de hal rondhingen. Hij bleef even staan en sprak iemand aan terwijl we naar de voordeur liepen.

'Vanwaar al die drukte?' vroeg ik toen Schuchardt zich weer bij me voegde.

'Er is een dode politieman aangetroffen in het Deutscher Kaiser Hotel,' zei hij.

'Wat erg,' zei ik. Ik probeerde een plotseling opkomend gevoel van misselijkheid te onderdrukken. 'Wat is er gebeurd?'

'Niemand heeft iets gezien. Maar volgens het ziekenhuis lijkt het erop dat hij een dreun in zijn maag heeft gehad.'

4

Frieda's vertrek naar Hamburg leek het begin van een exodus van Joden uit het Adlon. Max Prenn, het hoofd van de hotelreceptie en een neef van de beste tennisser van het land, Daniel Prenn, kondigde aan dat hij Duitsland zou verlaten en zich in Engeland zou vestigen, in het kielzog van zijn neef die uit de Duitse tennisbond was gezet. Toen ging Isaac Weet-ik-veel, een van de muzikanten van het hotelorkest in het Ritz in Parijs werken. En ten slotte was er nog het vertrek van Ilse Szrajbman, een stenotypiste die typewerk en secretaressetaken deed voor hotelgasten; ze ging terug naar haar geboorteplaats Danzig, een stad in Polen of een vrije stad in het oude Pruisen, afhankelijk van de manier waarop je het wilde bekijken.

Ik keek liever helemaal niet, net zoals ik probeerde veel dingen niet te zien in de herfst van 1934. Danzig was gewoon een voorwendsel om weer een discussie te beginnen over het Verdrag van Versailles wat betreft het Rijnland, het Saarland, Elzas Lotharingen, onze Afrikaanse koloniën en de omvang van onze militaire strijdmacht. Wat dat betreft was ik veel minder typisch Duits dan de driekwart die me werd gegund in het nieuwe Duitsland.

De zakelijk leider van het hotel – zoals de eigenlijke functiebenaming was van Georg Behlert, de manager van hotel Adlon – nam zakenmensen en hun mogelijkheden om zaken te doen in het Adlon zeer serieus. Een van de belangrijkste gasten die veel geld uitgaf, een Amerikaan in suite 114 die Max Reles heette, was op de diensten van Ilse Szrajbman gaan rekenen. Haar vertrek, naast de vele andere Joden die het Adlon hadden verlaten, verontrustte Behlert nog het meest.

'Het welbevinden en de tevredenheid van de gasten van het Adlon komen altijd op de eerste plaats,' zei hij, op een toon alsof hij dacht dat dit nieuw voor me was.

Ik zat in zijn kantoor dat uitkeek op de Goethe-tuin van het hotel, waaruit Behlert elke zomerdag een bloem liet plukken voor in zijn knoopsgat. Hij deed dat in ieder geval totdat de tuinman hem vertelde dat, althans in Berlijn, een rode anjer het traditionele teken was dat je bij de communisten hoorde, en dat je dus in overtreding was. Arme Behlert. Hij was evenmin een communist als een nazi; zijn enige ideologie was de superioriteit van het Adlon boven alle andere Berlijnse hotels. Hij droeg daarna nooit meer een bloem in zijn knoopsgat.

'Een receptionist, een violist, ja zelfs een huisdetective helpen erbij dat alles in het hotel soepel verloopt. Maar ze zijn ook relatief anoniem en het lijkt onwaarschijnlijk dat een gast veel last heeft van hun vertrek. Maar Fräulein Szrajbman zag Herr Reles elke dag. Hij vertrouwde haar. Het zal moeilijk zijn een vervanger te vinden die even goed is in typen en steno als zij was, en met een even goed karakter.'

Behlert was geen hoogdravend type, hij leek en klonk alleen maar zo. Hij was een paar jaar jonger dan ik – zo jong dat hij niet in de oorlog had gevochten – en hij droeg een jacquet, een boord zo stijf als de glimlach die op zijn gezicht stond gebeiteld, slobkousen en een dun snorretje dat eruitzag alsof Ronald Colman het speciaal voor hem had laten groeien.

'Ik denk dat ik maar een advertentie plaats in *Das Deutsche Mädel*,' zei hij.

'Dat is een nazitijdschrift. Als je daar een advertentie in plaatst, weet je zeker dat je een spion van de Gestapo op je dak krijgt.'

Behlert stond op en sloot de deur van zijn kantoor.

'Toe, Herr Gunther. Het is niet verstandig om zo te praten. U kunt ons beiden in moeilijkheden brengen. U praat alsof er iets mis is met de aanstelling van iemand die nationaalsocialist is.'

Behlert vond zichzelf te beschaafd om het woord nazi te gebruiken.

'Begrijp me niet verkeerd,' zei ik. 'Ik ben dol op de nazi's. Stiekem vermoed ik dat 99,9 procent van de nazi's die andere eentiende procent onterecht een slechte reputatie bezorgt.'

'Toe, Herr Gunther.'

'Volgens mij zijn er ook prima secretaresses bij. Ik heb er toevallig pas nog een paar gezien toen ik op het hoofdkwartier van de Gestapo was.'

'Bent u op het hoofdkwartier van de Gestapo geweest?' Behlert frunnikte aan zijn boord om ruimte te maken voor zijn adamsappel, die op en neer ging als een lift.

'Nou en of. Vergeet niet dat ik politieman ben geweest. Hoe dan ook, die vriend van mij heeft de leiding over een afdeling van de Gestapo waar heel veel stenotypistes werken. Blond, blauwe ogen, honderd woorden per minuut en dan hebben we het over werken zonder dwang. Als ze de pijnbank en de duimschroeven gaan gebruiken, neemt de typesnelheid van de dames nog aanzienlijk toe.'

Het uiterst ongemakkelijke gevoel van Behlert bleef in de lucht hangen als een horzel.

'U bent een ongewoon iemand, Herr Gunther,' zei hij slapjes.

'Dat zei mijn vriend bij de Gestapo ook al. In ieder geval iets dergelijks. Luister, Herr Behlert, ik wil niet betweterig doen, maar het laatste wat we in het Adlon willen, is iemand die de gasten angst aanjaagt met allerlei praatjes over politiek. Sommigen van onze gasten zijn buitenlanders. Er zijn behoorlijk wat Joden onder. En die maken zich wat meer druk over zaken als vrijheid van meningsuiting. Om nog maar niet te spreken van de vrijheid van de Joden. Waarom laat u mij niet iemand zoeken die geschikt is? Iemand die totaal niet is geïnteresseerd in politiek. Wie we ook aannemen, ik zal haar achtergrond sowieso moeten controleren. Bovendien zoek ik graag naar meisjes. Zelfs meisjes met een eerzaam beroep.'

'Goed dan. Zoals u wilt.' Hij glimlachte meewarig.

'Wat is er?'

'Wat u net allemaal zei deed me aan iets denken,' zei Behlert. 'Het deed me denken aan een tijd dat je nog dingen kon zeggen zonder achterom te kijken.'

'Weet u wat volgens mij het probleem is? Vóór de nazi's werd de vrijheid van meningsuiting nooit gebruikt om dingen te zeggen die de moeite waard waren om naar te luisteren.'

Die avond ging ik naar een van de bars van het Europa Haus, een geometrisch paviljoen van glas en beton. Het had geregend en de straten waren zwart en glimmend. De reusachtige groep moderne kantoren – Odol, Allianz, Mercedes – deed denken aan een groot passagiersschip op de Atlantische Oceaan, met elk dek verlicht. Een taxi zette me af bij de boeg en ik ging café-bar Pavilion in om eens flink te gaan brassen en om naar een geschikt bemanningslid te zoeken ter vervanging van Ilse Szrajbman.

Uiteraard had ik een verborgen motief om me vrijwillig op zo'n gevaarlijke onderneming te storten. Het gaf me iets te doen terwijl ik dronk. Iets beters dan me schuldig voelen over de man die ik had gedood. Althans dat hoopte ik.

Hij heette August Krichbaum en de meeste kranten hadden over de moord geschreven. Het bleek dat een of andere getuige mij de fatale klap had zien toedienen. Godzijdank had die getuige uit het raam van een hoge verdieping van het Deutscher Kaiser Hotel gehangen en had hij of zij alleen de bovenkant van mijn bruine hoed gezien. De portier beschreef me als een man van rond de dertig met een snor. Nadat ik dit alles had gelezen, had ik kunnen besluiten mijn snor af te scheren, als ik er een had gehad. Mijn enige troost was dat Krichbaum geen vrouw en kinderen achterliet. En het feit dat hij een ex-SA'er was en lid van de nazipartij sinds 1929. Maar het was natuurlijk niet mijn bedoeling geweest hem te doden. Niet met één stoot, zelfs niet een stoot die Krichbaums bloeddruk had verlaagd, zijn hartslag had vertraagd en zelfs tot een hartstilstand had geleid.

Zoals gewoonlijk zat het Pavilion vol met stenotypistes met clochehoedjes. Ik heb er zelfs een paar gesproken, maar er was er niet een bij die de kwaliteiten had die een gast van het Adlon zou verwachten van een secretaresse, afgezien van typen en steno. En ik wist wat die kwaliteiten waren, zelfs als Georg Behlert het niet wist. Het meisje moest een beetje glamour hebben, net als het hotel zelf. Kwaliteit en efficiency maakten het Adlon tot een goed hotel. Maar glamour was wat het beroemd had gemaakt, en de reden waarom het altijd vol zat met topmensen. Natuurlijk werd het hierdoor ook aantrekkelijk voor het slechtste soort mensen. Maar daar was ik voor, tegenwoordig iets vaker 's avonds, sinds het vertrek van Frieda. Hoewel de nazi's bijna alle seksclubs en bars hadden gesloten die Berlijn ooit de naam van een zedeloze, seksueel verdorven stad hadden bezorgd, was er nog steeds een aanzienlijk aantal meisjes van plezier dat werkte in een discretere omgeving in de *maisons* van Friedrichstadt, of, wat vaker voorkwam, in de bars en lobby's van grote hotels. En toen ik uit het Pavilion vertrok besloot ik op weg naar huis nog even bij het Adlon binnen te wippen. Gewoon om even te kijken.

Carl, de portier, zag me uit een taxi stappen en kwam aanzetten met een paraplu. Hij was best goed met een paraplu, een glimlach en een deur, maar verder kon hij niet veel. Niet wat je noemt een carrièreman, maar door alle fooien die hij kreeg, verdiende hij meer dan ik. Veel meer. Frieda had het sterke vermoeden dat hij fooien aannam van meisjes van plezier zodat ze het hotel in konden, maar geen van ons had hem ooit kunnen betrappen of iets kunnen bewijzen. Geflankeerd door twee stenen zuilen die elk een lantaarn droegen die zo groot was als een houwitsergranaat van tweeënveertig centimeter, bleven Carl en ik even buiten staan om een sigaret te roken en onze longen te trainen. Boven de deur zat een lachend gezicht, uitgehouwen in steen. Ongetwijfeld lachte dat gezicht omdat het de prijzen van de kamers van het hotel onder ogen had gehad. Vijftien mark per nacht, bijna een derde van mijn weekinkomen.

Ik liep de entree in, tikte tegen mijn vochtige hoed ter begroeting van de nieuwe receptionist en knipoogde naar de piccolo's. Er hingen er ongeveer acht van hen rond. Ze zaten te gapen op een bank van glimmend geboend hout, als een kolonie vervelende apen, wachtend op een lampje dat hen zou ontbieden. Het Adlon had geen bellen. Het was er altijd even rustig als in de grote leeszaal van de Pruisische staatsbibliotheek. Ik neem aan dat de gasten dat op prijs stelden, maar ik had liever wat meer actie en vulgariteit. De bronzen buste van de *Kaiser* op de schouw van marmer uit Siena die zo groot was als de nabijgelegen Brandenburger Tor leek hetzelfde te denken.

'Hallo.'

'Hebt u het tegen mij, meneer?'

'Wat doe je hier, Gunther?' zei de Kaiser terwijl hij aan de punt van zijn snor draaide die de vorm had van een vliegende albatros. 'Je moet voor jezelf beginnen. Dit moment is bij uitstek geschikt voor tuig zoals jij. Met al die vermiste mensen in deze stad kan een ondernemend type als jij goud verdienen als privédetective. Hoe eerder hoe beter, zou ik zeggen. Je wilt toch niet beweren dat je geschikt bent om in een oord als dit te werken? Niet met die grote voeten van je. Om nog maar niet te spreken van je manieren.'

'Wat deugt er niet aan mijn manieren, meneer?'

De Kaiser lachte. 'Moet je jezelf horen. Dat accent alleen al. Vreselijk. En bovendien kun je niet eens overtuigend "meneer" zeggen. Je hebt absoluut geen gevoel voor dienstbaarheid. En daarom ben je zo goed als waardeloos in het hotelwezen. Ik kan me niet voorstellen waarom Louis Adlon je heeft aangenomen. Je bent een schurk. En dat zul je altijd blijven. Waarom zou je anders die arme kerel hebben vermoord, die Krichbaum? Geloof me, je hoort hier niet thuis.'

Ik keek om me heen, naar de luxueus ingerichte entreehal. Al die vierkante pilaren met de kleur van geklaarde boter. Overal zag je marmer, op de vloeren, aan de muren. Het leek wel of een of andere marmergroeve uitverkoop had gehouden. De Kaiser had gelijk. Als ik hier nog lang bleef, zou ik zelf in marmer veranderen, als een gespierde Griekse held zonder broek.

'Ik zou graag ontslag nemen, meneer,' zei ik tegen de Kaiser. 'Maar ik kan het me niet veroorloven. Nog niet. Het kost een hoop geld om een bedrijf op te zetten.'

'Waarom ga je niet naar iemand van je stam? Daar kun je toch wel geld lenen?'

'Mijn stam? U bedoelt…'

'Een kwart Joods? Daar heb je toch zeker wat aan als je wat contant geld bij elkaar wilt sprokkelen?'

Ik voelde verontwaardiging en woede opstijgen, alsof iemand me in mijn gezicht had geslagen. Ik had iets lomps terug kunnen zeggen. Ik was nou eenmaal een schurk. Wat dat betreft had hij gelijk. Maar ik besloot toch maar zijn opmerkingen te negeren. Hij was en bleef tenslotte de Kaiser.

Ik liep naar de bovenste verdieping en begon aan een nachtelijke ronde in het niemandsland dat op dit tijdstip bestond uit schaars verlichte overlopen en gangen. Mijn voeten waren groot, dat was juist, maar op de dikke Perzische tapijten liep ik toch zo goed als geruisloos. Afgezien van het lichte gekraak van mijn beste leren Salamanders had ik de geest kunnen zijn van Herr Jansen, de assistent-hotelmanager die zichzelf had doodgeschoten na een schandaal dat te maken had met een Russische spion, lang geleden in 1913. Er werd gezegd dat Jansen de revolver in een dikke badhanddoek had gewikkeld om te voorkomen dat de hotelgasten gestoord zouden worden door het geluid van het schot. Ik weet zeker dat ze zijn voorkomendheid hebben gewaardeerd.

Ik liep de zijvleugel aan de kant van de Wilhelmstraße in, sloeg een hoek om en zag de gestalte van een vrouw die een lichte zomerjas droeg. Ze klopte zachtjes op een deur. Ik bleef staan om te kijken wat er ging gebeuren. De deur bleef dicht. Ze klopte opnieuw en dit keer drukte ze haar gezicht tegen het hout en zei: 'Hé doe open. U hebt Pension Schmidt gebeld omdat u vrouwelijk gezelschap wilde. Weet u nog? Nou, hier ben ik dan.' Ze wachtte even en voegde er toen aan toe: 'Wilt u dat ik u pijp? Ik hou van pijpen. Ik ben er ook goed in.' Ze slaakte een zucht van ergernis. 'Luister, heer, ik weet dat het een tikkeltje laat is, maar het is niet gemakkelijk om een taxi te krijgen als het regent, dus laat me nou maar binnen, oké?'

'Daar hebt u gelijk in,' zei ik. 'Ik moet zelf ook hevig op zoek. Naar een taxi.'

Ze draaide zich om en keek me zenuwachtig aan. Ze legde een hand op haar borst en hapte naar adem. Even later veranderde dat in een lach. 'O, u hebt me zó laten schrikken,' zei ze.

'Dat spijt me. Ik wilde u niet laten schrikken.'

'Nee, dat geeft niet. Is dit uw kamer?'

'Helaas niet.' Ik meende het nog ook. Zelfs in het schemerige licht kon ik zien dat ze een schoonheid was. Ze rook in ieder geval wel zo. Ik liep op haar toe.

'U zult wel denken dat ik gek ben,' zei ze. 'Maar ik geloof dat ik mijn kamernummer niet meer weet. Ik zat beneden met mijn echtgenoot te dineren. We hadden ergens ruzie over en hij is boos weggelopen. En nu weet ik niet meer of dit onze kamer is of niet.'

Frieda Bamberger zou haar eruit hebben gegooid en de politie hebben gebeld. En normaal gesproken zou ik hetzelfde hebben gedaan, maar ergens tussen het Pavilion en het Adlon had ik besloten iets vergevingsgezinder te worden, iets minder snel geneigd tot oordelen. En iemand in zijn maag stompen zou ik zeker niet meer zo snel doen. Ik grijnsde, en genoot van haar lef. 'Misschien kan ik iets voor u doen,' zei ik. 'Ik werk hier, in dit hotel. Hoe heet uw echtgenoot?'

'Schmidt.'

Het was een verstandige naamkeuze, want het was mogelijk dat ik haar die naam al had horen noemen. Het enige probleem was dat ik wist dat Pension Schmidt het duurste bordeel van Berlijn was.

'Mmm-hmm.'

'Misschien kunnen we beter naar beneden gaan, dan kunnen we bij de receptie vragen welk kamernummer ik had.' Dat zei zij, niet ik. Echt een koele kikker.

'O, ik weet zeker dat u de goede kamer had. Ik heb Kitty Schmidt er nog nooit op kunnen betrappen dat ze zich vergiste in zoiets elementairs als het juiste kamernummer voor een van haar dames.' Ik tikte met de rand van mijn hoed tegen de deur. 'Maar soms veranderen de klanten van mening. Ze denken opeens aan hun vrouw en kinderen en aan hun seksuele gezondheid en dan durven ze niet meer. Hij zit waarschijnlijk binnen te luisteren en doet alsof hij slaapt, of maakt aanstalten om een klacht in te dienen bij de manager als ik hem wek en hem beschuldig van het benaderen van een callgirl.'

'Ik denk dat iemand een fout heeft gemaakt.'

'En u hebt die fout gemaakt.' Ik pakte haar bij de arm. 'U kunt maar beter met mij meelopen, Fräulein.'

'Wat als ik ga schreeuwen?'

Ik grijnsde. 'Dan worden de gasten wakker. Dat zou u toch niet willen? De nachtmanager zou komen en ik zou gedwongen zijn de politie te bellen en ze zouden u de hele nacht vasthouden.' Ik zuchtte. 'Aan de andere kant, het is laat, ik ben moe en ik zet u liever zelf op straat.'

'Goed dan,' zei ze opgewekt. Ze liet zich terug door de gang meevoeren naar de trap waar meer licht brandde.

Toen ik haar eens goed bekeek, zag ik dat de lange jas die ze droeg mooi met bont was afgezet. Eronder droeg ze een paarsblauwe jurk die was gemaakt van materiaal zo fijn als spinrag, ondoorschijnende, glanzende kousen van witte zijde, elegante grijze schoenen, lange parelsnoeren en een paarsblauw clochehoedje. Haar haar was bruin en vrij kort geknipt. Haar ogen waren groen en ze was mooi, op een tengere, jongensachtige manier die nog steeds in de mode was, hoewel de nazi's er alles aan deden om vrouwen ervan te overtuigen dat het beter was om in uiterlijk en kledij te lijken op een melkmeid. En waarschijnlijk nog te ruiken als een melkmeid ook. Het meisje naast me had er niet minder als een melkmeid uitgezien als ze was gearriveerd op een schelp die werd voortgeblazen door een aantal Zefiers.

'Belooft u dat u me niet overdraagt aan de politie?' zei ze op weg naar beneden.

'Zolang u zich gedraagt, beloof ik dat, ja.'

'Want als ik voor de rechter kom, stopt hij me in de cel en verlies ik mijn baan.'

'Noemt u dat zo?'

'O, ik bedoel niet het van-dattum-werk,' zei ze. 'Dat doe ik alleen omdat het wat extra geld schuift zodat ik mijn moeder kan helpen. Nee, ik doelde op mijn echte baan. Als ik die kwijtraak zou ik een fulltime dame van plezier moeten worden en dat zou ik niet leuk vinden. Een paar jaar geleden was het misschien nog anders. Maar tegenwoordig is er veel veranderd. Het is veel minder tolerant geworden.'

'Hoe kom u daar nou bij?'

'Maar met u valt wel te praten, lijkt me.'

'Daar denken sommigen anders over,' zei ik bitter.

'Hoezo?'

'Niks.'

'U bent toch niet Joods?'

'Zie ik eruit als een Jood?'

'Nee, dat niet. Het was meer de manier waarop u zei wat u zei. U zei wat Joden soms zeggen. Niet dat het mij een moer kan schelen wat een man is. Ik begrijp niet waarom al die drukte nodig is. Ik moet de Jood nog ontmoeten die op een van die stomme spotprenten lijkt. En ik kan het weten. Ik werk voor een Jood die de liefste man is die je maar kunt tegenkomen.'

'Wat doet u precies?'

'U hoeft niet zo'n toon aan te slaan hoor. Ik ga niet met hem naar bed, als u dat soms bedoelt. Ik werk als stenotypiste bij Odol. Dat tandpastabedrijf.' Ze glimlachte opgeruimd alsof ze met haar tanden wilde pronken.

'In het Europa Haus?'

'Ja. Wat is daar zo leuk aan?'

'Niks. Ik kom er net vandaan. Eigenlijk was ik op zoek naar u.'

'Op zoek naar mij? Hoezo?'

'Laat maar. Wat voor werk doet uw chef?'

'Hij is hoofd van de juridische afdeling.' Ze glimlachte. 'Ik weet het. Het is nogal een tegenstelling hè? Ik op de juridische afdeling.'

'Is uw werk als hoer puur een hobby?'

Ze haalde haar schouders op. 'Zoals ik al zei heb ik het extra geld nodig, maar dat is slechts een deel van het verhaal. Hebt u *Grand Hotel* gezien?'

'Die film? Jazeker.'

'Vond je hem niet schitterend?'

'Kon ermee door.'

'Ik geloof dat ik een beetje op Flämmchen lijk. Dat meisje dat gespeeld wordt door Joan Crawford. Ik ben dol op grote hotels zoals in die film. Net als het Adlon. "Mensen komen. Mensen gaan. Er gebeurt nooit iets." Maar zo is het natuurlijk helemaal niet. Er gebeurt juist veel in zo'n oord als dit. Veel meer dan er gebeurt in de levens van de meeste gewone mensen. Ik hou van de sfeer in dit hotel. Ik hou van de glamour. Ik hou van hoe de lakens voelen. En die grote badkamers. U hebt geen idee hoe dol ik ben op de badkamers in dit hotel.'

'Is het niet een beetje gevaarlijk? Dames van plezier kunnen iets overkomen. Er zijn genoeg mannen in Berlijn die iemand graag een beetje pijn doen. Hitler. Göring. Hess. Om er maar drie te noemen.'

'Dat is nog een reden om naar een hotel als het Adlon te komen. De meeste *Fritzen* die hier komen, weten hoe ze zich moeten gedragen. Ze behandelen je met respect. Beleefd. Bovendien hoef ik alleen maar te schreeuwen als er iets misgaat en dan komt er iemand als u op de proppen. Wie bent u trouwens? Zo te zien bent u niet de receptionist. Niet met die grote klauwen. En u bent niet de huisdetective. Tenminste niet degene die ik eerder heb gezien.'

'U hebt het allemaal op een rijtje,' zei ik, haar vragen negerend.

'In dit soort werk loont het om alles op een rijtje te hebben.'

'En bent u een goede stenotypiste?'

'Ik heb nooit enige klachten gehad. Ik heb diploma's steno en typen van de secretaresseopleiding op de Kurfürstendamm. En ik heb een diploma van de middelbare school.'

We kwamen in de entreehal waar de nieuwe receptionist ons argwanend aankeek. Ik koerste het meisje nog een trap omlaag, naar het souterrain.

'Ik dacht dat u me eruit ging gooien,' zei ze, terwijl ze omkeek naar de ingang.

Ik gaf geen antwoord. Ik dacht na. Waarom zou ik Ilse Szrajbman niet vervangen door dit meisje? Ze was knap, goed gekleed, voorkomend, intelligent, en, als ik haar mocht geloven, ook nog een goede stenotypiste. Dat laatste was gemakkelijk te controleren. Ik hoefde haar alleen maar achter een typemachine te zetten. Ik had net zo goed naar het Europa Haus kunnen gaan, hield ik mezelf voor, en haar hebben ontmoet en haar een baan hebben aangeboden, zonder te weten op welke manier ze wat extra geld bij elkaar sprokkelde.

'Heb je een strafblad?'

De meeste Duitsers vonden dat hoeren nauwelijks beter waren dan criminelen, maar ik had genoeg dames van plezier gekend in mijn leven om te weten dat dat voor veel hoeren niet opging. Vaak waren ze bedachtzaam, beschaafd en slim. Bovendien was dit niet bepaald een groentje. Het was duidelijk dat ze wist hoe ze zich in een groot hotel als het Adlon moest gedragen. Ze was niet echt een dame, maar ze wist wel hoe ze zich moest gedragen om een dame te lijken.

'Ik? Niet tot dusver.'

Maar toch. Al mijn ervaring als politieman zei me dat ik haar niet moest vertrouwen. Aan de andere kant hadden mijn recente ervaringen als Duitser me geleerd niemand te vertrouwen.

'Goed dan. Loop mee naar mijn kantoor. Ik heb een voorstel.'

Ze bleef op de trap staan. 'Ik heb geen soepkeuken, meneertje.'

'Rustig maar. Ik hoef geen soep. Bovendien ben ik het romantische type. Ik verwacht minstens dat iemand me meeneemt naar de Krollgarten. Ik hou van bloemen en champagne en van chocolade van Von Hövel. Daarna, als ik op de betreffende dame val, neem ik haar misschien mee om te winkelen bij Gersons. Maar ik moet je waarschuwen. Het kan een tijdje duren voor ik me voldoende op mijn gemak voel om een weekendje met u door te brengen in Baden-Baden.'

'U hebt een dure smaak, Herr...?'

'Gunther.'

'Helemaal mee eens. Ik heb zelf bijna precies dezelfde smaak.'

'Ik had al zo'n voorgevoel.'

We liepen het detectivekantoor binnen. Het was een kamer zonder ramen met een veldbed, een lege haard, een stoel, een bureau en een wasbakje met kraan. Op een plank boven de wasbak stonden een scheermes en een scheerkom. We beschikten ook over een strijkplank en -ijzer, zodat we zelf ons hemd konden strijken om er enigszins fatsoenlijk uit te zien. Fritz Muller, de andere huisdetective, had een sterke zweetlucht in de kamer achtergelaten, maar de geur van sigaretten en verveling was helemaal van mij. Ze trok haar neus op van afkeer.

'Dus zo ziet het leven er beneden uit, huh? Ik wil u niet beledigen, maar vergeleken met de rest van het hotel is het hier nogal povertjes.'

'Dat zou ook voor Charlottenburg gelden. Wat betreft dat voorstel, Fräulein...?'

'Bauer. Dora Bauer.'

'Is dat je echte naam?'

'U zou het niet leuk vinden als ik u een andere gaf.'

'En kun je dat bewijzen?'

'Heer, we zitten hier in Duitsland.'

Ze opende haar tas. Er zaten allerlei documenten in. Een daarvan viel me op, een document gevat in rood varkensleer.

'Ben je partijlid?'

'In mijn beroep is het aan te bevelen om over de beste documenten te beschikken. Dit document voorkomt allerlei lastige vragen. De meeste agenten laten je met rust zodra ze je partijkaart zien.'

'Dat geloof ik graag. Wat is dat gele document?'

'Mijn lidmaatschap van de *Kulturkammer*. Als ik niet typ of hoereer, werk ik als actrice. Het leek me dat ik als partijlid gemakkelijker aan rollen zou komen. Maar tot nu toe heeft het nog niks opgeleverd. Het laatste stuk waarin ik heb gespeeld was *De Doos van Pandora* bij de *Kammer-spiele* in de Schumann Straße. Ik speelde Lulu. Dat is drie jaar geleden. En nu typ ik voor Herr Weiss bij Odol en ondertussen droom ik van iets beters. Maar wat wilt u nou precies van mij?'

'Nou, kijk. We krijgen hier in het Adlon heel wat zakenmensen. Heel wat van hen hebben tijdelijk een stenotypiste nodig. Ze betalen goed. Veel meer dan het gebruikelijke kantoortarief. Misschien niet zo veel als je per uur op je rug verdient, maar veel meer dan bij Odol. Daarbij is het eerlijk werk, en bovendien is het veilig. En het zou betekenen dat je geheel legitiem het Adlon in en uit kunt lopen.'

'Meent u dat?' Ze klonk echt geïnteresseerd en opgetogen. 'Hier werken? In het Adlon? Echt waar?'

'Natuurlijk meen ik dat.'

'Eerlijk?'

Ik glimlachte en knikte.

'U glimlacht, Gunther, maar geloof me, tegenwoordig hebben bijna alle baantjes die je als vrouw krijgt aangeboden iets verdachts.'

'Kan Herr Weiss u een referentie meegeven?'

'Als ik het aardig vraag, geeft hij me alles wat ik wil.' Ze glimlachte ijdel.

'Bedankt. Zeer bedankt, Gunther.'

'Maar stel me niet teleur, Dora. Als je dat wel doet…' Ik schudde mijn hoofd. 'Niet doen, oké? Wie weet? Misschien trouw je nog wel met de minister van Binnenlandse Zaken. Met die documenten in je handtas zou me dat niet verbazen.'

'Hé, u bent een wonderdoener, weet u dat wel?'

'Was dat maar waar, Dora, was dat maar waar.'

5

De volgende dag rapporteerde de gast in suite 114 een geval van diefstal. Dit was een van de vip-kamers, precies boven het kantoor van de Noord-Duitse vestiging van Lloyds. Vergezeld door de hotelmanager Herr Behlert ging ik bij hem langs om met hem te praten. Max Reles was een Amerikaan van Duitse afkomst uit New York. Hij was lang, krachtig, kalend en had voeten als schoenendozen en vuisten zo groot als basketballen. Hij leek meer op een politieman dan op een zakenman, maar dan wel een politieman die zich zijden dassen van Sparmann kon veroorloven en pakken (even aangenomen dat hij geen rekening hield met de Joodse boycot) van Rudolf Hertzog. Hij had een luchtje op en droeg diamanten manchetknopen die bijna net zo glansden als zijn schoenen.

Behlert en ik gingen de suite binnen. Reles keek naar hem en naar mij met ogen die even smal waren als zijn mond. Van de uitdrukking op zijn stuurse gelaatstrekken ging een permanente dreiging uit. Ik had minder strijdlustige koppen gezien op de schilderingen in een kerk.

'Dat werd tijd,' zei hij nors. Hij nam me van top tot teen op, alsof ik de meest onervaren rekruut in zijn peloton was. 'Wat bent u? Een politieman? Verdomd, u ziet eruit als een politieman.' Hij keek naar Behlert met iets dat niet ver verwijderd was van medelijden en vulde aan: 'Verdomme, Behlert, wat is dit voor een vlooiencircus dat jullie hier hebben, stelletje uilskuikens. Jezus christus, als dit Berlijns beste hotel is dan zou ik niet graag het slechtste te zien krijgen. Ik dacht dat jullie nazi's de misdaad streng aanpakten. Daar gaan jullie toch prat op? Of is dat gewoon lulpraat voor de massa?'

Behlert probeerde Reles te kalmeren, maar dat was vergeefs. Ik besloot hem even te laten uitrazen.

Achter de hoge ramen lag een groot stenen balkon, waar je, al naar gelang je voorkeur, kon wuiven naar je bewonderende publiek of te keer kon gaan tegen de Joden. Of misschien allebei. Ik liep naar het raam, trok de vitrage opzij en tuurde naar buiten, wachtend tot hij was afgekoeld. Als hij dat punt ooit zou bereiken. Dat betwijfelde ik. Hij sprak uitstekend Duits voor een Amerikaan, hoewel hij iets zangeriger sprak dan wij Berlijners doen. Een beetje als iemand uit Beieren, en dat verraadde hem.

'Daarbuiten zul je de dief niet vinden, kerel.'

'Toch zit hij daar waarschijnlijk,' zei ik. 'Ik kan me niet voorstellen dat de dief nog in het hotel is. U wel?'

'Wat is dat? Duitse logica? Godverdomme, wat is er met jullie aan de hand? Jullie zouden je iets betrokkener kunnen tonen.'

Hij smeet een sigaar die walmde als een gasgranaat naar het raam voor me. Behlert sprong naar voren en raapte hem op. Het was óf dat, óf het tapijt laten branden.

'Misschien kunt u ons vertellen wat er is verdwenen, meneer,' zei ik, terwijl ik hem recht aankeek. 'En waarom u denkt dat het is gestolen.'

'Waarom ik dat denk? Jezus, noem je mij een leugenaar?'

'In het geheel niet, Herr Reles. Dat zou ik pas durven doen als ik zekerheid had over alle feiten.'

De norsheid van Reles sloeg om in verwarring omdat hij niet wist of hij werd beledigd of niet. Zelf wist ik dat ook niet helemaal zeker.

Ondertussen hield Behlert de kristallen asbak op voor Reles als een misdienaar die de priester assisteert bij het geven van de communie. De sigaar zelf, nat en bruin, leek op iets dat was achtergelaten door een kleine hond en misschien was dat de reden dat Reles hem niet meer in zijn mond wilde steken. Hij lachte spottend en korzelig en maakte een wegwerpgebaar met zijn hand. Op dat moment zag ik dat hij diamanten ringen om beide pinken droeg, en dat hij volmaakt gemanicuurde, roze vingernagels had. Het was alsof je een roos ontdekte op de bodem van het spuwbakje van een bokser.

Behlert, die halverwege tussen mij en Reles stond, deed me vaag denken aan een scheidsrechter die boksers aan de spelregels herinnert. Ik was niet erg dol op Amerikanen met een grote mond, zelfs niet als ze een grote mond opzetten in perfect Duits, en buiten het hotel had ik dat zeker laten blijken.

'En hoe zit het met jou, Fritz?' vroeg Reles me. 'Je lijkt me te jong voor een huisdetective. Dat is een baantje voor een gepensioneerde politieman, niet voor een jonge vent als jij. Tenzij je natuurlijk een communist bent. De nazi's zouden niet willen dat iemand van de politie communist was. Zelf ben ik trouwens ook niet erg dol op die rooie rakkers.'

'Ik zou hier niet werken als ik een rode was, Herr Reles. De bloem-schikster van het hotel zou dat niet leuk vinden. Ze houdt meer van wit dan van rood. En dat geldt ook voor mij. Bovendien gaat het nu niet om mijn verhaal, maar om het uwe. Dus zullen we ons daarop concentreren? Luister, meneer, ik zie dat u overstuur bent. Zelfs Helen Keller zou kun-nen zien dat u overstuur bent, maar we moeten wel kalm blijven en vast-stellen wat hier is gebeurd, anders komen we nergens.'

Reles grijnsde en deed een greep naar de sigaar, net op het moment dat Behlert de asbak wilde wegzetten. 'Helen Keller, hè?' Hij grinnikte en stak de sigaar weer in zijn mond en pafte hem weer tot leven. Maar de tabak leek de laatste restanten van zijn goede humeur te bederven en hij keerde terug tot zijn basishumeur, wat leek op een toestand van verholen woe-de. Hij wees op een ladekast. Zoals het meeste meubilair in zijn suite was het een licht gekleurd biedermeierkastje. Het zag eruit alsof er een dun laagje honing op lag.

'Op dat ladekastje stond een Chinese doos van gelakt hout. Het was een stuk uit de zeventiende eeuw, Mingdynastie, en het was waardevol. Het was ingepakt en klaar om verzonden te worden naar iemand in de Verenigde Staten. Ik weet niet precies wanneer het is verdwenen. Het kan gisteren zijn gebeurd. Of eergisteren.'

'Hoe groot was die doos?'

'Ongeveer twintig inch lang, een *foot* breed en drie of vier inch diep.'

Ik probeerde de maten om te rekenen in centimeters en gaf het op.

'Op de deksel staat een opvallende schildering. Chinese ambtenaren die aan de rand van een meer zitten.'

'Verzamelt u Chinese kunst, meneer?'

'Welnee. Dat is mij… veel te Chinees. Ik hou meer van kunst van eigen bodem.'

'De doos was dus ingepakt. Is het mogelijk dat u de conciërge hebt ge-vraagd hem op te halen en dat u dat later bent vergeten? Soms zijn we ef-ficiënter dan we zelf willen.'

'Ik geloof niet dat me dat is opgevallen,' zei hij.

'Wilt u de vraag alstublieft beantwoorden.'

'Jij hebt bij de politie gewerkt, of niet soms?' Reles zuchtte en streek met zijn vlakke hand over zijn haar, alsof hij wilde controleren of het er nog zat. Veel haar had hij niet. 'Dat heb ik gecontroleerd, nou goed? Nie-mand heeft hem opgehaald.'

'Dan heb ik nog één vraag, meneer. Wie heeft er nog meer toegang tot deze kamer? Iemand met een sleutel misschien? Of iemand die u hier hebt uitgenodigd?'

'U bedoelt?'

'Precies wat ik zei. Wie kan die doos hebben meegenomen?'

'Afgezien van het kamermeisje, bedoelt u?'

'Uiteraard ga ik nog met haar praten.'

Reles schudde zijn hoofd. Behlert schraapte zijn keel en maakte met een handgebaar duidelijk dat hij tussenbeide wilde komen.

'Ik weet wel iemand,' zei hij.

'Waar heb je het over, Behlert?' snauwde Reles.

De manager wees naar een bureautje bij het raam, waar een fonkelnieuwe draagbare Torpedo-typemachine stond tussen twee stapeltjes briefpapier. 'Kwam Fräulein Szrajbman hier niet elke dag om voor u als stenotypiste te werken? Tot een paar dagen geleden?'

Reles beet op zijn knokkels. 'Verdomde trut,' gromde hij en hij smeet zijn sigaar weer van zich af. Deze keer vloog hij door de deur van de naastgelegen badkamer, raakte de porseleinen wand en belandde veilig in de badkuip ter grootte van een onderzeeër. Behlert trok zijn wenkbrauwen hoog op en ging de sigaar maar weer ophalen.

'U hebt gelijk,' zei ik. 'Ik heb bij de politie gewerkt. Ik heb bijna tien jaar op de afdeling Moordzaken gewerkt, totdat mijn trouw aan de republiek en aan de basisprincipes van gerechtigheid me overbodig maakten. Maar al doende heb ik een goede neus voor rechercheonderzoek ontwikkeld. Enfin. Het is me duidelijk dat u denkt dat zij die doos heeft meegenomen, en bovendien dat u vrij goed weet waarom. Op het politiebureau zou ik u daar over doorvragen. Maar aangezien u te gast bent in dit hotel is het aan u of u ons dit wilt vertellen of niet. Meneer.'

'We hebben onenigheid over geld gehad,' zei hij kalm. 'Over het aantal uren dat ze had gewerkt.'

'Is dat alles?'

'Natuurlijk. Wilt u soms iets anders suggereren?'

'Ik suggereer niets. Maar ik heb Fräulein Szrajbman goed gekend. Ze was zeer gewetensvol. Dat is dan ook de reden dat het Adlon haar bij u heeft aanbevolen.'

'Ze is een dievegge,' zei Reles vlak. 'Wat gaan jullie daar verdomme aan doen?'

'Ik zal de zaak meteen overdragen aan de politie, als u dat wilt.'

'Nou en of ik dat wil. Zeg maar tegen je oude collega's dat ze langsko-
men, dan zorg ik wel dat ze een aanhoudingsbevel kunnen opstellen. Of
hoe doen jullie platvoeten dat hier in dit worstland? Wat ze maar willen.
En nu opdonderen voordat ik mijn kalmte verlies.'

Ik had bijna gezegd dat hij zijn kalmte moest bewaren om hem te kunnen verliezen, en dat zijn ouders hem dan misschien wel goed Duits hadden geleerd maar geen goede Duitse manieren. Maar in plaats daarvan
hield ik mijn mond. Als je een goed hotel hebt, hoort dat erbij, verzekerde Hedda Adlon me altijd.

Je moest tegenwoordig ook je mond houden om een goede Duitser te
zijn, maar dat is irrelevant.

6

Een stel Schupo's met leren beenkappen en rubberlaarzen tegen de neer-stromende regen stonden op wacht bij de hoofdingang van het *Polizei Praesidium* op de Alexanderplatz. Het woord 'praesidium' betekent 'be-scherming' in het Latijn, maar het Alex werd nu geleid door een stel boe-ven en moordenaars dus was het moeilijk in te zien wie wie beschermde, en tegen wie. De twee geüniformeerde agenten hadden een soortgelijk probleem. Ze herkenden mij van gezicht en wisten niet of ze moesten sa-lueren of me tegen de grond moesten slaan.

Zoals altijd rook de hal naar sigaretten, slechte koffie, ongewassen lichamen en worst. Toen ik aankwam was net de lokale worstverkoper opgedoken om gekookte worst te verkopen aan de politiemensen die achter hun bureau lunchten. Deze Max – ze werden altijd Max genoemd – droeg een witte jas, een hoge hoed en het traditionele snorretje dat hij onder zijn neus had getekend met een wenkbrauwpotlood. Zijn snor was groter dan ik me herinnerde en waarschijnlijk zou dat zo blijven zo-lang Hitler die postzegel op zijn bovenliep hield. Maar ik vroeg me vaak af of iemand ooit aan Hitler had durven vragen of hij gas kon ruiken. Want zo zag hij eruit: als een gassnuffelaar. Soms zag je van die mannen die lange pijpen in gaten onder de weg staken en dan snoven ze aan het uiteinde om te controleren of er gas lekte. Dat liet ook altijd zo'n vuile veeg achter op de bovenlip.

'Ik heb u al een tijdje niet meer gezien, Herr *Kommissar*,' zei Max. De grote metalen waterkoker die aan een riem om zijn nek hing, deed den-ken aan een accordeon die op stoom werkte.

'Ik ben er een tijdje tussenuit geweest. Ik moet iets verkeerds gegeten hebben.'

'Heel grappig, meneer.'

'Zeg het maar tegen hem, Bernie,' zei een stem. 'We hebben meer dan genoeg worst op het Alex, maar er wordt niet genoeg gelachen.'

Ik keek om en zag Otto Trettin door de hal lopen.

'Wat doe jij hier?' vroeg hij. 'Ga me niet vertellen dat je hier komt werken als nieuweling.'

'Ik kom aangifte doen namens het Adlon.'

'De grootste misdaad in het Adlon is de prijs voor een schotel met worst, wat jij, Max?'

'Dat is maar al te waar, Herr Trettin.'

'Maar daarna,' zei ik, 'wilde ik je op een biertje trakteren.'

'Eerst bier,' zei Otto. 'Die aangifte komt daarna wel.'

Otto en ik liepen naar Zum aan de overkant van de straat, onder de bogen van het S-Bahnstation. Politiemensen vonden dat een prettig café omdat er om de paar minuten een metro voorbij denderde en het moeilijk was om afgeluisterd te worden. En volgens mij was dat vooral voor Otto Trettin van belang, want het was algemeen bekend dat hij rommelde met zijn onkosten en waarschijnlijk was hij er niet afkerig van hier en daar wat smeergeld aan te nemen. Toch was hij nog steeds een goede politieman, een van de beste van het Alex. Hij stamde nog uit de tijd van voor de politieke zuivering en hoewel hij geen partijlid was, leken de nazi's hem wel te mogen. Otto was nogal tactloos, altijd geweest ook; het pak slaag dat hij aan de gebroeders Sass had gegeven was legendarisch. Het was toentertijd een serieuze inbreuk op de beroepsethiek van de politie geweest, hoewel die broers het zeker hadden verdiend. Ongetwijfeld was dit een van de redenen waarom hij populair was bij het nieuwe regime. De nazi's hielden wel van het ruigere werk. Wat dat betreft was het misschien vreemd dat ik zelf niet meer bij de politie werkte.

'Ik neem een Landwehr Top,' zei Trettin.

'Tweemaal,' zei ik tegen de barman.

Een Landwehr Top was een glas bier met brandewijn en was vernoemd naar het beroemde kanaal van Berlijn, waarvan het water vaak was vervuild met een laagje olie of benzine. We goten de drank naar binnen en bestelden nog twee glazen.

'Je bent een klootzak, Gunther,' zei Otto. 'Nu jij weg bent heb ik niemand meer om mee te praten. Ik kan niemand meer vertrouwen, bedoel ik.'

'En je teerbeminde coauteur Erich dan?'

Trettin en Erich Liebermann von Sonnenberg hadden een jaar geleden samen een boek gepubliceerd. *Criminele Zaken* was weinig meer dan een serie verhalen die uit de oudste dossiers van de Kripo bij elkaar waren gesprokkeld. Maar niemand twijfelde eraan dat die twee er goed aan hadden verdiend. Rommelen met zijn onkosten, te veel overuren declareren, af en toe wat smeergeld aanpakken, nu dan weer een boek dat al in het Engels was vertaald; Otto Trettin wist hoe hij geld moest verdienen.

'Erich? We zien elkaar niet zo vaak meer nu hij hoofd is van de Berlijnse Kripo. Hij gedraagt zich tegenwoordig als een opgeblazen kikker. Je hebt me in de steek gelaten, weet je dat?'

'Ik heb geen medelijden met je. Niet na dat flutboek van je. Je hebt over een van mijn zaken geschreven zonder mijn naam te noemen. Je hebt alle eer aan Von Bachman gegeven. Dat had ik nog kunnen begrijpen als hij een nazi was geweest. Maar dat is niet zo.'

'Hij heeft me betaald om zijn naam te noemen. Honderd mark, zodat hij een goeie indruk kon maken.'

'Dat meen je niet.'

'Toch wel. Niet dat dat er nu nog toe doet. Hij is dood.'

'Dat wist ik niet.'

'Dat wist je wel. Je bent het vergeten, dat is alles. Zo is Berlijn tegenwoordig. Allerlei mensen zijn dood en we vergeten ze gewoon. Fatty Arbuckle. Stefan George. Hindenburg. Bij het Alex is het niet anders. Neem die agent die onlangs is vermoord. Zijn naam is nu al vergeten.'

'August Krichbaum.'

'Door iedereen, behalve door jou.' Hij schudde zijn hoofd. 'Snap je wat ik bedoel? Jij bent een goeie politieman. Je had nooit weg moeten gaan.' Hij hief zijn glas. 'Op de doden. Waar zouden we zijn zonder hen?'

'Rustig aan,' zei ik terwijl hij zijn glas voor de tweede keer leegdronk.

'Ik heb een vreselijke ochtend achter de rug. Ik ben naar de Plötzensee-gevangenis geweest met een stel topmensen van de Berlijnse politie, en de Führer. Nu moet je vragen waarom.'

'Waarom?'

'Omdat de hoge heren de vallende bijl in actie wilden zien.'

De 'vallende bijl' was onze zonderlinge Duitse benaming voor de guillotine.

Otto wenkte de barman voor de derde keer.

'Ben je naar een executie geweest, samen met Hitler?'

'Dat klopt.'

'Daar heeft niets over in de krant gestaan. Wie was het?'

'Een of andere zielige communist. Eigenlijk nog een kind. Hoe dan ook, Hitler keek toe en verkondigde dat hij zeer onder de indruk was. Zozeer dat hij twintig nieuwe vallendebijlmachines heeft besteld bij de fabrikant in Tegel. Eén voor elke grote stad in Duitsland. Bij zijn vertrek glimlachte hij. Dan kan ik van die arme communist niet zeggen. Ik heb het nooit eerder gezien. Kennelijk is het idee afkomstig van Göring. Iets over het gewicht van de historische missie die op onze schouders rust, of dergelijke onzin. Nou, ik kan je vertellen dat zo'n vallende bijl ook heel wat gewicht heeft. Heb je er ooit een gezien?'

'Eén keer. Gormann de Wurger.'

'O, ja. Dan weet je hoe het is.' Otto schudde zijn hoofd. 'Mijn god, ik zal het van mijn leven niet meer vergeten. Dat vreselijke geluid. Maar die communist was best dapper. Toen hij zag dat Hitler in het publiek zat, begon hij "De Rode Vlag" te zingen. In ieder geval tot iemand hem sloeg. Nu moet je vragen waarom ik je dit allemaal vertel.'

'Omdat je mensen graag doodsbang maakt, Otto. Jij bent altijd het gevoelige type geweest.'

'Ik vertel het aan jou, Bernie, omdat mensen als jij het moeten weten.'

'Mensen zoals ik? Wat bedoel je daarmee?'

'Jij bent niet op je mondje gevallen, jochie. Daarom moet jij weten dat die klootzakken het menen. Ze hebben de macht en ze willen aan de macht blijven, ten koste van wat dan ook. Vorig jaar waren er maar vier executies in de Plötzensee-gevangenis. Dit jaar zijn het er al twaalf. En het wordt nog erger.'

Een metro denderde boven ons hoofd voorbij, zodat elke conversatie een minuut lang zinloos was. Het klonk als een heel grote, heel traag vallende bijl.

'Dat is het rare met dingen die slechter gaan,' zei ik. 'Net als je denkt dat het niet erger kan, gaat het nog slechter. Dat zei die vent van de Joodse afdeling van de Gestapo tenminste. Er zijn nieuwe wetten in de maak die bepalen dat mijn grootmoeder niet Duits genoeg is. Niet dat het haar veel kan schelen. Ze is toch al dood. Maar het lijkt erop dat het mij iets gaat schelen. Als je begrijpt wat ik bedoel.'

'Net als de staf van Aäron.'

'Precies. En aangezien jij een expert bent op het gebied van het vervalsen van documenten en geld, vroeg ik me af of je iemand kende die me kan helpen dat keppeltje te verliezen. Ik dacht dat een IJzeren Kruis genoeg bewijs was dat ik een echte Duitser ben. Maar kennelijk niet.'

'Een Duitser komt altijd in de ergste problemen als hij begint na te denken over wat het betekent om Duits te zijn.' Otto zuchtte, en veegde zijn mond af met de rug van zijn hand. 'Kop op, jid. Je bent niet de eerste die een arische transfusie nodig heeft. Zo noemen ze dat tegenwoordig. Mijn grootvader van vaderskant was een zigeuner. Daar heb ik mijn knappe Latijnse uiterlijk aan te danken.'

'Ik heb nooit begrepen wat ze tegen zigeuners hebben.'

'Ik geloof dat het iets te maken heeft met het voorspellen van de toekomst. Hitler wil niet dat we weten wat voor toekomst hij heeft gepland voor Duitsland.'

'Dat zal het zijn, of anders de prijs van wasknijpers, denk ik.' Zigeuners verkochten altijd wasknijpers.

Otto haalde een mooie gouden Pelikan uit zijn jaszak en schreef een naam en adres op een stukje papier. 'Emil is duur, dus probeer je niet te laten leiden door de reputatie van je stam om af te dingen, want hij is heus elke cent waard. Vertel hem dat ík je heb gestuurd en herinner hem er desnoods aan dat de enige reden dat hij niet in de Klap zit, is dat ik zijn dossier kwijt ben. Maar ik ben het ergens kwijtgeraakt waar ik het beslist weer terug kan vinden.'

De Klap was de naam die de Berlijnse politie en de onderwereld hadden gegeven aan de rechtbank en het gevangeniscomplex in Moabit. Omdat Moabit een echte arbeidersbuurt was, had iemand de gevangenis ooit omschreven als 'een keizerlijke klap in het gezicht van het Berlijnse proletariaat'. Een klap in je gezicht was min of meer gegarandeerd als je daar terecht kwam, tot welke sociale klasse je ook behoorde. Het was zonder enige twijfel het hardste beton van Berlijn.

Hij vertelde me wat er in het dossier van Emil Linthe stond, zodat ik daar goed gebruik van kon maken als ik met hem sprak.

'Bedankt, Otto.'

'Die diefstal in het Adlon,' zei hij. 'Zat daar nog iets voor mij bij? Zoals een leuke jonge meid die met ongedekte cheques betaalde?'

'Nauwelijks interessant voor iemand van jouw statuur. Een antieke doos van een van de gasten is gestolen. Bovendien weet ik al wie de waarschijnlijke dader is.'

'Nog beter. Ik wil best alle lof krijgen voor die zaak. Wie heeft het gedaan?'

'De stenotypiste van een of andere branieschopper, een Amerikaan. Een Joods meisje dat Berlijn al heeft verlaten.'

'Knap?'

'Vergeet het maar, Otto. Ze is teruggegaan naar Danzig.'

'Danzig is prima. Een leuk reisje zou welkom zijn.' Hij dronk zijn glas leeg. 'Kom mee. We gaan terug naar de overkant. Zodra je het hebt gerapporteerd kan ik aan de slag. Ik vraag me af waarom ze naar Danzig is gegaan. Ik dacht dat de Joden Danzig verlieten. Vooral nu het een nazistad is geworden. Ze houden niet eens van Berlijners in Danzig.'

'Net als iedereen in Duitsland. We trakteren de rest van het land op een biertje en toch hebben ze een hekel aan ons.' Ik dronk mijn brandewijn op. 'Het gras bij de buren is altijd groener, denk ik.'

'Ik dacht dat iedereen wist dat Berlijn de meest tolerante stad van Duitsland was. Het is in ieder geval de enige stad die tolereert dat de Duitse regering hier zetelt. Danzig. Allemachtig!'

'Dan kunnen we maar beter opschieten voor ze zich haar vergissing realiseert en terugkomt.'

7

De balie op het Alex leek zoals gebruikelijk op een massascène uit een schilderij van Hieronymus Bosch. Een vrouw met een gezicht als Erasmus en een hoed als een roze varkensblaas deed aangifte van diefstal bij een brigadier van dienst met enorm grote oren. Het leek wel alsof ze eerst van iemand anders waren geweest voordat ze waren afgesneden en tegen de slapen van zijn hondachtige schedel waren geplakt, aangevuld met een potlood en een zelfgedraaide sigaret. Twee opmerkelijk lelijke misdadigers, met bebloede, atavistisch criminele koppen, hun handen achter hun kronkelende rug geboeid, werden naar een schaars verlichte gang gesleept die naar de cellen beneden liep, waar de ss waarschijnlijk wel een baantje voor ze had. Een schoonmaakster die wel een scheerbeurt kon gebruiken, met een sigaret stevig in haar mond geklemd tegen de stank, dweilde een plas kots op van de poepbruine linoleumvloer. Een verloren uitziende jongen, met een betraand, vuil gezicht, zat angstig in een hoek onder een kolossaal spinnenweb en schommelde heen en weer op zijn magere billen. Hij vroeg zich waarschijnlijk af of hij voorwaardelijk vrijgelaten zou worden. Een bleke advocaat, met de ogen van een konijn, droeg een aktetas zo groot als de goed doorvoede zeug die de huid had geleverd om de koffer te maken, wilde zijn cliënt spreken. Maar niemand luisterde. Ergens stond iemand te beweren dat hij altijd een voorzichtig persoon was geweest en dat hij overal onschuldig aan was. Ondertussen had een agent zijn sjako van zwart leer afgezet en liet een collega van de Schupo de grote paarse bult op zijn kortgeschoren hoofd zien; waarschijnlijk was het niet meer dan een gedachte die vergeefs probeerde uit zijn boerse schedel te ontsnappen.

Het was gênant om weer op het Alex te zijn. Gênant en spannend. Ik nam aan dat Maarten Luther hetzelfde gevoel moet hebben gehad toen hij bij de Rijksdag van Worms verscheen om zich te verdedigen tegen de aanklacht dat hij een kerkdeur in Wittenberg had beschadigd. Zo veel bekende gezichten. Sommigen keken me aan alsof ik de verloren zoon was, maar de meesten leken me te beschouwen als het vetgemeste kalf. *Berlijn Alexanderplatz.* Ik had Alfred Döblin een of twee dingen kunnen vertellen.

Otto Trettin nam me mee achter de balie en zei tegen een jonge agent in uniform dat hij mijn verklaring moest opnemen.

De agent was midden twintig en, ongewoon voor een Schupo, behoorlijk schrander. Hij zat nog niet lang te typen toen hij ophield, op zijn reeds afgekloven nagels beet, een sigaret opstak en zwijgend naar een dossierkast liep die zo groot was als een Mercedes en die in het midden van de enorme ruimte stond. Hij was langer dan ik had verwacht. En slanker. Hij werkte er nog niet zo lang en had nog geen bierbuik zoals de meeste Schupo's. Hij kwam al lezend terug, wat op het Alex op zich al iets van een wonder was.

'Dat dacht ik al,' zei hij terwijl hij Otto het dossier overhandigde maar mij aankeek. 'Het voorwerp dat u aangeeft is gisteren als gestolen gemeld. Ik heb zelf de gegevens opgenomen.'

'Een Chinese lakdoos,' zei Otto terwijl hij het rapport vluchtig doorlas. 'Vijftig bij dertig bij tien centimeter.'

Ik probeerde dat om te rekenen in inches maar gaf het op.

'Zeventiende eeuw, Mongdynastie.' Otto keek me aan. 'Is dat de doos die jij bedoelde, Bernie?'

'Mingdynastie,' zei ik. 'Het is Ming.'

'Ming, Mong, wat maakt het uit?'

'Het is óf dezelfde doos, óf ze komen even vaak voor als zoutjes. Wie heeft dat rapport geschreven?'

'Een zekere Martin Stock,' zei de jonge agent. 'Van het Aziatisch museum. Hij was nogal verontrust.'

'Wat was hij voor iemand?' vroeg ik.

'Ach, u kent dat wel. Zoals je zou denken dat iemand van een museum eruitziet. Rond de zestig, grijze snor, witte sik, kaal, bijziend, te dik. Hij deed me denken aan een walrus in de dierentuin. Hij droeg een strikje...'

'Dat heb ik eerder gezien,' zei Otto. 'Een walrus die een strikje droeg.'

De agent glimlachte en vervolgde zijn beschrijving. 'Slobkousen, niets op zijn revers, geen partij-insigne of iets dergelijks. En hij droeg een pak van Bruno Kuczorski.'

'Dit is gewoon opschepperij,' zei Otto.

'Ik zag het etiket aan de binnenkant van zijn jas toen hij zijn zakdoek pakte om zijn voorhoofd af te vegen. Beetje een geagiteerd type. Maar dat was wel duidelijk, vandaar die zakdoek.'

'Rechtdoorzee?'

'Zo recht als een liniaal.'

'Hoe heet jij, jochie?' vroeg Otto.

'Heinz Seldte.'

'Nou, Heinz Seldte, ik vind dat je hier weg moet. Baliewerk is voor dikke mensen. Jij moet echt politiewerk doen.'

'Bedankt, meneer.'

'Hoe zit het nou, Gunther?' zei Otto. 'Probeer je me voor aap te zetten?'

'Ik ben degene die zich een aap voelt.' Ik trok het vel papier en het vel carbon uit de typemachine van Seldte en verfrommelde het. 'Misschien moet ik eens hard in een paar oren gaan jodelen, als Johnny Weissmuller. Kijken wat er uit de jungle komt aanrennen.' Ik nam het rapport van doctor Stock uit het dossier. 'Mag ik dit lenen, Otto?'

Otto keek Seldte aan, die zijn schouders ophaalde. 'Het mag wel, denk ik,' zei Otto. 'Maar laat ons weten wat je onderzoek oplevert, Bernie. Diefstal van spul uit de Ming-Mongdynastie heeft tegenwoordig de hoogste prioriteit bij de Kripo. We moeten aan onze reputatie denken.'

'Ik ga er meteen op af, dat beloof ik.'

Ik meende het ook nog. Het was prettig om weer eens echt recherchewerk te doen, in plaats van over het tapijt van een hotel rond te sluipen. Maar, zoals Immanuel Kant al zei, het is vreemd hoe categorisch je je kunt vergissen over veel dingen die je voor waar aanneemt.

De meeste musea van Berlijn stonden op een eilandje in het midden van de stad, omgeven door het donkere water van de Spree, alsof de bouwers hadden besloten dat in Berlijn de cultuur apart gezet moest worden van de rest van de staat. Zoals ik weldra zou ontdekken was dit idee veel belangrijker dan je voor mogelijk zou houden.

Maar het Etnografisch museum, dat vroeger gevestigd was in de Prinz-Albrecht-Straße, zat nu in Dahlem, in het uiterste westen van Berlijn. Ik reisde erheen met de metro, op de Wilmersdorf-lijn, tot aan de halte Dahlem Dorf. Daarna liep ik in zuidwestelijke richting naar het nieuwe Aziatische museum. Het was een betrekkelijk modern gebouw van drie verdiepingen, opgetrokken uit rode baksteen en omgeven door dure villa's en herenhuizen met grote hekken en nog grotere honden.

Voorsteden als Dahlem werden beschermd door de wet en het viel moeilijk in te zien waarom er twee mannen van de Gestapo in een zwarte Volkswagen zaten voor de nabijgelegen kerk, totdat me te binnen schoot dat er een priester in Dahlem was, Martin Niemöller, die bekend was vanwege zijn verzet tegen de Ariërparagraaf. De andere mogelijkheid was dat die twee wilden biechten.

Ik liep het museum in, opende de eerste de beste deur waar PRIVÉ op stond en keek neer op een tamelijk hartveroverende stenotypiste die achter een Carmen-typemachine met drie rijen toetsen zat. Ze had oogschaduw op en haar mond was beter geverfd dan Holbeins favoriete portret. Ze droeg een geruite blouse, een stel koperen armbanden waar je een soek mee kon vullen en die om haar pols rinkelden als kleine telefoontjes. Ze keek erg streng en ik had bijna de neiging om te controleren of de knoop van mijn das wel goed zat.

'Wat kan ik voor u doen?'

Ik kon wel iets bedenken, maar ik had geen zin om dat te melden. In plaats daarvan ging ik op een hoek van haar bureau zitten. Ik sloeg mijn armen over elkaar. Op die manier bleef ik tenminste met mijn handen van haar borsten af. Ze vond het niet leuk dat ik zo ging zitten. Haar bureau was even keurig als de etalage van een warenhuis.

'Herr Stock aanwezig?'

'Als u een afspraak had zou u weten dat het doctor Stock is.'

'Ik wist dat niet. Dat je een afspraak moest maken.'

'Nou, hij is bezet.' Ze keek onwillekeurig naar de deur aan de andere kant van de kamer alsof ze hoopte dat ik weg zou zijn voor hij weer openging.

'Ik wed dat hij heel vaak bezet is. Mensen zoals hij zijn altijd bezet. Als het aan mij lag, zou ik u iets te dicteren geven of misschien zou ik een paar brieven ondertekenen die u net had getypt met die mooie handen van u.'

'Dus u kunt schrijven?'

'Zeker. Ik kan zelfs typen. Niet zo goed als u, vast niet, maar dat mag u beoordelen.' Ik stak mijn hand in mijn jasje en viste er het diefstalrapport uit dat ik van het Alex had geleend. 'Hier,' zei ik, terwijl ik het aan haar gaf. 'Wat denkt u daarvan?'

Ze keek ernaar en sperde haar ogen open.

'Komt u van het Polizei Praesidium op Alexanderplatz?'

'Heb ik dat niet gezegd? Ik kom er net vandaan. Met de metro.' Dat was waar, maar slechts ten dele. Als ze mij om een legitimatie vroeg, was ik nergens meer. Dat was de belangrijkste reden dat ik me gedroeg zoals de echte politiemensen van het Alex zich gedragen. Een Berlijner is iemand die denkt dat het beter is om altijd iets minder beleefd te zijn dan andere mensen nodig vinden. En de meeste Berlijnse politiemensen zijn nog veel minder beleefd. Ik stak een sigaret op, blies de rook haar kant op en knikte toen naar een stuk steen op een plank achter haar goed gecoiffeerde hoofd.

'Is dat een hakenkruis op dat stuk steen?'

'Het is een zegel,' zei ze. 'Van de beschaving uit de Indusvallei. Van rond 1500 voor Christus. De swastika was een belangrijk religieus symbool van onze verre voorvaderen.'

Ik grijnsde. 'Of misschien probeerden ze ons ergens voor te waarschuwen.'

Ze stond op vanachter haar typemachine en liep snel door het kantoor om doctor Stock te halen. Het gaf me genoeg tijd om haar rondingen te bestuderen en de naden van haar nylons, die zo volmaakt waren dat het leek of ze waren vervaardigd in een klas voor technisch tekenen. Ik heb altijd een hekel gehad aan technisch tekenen, maar ik was er vast een stuk beter in geweest als ik was gevraagd achter de mooie benen van een meid te gaan zitten en een paar rechte lijnen op haar kuiten te trekken.

Stock was minder aantrekkelijk dan zijn secretaresse maar precies zoals Heinz Seldte hem op het Alex had beschreven. Een Berlijns wassen beeld.

'Dit is vreselijk vervelend,' jammerde hij. 'Er is een uiterst treurige fout gemaakt, en dat spijt me bijzonder.' Hij stond zo dicht bij me dat ik aan zijn adem kon ruiken dat hij pepermuntjes had gegeten – weer eens wat anders dan de mondgeur van de meeste mensen met wie ik sprak – en maakte toen een kruiperige buiging om zich te verontschuldigen. 'Het spijt me vreselijk, meneer. De doos die ik als gestolen heb aangegeven, is helemaal niet gestolen. Hij was slechts tijdelijk zoek.'

'Zoek? Hoe kan dat?'

'We hebben de collectie Fischer van het oude Etnografische museum van de Prinz-Albrecht-Straße naar ons nieuwe onderkomen hier in Dahlem verhuisd, en het is één grote chaos. De officiële catalogus van onze collectie is niet meer in de handel. Veel stukken zijn op de verkeerde plek gezet of hebben een verkeerde omschrijving gekregen. Ik ben bang dat u voor niets bent gekomen. Met de metro, zei u? Misschien kan het museum uw taxi terug naar het politiebureau betalen. Dat is wel het minste wat we kunnen doen om uw ongemak goed te maken.'

'Dus de doos is weer in uw bezit?' zei ik, zijn gemekker negerend.

Stock keek zichtbaar ongemakkelijk.

'Misschien mag ik hem even zien,' zei ik.

'Hoezo?'

'Hoezo?' Ik haalde mijn schouders op. 'Omdat u hem als gestolen hebt aangegeven, daarom. En nu zegt u dat hij is teruggevonden. Kijk meneer, het zit zo: ik moet een rapport opmaken, in drievoud. De juiste procedures moeten gevolgd worden. En als die doos uit de tijd van de Mingdynastie niet getoond kan worden, weet ik niet hoe ik dit dossier moet sluiten. Begrijpt u me goed, zodra ik opschrijf dat hij is teruggevonden ben ik er zelf verantwoordelijk voor. Ik bedoel, dat is toch logisch?'

'Nou, het zit zo...' Hij keek naar zijn stenotypiste en maakte korte, krampachtige bewegingen, alsof hij aan een vislijn was gehaakt.

Ze staarde me aan met een pinnige blik.

'Misschien kunt u beter even in mijn kantoor komen, Herr...'

'Trettin. Kommissar van de recherche Trettin.'

Ik liep achter hem zijn kantoor in en hij sloot de deur achter me. Afgezien van de grootte en de weelderigheid van de kamer zou ik bijna medelijden met hem krijgen. Overal stonden Chinese kunstvoorwerpen en Japanse schilderijen, hoewel het net zo goed Chinese schilderijen en Japanse kunstvoorwerpen geweest kunnen zijn. Mijn kennis van Aziatische oudheden was dat jaar wat minder goed.

'Lijkt me interessant, hier werken.'

'Interesseert u zich voor geschiedenis, Kommissar?'

'Eén ding dat ik heb geleerd is dat als onze geschiedenis wat minder interessant was, we een stuk beter af zouden zijn. Maar hoe zit het nu met die doos?'

'O jee,' zei hij. 'Hoe moet ik dit uitleggen zonder verdacht te klinken?'

'Probeer het niet mooier te maken dan het is,' zei ik tegen hem. 'Vertel gewoon de feiten. Gewoon de waarheid.'

'Het is altijd mijn streven om dat te doen,' zei hij hoogdravend.

'Dat geloof ik graag,' zei ik, nu wat bitser. 'Luister, Herr doctor, wilt u mijn tijd niet langer verknoeien? Hebt u die doos of niet?'

'Wilt u me niet opjagen?'

'Allicht niet, ik heb de hele dag de tijd.'

'Het ligt allemaal nogal gecompliceerd, ziet u.'

'De waarheid is zelden gecompliceerd, neemt u dat van me aan.'

Ik ging in een leunstoel zitten. Dat had hij me niet aangeboden, maar dat deed er nu niet toe. Ik kwam niets verkopen. En zo lang ik nog op mijn grote voeten stond nam ik nooit iets aan. Ik pakte een aantekenboekje en tikte met een potlood tegen mijn tong. Aantekeningen van een gesprek maken is een prima methode om mensen in het gareel te krijgen.

'Nou, u moet weten dat het museum valt onder auspiciën van het ministerie van Binnenlandse Zaken. En toen de collectie zich nog in de Prinz-Albrecht-Straße bevond, zag Herr Frick, de minister, die dingen toevallig staan. Hij besloot dat sommige objecten heel handig konden zijn als diplomatieke cadeaus. Begrijp u wat ik bedoel, Kommissar Trettin?'

Ik glimlachte. 'Dat denk ik wel, meneer. Net zoiets als omkoping. Maar dan legaal.'

'Ik kan u verzekeren dat zoiets volstrekt normaal is bij buitenlandse betrekkingen. Het raderwerk van de diplomatie heeft regelmatig smeerolie nodig. Heb ik me laten vertellen.'

'Door Herr Frick.'

'Nee, niet door hem. Door een van zijn mensen. Herr Breitmeyer. Arno Breitmeyer.'

'Hmm.' Ik schreef die naam op.

'Uiteraard zal ik ook met hem spreken,' zei ik. 'Maar even voor goed begrip. Herr Breitmeyer heeft een voorwerp uit de Fischercollectie verwijderd...'

'Ja ja, Adolph Fischer. Een groot verzamelaar van Aziatische kunst. Inmiddels overleden.'

'Namelijk een Chinese doos. Heeft hij die aan een buitenlander gegeven?'

'Niet slechts één voorwerp. Meerdere, dacht ik.'

'Dacht u...' Ik liet even een veelzeggende stilte vallen. 'Klopt mijn veronderstelling dat dit allemaal is gebeurd zonder uw kennis of goedkeuring?'

'Dat is juist. Weet u, op het ministerie vond men dat de verzameling die was achtergebleven in het oorspronkelijke museum niet geschikt was om tentoongesteld te worden.' Stock bloosde van verlegenheid. 'Hoewel de betreffende stukken uit de collectie van groot historisch belang zijn...'

Ik onderdrukte een geeuw.

'Waren ze wellicht ongeschikt in de zin van de Ariërparagraaf. U moet weten dat Adolph Fischer een Jood was. Het ministerie had de indruk dat het door de afkomst van deze kunststukken in deze omstandigheden onmogelijk was om ze tentoon te stellen. Dat ze, in hun woorden, niet de mijne, "raciaal besmet" waren.'

Ik knikte, alsof dit alles volkomen redelijk klonk. 'En toen ze dat allemaal deden, hebben ze verzuimd u in te lichten, is dat juist?'

Stock knikte bedroefd.

'Iemand bij het ministerie vond u niet belangrijk genoeg om u hiervan op de hoogte te houden,' zei ik, een tikje pesterig. 'En daarom nam u aan, toen u ontdekte dat het voorwerp ontbrak in de collectie, dat het gestolen was en hebt u meteen aangifte gedaan.'

'Zo is het inderdaad gegaan,' zei hij met enige opluchting.

'Weet u toevallig de naam van de persoon aan wie Herr Breitmeyer die Mingdoos heeft gegeven?'

'Nee. Dat zou u aan hem moeten vragen.'

'Dat zal ik uiteraard doen. Bedankt, doctor, u hebt me prima geholpen.'

'Is de zaak hiermee afgesloten?'

'Wat uw betrokkenheid betreft wel, meneer.'

Stocks opluchting veranderde in euforie, althans zo dicht bij euforie als iemand die zo dor was als hij maar kon komen.

'En nu even over die taxi terug naar de stad,' zei ik.

8

Ik zei tegen de taxichauffeur dat hij me af moest zetten bij het ministerie van Binnenlandse Zaken op Unter den Linden. Het was een saai, vuilgrijs gebouw naast de Griekse ambassade, net om de hoek bij hotel Adlon. Het smeekte om wat begroeiing met klimop.

Ik ging naar binnen. Bij de receptie van de spelonkachtige entreehal gaf ik mijn kaartje aan een van de receptionisten. Hij had de uitdrukking van een verbaasd dier. Soms denk ik dat God een vreemd gevoel voor humor heeft.

'Ik vroeg me af of u me kunt helpen,' zei ik zalvend. 'Het Adlon-hotel wil Herr Breitmeyer – ik doel op Arno Breitmeyer – over een paar weken uitnodigen voor een galareceptie. En we willen graag weten wat de juiste manier is om hem te benaderen en naar welke afdeling we de uitnodiging moeten sturen.'

'Ik wou dat ik naar een galareceptie in het Adlon mocht,' verzuchtte de receptionist terwijl hij een dik, in leer gebonden afdelingsboek raadpleegde dat voor hem lag.

'Die recepties kunnen eerlijk gezegd nogal stijf zijn. Ik geef niet veel om champagne. Geef mij maar bier en worst.'

De receptionist glimlachte meewarig alsof hij niet geheel overtuigd was en vond de naam die hij zocht. 'Hier heb ik het. Arno Breitmeyer. Hij is een ss-*Standartenführer*. Zeg maar een kolonel. Hij is ook de onderminister van Sportzaken van het *Reich*.'

'Werkelijk? Dat zal de reden zijn dat hij wordt uitgenodigd. Als hij slechts onderminister is, moeten we zijn chef misschien ook uitnodigen. Wie kan dat zijn, denkt u?'

'Hans Tschammer und Osten.'

'Ach ja, natuurlijk.'

Ik kende die naam en ik had hem in de krant zien staan. Ik vond het toentertijd typerend voor de nazi's dat ze een sa-misdadiger uit Saksen als minister van Sport van Duitsland hadden benoemd. Een man die had geholpen bij het doodslaan van een dertien jaar oud Joods jongetje. Ik denk dat het feit dat de jongen was vermoord in een gymzaal in Dessau de kwalificaties van Tschammer und Osten als minister van Sport werkelijk had verstevigd.

'Dank u. U hebt me uitstekend geholpen.'

'Moet fijn zijn om in het Adlon te werken.'

'Dat zou je denken. Maar het enige dat voorkomt dat het niet écht een hel is, zijn de sloten op de slaapkamerdeuren.'

Het was een van de vele uitspraken die ik had gehoord van Hedda Adlon, de vrouw van de eigenaar. Ik mocht haar zeer. We hadden hetzelfde gevoel voor humor, hoewel ik geloof dat zij er meer van had dan ik. Hedda Adlon had van alles meer dan ik.

Terug in het hotel belde ik Otto Trettin en vertelde hem het een en ander over hetgeen ik had ontdekt in het museum.

'Dus die Reles, die hotelgast…' zei Otto. 'Misschien had hij die doos geheel legitiem in zijn bezit.'

'Dat hangt ervan af wat je legitiem noemt.'

'In dat geval heeft die kleine stenotypiste, die terugging naar Danzig…'

'Ilse Szrajbman.'

'Misschien heeft zij die doos dan toch gestolen.'

'Dat is mogelijk. Maar daar zal ze een goede reden voor gehad hebben.'

'Is dat zo?'

'Nee. Maar ik ken dat meisje, Otto. En ik heb Max Reles ontmoet.'

'En wat wil je daar nou mee zeggen?'

'Ik zou graag nog wat meer te weten komen voordat jij naar Danzig stormt.'

'Ik zou graag minder belasting betalen en meer de liefde bedrijven, maar dat zal niet gebeuren. Wat kan het jou schelen of ik naar Danzig ga?'

'We weten allebei dat je iemand zult moeten aanhouden als rechtvaardiging voor je reiskosten, Otto.'

'Het is waar dat hotel het Deutsches Haus behoorlijk duur is.'

'Waarom bel je niet eerst de plaatselijke Kripo? Misschien kan iemand van de plaatselijke politie naar haar toe. Als ze die doos echt heeft, is ze misschien geneigd hem terug te geven?'

'Wat heb ik daar aan?'

'Dat weet ik niet. Waarschijnlijk niets. Maar ze is Joods. En we weten allebei wat er met haar zal gebeuren als ze wordt gearresteerd. Ze zullen haar naar een van de concentratiekampen sturen. Of ze stoppen haar in die Gestapo-gevangenis, bij Tempelhof, Columbia Haus. Dat verdient ze niet. Ze is nog maar een kind, Otto.'

'Je begint sentimenteel te worden, weet je dat?'

Ik dacht aan Dora Bauer en hoe ik haar had geholpen uit het 'leven' te stappen. 'Dat is best mogelijk.'

'Ik had me verheugd op de zeelucht.'

'Kom een keer langs bij het hotel, dan zal ik de chef-kok een mooie schotel met Bismarck-haringen voor je laten maken. Je zult beslist denken dat je op Rügen zit.'

'Goed dan, Bernie. Maar je staat bij me in het krijt.'

'Mij best. En geloof me, daar ben ik blij om. Ik weet niet of onze vriendschap het zou kunnen verdragen als jij bij mij in het krijt stond. Bel me als je iets hoort.'

Het grootste deel van de tijd draaide het Adlon als een luxe Mercedes – een Zwabische kolos met handgemaakt koetswerk, handgestikt leer en zes levensgrote Continental AG-banden. Ik durf niet te beweren dat dit dankzij mij was, maar ik nam mijn plichten – die grotendeels neerkwamen op routine – erg serieus. Ik had zelf ook een spreuk: een goed hotel leiden, draait om het voorspellen van de toekomst en vervolgens verhinderen dat die voorspellingen uitkomen. Ik keek elke dag in het hotelregister of er namen in stonden van notoire herrieschoppers. Dat was nooit zo. Tenzij je koning Prajadhipok meetelt, en zijn verzoek aan de chef-kok om voor hem een schotel van mieren en sprinkhanen te bereiden; of acteur Emil Jannings en zijn voorliefde voor luidruchtige petsen met een haarborstel op de blote billen van jonge actrices.

De agenda was echter een heel ander verhaal. De gastvrijheid in het Adlon was vaak royaal, eindigde vaak in een drankgelag en soms liepen de zaken enigszins uit de hand. Op die bewuste dag stonden er twee groepen zakenmensen geboekt. Vertegenwoordigers van het Deutsche Arbeitsfront hadden de hele dag een bijeenkomst in de Beethoven-kamer. En 's avonds – een toevalligheid die me niet ontging na mijn bezoekje aan het ministerie van Binnenlandse Zaken – kwamen de leden van het organisatiecomité voor de Duitse Olympische Spelen, onder wie Hans Tschammer und Osten en kolonel van de ss Breitmeyer, die in de Rafaël-zaal zouden eten en drinken.

Van die twee verwachtte ik alleen moeilijkheden van de DAF, wat een overkoepelende organisatie van de nazi's was die de vakbeweging in Duitsland had overgenomen. Deze organisatie werd geleid door doctor Robert Ley, een voormalig scheikundige die bij vlagen zwaar dronk en achter de vrouwen aanzat, vooral als de belastingbetaler de rekening voldeed. Regionale leiders van de nieuwe vakbond nodigden vaak prostituees in hotel Adlon uit, en de aanblik en het geluid van dikke mannen die een hoer in de toiletten pakten was niet ongewoon. Hun lichtbruine tuniek en rode armband zorgden ervoor dat ze erg opvielen, wat mij op het idee bracht dat nazi's en fazanten iets gemeenschappelijks hebben: je hoefde ze niet persoonlijk te kennen om ze te willen neerknallen.

Maar Ley bleek niet te komen en de gedelegeerden van de DAF gedroegen zich min of meer onberispelijk. Er was maar één persoon die op het tapijt kotste. Ik neem aan dat ik daar blij om moest zijn. Als hotelmedewerker was ik zelf ook lid van die vakbond. Ik wist niet precies wat die vijftig pfennig contributie per week me opleverde, maar het was onmogelijk om in Duitsland aan een baan te komen als je geen lid van die bond was. Ik keek uit naar de dag dat ik in Neurenberg trots voor het oog van de Führer kon paraderen met een glimmend gepoetste spade op mijn schouder om mij en mijn hotelwerk in dienst te stellen van het concept of de realiteit arbeid. Ongetwijfeld dacht de andere huisdetective van het Adlon, Fritz Muller, er grotendeels hetzelfde over. Als hij rondliep was het onmogelijk om geen rekening te houden met het ware belang van werk in de Duitse maatschappij. En ook als hij er niet was, want Muller voerde zelden zelf iets uit. Hij had van mij de opdracht gekregen om een oogje op de Rafaël-zaal te houden, wat me de gemakkelijkste taak leek, maar toen er moeilijkheden kwamen was hij nergens te vinden en kwam Behlert hulp bij mij zoeken.

'Er is gedonder in de Rafaël-zaal,' zei hij buiten adem.

Terwijl we in vlotte wandelpas door het hotel liepen – niemand van het personeel mocht hardlopen in het hotel – probeerde ik van Behlert een beschrijving van al die mannen te krijgen, zodat ik ongeveer wist waar die bijeenkomst over ging. Tegen sommige leden van het Olympisch Comité zou je je niet zo maar gaan verzetten zonder eerst de biografie van Metternich gelezen te hebben. Maar het beeld dat Behlert schetste was even slecht als de kopie die Von Menzel had gemaakt van een muurschildering van Rafaël waar de vergaderzaal haar naam aan ontleende.

'Ik geloof dat een of twee leden van het organisatiecomité eerder op de avond aanwezig zijn geweest,' zei hij terwijl hij zijn voorhoofd afveegde met een zakdoek ter grootte van een servet. Misschien was het ook een servet. 'Funk van Propaganda, Conti van het ministerie van Binnenlandse Zaken, Hans Tschammer und Osten, de minister van Sport. Maar nu zijn het vooral zakenmensen van overal uit Duitsland. En Max Reles.'

'Reles?'

'Hij is de gastheer.'

'Nou, dat klinkt goed,' zei ik. 'Ik dacht even dat er moeilijke jongens tussen zaten.'

Toen we de Rafaël-zaal naderden hoorden we geschreeuw. Toen vlogen de dubbele deuren open en stormden twee mannen naar buiten. U kunt me een bolsjewiek noemen als u wilt, maar ik zag meteen dat het Duitse zakenmensen waren door de omvang van hun buik. Een van hen had een zwarte vlinderdas half rond zijn bespottelijk dikke nek gedraaid. Boven die nek zat een gezicht dat zo rood was als de kleine papieren nazivlaggetjes die tussen verschillende papieren olympische vlaggen waren geprikt op een schildersezel naast de deuren. Even overwoog ik hem te vragen wat er was gebeurd, maar dan zou ik slechts zijn vertrapt als een theeplantage onder een aanstormende kudde dolle mannetjesolifanten.

Behlert liep achter me aan door de deuren en toen ik de blik ving van Max Reles hoorde ik iets zeggen over Laurel en Hardy voordat zijn harde gezicht zich ontspande in een glimlach. Zijn dikke lijf nam een verontschuldigend, verzoenend, bijna diplomatieke houding aan die prins Metternich zelf nauwelijks zou hebben mistaan.

'Het was allemaal één groot misverstand,' zei hij. 'Nietwaar, heren?'

Ik had hem nog bijna geloofd ook, maar zijn haar zat in de war en er zat wat bloed op zijn lippen.

Reles keek de eettafel rond, op zoek naar steun. Ergens, onder een cumuluswolk van sigarenrook, mompelden verschillende stemmen als een pauselijk conclaaf dat was vergeten de schoorsteenveger van de Sixtijnse Kapel te betalen.

'Ziet u wel?' Reles hief zijn grote handen alsof ik een pistool op hem richtte en ik had het gevoel dat hij dezelfde reactie zou hebben vertoond als ik dat daadwerkelijk had gedaan. Hij was het type dat zelfs kalm bleef als hij door een dronken tandarts werd geboord. 'Storm in een kopje thee.' Het klonk niet goed in het Duits en knippend met zijn dikke, stompe vingers vulde hij aan: 'Ik bedoel een storm in een glas water.'

Behlert knikte gretig. 'Ja, dat is juist, Herr Reles,' zei hij. 'En uw Duits is uitstekend, als ik dat mag zeggen.'

Reles keek ongewoon schaapachtig. 'Nou, het is een moeilijke taal om goed te spreken,' zei hij. 'Als je bedenkt dat hij uitgevonden lijkt om de treinen te laten weten hoe laat ze uit het station moeten vertrekken.'

Behlert glimlachte vleierig.

'Maar toch,' zei ik terwijl ik een van de vele gebroken wijnglazen van het tafelkleed oppikte. 'Het lijkt wel of hier een storm heeft gewoed. Een storm uit Bohemen, lijkt me. Deze kristallen glazen kosten vijftig pfennig per stuk.'

'Uiteraard betaal ik alle schade.' Reles wees op mij en grijnsde naar zijn zelfvoldaan uitziende gasten. 'Dat is toch ongelofelijk? Hij wil me de gebroken glazen laten betalen.'

Niets ziet er zo tevreden met zichzelf uit als een Duitse zakenman met een sigaar.

'O, geen sprake van, Herr Reles,' zei Behlert. Hij keek me kritisch aan, alsof ik modder aan mijn schoenen had, of iets ergers. 'Gunther. Als Herr Reles zegt dat het een ongeluk was dan is het hiermee afgedaan.'

'Hij heeft niet gezegd dat het een ongeluk was. Hij zei dat een misverstand was. Soms is het verschil tussen een fout en een misdaad erg klein.'

'Komt dat uit het Berlijnse politiekrantje van deze week?' Reles vond een sigaar en stak hem op.

'Misschien zou dat moeten. Maar als dat zo was, zou ik nog steeds een Berlijnse politieman zijn.'

'Maar dat ben je niet. Je werkt in dit hotel, waarvan ik een gast ben. En, zou ik willen toevoegen, een gast die veel geld uitgeeft. Herr Behlert, zeg tegen de sommelier dat hij ons zes flessen van uw beste champagne moet brengen.'

Rond de tafel klonk instemmend gemompel. Maar geen van die lieden wilde mij aankijken. Gewoon een stel goed doorvoede, waterige gezichten die weer op de trog wilden af stormen. Een groepsportret van Rembrandt waarop iedereen een andere kant opkijkt: de onbezwaarde *staalmeesters van het lakengilde*. Op dat moment zag ik hem. Hij zat aan de andere kant van de ruimte, als Mefisto die geduldig wachtte tot hij rustig met Faust kon praten. Net als de anderen droeg hij een smoking en afgezien van zijn groteske, zadeltasachtige gezicht en het feit dat hij zijn nagels reinigde met een stiletto, zag hij er bijna fatsoenlijk uit. Als de wolf die verkleed was als de grootmoeder van Roodkapje.

Ik vergeet nooit een gezicht. Vooral niet het gezicht van een man die ooit met groep SA'ers een gewapende aanval had uitgevoerd op de leden van een gezelligheidsvereniging van arbeiders die een dansfeest hadden georganiseerd in het Eden Palace in Charlottenburg. Vier doden, onder wie een oude schoolvriend van me. Waarschijnlijk was hij ook verantwoordelijk voor andere moordpartijen, maar dit geval, dat had plaatsgevonden op 23 november 1930, herinnerde ik me bij uitstek. En toen schoot zijn naam me weer te binnen: Gerhard Krempel. Hij had een tijdje vastgezeten voor die moord, in ieder geval tot de nazi's aan de macht kwamen.

'Maak er bij nader inzien maar twaalf flessen van.'

In de regel zou ik iets tegen Krempel hebben gezegd, een geestig scheldwoord of iets ergers, maar Behlert zou dat niet op prijs hebben gesteld. Uitvaren tegen een gast zorgt voor slechte hotelrecensies in de *Baedeker*. En voor zover we wisten was Krempel de nieuwe minister van Sportzaken. Bovendien loodste Behlert me al de Rafaël-zaal uit. Als hij het tenminste niet te druk had met buigen en zijn verontschuldigingen aanbieden aan Max Reles.

In het Adlon heeft de gast altijd gelijk. Dat was nog zo'n stelregel van Hedda Adlon. Maar dit was de eerste keer dat ik meemaakte dat iemand zijn verontschuldigingen aanbood omdat hij een vechtpartij had onderbroken. Want ik twijfelde er niet aan dat de man die eerder was vertrokken, was geslagen door Max Reles. En dat hij Reles terug had geslagen. Ik hoopte in ieder geval dat dat het geval was. Ik zou hem zelf ook graag een klap geven.

Buiten de Rafaël-zaal keek Behlert me geërgerd aan. 'Toe, Herr Gunther, ik weet dat u uw werk goed wilt doen, maar probeer niet te vergeten dat Herr Reles de Ducal-suite bewoont. Als zodanig is hij een uiterst belangrijke gast.'

'O, dat weet ik. Ik heb hem net een dozijn flessen champagne horen bestellen. Maar de mensen met wie hij omgaat deugen van geen kant.'

'Onzin,' zei Behlert. Hij liep hoofdschuddend weg om de sommelier te halen. 'Onzin, onzin.'

Hij had natuurlijk gelijk. We gingen tenslotte allemaal met mensen om die niet deugden in het Duitsland van Hitler. En misschien deugde de Führer wel het minst van iedereen.

9

Kamer 210 lag op de tweede verdieping van de zijvleugel in de Wilhelm-straße. Hij kostte zestien mark per nacht en had een eigen badkamer. Het was een mooie kamer die een paar meter groter was dan mijn eigen appartement. Het was ver voorbij het middaguur toen ik er kwam. Aan de deur hing een kaartje NIET STOREN en een roze formulier met de mededeling voor de gast dat er een boodschap voor hem wachtte bij de receptie. De naam van de gast was Herr doctor Heinrich Rubusch en het kamermeisje zou hem met rust hebben gelaten ware het niet dat hij om elf uur zou uitchecken. Toen ze op de deur klopte werd er niet gereageerd. Ze probeerde de kamer binnen te gaan en merkte dat de sleutel zich nog in het slot bevond. Na veel vergeefs geklop, bracht ze Herr Pieck op de hoogte, de assistent-manager. Hij vreesde het ergste en haalde mij erbij.

Ik liep naar de brandkast om een van de passe-partouts te halen die we daar bewaarden – een eenvoudig stuk metaal ter grootte van een stemvork. Het paste in elk sleutelgat van het hotel en je kon er een sleutel aan de andere kant mee omdraaien. Er zouden zes van die dingen moeten zijn, maar er was er een verdwenen. Waarschijnlijk had Muller, de andere hoteldetective, vergeten hem terug te leggen. Dat was zeer typerend. Muller was nogal een zuiplap. Ik pakte een andere sleutelomdraaier uit de brandkast en liep naar de tweede verdieping.

Herr Rubusch lag nog in bed. Ik hoopte dat hij wakker zou worden en tegen ons zou roepen dat we moesten opdonderen, maar dat deed hij niet. Ik legde mijn vingers tegen de hoofdader in zijn hals, maar hij had zo veel vet dat ik het snel opgaf. Ik trok zijn pyjamajasje open en drukte mijn oor tegen het koude vlees van zijn borst.

'Zal ik dokter Küttner bellen?' vroeg Pieck.

'Ja, maar hij hoeft zich niet te haasten. Deze man is dood.'

'Dood?'

Ik haalde mijn schouders op. 'Logeren in een hotel lijkt een beetje op het leven zelf. Er komt een moment dat je moet uitchecken.'

'O, hemel, weet u het zeker?'

'Zelfs baron Frankenstein zou deze man niet meer tot leven kunnen wekken.'

Het kamermeisje in de deuropening sloeg plechtig een kruis. Pieck zei tegen haar dat ze ogenblikkelijk de hotelarts moest halen.

Ik rook aan het glas op zijn nachtkastje. Er zat water in. De nagels van de overledene waren schoon en glanzend, alsof hij net een manicure had gehad. Er zaten geen bloedvlekken op zijn lichaam, ook niet op zijn kussen. 'Zo te zien een natuurlijke doodsoorzaak, maar we kunnen maar beter wachten op Küttner. Ik word niet extra betaald voor een diagnose ter plekke.'

Pieck liep naar het raam en wilde het openzetten.

'Dat zou ik niet doen als ik u was,' zei ik. 'Dat zal de politie niet leuk vinden.'

'De politie?'

'Ze vinden het fijn om te weten als er ergens iemand dood wordt aangetroffen. Dat is de wet. Tenminste, dat was zo. Maar wie weet is dat veranderd, gelet op het aantal lijken dat tegenwoordig wordt aangetroffen. Ik weet niet of het u is opgevallen, maar er hangt hier in de kamer een sterke parfumlucht. Blue Grass van Elizabeth Arden, als ik me niet vergis. Op de een of andere manier kan ik me niet voorstellen dat deze heer dat luchtje ophad. Dat zou dus betekenen dat er iemand bij hem was toen hij het hoekje om ging. En daarom heeft de politie liever dat alles hier blijft zoals het was. Met het raam dicht.'

Ik liep naar de badkamer en keek naar het rijtje keurig opgestelde toiletspullen voor een man. Het was de gebruikelijke reistroep. Een van de handdoeken was besmeurd met make-up. In de afvalemmer zat een tissue met vegen van lippenstift. Ik opende zijn toilettas en vond een flesje nitroglycerinepillen en een pakje met drie *Fromms*. Ik opende het pakje en zag dat er een ontbrak. Ik haalde er een stukje opgevouwen papier uit waarop stond: GEEF MIJ OP DISCRETE WIJZE EEN PAKJE FROMMS. Ik tilde de deksel van het toilet op en inspecteerde het water. Er lag niets. In een prullenmand naast het bureau vond ik een lege Frommverpakking. Ik deed alles wat een echte detective gedaan zou hebben, afgezien van het maken van een smakeloze grap. Dat liet ik aan dokter Küttner over.

Tegen de tijd dat hij de kamer in liep, had ik al een vermoeden van de waarschijnlijke doodsoorzaak. Maar uit beroepsmatige hoffelijkheid hield ik die wetenschap nog even voor me totdat hij zijn mening had gegeven.

'Mensen in dure hotels zijn zelden echt ziek, weet u,' zei hij. 'Als ze vijftien mark per nacht moeten betalen voor een kamer, worden ze meestal pas ziek als ze weer thuis zijn.'

'Deze persoon gaat niet naar huis,' zei ik.

'Is hij dood?' vroeg Küttner.

'Daar begint het op te lijken, Herr dokter.'

'Ik zal hem onderzoeken, dan doe ik ook eens wat voor de kost.'

Hij pakte een stethoscoop en begon te luisteren of hij een hartslag hoorde.

'Ik zal Frau Adlon op de hoogte stellen,' zei Pieck en hij verliet de kamer.

Terwijl Küttner aan de slag ging, keek ik nog eens naar het lijk. Rubusch was een grote, zware man met kort, blond haar en een gezicht zo vet als een baby van honderd kilo. In bed, van opzij bezien, deed hij denken aan een uitloper van het Harz-gebergte. Zonder zijn kleren was het moeilijk hem te plaatsen, maar ik wist zeker dat er een reden was waarom hij me bekend voorkwam, afgezien van het feit dat hij in het hotel logeerde.

Küttner leunde achterover en knikte met een zekere voldoening. 'Het lijkt me dat hij al een aantal uur dood is.' Hij keek op zijn zakhorloge en voegde eraan toe: 'Overleden ergens tussen middernacht en zes uur vanochtend.'

'Er liggen nitropillen in de badkamer, dokter,' zei ik. 'Ik ben zo vrij geweest zijn spullen te doorzoeken.'

'Waarschijnlijk een vergroot hart.'

'Zo te zien was alles bij hem vergroot,' zei ik. Ik gaf de dokter het opgevouwen papiertje. 'En dan bedoel ik ook alles. In de badkamer ligt een pakje van drie waaruit er een ontbreekt. En daarbij sporen van make-up op de handdoek en de geur van parfum in de lucht. Daarom neem ik aan dat hij tijdens de laatste uren van zijn leven wellicht een paar heel gelukkige minuten heeft gekend.'

Inmiddels had ik ook een stapeltje vastgeklemde gloednieuwe bankbiljetten ontdekt op het bureau. Mijn theorie begon me steeds beter te bevallen.

'U denkt toch niet dat hij in haar armen is gestorven?' vroeg Küttner.

'Nee. De deur was afgesloten aan de binnenkant.'

'Dus deze arme kerel heeft mogelijk seks gehad, heeft haar uitgelaten, de deur op slot gedraaid, is teruggegaan naar bed en is toen na al die inspanning en uitputting overleden.'

'U hebt me overtuigd.'

'Het handige van het beroep van hoteldokter is dat mensen zoals u nooit zien of mijn wachtkamer vol zit met zieke mensen. Daardoor lijkt het alsof ik weet wat ik doe.'

'Is dat dan niet zo?'

'Maar zeer beperkt. Geneeskunde komt grotendeels neer op slechts één recept, weet u. Dat u zich morgenvroeg een stuk beter zult voelen.'

'Maar hij niet.'

'Er zijn ergere manieren om de pijp uit gaan, lijkt me.'

'Niet als je getrouwd bent.'

'Was hij getrouwd?'

Ik tilde de hand van de dode man op en toonde de gouden trouwring.

'U mist niet veel hè, Gunther?'

'Niet veel, afgezien van de oude Weimarrepubliek en een fatsoenlijke politiemacht die criminelen vangt in plaats van ze in dienst te nemen.'

Küttner was niet progressief maar hij was ook geen nazi. Een maand of twee geleden had ik hem huilend op de toiletten aangetroffen vanwege het nieuws van de dood van Paul von Hindenburg. Toch reageerde hij verschrikt op mijn opmerking. Even keek hij omlaag naar het lijk van Heinrich Rubusch, alsof die ons gesprek aan de Gestapo zou kunnen rapporteren.

'Rustig maar, dokter. Zelfs bij de Gestapo weten ze nog steeds niet hoe ze een overledene tot informant kunnen maken.'

Ik liep naar beneden naar de receptie en pikte een bericht voor Rubusch op. Het was slechts een briefje van George Behlert waarin stond dat hij hoopte dat hij had genoten van zijn verblijf in het Adlon. Ik inspecteerde het rooster van dienst toen ik uit een ooghoek Hedda Adlon aan zag komen in de entreehal. Ze was in gesprek met Pieck. Dit was voor mij een aansporing om me te haasten en meer te weten te komen voordat ze me zou spreken. Hedda Adlon leek een hoge dunk te hebben van mijn kwaliteiten en dat wilde ik zo houden. De sleutel tot wat ik deed voor de kost, was het hebben van pittige antwoorden op vragen waar andere mensen niet eens aan hadden gedacht. Een indruk van alwetendheid is een handige eigenschap voor een god en trouwens ook voor een detective. Maar voor een detective is alwetendheid natuurlijk een illusie. Plato wist dat. En dat is een van de redenen waarom hij een betere schrijver was dan Sir Arthur Conan Doyle.

Ongezien door mijn werkgeefster stapte ik in de liftcabine.

'Welke verdieping?' vroeg de piccolo. Hij heette Wolfgang en hij was een jongen van rond de zestig.

'Omhoog met dat ding.'

Wolfgang bewoog zijn witte handschoenen soepel als een goochelaar. Ik voelde mijn maag zakken terwijl we opstegen naar Lorenz Adlons idee van een hemel.

'Wou u iets vragen, Herr Gunther?'

'Heb je gisteravond toevallig dames van plezier naar de tweede verdieping zien gaan?'

'Er gaan heel veel dames op en neer in deze lift, Herr Gunther. Doris Duke, Barbara Hutton, de ambassadeur van de Sovjet-Unie, de koningin van Siam, prinses Mafalda. Het is gemakkelijk om te zien wie en wat zij zijn. Maar die actrices, filmsterren, showmeisjes... in mijn ogen lijken ze allemaal op dames van plezier. Dat zal dan wel de reden zijn dat ik piccolo ben en u huisdetective.'

'Je hebt uiteraard gelijk.'

Hij grijnsde terug. 'Een chic hotel lijkt een beetje op de etalage van een juwelier. Alles wordt tentoongesteld. Nu schiet me iets te binnen. Ik zag Herr Muller praten met een dame op de trap, rond twee uur in de middag. Het is mogelijk dat zij een dame van plezier was. Afgezien van het feit dat ze diamanten droeg. En een diadeem. Dan was ze misschien toch geen dame van plezier. Ik bedoel, als ze zich al die sieraden kon veroorloven, waarom zou ze dan haar poes laten strelen door andere mensen? Aan de andere kant, als ze wel een escortdame was, wat had ze dan te zoeken bij een windbuil als Muller? Niet beledigend bedoeld.'

'Geeft niet. Hij is inderdaad een windbuil. Had die dame blond of bruin haar?'

'Blond. En heel veel.'

'Dat is een hele opluchting,' zei ik terwijl ik in gedachten Dora Bauer van de lijst van mogelijke verdachten schrapte. Zij had namelijk kort bruin haar en was niet echt het type dat zich een diadeem kon veroorloven.

'Nog meer details?'

'Ze had veel parfum op. Dat rook echt lekker. Alsof ze Aphrodite in eigen persoon was.'

'Ik zie het voor me. Stond ze bij jou in de lift?'

'Nee. Ze moet de trap hebben genomen.'

'Of misschien klom ze op de rug van een zwaan en vloog ze zo het raam uit. Dat zou Aphrodite gedaan hebben.'

'Wilt u beweren dat ik lieg, meneer?'

'Nee, helemaal niet. Maar wel dat je een ongeneeslijke romanticus en een liefhebber van vrouwen in het algemeen bent.'

Wolfgang grijnsde. 'Dat ben ik inderdaad, meneer.'

'Ik ook.'

Muller zat in het kantoor dat we samen deelden. Dat was dan ook zo'n beetje alles wat we gemeenschappelijk hadden. Hij haatte mij en als ik minder onverschillig was geweest, had ik hem misschien ook gehaat. Voordat hij bij het Adlon kwam, had hij bij de politie van Potsdam gewerkt – een geüniformeerde smeris met een intuïtieve afkeer van rechercheurs van het Alex zoals ik. Hij was ook ex-lid van het *Freikorps* en nog rechtser dan de nazi's, wat nog een reden was waarom hij mij haatte; hij haatte alle republikeinen zoals een tarweboer ratten haat. Hij had bij de politie kunnen blijven, ware het niet dat hij dronk. Dus ging hij vroeg met pensioen, deed het net zo lang rustig aan met drinken als nodig was om een baantje bij het Adlon te krijgen en begon weer te drinken. Meestal kon hij er ook goed tegen, dat moet ik toegeven. Meestal. Ik had het als mijn plicht kunnen opvatten om hem eruit te werken, maar dat deed ik niet. Althans, nog niet. Natuurlijk wisten we allebei dat het niet lang meer zou duren voordat Behlert of een van de Adlons hem dronken op het werk aantrof. En ik hoopte dat dat zou gebeuren zonder mijn hulp. Maar als het anders liep zou ik waarschijnlijk wel met die teleurstelling kunnen leven.

Hij sliep in zijn stoel. Er stond een halve fles Bismarck naast zijn voet en hij had een leeg glas in zijn hand. Hij had zich niet geschoren en het geluid dat uit zijn neus en keel kwam, deed denken aan een zware ladekast die over een houten vloer werd geschoven. Hij leek op een ongenode gast op een schilderij van een boerenbruiloft van Brueghel. Ik liet mijn hand in zijn jaszak glijden en pakte zijn portemonnee. Er zaten vier nieuwe biljetten van vijf mark in met een serienummer dat overeenstemde met de biljetten die ik op het bureau in de kamer van Rubusch had zien liggen. Of Muller had hem die dame van plezier bezorgd, óf hij had haar achteraf zwijggeld afgetroggeld. Mogelijk beide, maar dat deed er nauwelijks toe. Ik stopte het geld terug in de portemonnee, liet die weer in zijn zak glijden en schopte hem tegen zijn enkel.

'Hé, Sigmund Romberg. Wakker worden.'

Muller verroerde zich, snoof en ademde een sterke jeneverlucht uit. Hij veegde zijn stoppelige kin af met de rug van zijn hand en wierp een dorstige blik om zich heen.

'Bij je linkervoet,' zei ik.

Hij keek omlaag naar de fles en deed alsof hij hem niet opmerkte, maar niet erg overtuigend. Als hij zich had uitgegeven voor Frederick de Grote, was hij overtuigender geweest.

'Wat wil je?'

'Bedankt, maar ik drink nooit zo vroeg. Maar ga jij gerust je gang en neem er een als je daardoor makkelijker kunt denken. Ik blijf hier wel staan toekijken terwijl ik me vrolijk voorstel hoe je lever eruitziet. Die heeft vast een heel interessante vorm. Misschien moet ik hem eens schilderen. Ik schilder af en toe abstract. Eens kijken, wat dacht je van *Stilleven met lever en uien*? Voor die uien gebruiken we dan je hersenen als voorbeeld, goed?'

'Wat wil je?'

Zijn stem klonk nu agressiever, alsof hij op het punt stond me een klap te geven. Maar ik huppelde de kamer rond op mijn tenen als een dansleraar, voor het geval ik hem een opdonder moest verkopen. Ik wilde bijna dat hij het zou proberen zodat ik terug kon slaan. Een stevige rechtse op zijn kaak had hem misschien ontnuchterd.

'Aangezien we praten over interessante vormen, kunnen we het misschien hebben over die dame van plezier die hier vorige nacht is geweest? Die dame met dat diadeem. Die op bezoek kwam bij de man in kamer 210. Rubusch, Heinrich Rubusch. Heeft hij je dat geld gegeven of heb je het van die snol op de gang afgepakt? En trouwens, als je je afvraagt waar ik me mee bemoei: die Rubusch is dood.'

'Wie zegt dat ik geld heb aangenomen van iemand?'

'Je bekommernis met het welzijn van de hotelgasten is roerend, Muller. De serienummers op die vier nieuwe biljetten in je portemonnee komen overeen met de nummers van een stapeltje bankbiljetten dat op een tafeltje lag in de kamer van die dode man.'

'Heb je in mijn portemonnee gezeten?'

'Je zou je kunnen afvragen waarom ik je vertel dat ik aan je portemonnee heb gezeten. Ik had net zo goed Behlert, Pieck of een van de Adlons mee kunnen nemen, dan had ik die biljetten tevoorschijn kunnen halen met publiek erbij. Maar dat heb ik niet gedaan. Nu moet je me vragen waarom niet.'

'Goed goed, jij je zin. Waarom niet?'

'Ik zou niet willen dat je ontslagen werd, Muller. Maar ik wil wel dat je vertrekt uit dit hotel. Ik geef je de kans op eigen initiatief te vertrekken. Wie weet? Misschien krijg je zelfs een referentie mee.'

'En stel dat ik niet wil vertrekken?'

'Dan ga ik hen alsnog halen. Tegen de tijd dat we hier terug zijn, kun je die bankbiljetten natuurlijk weggemoffeld hebben. Maar dat doet er niet toe, wat dat is niet de reden dat ze je zullen ontslaan. Ze ontslaan je omdat je stinkend bezopen bent. De stank is zo hevig dat het stadsbestuur erover denk om een gassnuiver langs te sturen.'

'Bezopen, zegt hij.' Muller pakte de fles en dronk hem leeg. 'Wat wil je, in een baan als deze, met al dat rondhangen? Wat moet een man de hele dag doen als hij niet drinkt?'

Ik was het bijna met hem eens. Het was inderdaad een saaie baan. Ik verveelde me zelf ook. Ik voelde me net een kalfspoot in gestolde gelei.

Muller keek naar de lege fles en grijnsde. 'Zo te zien heb ik nog een been nodig om op te staan.' Toen richtte hij zijn blik op mij. 'Je denkt dat je slim ben, hè, Gunther?'

'Met jouw intellectuele bagage, Muller, kan ik me voorstellen dat dat zo lijkt. Maar er is nog steeds veel dat ik niet weet. Zoals die dame van plezier. Heb jij haar het hotel in gebracht, of heeft Rubusch dat gedaan?'

'Zei je dat hij dood was?'

Ik knikte.

'Dat verbaast me niks. Het was toch een grote, dikke vent?'

Ik knikte opnieuw.

'Ik zag dat meisje op de trap staan en bedacht dat ik wel een paar centen van haar los kon krijgen.' Hij haalde zijn schouders op. 'Hoe moet ik rondkomen van vijfentwintig mark per week? Ze zei dat ze Angela heette. Ik weet niet of dat echt zo is. Ik heb niet om haar papieren gevraagd. Twintig mark was wat mij betreft een prima identificatie.' Hij grijnsde. 'Ze zag er trouwens goed uit. Je ziet niet vaak hoeren die zo knap zijn. Echt een lekker ding. Dus, zoals ik zei, het verbaast me niet dat die dikke vent dood is. Zelf kreeg ik ook bijna een hartverzakking toen ik haar aankeek.'

'Heb je hem toen gezien? Toen je haar zag?'

'Nee. Ik heb hem eerder op de avond gezien. In de bar. En later in de Rafaël-zaal.'

'Hoorde hij bij dat Olympisch Comité?'

'Ja.'

'En waar was jij? Moest jij daar een oogje in het zeil houden?'

'Kom nou toch,' zei hij geërgerd. 'Het waren zakenmensen, geen studenten. Ik heb ze aan hun lot overgelaten. Ik ben naar dat bierhuis gegaan bij de kruising van de Behrenstraße en de Freidrichstraße. Pschorr Haus. Ik ben stomdronken geworden. Ik kon toch niet weten dat er moeilijkheden zouden komen?'

'Je hoopt op het beste maar je verwacht het ergste. Dat hoort bij deze baan, kerel.' Ik pakte mijn sigarettendoos en klapte hem open vlak voor zijn lelijke gezicht. 'Enfin. Wat wordt het? Een eigen ontslagbrief of de punt van de Engelse laars van Louis Adlon in je reet?'

Hij pakte een sigaret. Ik stak hem zelfs voor hem aan, gewoon om aardig te doen.

'Goed dan, jij wint. Ik zal ontslag nemen. Maar wij zijn geen vrienden.'

'Dat is niet erg. Ik moet er vanavond thuis misschien een beetje om huilen, maar ik denk dat ik het wel overleef.'

Ik liep halverwege de entreehal toen Hedda Adlon me wenkte met een hoofdbeweging terwijl ze mijn volledige naam riep. Hedda Adlon was de enige die mijn voornaam Bernhard uitsprak alsof hij echt betekende wat hij betekende: dappere beer, hoewel sommigen beweren dat dat 'hard' in mijn naam niet zo zeer 'dapper' betekent als wel 'onbezonnen'.

Ik liep achter haar en haar twee pekineesjes, die ze altijd bij zich had, aan. We gingen het kantoor van de assistent-manager van het hotel in. Dit was haar kantoor en als haar echtgenoot Louis niet in de buurt was – en hij was er niet vaak als het jachtseizoen was geopend – was Hedda Adlon duidelijk de baas.

'Nou,' zei ze, terwijl ze de deur dicht deed. 'Wat weten we over die arme Herr Rubusch? Heb je de politie gebeld?'

'Nee, nog niet. Ik was op weg naar het Alex toen u me wenkte. Ik wil het nieuws persoonlijk gaan vertellen.'

'O? En waarom?'

Hedda Adlon was begin dertig, en veel jonger dan haar echtgenoot. Hoewel ze in Duitsland was geboren, had ze een groot deel van haar jeugd doorgebracht in Amerika. Ze sprak Duits met een licht Amerikaans accent. Net als Max Reles. Maar daar hield de gelijkenis ook meteen op. Ze was blond, met een vol Duits postuur. Maar wel een gezond postuur. Zo gezond als een aantal miljoen mark. Een veel gezonder postuur kun je niet hebben. Ze gaf graag feesten voor veel gasten en ze hield van paardrijden. Ze deed enthousiast mee aan de Berlijnse vossenjacht totdat Hermann Göring het jagen met honden in Duitsland had verboden. Ze was heel sociaal en ik vermoed dat dat een van de redenen was waarom de zwijgzame Louis Adlon met haar was getrouwd. Ze gaf het hotel extra luister, alsof de toegangspoort tot het paradijs met paarlemoer was ingelegd. Ze glimlachte veel, kon mensen goed op hun gemak stellen en kon met iedereen praten. Ik weet nog dat ze ooit tijdens een diner in het Adlon naast een indiaans opperhoofd had gezeten die zijn volledige tooi droeg: ze sprak de hele avond met hem alsof hij de Franse ambassadeur was. Het is natuurlijk mogelijk dat hij ook echt de Franse ambassadeur wás. De Fransen, vooral de diplomaten onder hen, zijn nogal verzot op veren en decoratie.

'Ik wilde de politie vragen of ze de zaak discreet willen behandelen, Frau Adlon. Het lijkt erop dat Herr doctor Rubusch, een getrouwd man, een jongedame in zijn kamer heeft ontvangen vlak voor hij kwam te overlijden. Geen enkele vrouw zou graag op de hoogte gebracht worden van het feit dat ze weduwe is geworden als er een dergelijke boodschap op volgt. Niet voor zover ik weet. Dus ter wille van haar en de reputatie van het hotel, hoopte ik de zaak rechtstreeks in handen te kunnen spelen van een rechercheur bij Moordzaken die een oude vriend van me is. Iemand die beschikt over de eigenschappen om een dergelijke gevoelige zaak op de juiste manier aan te pakken.'

'Dat is heel attent van je, Bernhard. We zijn je dankbaar. Maar zei je nou "Moordzaken"? Ik dacht dat hij een natuurlijke dood is gestorven.'

'Waarschijnlijk wel.'

'Alleen niet met een bijbel in zijn armen maar met een jonge dame. Moet ik aannemen dat u daarmee een prostituee bedoelt?'

'Zeer waarschijnlijk, ja. We jagen ze zo veel mogelijk het hotel uit. Maar het is niet altijd eenvoudig. Deze juffrouw droeg een diadeem.'

'Dat is weer eens iets anders.' Hedda stopte een sigaret in een pijpje. 'Slim. Wie zou ooit iemand met een diadeem durven lastigvallen?'

'Als het een man was, zou ik het overwegen.'

Ze glimlachte, stak de sigaret aan, zoog aan het pijpje en blies de rook uit. Ze inhaleerde niet, als een kind dat net doet alsof het rookt. Het deed me denken aan hoe ik zelf deed alsof ik een rechercheur was. Ik hield de schijn op, maar die onderzoekjes van mij stelden niet echt veel voor. Hoteldetective. In feite was het een innerlijke tegenspraak. Net zoiets als nationaalsocialisme. Raszuiverheid. Arische superioriteit.

'Nou, als dat alles is moest ik maar eens naar het Alex. De jongens bij Moordzaken zijn een beetje anders dan de meeste mensen. Ze horen slecht nieuws graag zo snel mogelijk.'

10

Veel van hetgeen ik Hedda Adlon had verteld was uiteraard onzin. Ik had geen oude vrienden bij Moordzaken. Niet meer. Otto Trettin zat bij de afdeling Vervalsing en Fraude. Bruno Stahlecker werkte bij Inspectoraat G: de afdeling Jeugdzaken. Ernst Gennat, die de baas was bij Moordzaken, was geen vriend meer. Niet sinds de zuivering van 1933. En er werkte bij Moordzaken beslist niemand meer met enige menselijk fatsoen. Waar dienden zij voor, als ze Joden en communisten arresteerden, als ze bezig waren met de opbouw van het nieuwe Duitsland? Maar toch, er waren politiemensen bij Moordzaken die erger waren dan anderen en dat waren nou precies de smerissen die ik hoopte te vermijden. Ten bate van Frau Rubusch. En Frau Adlon. En de reputatie van het hotel. En dat allemaal welwillend uitgevoerd door Bernie Gunther, held van de boksring met het hart op de juiste plaats, met als specialiteit het doden van draken.

Bij de receptie van het Alex zag ik Heinz Seldte, de jonge agent die te intelligent leek om een uniform van de Schupo aan te hebben. Het was een goed begin. Ik wuifde vriendelijk naar hem.

'Wie zijn de rechercheurs van dienst bij Moordzaken?' vroeg ik.

Seldte gaf geen antwoord. Hij keek me niet eens aan. Hij had het te druk met in de houding staan en naar iemand achter me kijken.

'Kom je jezelf aangeven wegens moord, Bernie?'

Gegeven het feit dat ik werkelijk iemand had vermoord, en nog niet zo lang geleden, keek ik om en probeerde zo nonchalant mogelijk over te komen. Maar mijn hart bonsde alsof ik het hele eind over Unter den Linden had hardgelopen.

'Dat hangt er vanaf wie ik vermoord zou moeten hebben, meneer. Ik kan een of twee mensen bedenken voor wie ik graag mijn handen op zou steken. Misschien helemaal geen gek idee. Zo lang ik maar zeker weet dat ze echt dood zijn.'

'Politiemensen, misschien.'

'Nou, ik wil niet alles verklappen, meneer.'

'Nog steeds dezelfde jonge etterbak, merk ik.'

'Ja, meneer. Alleen niet zo jong meer.'

'Ga mee naar mijn kantoor. We moeten praten.'

Ik protesteerde niet. Het is nooit een goed idee om het oneens te zijn met het hoofd van de Berlijnse recherche. Erich Liebermann von Sonnenberg was nog maar net hoofd van de recherche toen ik in 1932 rechercheur was bij het Alex. In dat jaar was Sonnenberg lid geworden van de nazipartij, waardoor hij er na 1933 van was verzekerd dat de nazi's aan hem de voorkeur gaven. Maar ondanks dat had ik respect voor hem. Ten eerste was hij altijd een bekwaam politieman geweest en bovendien was hij een goede vriend van Otto Trettin, en tevens medeauteur van dat stomme boek.

We liepen zijn kantoor in, en hij deed de deur achter me dicht.

'Je weet zeker nog wel wiens kantoor dit was toen je hier voor het laatst bent geweest.'

Ik keek om me heen. Het kantoor was geschilderd en in plaats van linoleum lag er nieuw tapijt op de vloer. De kaart aan de muur waarop incidenten van de SA werden afgezet tegen gewelddadigheden van de Roden was verdwenen. In plaats daarvan stond nu een glazen kast vol met gevlekte bruine motten die dezelfde kleur hadden als het haar van Liebermann Von Sonnenberg.

'Bernard Weiss.'

'Een goede politieman.'

'Ik ben blij dat u dat zegt, gezien de omstandigheden van zijn vertrek.'

Weiss, een Jood, werd in 1932 gedwongen de politie te verlaten en Duitsland te ontvluchten.

'Jij was ook een prima politieman, Bernie. Het verschil is dat jij hier waarschijnlijk had kunnen blijven.'

'Zo voelde het niet op dat moment.'

'En wat kom je hier nu doen?'

Ik vertelde hem over de dode man in het Adlon.

'Natuurlijke doodsoorzaak?'

'Lijkt er wel op. Ik hoopte dat de rechercheurs die met het onderzoek zijn belast de omstandigheden van zijn dood voor de weduwe willen verzwijgen, meneer.'

'Is daar een bepaalde reden voor?'

'Dat hoort allemaal bij de eersteklas dienstverlening van het Adlon.'

'Net als elke dag schone handdoeken in de badkamer, zoiets?'

'We moeten ook denken om de reputatie van het hotel. De mensen moeten niet denken dat we pension Kitty zijn.'

Ik vertelde hem over de prostituee.

'Ik zet er meteen een paar mannetjes op.' Hij pakte de telefoon, blafte een paar bevelen en wachtte even terwijl hij de hoorn bedekte met zijn hand. 'Rust en Brandt,' zei hij. 'De rechercheurs van dienst.'

'Die ken ik niet.'

'Ik zal tegen ze zeggen dat ze discreet moeten zijn.' Liebermann von Sonnenberg sprak nog wat instructies in de hoorn en toen hij klaar was, hing hij het oorstuk op de haak en wierp me een vragende blik toe. 'Zo goed?'

'Ik ben u dankbaar, meneer.'

'Dat moeten we nog maar afwachten.' Hij keek me traag aan en leunde achterover in zijn stoel. 'Even onder ons, Bernie, de meeste rechercheurs hier bij de Kripo zijn geen knip voor de neus waard. En dat geldt ook voor Rust en Brandt. Ze houden zich strikt aan de regeltjes omdat ze niet de moed hebben of de ervaring om te weten dat hun baan meer inhoudt dan wat er in het boekje staat. Een goede rechercheur moet verbeeldingskracht hebben. Tegenwoordig klinkt dat ondermijnend, het heeft iets ongedisciplineerds. En niemand wil als ondermijnend beschouwd worden. Snap je wat ik bedoel?'

'Ja, meneer.'

Hij stak snel een sigaret op.

'Wat zijn volgens jou de kenmerken van een goede rechercheur?'

Ik haalde mijn schouders op. 'Het gevoel dat je gelijk hebt en alle anderen ongelijk.' Ik glimlachte. 'Ik snap wel dat zoiets ook verkeerd zou vallen.' Ik aarzelde.

'Je kunt vrijuit spreken. We zijn hier onder ons.'

'Hardnekkige volharding. Als mensen zeggen dat je iets moet laten zitten, doe je dat niet. Ik ben nooit ergens voor weggelopen omwille van politieke redenen.'

'Dan neem ik aan dat je nog steeds geen nazi bent.'

Ik zei niets.

'Ben je antinazi?'

'Een nazi is een volgeling van Hitler. Een antinazi luistert naar wat hij zegt.'

Liebermann von Sonnenberg grinnikte. 'Het is heel aangenaam om met iemand als jou te praten, Bernie. Je doet me denken aan hoe het hier vroeger was. Hoe politiemensen met elkaar spraken. Echte politiemensen. Ik neem aan dat je je eigen informanten had.'

'Je kunt dat soort werk niet doen zonder je oor tegen de toiletdeur te drukken.'

'Het probleem is dat iedereen tegenwoordig informant is.' Liebermann von Sonnenberg schudde somber zijn hoofd. 'En dan bedoel ik ook iedereen. Hetgeen betekent dat er te veel informatie is. Tegen de tijd dat die informatie is beoordeeld, is hij waardeloos geworden.'

'We krijgen de politie die we verdienen, meneer.'

'Ik kan het uitgerekend jou niet kwalijk nemen dat je zo denkt. Maar ik kan niet zomaar niets doen en alles op zijn beloop laten. Dan zou ik mijn werk niet goed doen. Tijdens de Republiek had de Berlijnse politie de reputatie dat zij de beste ter wereld was.'

'Daar dachten de nazi's anders over, meneer.'

'Daar kan ik niets aan veranderen. Maar ik kan wel proberen de neergang tegen te houden.'

'Ik krijg het gevoel dat mijn dankbaarheid op het punt staat zwaar beproefd te worden.'

'Er werken hier een of twee rechercheurs die eventueel kunnen uitgroeien tot fatsoenlijke vakmensen.'

'Afgezien van Otto, bedoel je.'

Liebermann von Sonnenberg grinnikte opnieuw. 'Otto. Ja. Nou ja, Otto is Otto, nietwaar?'

'Altijd.'

'Maar die politiemensen hebben nog te weinig ervaring. Het soort ervaring dat jij wel hebt. Een van hen is Richard Bömer.'

'Hem ken ik evenmin, meneer.'

'Nee, dat verbaast me niet. Hij is de schoonzoon van mijn zus. Het leek dat hij wel een beetje goede raad van een oom zou kunnen gebruiken.'

'Ik geloof niet dat ik een goede oom zou zijn. Ik heb geen broer, maar als ik die wel had, zou hij inmiddels waarschijnlijk zijn overleden aan mijn kritiek. De enige reden waarom ze mijn uniform hebben afgenomen en me burgerkleren hebben aangetrokken is, omdat ik zo ruw omging met het verkeer op de Potsdamer Platz. Advies van mij komt aan als een klap met een liniaal. Ik vermijd het zelfs in mijn eigen scheerspiegel te kijken om niet het risico te lopen dat ik tegen mezelf zeg dat ik eens een fatsoenlijke baan moet vinden.'

'Een fatsoenlijke baan. Voor jou? Wat bijvoorbeeld?'

'Ik zit erover te denken om voor mezelf te beginnen als privédetective.'

'Daar heb je een vergunning van een magistraat voor nodig. En om die te krijgen moet je eerst toestemming van de politie hebben. Het zou handig zijn als je voor zoiets de steun had van een ervaren politieman.'

Hij had gelijk en het leek zinloos om me te verzetten. Hij had me in zijn macht, alsof ik een opgeprikte mot was in de vitrine in zijn kantoor.

'Goed dan. Maar verwacht geen witte handschoenen en zilveren dienbladen. Als die Richard niet van gekookte worst van Max houdt, kan hij het wel vergeten.'

'Uiteraard. En het lijkt me trouwens een goed idee als jullie elkaar ergens buiten het Alex ontmoeten. En ook niet in de bars hier in de buurt. Ik zou niet graag willen dat hij een standje krijgt voor het tuig met wie hij omgaat.'

'Mij best. Maar ik heb die schoonzoon van je zus liever niet in het Adlon. Ik wil jou of haar niet beledigen, maar ze hebben daar liever niet dat ik onderwijs geef tijdens mijn werk.'

'Goed hoor. We bedenken wel een plekje. Ergens halverwege. Wat dacht je van de Lustgarten?'

Ik knikte.

'Ik zal Richard een paar dossiers meegeven van zaken die hij onderzoekt. Onopgeloste zaken. Wie weet? Misschien kun je een opening vinden. Een lijk in het kanaal. En die zielige arme politieman die is vermoord. Misschien heb je over hem gelezen in de *Beobachter*? August Krichbaum.'

11

De Lustgarten was ooit een reusachtig, fraai park en werd omsloten door het koninklijk paleis, waarvan het ooit deel had uitgemaakt, het oude museum en de kathedraal. De laatste tijd werd het park niet als tuin gebruikt maar voor militaire parades en politieke bijeenkomsten. In februari 1933 had ik zelf deelgenomen aan een demonstratie van tweehonderdduizend mensen die zich op de Lustgarten hadden verzameld om te protesteren tegen Hitler. Misschien was dat de reden dat de nazi's, toen ze eenmaal aan de macht waren gekomen, hadden bevolen om de tuin te laten plaveien en het beroemde ruiterstandbeeld van Friedrich Wilhelm de Derde te verplaatsen, zodat ze nog grootschaliger militaire parades en bijeenkomsten voor de Führer konden organiseren.

Toen ik aankwam op die grote lege ruimte, besefte ik dat ik was vergeten dat het standbeeld was verplaatst. Ik moest raden waar hij had gestaan en daar dan maar gaan staan, zodat inspecteur van de recherche Richard Bömer me nog kon vinden op de plek die was afgesproken met Liebermann von Sonnenberg.

Voor hij mij zag, had ik hem al gezien; een lange man, eind twintig, met blond haar. Hij droeg een aktetas onder zijn arm en hij had een grijs pak aan en een paar glimmend zwarte laarzen die misschien wel voor hem op maat waren gemaakt op de politieschool in Havel. Hij had diepe lachrimpeltjes rond zijn brede, volle lippen waar voortdurend een glimlach omheen schemerde. Zijn neus was enigszins scheef en over één wenkbrauw liep een dik litteken, als een bruggetje over een goudblond beekje. Behalve zijn oren, waar geen littekens op zaten, zag hij eruit als een veelbelovende jonge halfzwaargewicht die was vergeten zijn mondbeschermer uit te doen. Hij zag me en liep op zijn gemak naar me toe.

'Hallo.'

'Bent u Gunther?'

Hij wees in zuidoostelijke richting, naar de kant waar het paleis stond.

'Ik geloof dat hij die kant op keek. Friedrich Wilhelm de Derde, bedoel ik.'

'Weet je dat zeker?'

'Ja.'

'Mooi. Ik hou van mensen die aan hun mening durven vasthouden.'

Hij draaide zich om en wees naar het westen. 'Ze hebben hem die kant op gezet. Achter die bomen. Daar heb ik de afgelopen tien minuten staan wachten. Ik besloot hierheen te lopen toen het me daagde dat u wellicht niet wist dat het beeld was verplaatst.'

'Wie verwacht dan ook dat een granieten ruiter ergens heen gaat?'

'Ach, ze moeten toch ergens heen.'

'Daarover kun je van mening verschillen. Kom, laten we gaan zitten. Een politieman blijft nooit staan als hij kan gaan zitten.'

We liepen naar het Altes Museum en gingen op de trap zitten voor een brede façade van Ionische zuilen.

'Ik kom hier graag,' zei hij. 'Het doet me denken aan hoe we vroeger waren. En wat we ooit opnieuw zullen zijn.'

Ik keek hem effen aan.

'U weet wel, Duitse geschiedenis,' zei hij.

'De Duitse geschiedenis is niets meer dan een reeks belachelijke snorren,' zei ik.

Bömer glimlachte besmuikt als een schooljongen. 'Dat zou mijn oom een goeie hebben gevonden,' zei hij.

'Ik neem aan dat je niet op Liebermann von Sonnenberg doelt.'

'Hij is de oom van mijn vrouw.'

'Alsof het feit dat de hoogste baas van de Kripo een spons in jouw hoek vasthoudt niet genoeg is. Maar wie is dan jouw oom? Hermann Göring?'

Hij keek schaapachtig. 'Ik wil gewoon werken bij Moordzaken. Een goede politieman zijn.'

'Ik heb één ding geleerd over goede politiemannen. Ze verdienen niet half zo veel als slechte. Maar wie is die oom van jou?'

'Doet dat er toe?'

'In zoverre dat Liebermann von Sonnenberg wilde dat ik als het ware jouw oom zou zijn. En ik ben nogal jaloers. Als je een andere oom hebt die net zo belangrijk is als ik, wil ik het weten. Bovendien ben ik ook nieuwsgierig. Daarom ben ik rechercheur geworden.'

'Hij werkt bij het ministerie van Propaganda.'

'Je lijkt niet op Joseph Mankepoot, dus je moet iemand anders bedoelen.'

'Bömer. Doctor Karl Bömer.'

'Het lijkt er tegenwoordig op dat iedereen doctor moet zijn om te liegen.'

Hij grijnsde opnieuw. 'U zit me gewoon te pesten, hè? Omdat u weet dat ik lid van de partij ben.'

'Iedereen is tegenwoordig toch lid?'

'Maar u niet.'

'Op de een of andere manier is het er nooit van gekomen. Er stond altijd net een lange rij voor het partijhoofdkwartier als ik me wilde aanmelden.'

'Daar had u iets van kunnen opsteken. Namelijk dat opgaan in de massa voordelen biedt.'

'Nee, dat is niet zo. Ik heb in de loopgraven gezeten, jonge vriend. Een bataljon kan even gemakkelijk worden gedood als een individu. En het waren de generaals die daar voor zorgden, niet de Joden. De generaals waren degenen die ons een mes in de rug hebben gestoken.'

'Volgens de chef moest ik gesprekken over politiek met u proberen te vermijden.'

'Dat is geen politiek. Het is geschiedenis. Wil je de waarheid horen over Duitse geschiedenis? Er is geen waarheid in de Duitse geschiedenis. Net als mijn rol op het Alex. Niets van hetgeen je over mij hebt gehoord is waar.'

'Volgens de chef was u een goede rechercheur. Een van de besten.'

'Afgezien daarvan.'

'Hij zei dat u Gormann de Wurger te pakken hebt gekregen.'

'Als dat moeilijk was geweest, had hij het wel in zijn boek vermeld. Heb je dat gelezen?'

Hij knikte.

'Wat vond je ervan?'

'Het is niet geschreven voor politiemensen.'

'Je hebt de verkeerde baan gekozen, Richard. Je zou bij het Corps Diplomatique moeten werken. Het was een snertboek. Je leert er niets van over wat het betekent om rechercheur te zijn. Niet dat ik je daar veel over kan vertellen. Behalve mogelijk dit: een politieman kan gemakkelijk herkennen als iemand liegt. Het is moeilijker om te herkennen wanneer iemand de waarheid spreekt. En misschien nog dit: een politieman is gewoon iemand die iets minder dom is dan een misdadiger.'

'Misschien kunt u iets zeggen over uw onderzoeksmethode?'

'Mijn methode leek een beetje op wat veldmaarschalk Von Moltke zei over een strijdplan. Het overleeft het contact met de vijand niet. Alle mensen zijn anders, Richard. En het is logisch dat dat ook voor moorden geldt. Misschien kun je me iets vertellen over een zaak waar je nu aan werkt. Of nog beter, als je me het dossier bezorgt, kan ik er eens naar kijken en zeggen wat ik ervan denk. De chef had het over een onopgeloste zaak. De moord op een politieman. August Krichbaum heette hij toch? Misschien zou ik een suggestie kunnen doen.'

'Dat is niet langer een onopgeloste zaak,' zei Bömer. 'Er is kennelijk toch een aanknopingspunt gevonden.'

Ik beet op mijn lip. 'O, ja? Wat dan?'

'Krichbaum is toch vermoord voor het Deutscher Kaiser Hotel? De patholoog gaat ervan uit dat iemand hem in de maag heeft gestompt.'

'Dat moet een harde dreun zijn geweest.'

'Dat zou kunnen, misschien omdat hij het niet had verwacht. Hoe dan ook, de portier van het hotel heeft de belangrijkste verdachte gezien. Niet echt goed, maar hij is een ex-politieman. Hij heeft de foto's van alle criminelen in Berlijn bekeken, zonder succes. Hij heeft een hele tijd zitten piekeren en nu denkt hij dat de man die Krichbaum heeft geslagen een andere politieman kan zijn geweest.'

'Een politieman? Dat meen je niet.'

'Toch wel. Ze hebben hem de personeelsdossiers van de gehele Berlijnse politiemacht laten zien, van vroeger tot op heden. Zodra hij de juiste foto herkent is die kerel erbij.'

'Nou, dat is een hele opluchting.'

Ik stak een sigaret op en wreef ongemakkelijk met mijn hand in mijn nek, alsof ik het blad van de vallende bijl al kon voelen. Er wordt gezegd dat het enige wat je voelt een stekende pijn is, zoiets als de vinnige knip van de tondeuse bij een herenkapper. Het kostte me een paar tellen om te beseffen dat de portier van het hotel de verdachte had beschreven als iemand met een snor. En het duurde nog langer voor het tot me doordrong dat ik een snor droeg op de oorspronkelijke foto in mijn persoonlijke dossier. Maakte het dat meer of minder waarschijnlijk dat hij me zou identificeren? Ik wist het niet zeker. Ik ademde diep in en voelde me een beetje zweverig in mijn hoofd.

'Maar ik heb een dossier bij me van een andere zaak waar ik aan heb gewerkt,' zei Bömer terwijl hij zijn aktetas van zadelleer open gespte.

'Mooi,' zei ik zonder geestdrift. 'Heel mooi.'

Hij overhandigde me een geelbruine map.

'Een paar dagen geleden is er een lijk aangetroffen in het water van de schutsluis bij Mühlendamm.'

'Een Landwehr Top,' zei ik.

'Pardon?'

'Niks. Waarom behandelt de afdeling Moordzaken van Mühlendamm dat niet?'

'Omdat er onzekerheid heerste over de identiteit van de man en over de doodsoorzaak. De man was verdronken. Maar het lichaam zat vol zeewater, begrijpt u? Dus hij kan onmogelijk zijn verdronken in de Spree.' Hij gaf me enkele foto's. 'Bovendien kunt u zien dat er een poging is gedaan om het lijk te verzwaren. Het gewicht is waarschijnlijk uit het touw om de enkels gegleden.'

'Hoe diep is het daar?'

'Ongeveer negen meter.'

Ik keek naar het lijk van een man achter in de vijftig. Groot, blond, en typisch arisch, afgezien van het feit dat er een foto bijzat van zijn penis, die besneden was. Bij Duitse mannen was dat enigszins ongebruikelijk.

'Zoals u ziet is het mogelijk dat hij Joods was,' zei Bömer. 'Hoewel de rest van hem er totaal niet Joods uitziet.'

'Dat geldt tegenwoordig voor allerlei mensen.'

'Ik bedoel, hij lijkt typisch op een ariër, vindt u niet?'

'Zeker. Net iemand op een reclameposter voor de SA.'

'Laten we het hopen.'

'Je bedoelt?'

'Ik bedoel dit: als zou blijken dat hij Duits is, willen we uiteraard zo veel mogelijk uitzoeken. Maar als zou blijken dat hij Joods is, heb ik de opdracht gekregen geen verder onderzoek te doen. Dat het begrijpelijk is dat dergelijke dingen voorkomen in Berlijn en dat we daar geen kostbare tijd van de politie aan moeten besteden.'

Ik verbaasde me over de kalme wijze waarop hij dit zei. Alsof het het meest natuurlijke onderscheid ter wereld was. Ik zei niets. Dat was niet nodig. Ik keek nog steeds naar de foto's van een dode man. Maar ik dacht nog steeds aan mijn eigen nek.

'Gebroken neus, bloemkooloren, grote handen.' Ik schoot mijn sigaret weg en probeerde me te concentreren op wat ik zag, al was het maar om niet aan de dood van August Krichbaum te denken. 'Deze vent was niet bepaald een heilig boontje. Misschien was hij toch een Jood. Interessant.'

'Wat?'

'Dat driehoekige teken op zijn borst. Wat is dat? Een wond? De patholoog zegt er niets over. Wat slordig is. In mijn tijd zou zoiets niet zijn gebeurd. Als ik het daadwerkelijke lijk zag, zou ik het allemaal veel beter kunnen beoordelen. Waar ligt hij nu?'

'In het Charité-ziekenhuis.'

Plotseling leek het me dat het zien van het stoffelijk overschot de beste manier was om niet aan August Krichbaum te denken.

'Heb je een auto?'

'Ja.'

'Kom op. Laten we een kijkje nemen. Als iemand daar vraagt wat we doen, zeg je maar dat je me helpt bij het zoeken naar mijn vermiste broer.'

We reden in noordelijke richting in een Butz met open dak. Achter de auto hing een tweewielig aanhangertje, zodat het net leek alsof Bömer na zijn uitstapje met mij ging kamperen. Dat was trouwens niet ver bezijden de waarheid.

'Ik begeleid jongens tussen de tien en de veertien van de *Hitlerjügend*,' legde hij uit. 'We hebben afgelopen weekend gekampeerd. Daarom hangt die aanhanger nog achter de auto.'

'Ik hoop oprecht dat ze er nog steeds allemaal in zitten.'

'Ja, lach maar. Iedereen op het Alex lacht me erom uit. Maar toevallig geloof ik in Duitslands toekomst.'

'Ik ook, daarom hoop ik ook dat je ze hebt opgesloten. Die leden van je jeugdgroep, bedoel ik. Vervelende etterbakjes. Ik zag er laatst een paar lummelen met de hoed van een oude Jood. Maar goed, misschien moeten we het maar vergeten. Ik bedoel, het is begrijpelijk dat die dingen gebeuren in Berlijn.'

'Persoonlijk heb ik niets tegen Joden.'

'Maar. Er komt altijd een maar na een dergelijke opmerking. Net als een stom aanhangertje dat achter een auto hangt.'

'Maar ik geloof echt dat ons land zwak en gedegenereerd is. En dat de beste manier om dat te veranderen is om Duits-zijn weer iets belangrijks te geven. Om dat goed te kunnen doen moeten we ons leren onderscheiden als ras. We moeten exclusief Duits worden, zelfs als dat betekent dat het niet goed is om op de eerste plaats Jood en op de tweede plaats Duitser te zijn. Er is geen ruimte voor iets anders.'

'Dat kamperen klinkt wel lollig uit jouw mond, Bömer. Vertel je die verhalen ook tegen de jongens bij het kampvuur? Nu begrijp ik waar die aanhanger voor dient. Hij zit vast vol met ontaarde literatuur om het kampvuur mee aan te steken.'

Hij grijnsde en schudde zijn hoofd. 'Jezus, sprak je ook zo toen je nog op het Alex werkte?'

'Nee. In die tijd konden we allemaal nog zeggen wat we wilden.'

Hij lachte. 'Ik probeer alleen maar uit te leggen waarom ik denk dat de regering die we nu hebben nodig is.'

'Luister, Richard. Als Duitsers van hun regering gaan verlangen om ons uit de moeilijkheden te halen, weet je dat we echt in de problemen zitten. Als je het mij vraagt zijn we een volk dat heel gemakkelijk is te regeren. Je hoeft alleen maar elk jaar een nieuwe wet te maken die zegt dat we moeten doen wat er wordt gezegd.'

We staken de Karlsplatz over en reden de Luisenstraße in, langs het monument voor Rudolf Virchow, de zogenaamde vader van de pathologie en een van de eerste voorstanders van raszuiverheid, wat waarschijnlijk de reden was waarom zijn standbeeld niet was verplaatst. Het Pathologisch Instituut lag naast het Charité-ziekenhuis. We parkeerden de auto en liepen naar binnen.

Een roodharige assistente in een wit jasje liep met ons mee naar het oude lijkenhuis, waar een man met een pompsproeier korte metten maakte met de laatste insecten van de zomer. Ik vroeg me af of dat gif ook werkte op de nazi's. De man met het sproeipistool ging ons voor naar de koelruimte, die naar de geur te oordelen niet koel genoeg was. Hij spoot wat insecticide in de lucht en liep met ons langs een stuk of tien lijken die op rechthoekige stenen platen onder een laken lagen. Het deed denken aan een tentenkamp. Ten slotte vonden we de man die we zochten.

Ik haalde mijn sigaretten tevoorschijn en bood Bömer er een aan.

'Ik rook niet.'

'Jammer. Veel mensen geloven nog steeds dat we tijdens de oorlog allemaal rookten om onze zenuwen te stillen, maar de reden was toch vooral om de stank van de doden te verhullen. Je zou moeten beginnen met roken, en niet alleen in meurende omstandigheden zoals hier. Roken is van essentieel belang voor een rechercheur. Het helpt ons ervan te overtuigen dat we iets doen, zelfs als dat niet erg veel voorstelt. Je zult merken dat het vaak gebeurt dat iets niet erg veel voorstelt als je rechercheur bent.'

Ik trok het laken weg en staarde geconcentreerd naar het lijk van een man. Hij had de omvang van Schmelings grotere broer en de kleur van ongebakken deeg. Als je hem zo zag zou je bijna verwachten dat iemand hem in een oven zou schuiven om hem tot leven te doen rijzen. De huid op zijn gezicht leek op een hand die te lang in het badwater had gelegen. Hij was gerimpeld als een abrikoos. Zelfs zijn opticien zou hem niet herkend hebben. Bovendien had de patholoog zijn werk al gedaan. Een slordig dichtgenaaid thoracaal litteken liep van zijn kin naar zijn schaamstreek als de spoorbaan van een speelgoedtrein. Het litteken liep dwars door het midden van het driehoekige teken op de brede borstkas van de man. Ik verwijderde de sigaret uit mijn mond en boog me dichter over het lijk.

'Geen tatoeage,' zei ik. 'Een brandwond. Het lijkt een beetje op de punt van een strijkijzer, vind je niet?'

Bömer knikte. 'Gemarteld?'

'Zitten er soortgelijke verwondingen op zijn rug?'

'Dat weet ik niet.'

Ik pakte zijn massieve schouder beet. 'Laten we hem omdraaien. Pak jij hem bij zijn heupen en benen. Ik pak zijn bovenlichaam. We trekken hem vervolgens naar ons toe. Ik zal me vooroverbuigen en proberen te kijken.'

Het was alsof we een zak nat zand probeerden te verplaatsen. Maar op zijn rug was niets te zien, afgezien van wat sprietige haren en een moedervlek. Terwijl het lijk tegen onze buik rustte, klonk er opeens een ongemakkelijke vloek van Bömer.

'Wordt het je te veel, Richard?'

'Er lekte iets uit zijn lul op mijn overhemd,' zei hij. Hij deed snel een stap achteruit en staarde met afschuw naar de grote, bruingele buikwond van de overledene.

'Je zat in de buurt, maar niet helemaal.'

'Dit is een nieuw overhemd. Wat moet ik nou?' Hij trok de stof weg van de huid van het lijk en zuchtte.

'Ligt er niet nog een bruin hemd in die aanhanger?' grapte ik.

Bömer keek me opgelucht aan. 'Ja, dat is waar.'

'Hou dan je mond en let op. Onze vriend hier is niet gemarteld, dat weet ik zeker. Iemand met een heet strijkijzer zou meerdere brandwonden hebben veroorzaakt als hij hem echt wilde martelen.'

'Waarom dan die ene wond?'

Ik tilde een van de handen op en boog de vingers tot een vuist, ongeveer zo groot als de benzinetank van een kleine motorfiets.

'Kijk naar die kolenschoppen. Het littekenweefsel op de knokkels. Vooral hier, onderaan de pink. En zie je die knobbel?' Ik liet Bömer de bobbel zien die van de handpalm naar een punt net onder de knokkel van de pink liep. Ik liet de linkerhand zakken en tilde de rechterhand op. 'Op deze hand is het nog beter zien. Dat is een fractuur die vaak voorkomt bij boksers. Volgens mij was die vent linkshandig. Dat kan schelen bij het vaststellen van zijn identiteit. Maar ik geloof dat hij al een tijdje niet meer heeft gebokst. Zie je het vuil onder zijn vingernagels? Geen enkele bokser zou zoiets kunnen verdragen. Onze patholoog hier heeft dat vuil niet weggeschraapt, en dat zou geen enkele rechercheur moeten pikken. Als de medicijnman zijn werk niet doet, moeten wij het maar overnemen.'

Ik haalde mijn zakmes te voorschijn en een envelop van het Adlon met Mullers ontslagbrief erin. Ik schraapte het vuil onder de nagels van de dode man vandaan.

'Wat moeten wij met die kruimels?' vroeg Bömer.

'Waarschijnlijk niets. Maar bewijsmateriaal is vaak nietig. En bijna altijd smerig, onthoud dat. Nu wil ik alleen nog de kleding van die man bekijken. En ik heb even een microscoop nodig.' Ik keek om me heen. 'Volgens mij ligt hier op deze verdieping ergens een laboratorium.'

Bömer wees. 'Daar.'

Terwijl Bömer de kleding van de dode haalde, deed ik het schraapsel van onder zijn nagels in een petrischaaltje. Ik staarde er een tijdje naar door de microscoop. Ik was geen wetenschapper en ook geen geoloog, maar ik wist wel hoe goud eruitzag. Het was maar een kruimeltje maar het was groot genoeg om het licht te vangen en mijn aandacht te trekken. En toen Bömer het lab in liep met een kartonnen doos vertelde ik meteen wat ik had ontdekt, hoewel ik wist hoe hij zou reageren.

'Goud? Een juwelier, misschien? Dan was het vast een Jood.'

'Zoals ik al zei, Richard. Deze man is bokser geweest. Waarschijnlijk heeft hij in de bouw gewerkt. Dat zou het zand onder zijn nagels verklaren.'

'En dat goud dan?'

'In het algemeen vind je goud meestal tussen het zand, en bij goudsmeden uiteraard.'

Ik opende de kartonnen doos en keek naar de kleren van een arbeider. Een paar werkschoenen. En een dikke leren riem. Een leren pet. Het goedkope overhemd van flanel interesseerde me meer, want er zaten geen knopen aan. Op de plek waar ze hadden behoren te zitten zaten kleine scheurtjes in de stof.

'Iemand heeft dit overhemd haastig opengescheurd,' zei ik. 'Waarschijnlijk toen zijn hart stilstond. Het lijkt erop dat iemand heeft geprobeerd hem te reanimeren nadat hij is verdronken. Dat zou in ieder geval het opengescheurde overhemd verklaren. Het is opengescheurd om te proberen zijn hart weer op gang te brengen. Met een heet ijzer. Een oude truc van bokstrainers. Heeft iets te maken met de hitte en de shock, denk ik. Hoe dan ook, dat verklaart die brandwond.'

'Bedoel je dat iemand deze man in het water heeft gegooid en daarna heeft geprobeerd hem te reanimeren?'

'Nou, het is niet in de Spree gebeurd. Dat heb je me zelf verteld. Hij is ergens anders verdronken. Daarna heeft iemand geprobeerd hem te reanimeren. En daarna is hij in de rivier gesmeten. Zo is het gelopen maar ik zou niet weten waarom. Nog niet.'

'Interessant.'

Ik keek naar het jasje van de man. Het was een goedkoop jasje van C&A. Het viel me op dat de zoom was opengehaald en later weer dichtgenaaid. Ik kneep in het materiaal onder de borstzak en voelde iets verkruimelen onder mijn vingers. Ik pakte nogmaals mijn zakmes, sneed een paar steken op de zoom door en trok een opgevouwen stukje papier te voorschijn. Ik vouwde het voorzichtig open op de onderzoekstafel naast de microscoop. Het was een strook papier ter lengte van de liniaal van een schooljongen. Wat er ooit op had gestaan, was onder invloed van het water van de Spree voorgoed verdwenen. Het papier was volkomen blanco. Maar de betekenis ervan was onmiskenbaar.

De blik van Bömer was al even leeg. 'Zouden zijn naam en adres hierop hebben gestaan?'

'Dat had gekund, als hij een jongen van tien was geweest en zijn moeder wilde voorkomen dat hij zou verdwalen.'

'Nou, wat is het dan?'

'Het betekent dat je aanvankelijke vermoeden bewaarheid wordt. Volgens mij is deze strook papier een fragment uit de Thora.'

'De wat?'

'Het zou me niet verbazen als blijkt dat God een Duitser is. Kennelijk houdt hij ervan aanbeden te worden. Hij schrijft tien geboden per keer voor en heeft zelf een onleesbaar boek geschreven. Maar de god die deze man aanbad was de god van de Hebreeërs. Joden naaien soms een stukje van het woord van Jahweh in hun kleding, naast hun hart. Ja, zo zit het, Richard. Hij was Joods.'

'Shit. Godverdomme.'

'Dat komt uit de grond van je hart?'

'Zoals ik al zei, Gunther. Mijn chef zal me nooit de dood van een Jood laten onderzoeken. Vervloekt nog aan toe. Ik had gehoopt dat ik de kans zou krijgen mezelf te bewijzen met deze zaak. Om mijn eigen moordonderzoek te leiden, snapt u?'

Ik zei niets. Niet dat ik sprakeloos was, maar ik had geen zin om een toespraak af te steken. Wat had het voor zin?

'Ik bepaal het politiebeleid niet, Gunther,' zei Bömer. 'Zelfs Liebermann von Sonnenberg bepaalt dat niet. Als u het echt wilt weten, dat beleid wordt bepaald op het ministerie van Binnenlandse Zaken. Door Frick. En Frick krijgt het weer te horen van Göring, die waarschijnlijk orders ontvangt van…'

'De duivel in eigen persoon. Dat weet ik.'

Plotseling had ik helemaal genoeg van Richard Bömer en zijn grenzeloze ambitie als rechercheur. En het werd me nu pas echt duidelijk dat het werk als politieman veel meer was veranderd dan ik had verondersteld. Ik kon niet eens meer terug naar het Alex, zelfs niet als ik dat had gewild.

'Er komen heus nog wel andere moorden, Richard. Dat weet ik zeker. Wat dat betreft kun je in ieder geval wél op de nazi's vertrouwen.'

'U begrijpt het niet. Ik wil rechercheur worden, net zo iemand als in de boeken. Iets anders heb ik nooit gewild. Een goede rechercheur, zoals u vroeger, Gunther. Maar politiestaten zijn ongunstig voor de misdaad en voor misdadigers. Omdat iedereen in Duitsland tegenwoordig politieman is. En als ze het nu nog niet zijn, dan zullen ze het weldra worden.'

Hij schopte tegen een poot van de onderzoekstafel en vloekte opnieuw.

'Richard. Ik krijg bijna medelijden met je.' Ik pakte het dossier van de dode man op en gaf het terug. 'Nou, ik kan niet zeggen dat we geen lol hebben gehad. Ik heb dit werk gemist. Ik heb zelfs de klanten gemist. Dat is toch niet te geloven? Maar van nu af aan ga ik het werk missen op dezelfde manier als ik de Lustgarten mis. Dat wil dus zeggen, helemaal niet. Omdat het niet meer hetzelfde is. Niet meer zoals het was. Als iemand wordt vermoord, ongeacht wie, onderzoek je dat. Je onderzoekt dat omdat dat zo hoort in een fatsoenlijke maatschappij. En als je dat niet doet, als je zegt dat de dood van iemand de moeite niet waard is, dan is dat werk ook niet de moeite waard. Niet meer.'

Ik stak hem het dossier toe. Maar hij stond te staren alsof hij het niet zag.

'Toe dan,' zei ik. 'Pak aan. Het is van jou.'

Maar we wisten beiden dat dat niet zo was.

Hij negeerde het dossier en liep het laboratorium uit. En hoewel ik er niet bij was om het te zien, liep hij ook het Pathologisch Instituut uit.

Een paar maanden later hoorde ik van Erich Liebermann von Sonnenberg dat Richard Bömer de Kripo had verlaten en lid was geworden van de ss. In die tijd leek dat de beste carrièreplanning.

12

'Die twee agenten van de Kripo waren zeer beleefd,' zei Georg Behlert. 'Frau Adlon was buitengewoon dankbaar voor de manier waarop je die hele zaak hebt afgehandeld. Uitstekend. Prima gedaan.'

We zaten in Behlerts kantoor met uitzicht op de Goethe-tuin. Door de open deuren van de aangrenzende Palmenhof klonk een pianotrio dat zijn best deed een standbeeld van Hercules te negeren dat leek te vragen om iets gespierders dan een selectie uit Mozart en Schubert. Ik voelde mezelf ook een beetje als Hercules die terugkeerde uit Mycene na een of ander vruchteloos karwei.

'Misschien wel,' zei ik. 'Maar ik geloof niet dat het een goed idee was om hier betrokken bij te raken. Ik had hen gewoon hun gang moeten laten gaan. Ik had kunnen weten dat ze een of andere prijs zouden vragen.'

Behlert keek verbluft. 'Hoezo, een prijs? Je bedoelt toch niet...'

'Niet van het hotel,' vulde ik aan. 'Een prijs van mij.' En alleen om de uitdrukking van afschuw op zijn gladde, glimmende gezicht te zien, vertelde ik Behlert over Liebermann von Sonnenberg en de dode man in het Charité-ziekenhuis.

'De volgende keer,' zei ik. 'Als er een volgende keer is, zal ik niet meer proberen een politieonderzoek te beïnvloeden. Het was naïef van me om te denken dat ik dat zou kunnen. En waarom? Een of andere dikke vent in kamer 210 die ik nog nooit heb ontmoet. Waarom zou ik me druk maken over zijn vrouw? Misschien had ze een bloedhekel aan hem. Dat had ze althans moeten hebben. Hij verdient niet beter dan dat de agenten haar gevoelens niet sparen als ze haar het slechte nieuws brengen. Toen hij begon te rotzooien met een Berlijnse prostituee, had hij aan zijn vrouw moeten denken.'

'Maar je hebt de goede reputatie van het Adlon-hotel gered,' zei Behlert, alsof dat voldoende grond was.

'Ja, dat wel.'

Hij was inmiddels opgestaan, trok de stop van een karaf met duur spul erin en schonk vervolgens voor ons beiden een borrelglaasje in.

'Kom, drink op. Zo te zien kun je het gebruiken.'

'Bedankt, Georg.'

'Wat gaat er met hem gebeuren?'

'Met Rubusch?'

'Nee, ik bedoel met die arme kerel in het mortuarium.'

'Wilt u dat echt weten?'

Hij knikte.

'Een niet-geïdentificeerd lijk wordt meestal naar het Universitair Anatomisch Instituut gebracht. Later worden er dan studenten op losgelaten.'

'Maar wat als zijn ware identiteit uit het onderzoek naar voren komt?'

'Heb ik dat nog niet duidelijk gemaakt? Er komt geen onderzoek. Niet nu we… ik bedoel, niet nu ík heb vastgesteld dat het om een Jood gaat. De Berlijnse politie wil niets te maken hebben met dode Joden. Dat wordt beschouwd als verspilling van mankracht en tijd. De politie zal zijn moordenaar – als hij al is vermoord, want daar ben ik helemaal niet zeker van – eerder feliciteren dan vervolgen.'

Behlert dronk zijn glas uitstekende schnaps leeg en schudde verbouwereerd zijn hoofd.

'Dit verzin ik niet,' zei ik. 'Ik weet dat het ongelofelijk klinkt maar het is allemaal waar. Dat meen ik echt.'

'Ik geloof je wel, Bernie. Ik geloof je wel.' Hij zuchtte. 'Een van de gasten is net terug uit Beieren. Een Jood van Britse afkomst. Uit Manchester. Kennelijk heeft hij een bord langs de weg zien staan met de tekst: GEVAARLIJKE BOCHT, MAXIMUMSNELHEID 50. JODEN VERMEERDER UW SNELHEID. Wat kon ik zeggen? Ik zei dat het waarschijnlijk een misselijke grap was. Maar ik wist dat dat niet waar was. In mijn eigen geboortestad Jena staat een soortgelijk bord buiten het Zeiss Planetarium met de suggestie dat er op de planeet Mars een nieuw thuisland is voor Joden. En het vreselijke is dat ze het menen. Sommige gasten zeggen dat ze nooit meer in Duitsland terugkomen. Dat we niet langer het beschaafde volk zijn dat we zijn geweest. Zelfs niet in Berlijn.'

'Dezer dagen is een Duitser al beschaafd als hij 's ochtends vroeg niet op een deur beukt. Je zou eens kunnen denken dat het de Gestapo is.'

Ik gaf hem de brief met Mullers ontslag als hoteldetective bij het Adlon. Hij las hem en legde hem op zijn bureau.

'Ik kan niet zeggen dat het me verbaast of dat ik het erg vind. Ik heb al een tijdje mijn bedenkingen over die man. Voor jou betekent dat natuurlijk meer werk. In ieder geval tot we een vervanger hebben gevonden. Daarom zal ik je een salarisverhoging geven. Wat dacht je van tien mark per week erbij?'

'Het is geen vetpot, maar het lijkt me wel wat.'

'Mooi zo. Misschien kun jij een vervanger vinden. Je bent tenslotte ook erg behulpzaam geweest met Fräulein Bauer, die stenotypiste. Ze heeft al heel wat werk gedaan voor Herr Reles in 114. Hij is kennelijk erg tevreden over haar.'

'Mooi zo.'

'Misschien weet je iemand anders? Een voormalig politieman. Iemand als jij. Iemand die te vertrouwen is. Iemand die discreet is, en slim.'

Ik knikte langzaam en goot de drank naar binnen.

Georg Behlert leek te denken dat hij me kende, maar ik wist niet zeker of ik mezelf kende. Niet langer. Zeker niet sinds mijn bezoek aan Otto Schuchardt op de afdeling Joodse Zaken van de Gestapo.

Misschien werd het tijd dat ik daar wat aan deed.

Ik nam tramlijn tien in westelijke richting, via Invalidenstraße naar het oude Moabit, langs de rechtbanken en de gevangenis. Naast het zuivelbedrijf Bolles, waar een sterke geur van paardendrollen over straat woei in de richting van de Lessingbrug, stond een bouwvallige huurflat. Het was een armoedige buurt. Zelf het gepeupel op straat wekte de indruk dat iemand hen had afgedankt.

Emil Linthe woonde op de bovenste verdieping. Vanuit het open raam op de galerij voor zijn deur kon je het geluid horen van de machinefabriek in de Huttenstraße. Die was tijdens de grote depressie bijna een jaar dicht geweest, maar sinds de nazi's aan de macht waren gekomen, was de fabriek voortdurend in bedrijf. Er klonken drie metalige dreunen, steeds opnieuw en opnieuw, alsof Thor de dondergod een wals speelde.

Ik klopte op de deur. Na een tijdje ging hij open. Ik zag een lange, magere man van in de dertig met een grote bos haar dat aan de voorkant hoog stond en bijna afwezig was aan de achterkant. Het was alsof hij een chaise longue op zijn hoofd had.

'Raak je ooit gewend aan die herrie?' vroeg ik.

'Welke herrie?'

'Kennelijk wel dus. Emil Linthe?'

'Die is er niet. Op vakantie naar Rügen.'

Er zat inkt op zijn vingers. Genoeg om te vermoeden dat ik toch de juiste man voor me had.

'Mijn fout,' zei ik. 'Misschien gebruik je tegenwoordig een andere naam. Otto Trettin zei dat het Maier kon zijn, of wellicht Schmidt. Walter Schmidt.'

Linthe zakte in elkaar als een ballon die leegliep. 'Een smeris.'

'Rustig maar. Ik kom hier niet om je de duimschroeven aan te draaien. Het is puur zakelijk. Het heeft met je werk te maken.'

'En waarom zou ik zaken willen doen met de Berlijnse politie?'

'Omdat Otto nog steeds je dossier niet heeft gevonden, Emil. En omdat je hem geen reden wilt geven om daar opnieuw naar te zoeken. Anders zou je wel eens in de Klap kunnen belanden. Zijn woorden, niet de mijne. Maar die man is als een broer voor me.'

'Smerissen vermoorden hun broer toch al terwijl ze nog in de wieg liggen?'

'Mag ik binnenkomen? Hartelijk dank. Het is hier een beetje lawaaierig en je wilt vast niet dat ik mijn stem verhef.'

Emil Linthe deed een stap opzij. Tegelijkertijd trok hij zijn bretels op en pakte een sigaret die hij had laten branden in een asbak op een richel achter de deur. Toen ik binnen was, deed hij de deur achter me dicht. Hij liep vlug voor me uit door de gang om de deur van zijn woonkamer dicht te trekken. Maar niet vlug genoeg, want ik ving een glimp op van een drukpers. We liepen de keuken in.

'Zoals ik al zei, Emil, ik ben hier niet om je de duimschroeven aan te draaien.'

'Een vos verliest wel zijn haren maar niet zijn streken.'

'Daar wilde ik het net met je over hebben. Ik heb gehoord dat jij tot aardig wat streken in staat bent. Voor het juiste bedrag. Ik zou graag willen dat je mij een arische transfusie geeft, zoals Otto Trettin het noemt.'

Ik vertelde hem over het probleem met mijn grootmoeder.

Hij glimlachte en schudde zijn hoofd. 'Ik vind het lachwekkend,' zei hij. 'Al die mensen die op de nazitrein zijn gestapt rennen nu over het perron op zoek naar het station waar ze vandaan zijn gekomen.'

Ik had hem kunnen vertellen dat ik niet bij die mensen hoorde. Ik had kunnen toegeven dat ik geen politieman was, maar ik wilde me niet aan hem uitleveren. Het was immers goed mogelijk dat hij iemand was die anderen chanteerde. Linthe was tenslotte een schurk. Ik moest de zweep stevig in handen houden, anders zou ik de macht verliezen over het paard dat ik zo lang als nodig wilde berijden.

'Jullie nazi's zijn allemaal hetzelfde.' Hij lachte nogmaals. 'Stelletje hypocrieten.'

'Ik ben geen nazi. Ik ben een Duitser. En een Duitser is iets anders dan een nazi. Een Duitser is iemand die in staat is zijn ergste vooroordelen af te zweren. Een nazi is iemand die zijn vooroordelen omzet in wetten.'

Maar hij lachte nog steeds en hoorde niet wat ik zei.

'Het was niet mijn bedoeling je te amuseren, Emil.'

Ik greep hem bij zijn bretels en trok ze gekruist om zijn hals, zodat ik hem half wurgde. Toen duwde ik hem hard tegen de keukenwand. Door het raam, net ten noorden van de wijk Moabit zag ik nog net de omtrek van de strafgevangenis Plötzensee waar Otto pas nog de bijl van de guillotine had zien vallen. Dat herinnerde me eraan dat ik voorzichtig met Emil Linthe moest omspringen. Maar niet té voorzichtig.

'Denk je soms dat ik een grapje maak?' Ik gaf hem een pets op beide wangen. 'Nou?'

'Nee,' schreeuwde hij geërgerd.

'Misschien denk je dat je dossier echt kwijt is, Emil. Misschien moet ik je eraan helpen herinneren wat erin staat. Je bent een bekende handlanger van de Hand in Hand, een zeer beruchte criminele bende. En ook van Solomon Smolianoff, een valsemunter uit de Oekraïne die op dit moment drie jaar in de cel zit wegens het vervalsen van Britse bankbiljetten. Jij hebt drie jaar in de Klap gezeten voor hetzelfde misdrijf. En aldoende heb je een aardige bijverdienste weten op te bouwen als vervalser van documenten. Als ze je nogmaals pakken voor het vervalsen van geld krijg je levenslang, dat snap ik. Dat weet ik zeker, Emil, dat weet ik zeker. Dat garandeer ik je. Als je me niet helpt, ga ik rechtstreeks naar het hoofdbureau van politie in Charlottenburg om ze te vertellen over die drukpers in je woonkamer. Wat is het, een degelpers?'

Ik liet hem los. 'Ik bedoel, ik ben een sportief mens. Ik zou je graag betalen, maar wat zou dat voor zin hebben? Jij kunt waarschijnlijk meer geld drukken in tien minuten dan ik in een heel leven bij elkaar kan verdienen.'

Emil Linthe grijnsde schaapachtig. 'Heb je verstand van drukpersen?'

'Niet echt. Maar als ik er een zie, herken ik hem wel.'

'Het is een Kluge. Dat is beter dan een degelpers. De Kluge is het beste voor alle soorten werk, zoals diepdruk, foliedruk en reliëfdruk.' Hij stak een sigaret op. 'Luister, ik heb niet gezegd dat ik je niet zou helpen. Een vriend van Otto is een vriend van mij, oké? Ik zei alleen dat het amusant was, dat is alles.'

'Voor mij niet, Emil. Voor mij niet.'

'Nou, dan heb je geluk. Ik heb toevallig wel verstand van mijn werk. En dat geldt niet voor veel anderen die Otto je had kunnen aanraden. Je grootmoeder van moeders kant, zei je? Achternaam?'

'Adler.'

'Juist. Was ze Joods van geboorte? Maar rooms-katholiek opgevoed?'

'Ja.'

'In welke parochie?'

'Neukölln.'

'Ik moet het regelen in het kerkregister en op het gemeentehuis. Neukölln is goed. Veel ambtenaren daar zijn oude linkse rakkers, zeer gemakkelijk om te kopen. Als het ging om meer dan twee grootouders zou ik je waarschijnlijk niet kunnen helpen. Maar één is redelijk goed te doen, als je verstand van zaken hebt. En dat heb ik. Maar ik heb geboorteaktes nodig, overlijdensaktes, alles wat je hebt.'

Ik overhandigde hem een envelop die ik uit mijn jaszak haalde.

'Het is waarschijnlijk het beste dat ik alle documenten opnieuw maak. Alle vastgelegde gegevens.'

'Hoeveel gaat me dat kosten?'

Linthe schudde zijn hoofd. 'Zoals je al zei. In tien minuten kan ik meer geld drukken dat jij in een jaar verdient. Laten we zeggen dat een dienst is voor Otto en jou, oké?' Hij schudde zijn hoofd. 'Het is geen moeite. Van Adler kan ik gemakkelijk Kugler maken, of Ebner, Fendler, Kepler of Muller, snap je?'

'Muller niet,' zei ik.

'Het is een prima Duitse naam.'

'Ik vind het een rotnaam.'

'Goed dan. En om alles een beetje aannemelijker te maken zullen we van je grootmoeder je overgrootmoeder maken. We zetten de Jood in jou een generatie terug zodat dat geen gevolgen meer heeft. Tegen de tijd dat ik klaar ben met die papieren, ben je meer Duits dan de Kaiser.'

'Die was toch half Engels? Zijn oma was koningin Victoria.'

'Klopt. Maar die was half Duits. En dat gold ook voor de moeder van de Kaiser.' Linthe schudde zijn hoofd. 'Niemand is ooit honderd procent

97

van iets. Dat is ook het stomme van die Ariërparagraaf. We zijn allemaal een mengeling. Jij, ik, de Kaiser, Hitler. Hitler vooral, lijkt me. Ze zeggen dat Hitler een kwart Joods is. Wat vind je daarvan?'

'Misschien hebben hij en ik dan toch iets gemeen.'

Ik hoopte maar voor hem dat Hitler een vriend had bij de afdeling Joodse Zaken van de Gestapo, net als ik.

13

Hedda Adlon had ook een vriendin, maar niet iemand die je ergens ten zuiden van het paradijs zou aantreffen. Ze heette Noreen Charalambides en een paar dagen voor ik aan haar werd voorgesteld had ik haar gezicht, achterste, kuiten en boezem al een speciaal plekje in mijn faustiaanse geheugen gegeven dat daarvóór uitsluitend was gereserveerd voor Helena van Troje.

Het was mijn taak om een oogje in het zeil te houden op de gasten en telkens als ik mevrouw Charalambides in en rond het hotel zag, keek ik haar na met al mijn acht ogen, wachtend tot ze tegen de zijden draad zou oplopen die de buitengrens vormde van mijn duistere spinnenwereld. Niet dat ik ook zou proberen met een gast te verbroederen, als je het zo zou willen noemen. Zo noemden Hedda Adlon en Georg Behlert het wel, maar broederlijke vriendschap was niet helemaal wat ik voelde voor Noreen Charalambides. Hoe je het ook noemde, het hotel keurde dergelijke zaken af. Het kwam uiteraard wel voor en er waren verscheidene kamermeisjes die bereid waren zich te verkopen voor de juiste prijs. Als Erich von Stroheim of Emil Jannings in het hotel logeerden, zag de hoofdreceptionist er altijd nauwgezet op toe dat ze werden bediend door een tamelijk oud kamermeisje dat Bella heette. Stroheim nam het overigens niet zo nauw. Hij hield van jonge vrouwen, maar ook van oude.

Het klinkt belachelijk en dat is het natuurlijk ook. Liefde is belachelijk, daarom is het zo leuk. En ik denk dat ik al een tikkeltje verliefd was op Noreen Charalambides voor ik haar had ontmoet. Net als een schoolmeisje met een ansichtkaart van Max Hansen in haar schooltas. Ik keek naar haar zoals ik soms keek naar de ssk in de etalage van de Mercedes Benz-showroom op de Potsdamer Platz; ik denk niet dat ik ooit in die auto zal rijden, laat staan er een in mijn bezit hebben, maar een man heeft recht op zijn dromen. Mevrouw Charalambides was voor mij de snelste en mooiste auto van het hotel.

Ze was lang, een indruk die nog werd versterkt door de hoeden die ze droeg. De laatste tijd was het weer een stuk kouder geworden. Ze droeg een grijze sjako van astrakan die ze wellicht in Moskou had gekocht, haar vorige bestemming, hoewel ze een Amerikaanse was die in New York woonde. Een Amerikaanse die op de terugreis was en een of andere literaire bijeenkomst of theaterfestival in Rusland had bijgewoond. Misschien had ze die jas van sabelbont ook in Moskou gekocht. Ik weet zeker dat het sabeldier dat niet erg vond. Het stond mevrouw Charalambides beter dan wie dan ook.

Haar haar, dat ze in een knot droeg, had ook de kleur van een sabeldier en was, zo stelde ik me voor, net zo aaibaar. Misschien zelfs nog wel aaibaarder want zij was niet geneigd om te bijten. Hoewel ik het niet erg had gevonden om gebeten te worden door Noreen Charalambides. Voor de nabijheid van haar kersenrode pruilmondje zou ik graag een vingerkootje of een stuk van mijn oor hebben gegeven. Vincent van Gogh was niet de enige die heftige romantische gebaren kon maken.

Ik bleef vaak in de hal achter de ingang rondhangen alsof ik een loopjongen was, en hoopte dat ik een blik van haar kon opvangen. Zelfs Hedda Adlon merkte het op.

'Ik geloof dat ik je moet vragen het handboek voor livrei-jongens van Lorenz Adlon te lezen,' zei ze.

'Dat heb ik gelezen. Dat wordt nooit een bestseller. Ten eerste staan er te veel regels in. En de meesten van die loopjongens hebben het zo druk met het overbrengen van boodschappen, dat ze geen tijd hebben om een boek te lezen dat dikker is dan *Oorlog en Vrede*.'

Ze moest lachen. Hedda Adlon kon mijn grapjes meestal wel waarderen. 'Zo dik is het niet,' zei ze.

'Zeg dat maar eens tegen een loopjongen. Bovendien zijn de grappen in *Oorlog en Vrede* beter.'

'Heb je dat gelezen? *Oorlog en Vrede*?'

'Ik ben er verscheidene keren aan begonnen, maar na vier jaar oorlog hou ik het meestal voor gezien. Dan wordt het wat mij betreft tijd voor een wapenstilstand en verkoop ik het boek aan een ander slachtoffer.'

'Er is iemand die je wil spreken. En toevallig is ze ook nog schrijver.'

Ik wist natuurlijk precies over wie ze het had. Schrijvers, vooral vrouwelijke schrijvers uit New York waren die maand dun gezaaid in het Adlon. Dat had waarschijnlijk alles te maken met het kamertarief van vijftien mark per dag. Deze kamer was zonder bad iets goedkoper en veel schrijvers slaan hun bad sowieso over, maar de laatste Amerikaanse

100

schrijver die in het Adlon had gelogeerd was Sinclair Lewis, en dat was in 1930. De Depressie raakte natuurlijk iedereen. Maar niemand kan zo diep door een depressie gaan als een schrijver.

We gingen naar boven, naar het kleine appartement dat de Adlons in het hotel aanhielden. Ik zeg klein, maar het appartement was alleen maar klein als je het vergeleek met het grote landgoed dat ze op het platteland hadden, ver verwijderd van Berlijn. Het appartement was mooi ingericht – een uitgelezen voorbeeld van wilhelminische rijkdom. De tapijten waren dik, de gordijnen zwaar, de bronzen kolossaal, het verguldsel overvloedig en het zilver massief. Zelfs het water in de karaf gaf de indruk dat het extra lood bevatte.

Mevrouw Charalambides zat op een kleine berkenhouten sofa met witte kussens. De rugleuning had de vorm van een muziekstandaard. Ze droeg een donkerblauwe overslagjurk, een driedubbel collier met echte parels, diamanten oorbellen en, vlak onder haar decolleté, een bijpassende saffieren broche die afkomstig leek van de beste tulband van een maharadja. Ze zag er niet echt uit als een schrijver – tenzij ze een koningin was die de troon had opgegeven om romans te schrijven over de chique hotels van Europa. Ze sprak goed Duits, en dat kwam mij goed uit, want nadat ik haar een hand had gegeven kon ik zelf even geen woord Duits meer uitbrengen. Ik kon weinig anders doen dan het gesprek, dat over en weer ging alsof ik een pingpongtafel was, aan de twee vrouwen over te laten.

'Mevrouw Charalambides…'

'Zeg maar Noreen.'

'… is toneelschrijfster en journalist.'

'Freelance.'

'Voor de *Herald Tribune*.'

'In New York.'

'Ze komt net uit Moskou, waar een van haar toneelstukken…'

'Mijn enige toneelstuk, tot nu toe.'

'… is geproduceerd door een beroemd theater in Moskou , nadat het met veel succes op Broadway heeft gelopen.'

'Je zou mijn agent moeten zijn, Hedda.'

'Noreen en ik hebben samen op school gezeten. In Amerika.'

'Hedda hielp me altijd met mijn Duits. Nog steeds, trouwens.'

'Je Duits is volmaakt, Noreen. Vindt u ook niet, Herr Gunther?'

'Ja, volmaakt.' Maar op dat moment keek ik naar de benen van mevrouw Charalambides. En naar haar ogen. En naar haar prachtige mond. Over volmaakt gesproken.

'Haar krant heeft haar gevraagd een artikel te schrijven over de aanstaande Berlijnse olympiade.'

'Er is in Amerika veel weerstand tegen het idee dat wij deelnemen aan deze Olympische Spelen, met het oog op de racistische politiek van uw regering. De voorzitter van het AOC, Avery Brundage, was een paar weken geleden in Duitsland. Om de feiten vast te stellen. Om te beoordelen of Joden worden gediscrimineerd. En het is ongelofelijk maar waar: hij heeft aan het IOC gerapporteerd dat er van discriminatie geen sprake was. Als gevolg hiervan heeft het IOC nu unaniem besloten op de uitnodiging van Duitsland in te gaan en deel te nemen aan de Olympische Spelen van 1936 in Berlijn.'

'Een olympiade zonder de Verenigde Staten zou volkomen betekenisloos zijn,' zei Hedda.

'Precies,' zei mevrouw Charalambides. 'Sinds de terugkomst van de voorzitter van het AOC in de VS is de boycotbeweging ingestort. Maar mijn krant is verbaasd, nee, ontzet over de conclusies van Brundage. De ambassadeur van Amerika, de heer Dodd, de consul, de heer Messersmith en de viceconsul de heer Geist hebben mijn regering schriftelijk laten weten dat ze verbijsterd zijn over het rapport van de AOC-voorzitter. En ze brengen hun eigen rapport in herinnering, dat vorig jaar naar het ministerie van Buitenlandse Zaken is gestuurd, waarin aandacht werd gevraagd voor de systematische uitsluiting van Joden bij Duitse sportverenigingen. Brundage...'

'Dat is de voorzitter van het Amerikaanse Olympisch Comité,' onderbrak Hedda, geheel overbodig.

'Hij is een kwezel,' zei mevrouw Charalambides, die steeds kwader begon te worden. 'En een antisemiet. Dat moet ook wel als je negeert wat er in dit land gebeurt: de vele voorbeelden van openlijke raciale discriminatie, de borden in de parken, in de openbare badhuizen, de pogroms.'

'Pogroms?' Ik fronste mijn wenkbrauwen. 'Dat lijkt me beslist overdreven. Ik heb niets gehoord over pogroms. We zijn hier in Berlijn, niet in Odessa.'

'In juli zijn in Hirschberg vier Joden vermoord door ss'ers.'

'Hirschberg?' zei ik spottend. 'Dat ligt in Tsjechoslowakije. Of in Polen. Dat weet ik niet precies meer. Ergens in een trollenland. Niet in Duitsland.'

'Het ligt in de Sudeten,' zei mevrouw Charalambides. 'De mensen daar zijn etnische Duitsers.'

'Nou, zeg dat maar niet tegen Hitler,' zei ik. 'Anders wil hij ze nog terug. Luister, mevrouw Charalambides, ik ben het niet eens met wat er in Duitsland gebeurt. Maar is het echt erger dan wat er in uw eigen land gebeurt? De borden in de parken? In de openbare badhuizen? De lynchpartijen? Ik heb vernomen dat niet alleen negers worden opgehangen door blanken. Mexicanen en Italianen kijken ook goed om zich heen in bepaalde streken van de Verenigde Staten. En ik kan me niet herinneren dat iemand de spelen van Los Angeles in 1932 wilde boycotten.'

'U bent goed op de hoogte, Herr Gunther,' zei ze. 'En u hebt uiteraard gelijk. Ik heb toevallig net een artikel geschreven over een dergelijke lynchpartij die ik heb meegemaakt in Georgia, in 1930. Maar nu ben ik hier. Ik ben Joods en mijn krant wil dat ik schrijf over wat er in dit land gebeurt en dat ga ik doen.'

'Nou, fijn voor u,' zei ik. 'Ik hoop dat u de mening van het AOC kunt veranderen. Ik zou graag zien dat het prestige van de nazi's een deuk oploopt. Vooral nu we zijn begonnen er geld aan uit te geven. En ik zou het natuurlijk fantastisch vinden als die Oostenrijkse clown voor schut werd gezet. Maar ik begrijp niet wat dit allemaal met mij te maken heeft. Ik ben hoteldetective, geen persattaché.'

Hedda Adlon opende een zilveren sigarettendoos ter grootte van een klein mausoleum en schoof hem naar me toe. Aan één kant van de doos zaten Engelse sigaretten en aan de andere kant Turkse. Het leek net de slag om Gallipoli, die doos. Ik koos voor de kant van de overwinnaar – in ieder geval in de Dardanellen – en ze gaf me een vuurtje. De sigaret, net als de dienstverlening, was beter dan ik gewend was. Ik keek hoopvol naar de karaffen op het buffet, maar Hedda Adlon dronk zelf weinig en dacht waarschijnlijk dat ik ook zeer gematigd was. Afgezien daarvan deed ze haar best om mij een goede indruk te laten maken. Daar had ze dan ook veel ervaring mee.

'Herr Behlert heeft me verteld wat er is gebeurd toen u naar het Alex ging,' zei Hedda. 'Over die arme Joodse man en dat de politie weigert zijn dood te onderzoeken. Vanwege zijn ras.'

'Hmm.'

'U dacht kennelijk dat hij bokser is geweest.'

'Hmm.' Zij rookten beiden niet. Nog niet. Misschien hoopten ze dat ik licht in mijn hoofd werd. De Turkse sigaret in mijn mond was sterk genoeg, maar ik had het gevoel dat ik er meer dan een nodig zou hebben om in te stemmen met wat zij van mij wilden.

Noreen Charalambides zei: 'Ik denk dat het verhaal van die dode man de basis kan zijn van een interessant artikel in mijn krant. Op dezelfde manier waarop ik over die lynchpartij in Georgia heb geschreven. Misschien is die dode man wel door de nazi's vermoord omdat hij Joods was. Het kwam ook bij me op dat deze zaak misschien iets met sport te maken zou kunnen hebben. In dat geval kan ik het mooi koppelen aan de Olympische Spelen. Wist u dat de Duitse Boksfederatie de eerste Duitse sportbond was die Joden heeft buitengesloten?'

'Dat verbaast me niets. Boksen is altijd een belangrijke sport voor de nazi's geweest.'

'O? Dat wist ik niet.'

'Ja. De SA stompt mensen al sinds 1925 in het gezicht. Die vechtersbazen in bierhallen houden wel van een goede knokpartij. Vooral nadat Schmeling wereldkampioen is geworden. Maar toen hij zijn titel verloor aan Max Baer deed dat de zaak van de Joodse boksers in Duitsland niet veel goed.'

Mevrouw Charalambides keek me effen aan. Ik vermoed dat haar opmerking over de Duitse Boksfederatie alles was wat ze wist over die vechtsport.

'Max Baer is half Joods,' legde ik uit.

'Aha, nu begrijp ik het, Herr Gunther. Ik weet zeker dat u al rekening hebt gehouden met de mogelijkheid dat die dode man – laten we hem Fritz noemen – dat Fritz lid was van een gym- of sportclub en dat hij werd buitengesloten omdat hij Joods was. Wie weet wat hem daarna is overkomen?'

Ik had totaal geen rekening met die mogelijkheid gehouden. Ik had het te druk gehad met mijn zorgen over mezelf. Maar ik moest toegeven dat haar opmerking zinnig was. Hoewel ik geen zin had om dat toe te geven. Nog niet. Niet zolang deze twee iets van me wilden.

'Ik vroeg me af,' zei mevrouw Charalambides, 'of u me zou willen helpen meer over Fritz te weten te komen. Als een soort privédetective. Ik spreek vrij goed Duits, zoals u merkt, maar ik ken deze stad niet. Berlijn is een beetje een mysterie voor me.'

Ik haalde mijn schouders op. 'De wereld is misschien een schouwtoneel, maar Berlijn is niet veel meer dan bier en worst.'

'En de mosterd dan? Dat is mijn probleem. Als ik in mijn eentje vragen ga stellen, loop ik het risico dat ik eindig bij de Gestapo en Duitsland word uitgeschopt.'

'Dat is niet onmogelijk.'

'Ik ben namelijk ook van plan om iemand te interviewen die lid is van het organiserende Duitse Olympisch comité. Von Tschammer und Osten, Diem of Lewald misschien. Wist u dat hij Joods is? Ik zou niet graag willen dat ze weten wat ik van plan ben tot het te laat is om me tegen te houden.' Ze zweeg even. 'Uiteraard zal ik u betalen. Een honorarium voor uw hulp.'

Ik stond op het punt hun eraan te herinneren dat ik al een baan had toen Hedda Adlon het verkooppraatje overnam.

'Ik zal het regelen met mijn echtgenoot en met Herr Behlert,' zei ze. 'Herr Muller kan voor je invallen.'

'Hij heeft ontslag genomen,' zei ik. 'Maar op het Alex werkt iemand bij Jeugdzaken die wel wat extra werk kan gebruiken. Hij heet Stahlecker. Ik had hem al willen bellen.'

'Graag, doe dat maar.' Hedda knikte. 'Ik zou het als een persoonlijke dienst beschouwen, Herr Gunther,' zei ze. 'Ik wil niet dat mevrouw Charalambides iets overkomt en het lijkt me dat ze met uw hulp het best is beveiligd.'

Ik speelde met het idee te opperen dat haar veiligheid beter gegarandeerd zou zijn door het hele plan te vergeten. Maar het vooruitzicht tijd door te brengen met Noreen Charalambides was niet onaantrekkelijk. Ik had komeetstaarten gezien die minder aantrekkelijk waren.

'Ze is vast van plan dit door te zetten, wat u ook besluit,' vulde Hedda aan, alsof ze zo'n beetje mijn gedachten kon lezen. 'Dus doe geen moeite, Herr Gunther. Ik heb al geprobeerd haar van dit plan te weerhouden. Maar ze is altijd al een koppige vrouw geweest.'

Mevrouw Charalambides glimlachte.

'Vanzelfsprekend mag u mijn auto lenen.'

Het was duidelijk dat ze samen alles hadden bekokstoofd en er restte mij niet veel meer dan in te stemmen. Ik wilde nog vragen naar de hoogte van het honorarium maar kennelijk was geen van beiden geneigd daarop terug te komen.

Zo zijn mensen met geld nu eenmaal. Slechts de afwezigheid van geld maakt het belangrijk. Net als het bezit van een jas van sabelbont. De sabelmarter werd zich waarschijnlijk pas bewust van de waarde van zijn vacht toen hij hem kwijt was.

'Uiteraard ben ik graag bereid te helpen, Frau Adlon. Als u dat wilt.'

Ik hield mijn ogen op mijn werkgeefster gericht terwijl ik dat zei. Ik wilde niet dat Hedda zou denken dat het luisterrijke gezelschap van haar vriendin voor mij iets meer betekende. Niet met een vriendin die zo mooi was. Niet nu mijn opwinding over haar nabijheid mij zo overduidelijk leek. Ik voelde me net een stekelvarken in een kamer vol ballonnen.

Mevrouw Charalambides sloeg haar benen over elkaar. Het klonk alsof iemand een lucifer afstreek. Naar de duivel met de Gestapo, dacht ik; ze moet tegen mij – Gunther – worden beschermd. Ik ben degene die haar wil uitkleden en haar voor me neerzetten en dan bedenken wat ze nog meer kan doen met dat achterste van haar dan alleen zitten. Alleen al het idee dat ik alleen met haar in een auto mocht zitten, deed me denken aan een biechtvader die zijn noviciaat doorbrengt in een klooster vol nonnen die allemaal revuedanseres zijn geweest. In gedachten gaf ik mezelf een paar oorvijgen om zeker te weten dat ik alles goed had begrepen.

Die vrouw is niks voor jou, Gunther, hield ik mezelf voor. Je mag niet eens van haar dromen. Ze is getrouwd, ze is de beste vriendin van je werkgeefster en als je haar ook maar met één vinger aanraakt, moet je voor straf naar bed met Hermann Göring.

Zoals Samuel Johnson al opmerkte, is de weg naar de hel geplaveid met goede voornemens, en bovendien hebben die voornemens meestal seks tot gevolg. Misschien klinkt het minder leuk in vertaling. Maar in mijn geval was het maar al te waar.

14

De auto van Hedda Adlon was een Mercedes ssk – het soort auto waarvan ik me niet kon voorstellen dat ik er ooit in zou rijden. Die 'k' stond voor kort, maar met zijn enorme spatborden en zes externe cilinders was die witte sportauto zo'n beetje even kort als een ophaalbrug. En net zo moeilijk te hanteren. Net als elke andere sportauto had hij vier banden en een stuur, maar daar hield elke gelijkenis op. Het starten van de zevenliterverbrandingsmotor was als het draaien van de propeller voor Manfred von Richthofen. Alleen met twee extra 7.92mm-machinegeweren aan boord had hij nog luider kunnen klinken. De auto trok de aandacht als een bermlicht in een kolonie nachtvlinders. Het was onweerlegbaar een opwindende auto om in te rijden. Ik vatte nieuwe bewondering op voor Hedda's rijvaardigheid, om maar niet te spreken van de bereidheid van haar echtgenoot om zijn jongere vrouw te voorzien van dure speelgoedjes. Maar voor werkzaamheden als privédetective was hij even handig als een paard in een pantomimespel. Zo'n toneelpaard had tenminste nog het voordeel dat twee mensen zich er redelijk anoniem in konden verschuilen. En misschien had ik wel genoten van de intieme mogelijkheden die de achterzijde van mevrouw Charalambides mij bood.

We gebruikten de auto een dag en daarna leenden we de ietwat discretere Mercedes W van Herr Behlert.

De brede wegen van Berlijn waren bijna even druk als de stoepen. De trams ratelden door het centrum, terwijl hun gestage en regelmatige voortgang onder het oog van verkeersagenten met witte mouwen die voorkwamen dat auto's en taxi's hun de weg afsneden als buikige lijnverdedigers in een grootsteedse footballwedstrijd. Door het geluid van de politiefluitjes, de claxons van auto's en bussen was het op straat ook bijna even lawaaierig als bij een footballwedstrijd. En uit de manier waarop de Berlijners reden, zou je kunnen opmaken dat ze dachten dat iemand een goede kans maakte om te winnen. In de trams was het rustiger; sober geklede kantoormensen stonden tegenover mannen in uniform als twee delegaties die een vredesverdrag tekenden in een Franse wagon. Maar de onrechtvaardigheden van de wapenstilstand en de depressie leken al ver weg. De beroemde stadslucht rook naar benzine, maar ook naar bloesem van de vele vrouwen met bloemenmanden, om nog maar niet te spreken van een groeiend zelfvertrouwen. De Duitsers hadden weer een goed gevoel over zichzelf, tenminste, diegenen onder ons die echt en zichtbaar Duits waren – als de adelaar op de helm van de Kaiser.

'Beschouwt u zich ooit als ariër?' vroeg mevrouw Charalambides me. 'Als meer Duits dan de Joden?'

Ik vertelde haar niet graag over mijn arische transfusie. Ten eerste kende ik haar nauwelijks, en ten tweede leek het een tamelijk beschamend iets om te vertellen tegen iemand die voor zover ik wist honderd procent Joods was. Dus haalde ik mijn schouders op en zei: 'Een Duitser is iemand die zich enorm trots kan voelen op het feit dat hij Duits is terwijl hij een strakke, korte leren broek draagt. Met andere woorden, het hele idee is belachelijk. Is uw vraag daarmee beantwoord?'

Ze glimlachte. 'Hedda zei dat u weg moest bij de politie omdat u een bekend sociaaldemocraat was.'

'Bekend, dat weet ik niet zo. Als ik bekend was geweest, zou het nu anders voor me zijn, vermoed ik. Tegenwoordig herken je iemand die ooit een prominent lid van de sociaaldemocraten was aan de pijltekens op zijn pyjama.'

'Mist u het werk bij de politie?'

Ik schudde mijn hoofd.

'Maar u hebt meer dan tien jaar bij de politie gewerkt. Hebt u altijd al politieman willen worden?'

'Dat is mogelijk. Dat weet ik niet. Toen ik klein was speelde ik politie-en-boefje op het veld voor onze flat. Ik wist nooit helemaal precies waar ik het meeste van genoot: van het spelen van de politieman of de boef. Maar goed, ik zei tegen mijn vader dat ik later waarschijnlijk een politieman of een boef zou worden en hij antwoordde: "Waarom doe je niet als de meeste politiemensen? Wees allebei tegelijk."' Ik grijnsde. 'Hij was een fatsoenlijk man, maar hij had niet veel op met de politie. Dat gold voor iedereen. Ik wil niet zeggen dat we in een ruige buurt woonden, maar waar ik opgroeide noemden we een verhaal met een gelukkig einde altijd een alibi.'

Verscheidene dagen noteerden we krabbels op een plattegrond van Berlijn. Ik vertelde haar grappen en zorgde dat ze zich amuseerde terwijl we een tour maakten langs de gymzalen en sportclubs van de stad. Ik toonde overal de foto van 'Fritz' uit het politiedossier dat ik van Richard Bömer had gekregen. Het was waar dat Fritz er niet op zijn best uitzag. Hij was immers dood, maar niemand scheen hem te herkennen. Misschien was dat ook echt zo, maar dat was moeilijk te zeggen, aangezien ze veel meer belangstelling toonden voor mevrouw Charalambides. Een goed geklede, mooie vrouw die een Berlijnse sportclub bezocht was niet buitengewoon, maar wel ongebruikelijk. Ik probeerde haar ervan te overtuigen dat ik meer informatie los zou krijgen van die kerels als ze in de auto bleef zitten, maar daar wilde ze niets van weten. Mevrouw Charalambides was niet het soort vrouw dat zich erg veel van je adviezen aantrok.

'Als ik doe wat u zegt,' zei ze, 'hoe kom ik dan aan mijn verhaal?'

Daar had ik haar best gelijk in willen geven, maar het was wel zo dat we voortdurend hetzelfde verhaal tegenkwamen, een verhaal dat slechts drie woorden bevatte: verboden voor Joden. Het speet me voor mevrouw Charalambides dat ze dergelijke borden onder ogen kreeg wanneer we een sportschool in liepen. Ze liet niets blijken, maar ik vermoedde dat ze het naar vond.

De T-gym was de laatste sportschool op mijn lijst. Het had beter de eerste kunnen zijn, maar dat is wijsheid achteraf.

In het hart van West-Berlijn, iets ten zuiden van metrostation Tiergarten staat de Kaiser Wilhelm Gedächtniskirche. Met zijn vele torens van verschillende hoogte lijkt het gebouw meer op het kasteel van zwaanridder Lohengrin dan op een plek van godvruchtige aanbidding. Om de kerk heen stonden bioscopen, danszalen, cabarets, restaurants, chique winkels en aan het westelijke uiteinde van de Tauentzienstraße, ingeklemd tussen een goedkoop hotel en het Kaufhaus des Westens, lag de T-gym.

Ik parkeerde de auto, hielp mevrouw Charalambides met uitstappen en tuurde in de etalage van het KaDeWe. 'Dit is een behoorlijk goed warenhuis,' zei ik.

'Nee.'

'O, jawel. En het restaurant is ook goed.'

'Ik bedoel: nee, ik ga niet winkelen terwijl u die sportschool bezoekt.'

'Wilt u liever naar die sportschool, en dat ik dan ga winkelen? Ik moet toch een nieuwe das kopen, want op deze zit een vlek.'

'Dat is niet bepaald uw werk. U hebt niet veel verstand van vrouwen als u denkt dat ik niet met u mee ga naar die sportschool.'

'Wie zegt dat ik verstand heb van vrouwen?' Ik haalde mijn schouders op. 'Het enige wat ik zeker weet over vrouwen is dat ze met de armen over elkaar over straat lopen. Mannen doen dat niet. Tenzij ze homo zijn.'

'Het is uw werk niet en ik zou u niet betalen. Hoe klinkt dat?'

'Ik ben blij dat u dat zegt, mevrouw Charalambides. Hoeveel betaalt u me? We hebben nog geen honorarium afgesproken.'

'Noemt u maar een mooie prijs.'

'Dat is een moeilijke vraag. Ik heb weinig ervaring met mooi. Mooi is een term die ik gebruik voor hetgeen ik lees op een barometer of misschien als omschrijving voor een dame in nood.'

'Waarom beschouwt u mij niet als zodanig? Daarna kunt u dan een tarief voorstellen.'

'Als ik ooit zó over u dacht, zou ik u niets in rekening kunnen brengen. Ik kan me niet herinneren dat Lohengrin aan Elsa tien mark per dag vroeg.'

'Misschien had hij dat wel moeten doen. Dan had hij haar mogelijk niet verlaten.'

'Dat is waar.'

'Goed dan, we maken het af op tien mark per dag plus onkosten.'

Ze glimlachte, breed genoeg om mij te laten weten dat haar tandarts blij met haar was. Toen nam ze me bij de arm. Wat mij betreft had ze er ook nog mijn andere arm bij kunnen pakken. Niet dat die tien mark per dag daar iets mee te maken had. Het was al beloning genoeg dat ik zo dicht bij haar mocht zijn dat ik haar geur kon opsnuiven en een glimp kon opvangen van haar jarretel als ze uit de auto van Behlert stapte. We keerden de etalage van het warenhuis de rug toe en liepen naar de deur van de T-gym.

'Deze sportschool is eigendom van een ex-bokser die de Geduchte Turk heet. Mensen noemen hem kort en bondig de Turk, ook omdat ze hem niet willen krenken. Mensen die hem krenken pakt hij terug. Ik kwam hier niet vaak. Dit was zo'n sportschool die vooral populair was bij zakenmensen en acteurs, niet zozeer bij de ringen van Berlijn.'

'Ringen? Wat zijn dat?'

'Het heeft niets te maken met de olympische ringen, dat staat vast. In Berlijn staat "ringen" voor de broederschappen van criminelen die de macht in deze stad min of meer hebben overgenomen gedurende de Weimarrepubliek. Er waren drie hoofdringen: de Grote, de Vrije, en de Vrije Alliantie. Officieel stonden ze allemaal geregistreerd als liefdadigheidsverenigingen of sportclubs. Sommige stonden geregistreerd als sportscholen en ze ontvingen geld van iedereen: van portiers, schoenpoetsers, prostituees, toiletjuffrouwen, krantenjongens, bloemenverkoopsters, noem maar op. Alles werd gesteund door gespierde jongens van de sportschool. Die ringen bestaan nog steeds, maar inmiddels moeten ze zelf betalen aan een nieuwe bende. Een bende die gespierder is dan wie dan ook: de nazi's.'

Mevrouw Charalambides glimlachte en pakte mijn arm steviger beet. Op dat moment besefte ik voor het eerst dat haar ogen zo blauw waren als een lazuurblauw titelblad in een met ornamenten versierd manuscript, en even welsprekend. Ze mocht me. Dat was duidelijk.

'Hoe bent u erin geslaagd uit de gevangenis te blijven?' vroeg ze.

'Door niet eerlijk te zijn,' zei ik en ik duwde de deur van de sportschool open.

Altijd als ik een sportschool betreed, moet ik denken aan de Depressie. Het kwam grotendeels door de stank, en de nieuwe, kotsgroene verflaag en het groezelige open raam maakten de sfeer er niet beter op. Net als de andere sportscholen die we de afgelopen week hadden bezocht, rook de zaal naar fysieke inspanningen, hooggestemde verwachtingen en bittere teleurstellingen, naar urine, goedkope zeep, ontsmettingsmiddel en bovenal naar zweet. Zweet op de touwen en de zwachtels; zweet op de zandzakken en op de stotenvangers; zweet op de handdoeken en op de hoofdbeschermers. Een vlek op een boksposter die een gevecht aankondigde in de Bock-brouwerij kon ook zweet zijn, maar het leek me waarschijnlijker dat het opstijgend vocht was dan zweet van de gespierde boksers die aan het sparren waren of tegen de ballen sloegen die dienden voor snelheidstraining. In de hoofdring waste een man met een gezicht als een medicijnbal wat bloed van de canvas vloer. In een kantoortje, pal voor een openstaande deur, stond een neanderthaler, mogelijk een verzorger, aan een collega-holbewoner uit te leggen hoe je een boksbeugel moest gebruiken. Bloed en ijzer. Bismarck zou het hier prachtig hebben gevonden.

Twee zaken vielen me op sinds mijn vorige bezoekje hier: borden naast de poster. Op een stond te lezen: NIEUW MANAGEMENT en op de ander DUITSERS, VERDEDIGT U! JODEN NIET WELKOM.

'Dat vat alles zo'n beetje samen,' zei ik terwijl ik naar de borden keek.

'Ik dacht dat je zei dat dit oord eigendom was van een Turk,' zei ze.

'Nee, dat was maar een bijnaam. Hij is Duits.'

'Correctie,' zei een man die op me toe liep. 'Hij is Joods.' Het was de neanderthaler die ik eerder had gezien – iets kleiner dan ik dacht maar zo breed als een boerderijhek. Hij droeg een witte rolkraag, een witte sportbroek en witte gymschoenen, maar zijn ogen waren klein en zo zwart als kool. Hij leek op een middelgrote ijsbeer.

'Vandaar dat bord, neem ik aan,' zei ik tegen niemand in het bijzonder. En toen, tegen de niemand met de rolkraag: 'Zeg Primo, heeft de Turk het hier verkocht of is hij gewoon bestolen?'

'Ik ben de nieuwe eigenaar,' zei de man. Hij hees zijn buik op en stak zijn kaak ter grootte van een toiletbril mijn kant op.

'Nou, dat beantwoordt mijn vraag, Primo.'

'Hoe was je naam?'

'Gunther, Bernhard Gunther. En dit is mijn tante Hilda.'

'Ben je een vriend van Solly Mayer?'

'Van wie?'

'Dat beantwoordt mijn vraag. Solly Mayer was de werkelijke naam van de Turk.'

'Ik hoopte dat hij me kon helpen iemand te identificeren, dat is alles. Iemand die ook een bokser was, net als de Turk. Ik heb een foto van hem bij me.' Ik haalde de foto van de Fritz uit het dossier en toonde hem aan de rolkraag. 'Misschien wil je er even naar kijken, Primo.'

Ik moet hem nageven dat hij naar de foto keek alsof hij van plan was me echt te helpen.

'Ik weet het, hij ziet er niet op zijn best uit. Toen die foto werd genomen dreef hij al een paar dagen in een kanaal.'

'Ben je van de politie?'

'Privé.'

Terwijl hij naar de foto bleef kijken, schudde hij zijn hoofd.

'Weet je het zeker? We denken dat hij een Joodse bokser is geweest.'

Hij gaf de foto ogenblikkelijk terug. 'Drijvend in een kanaal, zei je?'

'Inderdaad. Zijn leeftijd is ongeveer dertig jaar.'

'Vergeet het maar. Als die drijver een Jood was, ben ik blij dat hij dood is. Dat bord hangt daar niet voor de show, bemoeial.'

'Nee? Wel vreemd, een bord dat niet voor de show is, vind je niet?'

Ik stopte de foto terug in het dossier en gaf het aan mevrouw Charalambides, voor het geval dat. Rolkraag zag eruit alsof hij op stoom begon te komen en zin had om iemand te slaan. En die iemand was ik.

'Wij houden niet van Joden en we houden niet van mensen die de tijd van andere mensen verprutsen door naar hen te zoeken. En trouwens, ik hou er ook niet van om Primo genoemd te worden.'

Ik grijnsde terug naar hem en daarna naar mevrouw Charalambides. 'Ik durf te wedden dat de voorzitter van het AOC hier nooit is geweest,' zei ik.

'Nog zo'n vuile Jood?'

'Ik geloof dat we maar beter kunnen gaan,' zei mevrouw Charalambides.

'Misschien hebt u wel gelijk,' zei ik. 'Het stinkt hier een beetje.'

Een tel later haalde hij naar me uit met zijn rechtse, maar ik was erop voorbereid en zijn vuist vol littekens suisde langs mijn oorlelletje als een mislukte Hitlergroet. Hij had eerst een prikstoot moeten doen. Om me uit te testen voor hij zijn hele hebben en houwen mijn kant op wierp. Nu wist ik alles wat ik van hem moest weten, als vechtersbaas in ieder geval. Hij was gemaakt voor in de hoek, niet voor in de ring. Toen ik nog Kommisar bij de recherche was, had ik een brigadier die een volleerd bokser was. Hij had me een paar dingen geleerd. Genoeg om mezelf te kunnen redden. Een gevecht is al half gewonnen als je weet te voorkomen dat je wordt geraakt. De stoot die August Krichbaum op de snijtafel had doen belanden was een gelukkige treffer geweest, of een ongelukkige, afhankelijk van hoe je het wou zien. Daarom wilde ik deze man niet harder slaan dan nodig was. Hij haalde nogmaals uit en miste wederom. Tot nu toe deed ik het prima.

Ondertussen was mevrouw Charalambides zo verstandig geweest om een paar passen terug te doen en er bedremmeld bij te staan. Die indruk had ik tenminste.

Zijn derde stoot raakte me wel, maar nauwelijks, als een platte steen die over het water scheert. Tegelijkertijd gromde hij iets dat leek op 'Jodenvriend' en ik dacht even dat hij gelijk had. Mevrouw Charalambides was wel een vriendschap waard. En het maakte me kwaad dat zij van dichtbij getuige moest zijn van dit rabiate antisemitisme.

Ik voelde ook een zekere verplichting jegens de kleine menigte die hun activiteiten in de sportzaal had onderbroken om te kijken wat er ging gebeuren. Dus liet ik een linkse los op Primo's neus. Hij verstarde alsof hij zojuist een schorpioen in zijn pyjamajasje had aangetroffen. Een tweede ontmoedigende stoot en toen een derde hadden tot gevolg dat zijn hoofd op zijn schouders schokte als bij een oude teddybeer.

Er zat inmiddels bloed op de plek waar zijn neus had gezeten en toen ik zag dat mijn cliënt naar de deur liep, besloot ik dat het tijd werd voor de aftiteling. Ik sloeg hem net iets te hard met mijn rechtse. Te hard voor mijn vuist, bedoel ik. Terwijl Primo neerging als een telegraafpaal stond ik mijn hand te schudden. Hij begon al op te zwellen. Ondertussen plofte er iets op de vloer van de sportzaal. Het klonk alsof een kokosnoot uit een havenkraan viel, maar het was waarschijnlijk zijn hoofd. Het gevecht als zodanig was voorbij.

Even torende ik uit boven mijn laatste slachtoffer als de Kolossus van Rhodos, hoewel ik waarschijnlijk evenveel leek op de reusachtige portier van de Rio Rita-bar verderop in de straat. Even klonk er goedkeurend gemompel, niet vanwege mijn triomf maar voor het uitdelen van een goed uitgevoerde rechtse hoek. Terwijl ik nog steeds over mijn hand wreef, knielde ik bezorgd op de grond om de schade die ik had veroorzaakt, op te nemen. Iemand anders was me voor. Het was de man met het gezicht als een medicijnbal.

'Is alles goed met hem?' vroeg ik, werkelijk bezorgd.

'Hij redt het wel,' was het antwoord. 'Je hebt hem met een paar optaters tot rede gebracht, dat is alles. Over enkele minuten vertelt hij iedereen hier dat het puur toeval was dat je hem hebt geraakt.'

Hij pakte mijn hand beet en keek ernaar.

'Daar moet ijs op, dat is zeker. Vooruit, loop even mee. Maar schiet op. Voor die idioot bijkomt. Frankel is hier de baas.'

Ik liep achter mijn barmhartige Samaritaan naar een keukentje. Hij opende een koelkast en overhandigde me een canvas tasje vol ijsklontjes.

'Stop je hand daar in zo lang je kunt,' droeg hij op.

'Bedankt.' Ik stak mijn hand in de tas.

Hij schudde zijn hoofd. 'Je zei dat je op zoek was naar de Turk.'

Ik knikte.

'Hij zit toch niet in moeilijkheden?' In zijn mondhoek stak een *Liliput* van tien pfennig. Hij haalde hem uit zijn mond en bekeek hem kritisch.

'Wat mij betreft niet. Ik wilde hem alleen een foto laten bekijken om te zien of hij die man herkende.'

'Ja, ik heb die foto gezien. Komt me vaag bekend voor, maar ik zou niet precies weten wie het is.' Hij bonkte tegen zijn slaap alsof hij iets los wilde slaan. 'Ik ben tegenwoordig een beetje suffig. Mijn geheugen is niet meer wat het is geweest. Voor een goed geheugen moet je bij Solly zijn. Hij heeft iedereen gekend die ooit een paar Duitse bokshandschoenen heeft aangetrokken, en nog vele anderen. Wat hier is gebeurd is een schande. Toen de nazi's die nieuwe wet van hen afkondigden, waarbij Joden het lidmaatschap van alle sportverenigingen werd ontzegd, had Solly geen andere keus dan te verkopen. En omdat hij wel moest verkopen, moest hij accepteren wat hem werd geboden door die vuile Frankel. Dat was niet eens genoeg om zijn schuld bij de bank af te lossen. Tegenwoordig heeft hij niet eens meer een pispot.'

Uiteindelijk kon ik de kou niet langer verdragen en trok ik mijn hand uit de ijszak.

'Hoe is het ermee?' Hij stak de sigaar weer in zijn mond en bekeek mijn hand.

'Nog steeds opgezwollen,' zei ik. 'Waarschijnlijk van trots. Ik heb hem harder geslagen dan nodig was. Tenminste, dat zegt deze hand.'

'Onzin. Je hebt hem nauwelijks geraakt. Een grote vent als jij. Als je je schouder erachter had gezet, had je wellicht zijn kaak kunnen breken. Maar maak je geen zorgen, hij vroeg er zelf om. Alleen had niemand gedacht dat die klappen zo mooi verpakt zouden worden. Dat was echt een gave stoot waar je hem mee hebt gevloerd, vriend. Je zou meer moeten oefenen. Boksen, bedoel ik. Een vent als jij zou echt iets kunnen bereiken. Met de juiste trainer uiteraard. Iemand zoals ik, bijvoorbeeld. Je zou er zelfs een centje mee kunnen verdienen.'

'Bedankt, maar liever niet. Als je er geld mee moet verdienen, is de lol eraf. Ik ben een amateur in de strikte zin van het woord als het gaat om mensen slaan, en dat wil ik zo houden. Trouwens, nu met al die nazi's zou ik toch overal tweede worden.'

'Daar heb je gelijk in.' Hij grijnsde. 'Het ziet er niet gebroken uit. Maar de pijn kan nog wel een paar dagen duren.' Hij gaf me mijn hand terug.

'Waar woont Solly tegenwoordig?'

De man keek schaapachtig. 'Vroeger hier. In een paar kamers boven de sportzaal. Maar toen hij dit baantje kwijtraakte, verloor hij tevens zijn huis. Het laatste wat ik over de Turk heb gehoord is dat hij in een tent woont in het bos van Grunewald, samen met een paar andere Joden die hun huis zijn kwijtgeraakt onder de nazi's. Maar dat is al zes, misschien zelfs negen maanden geleden, dus mogelijk is hij daar al weg.' Hij haalde zijn schouders op. 'Maar van de andere kant, waar moet hij heen? We hebben in dit land nou eenmaal geen uitkeringsinstantie voor Joden. En tegenwoordig is het Leger des Heils bijna even erg als de SA.'

Ik knikte en gaf de ijszak terug. 'Bedankt.'

'Doe hem de groeten van mij als je hem vindt. Ik heet Buckow. Dezelfde naam als die stad, maar dan wel iets lelijker.'

15

Mevrouw Charalambides stond voor het KaDeWe. Ze staarde intens naar een nieuw model wasmachine van Bosch. Hij liep op gas en had een ingebouwde mangel. Ik kon me haar niet voorstellen als iemand die een wasmachine gebruikte. Waarschijnlijk dacht ze dat het een fonograaf was. Hij leek veel op een fonograaf.

'Als verstandig praten niet meer lukt, kan een vuist goed van pas komen,' zei ik.

Even ontmoette haar blik de weerspiegeling van mijn ogen in de etalageruit. Toen staarde ze weer naar de wasmachine.

'Misschien moeten we hem kopen, dan kan die vent van die sportschool zijn mond spoelen,' opperde ik zwakjes.

Haar lippen bleven strak op elkaar, alsof ze probeerde niet te laten blijken wat haar dwars zat. Ik draaide de etalage mijn rug toe, stak een sigaret op en staarde over de Wittenbergplatz.

'Dit was vroeger een beschaafde stad, waar mensen zich hoffelijk en beleefd gedroegen. Nou ja, meestal dan. Maar door mensen zoals hij besef ik weer dat Berlijn slechts een idee was van een Polabisch-Slavisch iemand in een moeras.'

Ik griste de sigaret tussen mijn lippen vandaan en tuurde naar de blauwe hemel. Het was een prachtige dag. 'Moeilijk te geloven op een dag als deze. Goethe had een theorie over de reden waarom de hemel blauw is. Hij geloofde niet in Newtons idee dat licht een mengeling van kleuren is. Goethe dacht dat het te maken had met de interactie tussen wit licht en het tegenovergestelde: duisternis.' Ik nam een stevige haal. 'Er is genoeg duisternis in Duitsland, of niet soms? Mogelijk is dat de reden dat de hemel zo blauw is. Wellicht is dat de reden dat ze dit Hitlerweer noemen. Omdat het zoveel duisternis bevat.'

Ik lachte om mijn eigen idee. Maar ik zat te wauwelen.

'U zou het Grunewald echt eens moeten zien in dit jaargetijde. Het is er erg mooi in de herfst. We zouden er nu heen kunnen rijden. Dat is toevallig ook erg goed voor uw verhaal in de krant. Het schijnt dat de Turk daar woont. In een tent. Net als een hoop andere Joden, heb ik gehoord. Het zijn ofwel geharde naturalisten of de nazi's zijn van plan een nieuw getto te bouwen. Misschien allebei. Luister. Als jij het naturalisme een tijdje wilt proberen, doe ik ook mee.'

'Is het nodig om overal een grap van te maken, Herr Gunther?'

Ik smeet mijn sigaret weg. 'Alleen van de dingen die niet echt grappig zijn, mevrouw Charalambides. Helaas geldt dat tegenwoordig bijna voor alles. Weet u, ik ben bang voor een nazi te worden aangezien als ik geen grappen maak. Hebt u Hitler ooit een grap horen maken? Nee, ik ook niet. Misschien zou ik hem leuker vinden als hij dat wel deed.'

Ze bleef naar de wasmachine staren. Zo te zien was ze nog niet in de stemming voor grappenmakerij. 'U hebt hem getreiterd,' zei ze. Ze schudde haar hoofd. 'Ik houd niet van vechten, Herr Gunther. Ik ben pacifist.'

'We zijn hier in Duitsland, mevrouw Charalambides. Vechten is onze favoriete vorm van diplomatie, dat is algemeen bekend. Maar ik ben zelf toevallig ook pacifist. Ik heb dan ook geprobeerd die vent mijn andere wang toe te keren, zoals in de Bijbel staat. Nou ja, u hebt gezien wat er van kwam. Het is me twee keer gelukt voordat hij erin slaagde mij te raken. Daarna had ik geen keus meer. In ieder geval niet volgens de Bijbel. Geef de keizer wat des keizers is. En ik heb hem gegeven wat hem toekwam. Zodoende raakte hij buiten westen. Maar heus, niemand heeft een grotere hekel aan geweld dan ik.'

Ze probeerde haar lach in te houden, maar dat lukte niet meer zo goed.

'Bovendien,' vulde ik aan, 'wilt u me toch niet vertellen dat u hem zelf niet wilde slaan.'

Ze lachte. 'Vooruit dan maar, dat is zo. Ik ben blij dat u hem hebt geslagen, die smeerlap. Goed? Maar is het niet gevaarlijk? U zou in moeilijkheden kunnen raken. Dat zou ik niet willen.'

'Daar heb ik uw hulp echt niet voor nodig, mevrouw Charalambides. Ik kan me heel goed zelf redden.'

'Dat geloof ik meteen.'

Ze glimlachte echt gemeend en pakte mijn geblesseerde hand. De zwelling was nog niet verdwenen maar hij was nog wel ijskoud.

'U voelt koud aan,' zei ze.

'U zou die andere vent eens moeten zien.'

'Ik zie liever het Grunewald.'

'Met alle genoegen, mevrouw Charalambides.'

We stapten in de auto en reden in westelijke richting over de Kurfürstendamm.

'Meneer Charalambides…' zei ik, na een tijdje.

'Is een Griekse Amerikaan en een beroemd schrijver. Veel beroemder dan ik. In Amerika tenminste. Hier wat minder. Hij schrijft veel beter dan ik. Althans, dat beweert hij zelf.'

'Vertelt u eens wat meer over hem.'

'Over Nick? Als je weet dat hij schrijver is, weet je alles van hem. Afgezien misschien van zijn politieke opvattingen. Hij is behoorlijk actief in de linkse beweging in de vs. Hij zit nu in Hollywood. Hij probeert een script te schrijven, met grote tegenzin. Niet dat hij een hekel heeft aan de filmwereld of de studio's. Hij heeft er gewoon een hekel aan om niet in New York te zijn. In die stad hebben we elkaar zes jaar geleden ontmoet. Sindsdien hebben we drie goede jaren en drie slechte jaren gehad. Lijkt een beetje op de voorspellingen van Jozef aan de farao, alleen wisselen de goede en slechte perioden voortdurend. Op dit moment zitten we in een van de slechte jaren. Nick drinkt namelijk.'

'Een man moet een hobby hebben. Zelf hou ik van modeltreinen.'

'Het is meer dan een hobby, helaas. Nick heeft drinken tot zijn tweede beroep gemaakt. Hij schrijft er zelfs over. Hij drinkt een jaar en dan houdt hij er een jaar mee op. U denkt waarschijnlijk dat ik overdrijf, maar dat is niet zo. Hij kan op 1 januari stoppen en op oudejaarsavond weer beginnen. Op de een of andere manier heeft hij de wilskracht om driehonderdvijfenzestig dagen het een of het ander vol te houden.'

'Waarom?'

'Om te bewijzen dat hij het kan. Om het leven interessanter te maken. Om stijfkoppig te zijn. Nick zit ingewikkeld in elkaar. Er is nooit een eenvoudige verklaring voor de dingen die hij doet. Het minste nog voor de simpele zaken des levens.'

'En op dit moment zit hij in een drankfase.'

'Nee. Nu is hij nuchter. Daarom is dit een slecht jaar. Om te beginnen hou ik zelf ook van een glaasje en ik drink niet graag alleen. En daarbij is Nick stomvervelend als hij nuchter is, en alleraardigst als hij dronken is. Dat is een van de redenen waarom ik naar Europa ben gegaan. Om in alle rust een drankje te kunnen nemen. Op dit moment heb ik meer dan genoeg van hem, en ook van mezelf. Hebt u dat ook weleens, Gunther?'

'Alleen als ik in de spiegel kijk. Als politieman moet je een goed geheugen hebben voor gezichten, vooral voor je eigen gezicht. Het werk verandert je op een onverwachte manier. Na een tijdje kijk je in de spiegel en zie je iemand die in geen enkel opzicht verschilt van het uitschot dat hij in de cel zet. Maar de laatste tijd word ik al misselijk als ik iemand mijn levensverhaal opdis.'

Bij Halensee draaide ik in zuidelijke richting de Königsallee op. Ik wees naar het noorden. 'Daar wordt nu het Olympisch Stadion gebouwd,' zei ik. 'Achter de S-Bahn naar Pichelsberg. Vanaf dit punt bestaat Berlijn alleen nog maar uit bos, meertjes en dure villawijken. Uw vrienden de Adlons hadden daar ook een huis, maar Hedda vond het niks. Nu hebben ze iets in de buurt van Potsdam gekocht, in het dorp Nedlitz. Ze gebruiken het als weekendhuis voor buitengewoon speciale gasten die willen ontsnappen aan de strenge tucht van het leven in het Adlon-hotel. Om over hun echtgenotes maar niet te spreken. Of hun echtgenoten.'

'Een goede rechercheur weet natuurlijk alles van je wat er te weten valt,' zei ze. 'Ik neem aan dat dat de prijs is die je er voor moet betalen.'

'Neem maar van mij aan dat die prijs een stuk lager is.'

Ongeveer acht kilometer ten zuidwesten van station Halensee stopte ik voor het fraai gelegen restaurant Hubertus.

'Waarom stoppen we?'

'Een vroege lunch en een beetje informatie. Toen ik zei dat de Turk in Grunewald woonde, ben ik vergeten te zeggen dat dat bos bijna 3200 hectare beslaat. Als we hem willen vinden, moeten we eerst wat inlichtingen bij de plaatselijke bewoners inwinnen.'

Restaurant Hubertus was iets uit een Lehar-operette: een met klimop begroeide, knusse villa met een tuin waarin je niet raar zou opkijken als een kroonprins en zijn jonge barones er even een stuk kalfsvlees kwamen eten op doorreis naar hun chique maar onheilspellende jachthuis. Omgeven door een koor van goed doorvoede Berlijners deden we ons best om eruit te zien als twee hoofdrolspelers in een toneelstuk. Ook probeerden we onze teleurstelling te verbergen toen bleek dat hij niets van de omgeving wist.

Na de lunch reden we verder naar het zuidwesten. We vroegen om informatie in een dorpswinkel bij de Reitmeister See, daarna bij een postkantoor in Krumme Lanke en ten slotte bij een garage in Paulsborn, waar de medewerker ons vertelde dat hij had gehoord dat er mensen in tenten woonden op de linkeroever van de Schlachtensee, in een kamp dat het beste via het water bereikt kon worden. Dus reden we naar Beelitzhof, huurden een motorboot en gingen door met onze zoektocht.

'Ik heb een heerlijke dag gehad,' zei ze terwijl de boot door het kille, donkerblauwe water voer. 'Zelfs als we niet vinden wat we zoeken.'

Maar toen vonden we wat we zochten.

Eerst zagen we de rookwolk, die als een reusachtige zuil boven het dichte naaldbos opsteeg. Het was een klein dorp dat bestond uit zes of zeven afgedankte legertenten. Tijdens de Grote Depressie was iets dichter bij huis, in Tiergarten, een grote sloppenwijk van tenten gebouwd voor armen en werklozen.

Ik zette de motor af en we liepen behoedzaam naderbij. Een groepje haveloze mannen, sommigen kennelijk Joods, doken op uit hun schuilplaats. Ze hadden stokken en slingers bij zich. In mijn eentje was ik mogelijk vijandiger ontvangen, maar toen ze mevrouw Charalambides ontwaarden, leken ze iets minder gespannen te worden. Als je ergens herrie wilt schoppen, kom je niet aanzetten in een jas van sabelbont en met een parelsnoer om. Ik meerde de boot af en hielp haar van boord te stappen.

'We zijn op zoek naar Solly Mayer,' zei ze met een innemende glimlach. 'Kent u hem?'

Niemand zei iets.

'Ik heet Noreen Charalambides,' zei ze. 'Maar mijn meisjesnaam is Eisner. Ik ben Joods. Ik zeg dat, zodat jullie zeker weten dat we jullie of Herr Mayer niet komen bespioneren of verraden. Ik ben een journalist uit Amerika en ik ben op zoek naar bepaalde informatie. We geloven dat Solly Mayer ons kan helpen. Dus toe, wees niet bang. We hebben geen kwaad in de zin.'

'We zijn niet bang voor u,' zei een van de mannen. Hij was lang en hij had een baard. Hij droeg een lange zwarte jas en een zwarte hoed met brede rand. Langs zijn voorhoofd hingen twee lange vlechten, als strengen zeewier. 'We vreesden dat u bij de Hitlerjugend hoorde. Ergens hier kampeert een groepje van die lui en ze hebben ons aangevallen. Voor de lol.'

'Wat vreselijk,' zei mevrouw Charalambides.

'We proberen ze zoveel mogelijk te negeren,' zei de Jood met de haarlokken. 'Er zitten wettelijke grenzen aan wat wij mogen doen om onszelf te verdedigen, maar de laatste tijd zijn hun aanvallen steeds gewelddadiger geworden.'

'We willen gewoon rustig leven,' zei een andere man.

Ik keek om me heen. Aan een paal naast enkele hengels hing een stel konijnen. Op een metalen rooster op een kampvuur werd gekookt in een grote ketel. Tussen twee versleten tenten hing een lijn met was. De winter naderde snel en ik gaf niet veel voor hun overlevingskansen. Als ik alleen al naar hen keek, werd ik al koud en hongerig.

'Ik ben Solly Mayer.'

Hij was vrij lang en hij had een korte nek. Net als de anderen was hij zongebruind van het maandenlange buitenleven. Maar ik had hem met-een moeten herkennen. De meeste boksers hebben hun neus horizon-taal gebroken, maar de neus van de Turk was ook verticaal opgelapt en gehecht. Hij leek net een roze gestoffeerd kussentje dat midden in het brede, platte vlak lag dat zijn gezicht moest voorstellen. Ik probeerde me voor te stellen wat je allemaal niet kon doen met zo'n neus: een Romeins galeischip rammen, een kasteelpoort slopen, een witte truffel opsporen. Maar ik kon me niet voorstellen dat je ermee kon ademen.

Mevrouw Charalambides vertelde hem over het artikel dat ze wilde schrijven en over haar hoop dat de Amerikanen alsnog zouden besluiten de Berlijnse olympiade te boycotten.

'Wilt u zeggen dat ze dat nog niet hebben gedaan?' zei de lange man met de baard. 'Zijn de Ami's echt van plan een ploeg te sturen?'

'Helaas wel,' zei mevrouw Charalambides.

'Roosevelt kan toch niet negeren wat er hier gebeurt?' zei de lange man. 'Hij is democraat. En al die Joden in New York dan? Die zullen toch niet toestaan dat hij werkeloos toekijkt?'

'Ik vermoed dat dat precies is wat hij op dit moment doet,' zei ze. 'U moet weten dat zijn tegenstanders al vinden dat hij te vriendelijk is voor de Amerikaanse Joden. Hij veronderstelt waarschijnlijk dat het hem politiek beter uitkomt om geen standpunt in te nemen over de vraag of de Amerikaanse ploeg hier wel of niet moet komen in 1936. Mijn krant wil dat standpunt graag veranderen. En ik ook.'

'Denkt u dat het schrijven van een artikel over een of andere dode Joodse bokser kan helpen?' vroeg de Turk.

'Inderdaad.'

Ik gaf de Turk de foto van 'Fritz'. Hij zette een bril op zijn bespottelijke neus en bekeek de foto die hij op een armlengte van zich af hield kritisch.

'Hoeveel woog die vent?' vroeg hij aan mij.

'Op het moment dat ze hem uit het kanaal visten woog hij ongeveer negentig kilo.'

'Dus waarschijnlijk negen of tien kilo minder toen hij nog in training was,' zei de Turk. 'Een middelgewicht. Of mogelijk een halfzwaargewicht.' Hij keek nog een keer en gaf met de rug van zijn hand een tik op de foto. 'Ik weet het niet. Na een tijdje in de ring gaan al die boksers op elkaar lijken. Waarom denkt u dat hij Joods was? Ik vind dat hij eruitziet als een goj.'

'Hij was besneden,' zei ik. 'En trouwens, hij was ook nog links.'

'Op die manier.' De Turk knikte. 'Nou, misschien, héél misschien is die vent Eric Seelig. Een paar jaar geleden was hij kampioen halfzwaargewicht. Uit Bromberg. Hij is de Jood die behoorlijk sterke boksers als Rere de Vos, Karl Eggert en Zigeuner Trollmann heeft verslagen, als hij het echt is.'

'Zigeuner Trollman?'

'Ja, kent u hem?'

'Ik heb uiteraard van hem gehoord,' zei ik. 'Wie niet? Wat is er van die vent geworden?'

'Voor zover ik weet is hij nu portier bij de Kaketoe.'

'En Seelig? Wat is zijn verhaal?'

'Wij krijgen hier geen kranten, vriend. Alles wat ik weet is maanden oud. Maar ik heb gehoord dat er een stel SA-mannetjes zijn opgedoken bij zijn laatste gevecht. Hij verdedigde zijn titel tegen Helmut Hartkopp, in Hamburg. Ze wilden hem angst aanjagen, omdat hij Joods was. Daarna is hij verdwenen. Misschien heeft hij het land verlaten. Misschien is hij gebleven en in het kanaal beland. Wie weet? Berlijn is een heel eind weg van Hamburg. Maar ik denk niet dat hij helemaal naar Bromberg is gegaan. Dat ligt namelijk in de Poolse corridor.'

'Eric Seelig, zei u.'

'Mogelijk. Ik heb nooit eerder naar een lijk gekeken. Behalve in de ring natuurlijk. Hoe hebt u me trouwens gevonden?'

'Iemand die Buckow heet, bij de T-gym. Ik moest u de groeten van hem doen.'

'Bucky? Ja, die Bucky is een prima gozer.'

Ik pakte mijn portemonnee en wilde hem een bankbiljet geven maar dat wilde hij niet aannemen. In plaats daarvan gaf ik hem op een na al mijn sigaretten en mevrouw Charalambides deed hetzelfde.

We wilden net weer in de boot stappen toen er iets door de lucht vloog. Het raakte de man met de grote hoed. Hij zakte op één knie en hield een hand op zijn bebloede wang.

'Dat zijn die kleine rotzakken weer,' siste de Turk.

Ongeveer dertig meter van ons vandaan zag ik een stel in kaki geklede jongeren op een open plek in het bos. Er vloog een steen door de lucht die mevrouw Charalambides op een haar na miste.

'Vuile Joden,' riepen ze op zangerige toon. 'Vuile Joden!'

'Ik heb er genoeg van,' zei de Turk. 'Ik zal die klootzakken eens een lesje leren.'

'Nee,' zei ik. 'Niet doen. Daar krijg je alleen maar moeilijkheden mee. Laat mij het maar afhandelen.'

'Wat kunt u dan doen?'

'We zien wel.' En tegen mevrouw Charalambides: 'Geef me uw kamersleutel.'

'Mijn kamersleutel? Hoezo?'

'Geef nou maar.'

Ze opende een tas van struisvogelleer en gaf me de sleutel. Er zat een grote koperen ovale sleutelhanger aan. Ik maakte de hanger los en gaf haar de sleutel terug. Toen draaide ik me om en liep naar onze belagers.

'Wees voorzichtig,' zei ze.

Weer vloog er een steen over mijn hoofd.

'Vuile Joden! Joden! Joden!'

'Zo is het genoeg!' schreeuwde ik. 'De volgende die een steen gooit wordt gearresteerd.'

Ze waren ongeveer met zijn twintigen, tussen de tien en de zestien jaar oud. Allemaal blond, met jonge, harde gezichten en hoofden vol kletspraat die ze van nazi's als Richard Bömer hadden gehoord. Duitslands toekomst lag in hún handen. Net als een aantal grote stenen. Toen ik hen op zo'n tien meter was genaderd, toonde ik de sleutelhanger in de palm van mijn hand. Ik hoopte dat het er van een afstand uitzag als een identiteitsplaatje van de politie. Ik hoorde een van hen hijgend uitbrengen: 'Hij is van de politie', en ik glimlachte. De truc had gewerkt. Ze waren tenslotte nog maar kinderen.

'Dat klopt, ik ben van de politie,' zei ik. Ik hield de sleutelhanger nog steeds omhoog. 'Kommissar Adlon van de recherche, van het westelijke hoofdbureau. En jullie mogen je gelukkig prijzen dat geen van die andere officieren van de politie serieus zijn geraakt.'

'Officieren van de politie?'

'Maar ze zien eruit als Joden. Sommigen tenminste wel.'

'Wat zijn dat voor politiemensen die eruitzien als Joden?'

'Geheime politie,' zei ik. Ik gaf de jongen die er het oudst uitzag een harde mep op zijn besproete wang. Hij begon te huilen. 'Wij zijn leden van de Gestapo en we zoeken een gemene moordenaar die jongens heeft vermoord in dit bos. Ja, jullie horen me goed. Jongens zoals jullie. Hij snijdt hun keel door en hakt hun ledematen eraf. Het heeft niet in de krant gestaan omdat we geen paniek willen veroorzaken. En dan komt een stel etterbakjes als jullie de operatie bijna verpesten.'

'Daar kunnen wij niks aan doen, meneer,' zei een andere jongen. 'Ze zagen eruit als Joden.'

Ik gaf hem ook een oorvijg. Het leek me het beste dat ze een goede indruk kregen van de ware aard van de Gestapo. Misschien had Duitsland op die manier nog een toekomst.

'Hou je mond,' beet ik hem toe. 'En zwijg zolang je niet iets wordt gevraagd, begrepen?'

De leden van de Hitlerjugend knikten nors.

Ik pakte een van hen bij zijn halsdoek.

'En wat heb jij te melden?'

'Het spijt me, meneer?'

'Spijt? Het had die agent wel een oog kunnen kosten. Het lijkt me geen gek idee om jullie vaders opdracht te geven jullie eens een flink pak rammel te geven. Of nog beter, om jullie allemaal te laten arresteren en in een concentratiekamp te smijten. Wat dachten jullie daarvan?'

'Toe, meneer. We hadden geen kwaad in de zin.'

Ik liet de jongen los. Ze keken nu allemaal schuldbewust. Ze zagen er minder uit als leden van de Hitlerjugend en meer als een groep schooljongens. Ik had ze nu waar ik wilde. Het was net of ik een team toesprak in het Alex. Agenten doen tenslotte dezelfde stomme jeugdige dingen die schooljongens doen, afgezien van het huiswerk.

'Goed dan. We zullen er deze keer over zwijgen. En dat geldt ook voor jullie. Vertel hier niemand iets over. Niemand. Begrepen? Dit is een geheime operatie. En de volgende keer dat jullie de neiging hebben de wet in eigen handen te nemen, laat dat dan. Niet iedereen die eruitziet als een Jood is ook echt een Jood. Onthoud dat. En nu naar huis, voordat ik van gedachten verander en jullie allemaal laat arresteren wegens geweld tegen een politieman. En vergeet niet wat ik heb gezegd. Er loopt in deze bossen een gemene moordenaar rond. Jullie kunnen hier beter uit de buurt blijven totdat jullie hebben gelezen dat hij is gepakt.'

'Ja, meneer.'

'Dat zullen we doen, meneer.'

Ik liep terug naar de kleine groep tenten aan de rand van het meer. Het begon te schemeren. De kikkers begonnen te kwaken. Vissen sprongen boven het water uit. Een van de Joden gooide een lijn uit op een plek waar het water rimpelde in steeds grotere kringen. De man met de hoed was niet ernstig gewond. Hij rookte een van mijn sigaretten om te kalmeren.

'Wat hebt u gezegd om ze weg te jagen?' vroeg de Turk.

'Ik heb hun verteld dat jullie allemaal geheime agenten zijn,' zei ik.

'En dat geloofden ze?' vroeg mevrouw Charalambides.

'Natuurlijk geloofden ze me.'

'Maar waarom dan?' zei ze. 'Het is toch een overduidelijke leugen.'

'En sinds wanneer trekken de nazi's zich daar iets van aan?' Ik maakte een hoofdbeweging naar de boot. 'Stap in,' zei ik. 'We gaan.'

Ik viste mijn laatste sigaret achter mijn oor vandaan en stak hem aan met een stuk brandhout dat de Turk voor me had gepakt. 'Ik denk dat ze jullie met rust zullen laten,' zei ik tegen hem. 'Ik heb ze geen angst voor God aangejaagd. Alleen angst voor de Gestapo. Maar voor hen betekent dat waarschijnlijk meer.'

De Turk lachte. 'Bedankt, meneer,' zei hij en hij gaf me een hand.

Ik maakte de boot los, klom de boot in en ging naast mevrouw Charalambides zitten. 'Dat is iets wat ik de afgelopen jaren heb geleerd,' zei ik terwijl ik de motor startte. 'Om te liegen alsof je het meent. Als het je lukt om eerst jezelf van iets te overtuigen, hoe buitenissig het ook is, kom je tegenwoordig overal mee weg.'

'Ik dacht dat je een nazi moest zijn voor dergelijk cynisme,' zei ze.

Ik denk dat ze het als een grapje bedoelde, maar het voelde niet goed om het haar te horen zeggen. Tegelijkertijd wist ik natuurlijk dat ze gelijk had. Ik was een cynicus. Als verdediging had ik natuurlijk kunnen aanvoeren dat ik ex-politieman was en dat dat betekent dat je maar één waarheid kent, namelijk dat alles wat je te horen krijgt een leugen is, maar dat zou ook niet goed overkomen. Ze had gelijk en het had geen zin om dat te verhullen door een andere cynische opmerking over hoe de nazi's waarschijnlijk iets in het water hadden gedaan, iets als bromide, dat ervoor zorgde dat wij Duitsers allemaal het ergste over iedereen geloofden. Ik was een cynicus. Gold dat niet voor iedereen in Duitsland?

Niet dat ik ook maar iets slechts zou geloven over Noreen Charalambides. En ik wilde zeker niet dat ze slecht over mij zou denken. Ik had geen muilkorf bij de hand, dus klemde ik mijn lippen maar een tijdje op elkaar en duwde de gashendel naar voren. Je vijanden bijten is één ding, maar het is heel iets anders om je vrienden te bijten. Om maar niet te spreken over de vrouw op wie je valt.

16

We brachten de boot terug en stapten in de auto. We reden Berlijn in oostelijke richting binnen, langs straten vol zwijgende mensen die waarschijnlijk niets met elkaar te maken wilden hebben. Het was nooit een erg vriendelijke stad geweest. Berlijners staan niet bekend om hun grote gastvrijheid. Maar nu zag het eruit als de stad Hamelen nadat de kinderen waren vertrokken. De ratten hadden we natuurlijk nog wel.

Degelijke mannen met keurig geborstelde vilthoeden en stijve boorden repten zich huiswaarts na weer een dag die ze hadden doorgebracht met het zo fatsoenlijk mogelijk negeren van de geüniformeerde pummels die hun vuile laarzen per se op het beste meubilair van het land wilden laten rusten. Busconducteurs hingen voorzichtig van hun balkon om iedere kans op een gesprek met een passagier te vermijden. Dezer dagen durfde niemand meer te zeggen wat hij dacht. Daar schreven ze niet over in de reisgidsen.

Bij de taxistandplaats op de hoek van de Leibnitzstraße staken de chauffeurs hun geblokte kappen op – beslist een teken dat het koeler weer zou worden. Maar het was nog niet koud genoeg om het trio SA-mannen ervan te weerhouden een Joodse juwelierszaak naast de synagoge op de Fasanenstraße lastig te vallen.

DUITSERS! VERDEDIGT U! KOOP NIET VAN JODEN! KOOP ALLEEN IN DUITSE WINKELS!

Met hun bruine leren laarzen, bruine leren bandeliers en bruine leren gezichten, verlicht door de weerschijn van het groene neon van de Kurfürstendamm zagen de drie nazi's er prehistorisch, reptielachtig en gevaarlijk uit, als een stel hongerige krokodillen die uit het aquarium van de Zoologischer Garten waren ontsnapt.

Ik voelde mezelf ook vagelijk koudbloedig. Alsof ik wel een drankje kon gebruiken.

'Ben je chagrijnig?' vroeg ze.

'Chagrijnig?'

'Alsof je in stilte tegen iets protesteert.'

'Dat is tegenwoordig de enige veilige manier. Hoe dan ook, van een drankje zou ik zeker opknappen.'

'Ik lust zelf ook wel wat.'

'Maar niet in het Adlon, hè? Als we daar heen gaan, moet ik vast iets doen voor iemand.' Terwijl we de kruising met de Joachimstaler Straße naderden, wees ik: 'Daar! De Kaketoebar.'

'Is dat een van uw stamkroegen, Gunther?'

'Nee, maar wel die van iemand anders. Iemand die u moet spreken voor uw artikel.'

'O? Hoezo?'

'Zigeuner Trollmann.'

'Juist, ik weet het nog. De Turk zei toch dat hij portier is bij de Kaketoe? En hij heeft tegen Eric Seelig gebokst.'

'De Turk klonk niet honderd procent zeker dat Seelig onze Fritz is. Maar misschien kan Trollman het bevestigen. Als je tijd hebt doorgebracht met een vent in de ring die je probeert te slaan, leer je zijn gezicht waarschijnlijk vrij goed kennen.'

'Is hij echt een zigeuner of is hij een zigeuner op de manier waarop Solly Mayer een Turk is?'

'Helaas voor Trollmann is hij een echte. De nazi's hebben namelijk niet alleen een hekel aan Joden, maar ook aan zigeuners. En homo's. En Jehova's getuigen. En communisten natuurlijk, we moeten de Roden niet vergeten. Tot nu toe hebben de Roden het het moeilijkst van iedereen gehad. Ik bedoel, ik heb nog niet gehoord dat er iemand is geëxecuteerd omdat hij Joods is.'

Ik dacht erover om Otto Trettins verhaal over de vallende bijl in Plötzensee te vertellen en verwierp het. Aangezien ik haar al moest vertellen over Zigeuner Trollmann besloot ik dat één droevig verhaal per avond wel genoeg was voor haar. Het verhaal van Zigeuner Trollmann was namelijk wel buitengewoon droevig.

We waren vroeger dan de grote groepen en dat betekende dat 'Rukelie', zoals Trollmann bekendstond bij de mensen die in de club werkten, er nog niet was. Om zeven uur 's avonds zijn er nog geen herrieschoppers. Zelfs ik niet.

Sommige elementen van de inrichting van de Kaketoebar deden denken aan een bar in Frans-Polynesië, maar voor het grootste deel bestond de zaak uit kuipstoelen, behang van veloutépapier en rode lampen, net als elke andere bar in Berlijn. Van de blauw-met-goude bar werd gezegd dat hij de langste van Europa was, maar duidelijk alleen door lieden die geen meetlint bezaten of die dachten dat het ver reizen was naar Tipperary. Het plafond leek op een geglaceerde bruidstaart. Er was een donker cabaret, een dansvloer, en een klein orkest dat erin slaagde de afkeuring van decadente muziek van de nazi's te omzeilen door jazz ten gehore te brengen op een wijze alsof het niet door zwarten was uitgevonden maar door een kerkorganist uit Brandenburg. Nu naaktdansen ten strengste verboden was in alle clubs, had de Kaketoebar als gimmick bij elke tafel een levende papegaai op een stokje gezet. Dit had slechts tot gevolg dat iedereen zich een ander groot voordeel van danseressen herinnerde: die scheten niet op je bord. Even afgezien van Anita Berber, wel te verstaan.

Terwijl ik schnaps dronk, nipte mevrouw Charalambides martini's als een geisha die theedronk, en met even weinig effect. Ik had al snel het idee dat ze niet alleen haar schrijftalent met haar echtgenoot deelde. De vrouw kon tegen drank als een godin die haar dagelijkse portie ambrozijn innam.

'Vertel me eens iets over Zigeuner Trollmann,' zei ze terwijl ze haar blocnote en pen tevoorschijn haalde.

'In tegenstelling tot de Turk, die net zo Turks is als ik, is Trollmann een echte zigeuner. Een Sinti. Dat is een segment van de Roma, maar vraag me niet om dat uit te leggen want ik ben Bruno Malinowski niet. Toen we nog een republiek waren, maakten de kranten er een grote zaak van dat Trollmann een zigeuner was. Omdat hij er ook knap uitzag en bovendien een uitstekend bokser was, werd hij al snel razend populair. Bokspromotors konden niet genoeg van hem krijgen.' Ik haalde mijn schouders op. 'Ik geloof dat hij pas zevenentwintig is. Hoe dan ook, medio vorig jaar was hij klaar voor een poging om de titel halfzwaargewicht van Duitsland te veroveren, hier in Berlijn. Hij ging de titelstrijd aan met Adolf Witt, want andere kandidaten waren er niet.

De nazi's hoopten natuurlijk dat de arische superioriteit zou blijken en dat Witt zijn raciaal inferieure tegenstander tot moes zou slaan. Dat was een van de redenen waarom ze hem überhaupt lieten vechten. Maar ondertussen probeerden ze ook de jury te beïnvloeden, alleen hadden ze buiten het publiek gerekend, dat zo onder de indruk was van Trollmanns vechtkunst dat er een rel ontstond toen de jury Witt als winnaar aanwees. De autoriteiten moesten op hun beslissing terugkomen en Trollmann tot winnaar uitroepen. Hij huilde tranen van vreugde. Helaas was die vreugde maar van korte duur.

Zes dagen later ontnam de Duitse Boksfederatie hem de titel en zijn licentie op grond van zijn slagen ontwijkende, "dansende" stijl en zijn "onmannelijke" tranen.'

Inmiddels besloegen de in steno geschreven notities verschillende pagina's van haar blocnote. Ze nipte van haar drankje en schudde haar hoofd. 'Namen ze hem zijn titel af omdat hij had gehuild?'

'Het wordt nog erger,' zei ik. 'Dit is een erg Duits verhaal. Zoals je kon verwachten, krijgt het joch te maken met doodsbedreigingen. Lasterbrieven. Stront in zijn brievenbus. Noem maar op. Zijn vrouw en kinderen voelen zich geïntimideerd. Het wordt zo erg dat hij zijn vrouw om een scheiding laat vragen, zodat zij en de kinderen rustig kunnen leven. Want Trollmann is nog niet verslagen. Hij denkt nog steeds dat hij met boksen uit de moeilijkheden kan komen. Met tegenzin krijgt hij van de Duitse Boksfederatie een nieuwe licentie, op twee voorwaarden. De eerste is dat hij de dansende stijl waarmee hij groot is geworden, moet opgeven – hij was zo snel dat niemand hem kon raken. En de andere voorwaarde was dat hij zijn eerste gevecht moest houden tegen een veel zwaardere tegenstander, Gustav Eder.'

'Ze wilden hem vernederen,' zei ze.

'Sterker nog: ze wilden dat hij zou omkomen,' zei ik. 'De twee ontmoetten elkaar in juli 1933, in de Bock-brouwerij hier in Berlijn. Om te voldoen aan de nieuwe raciale restricties duikt Trollmann op voor het gevecht als een karikatuur van een ariër met een lichaam dat wit is gemaakt met meel en met blond geverfd haar.'

'Mijn hemel. Als een neger die probeert zich te vermommen om aan een lynchpartij te ontsnappen?'

'Zoiets ja. Het gevecht vindt plaats en Trollmann, gedwongen om de stijl waarmee hij kampioen is geworden te verlaten, staat neus-aan-neus tegenover Eder en krijgt de ene klap na de andere van die zwaardere man. Hij krijgt een verschrikkelijk pak slaag totdat hij, in ronde vijf, wordt gevloerd en het gevecht op knock-out verliest. Daarna wordt hij nooit meer dezelfde bokser. Volgens de laatste berichten knokt hij maandelijks tegen zwaardere, sterkere kerels en krijgt hij regelmatig op zijn falie om de alimentatie voor zijn vrouw te kunnen opbrengen.'

Ze schudde haar hoofd. 'Het is een moderne Griekse tragedie,' zei ze.

'Als u bedoelt dat er weinig te lachen valt om dit verhaal, hebt u gelijk.

En de goden verdienen zeker een schop onder hun kont, of erger, om zoiets te laten gebeuren.'

'In Duitsland staan ze, voor zover ik dat kan beoordelen, voor een zware en moeilijke taak.'

'Daar draait het toch allemaal om? Als ze ons nu niet steunen, bestaan ze misschien wel helemaal niet.'

'Dat geloof ik niet, Bernie,' zei ze. 'Het is slecht voor een toneelschrijver om te denken dat er alleen mensen zijn. Niemand gaat naar een theater om dat te horen. Vooral nu niet. Zeker nu niet.'

'Misschien moest ik maar weer naar het theater gaan,' zei ik. 'Wie weet, misschien herstelt het mijn vertrouwen in de mens. Hoewel, daar heb je Trollman, dus laat ik geen ijdele hoop koesteren.'

Terwijl ik dat zei besefte ik al dat ik mijn vertrouwen in de mens beter kon laten varen. Zigeuner Trollmann, ooit zo knap als een filmster, zag er nu uit als een karikatuur van een versleten bokser. Het was alsof je Mr. Hyde ontwaarde meteen nadat Dr. Jekyll het pand had verlaten, zo grotesk was zijn uiterlijk geworden door de talloze keren dat hij een pak slaag had gehad. Zijn neus, die vroeger klein en strijdlustig was, had nu de grootte en vorm van een zandzak op een krakkemikkige veldschans. Onder invloed daarvan leken zijn donkere ogen naar de zijkant van zijn hoofd te zijn verschoven, wat hem iets runderachtigs gaf. Zijn vergrote oren hadden geen scherpe contouren meer en leken afkomstig uit de snijmachine van een slager. Zijn mond leek onmogelijk breed, en als hij zijn getekende lippen optrok tot een brede glimlach zag je dat hij verschillende tanden miste, alsof je een grap had verteld aan de jongere broer van King Kong. Maar het ergste vond ik zijn houding: hij was zo blijmoedig dat een rij kindertekeningen op een kleuterschool erbij verbleekte, alsof hij totaal geen zorgen had.

Trollmann pakte een stoel op alsof het een soepstengel was en zette hem achterstevoren bij onze tafel neer.

We stelden ons voor. Mevrouw Charalambides schonk hem een stralende glimlach waarmee je een kolenmijn had kunnen verlichten en daarna richtte ze haar blauwe ogen op hem met een blik die een Perzische kat zou benijden. Trollmann bleef maar knikken en grijnzen, alsof we zijn oudste en beste vrienden waren. Misschien was dat ook wel zo, als je in aanmerking nam hoe de wereld hem had behandeld.

'Eerlijk gezegd ken ik u nog, Herr Gunther. U bent van de politie. Ja, nu weet ik het weer.'

'Spreek nooit de waarheid tegen een politieman, Rukelie. Zo word je gepakt. Het is waar, vroeger werkte ik bij de politie. Maar nu niet meer. Tegenwoordig werk ik als stille in het Adlon-hotel. De nazi's houden even weinig van republikeinse politiemensen als van zigeuners die boksen.'

'Daar hebt u gelijk in, Herr Gunther. Jazeker, nu herinner ik me u weer. U kwam naar mijn bokswedstrijden kijken. Samen met een andere politieman. Die wist ook iets van boksen, toch?'

'Heinrich Grund.'

'Ja, ik weet het nog. Hij trainde in dezelfde sportschool als ik. Klopt.'

'We hebben je zien vechten tegen Paul Vogel, in het Sportpalast hier in Berlijn.'

'Vogel, ja. Dat gevecht heb ik op punten gewonnen. Die Paul Vogel was trouwens een taaie.' Hij keek mevrouw Charalambides aan en haalde verontschuldigend zijn schouders op. 'Als je me nu ziet is dat moeilijk te geloven, dat weet ik, mevrouw, maar vroeger won ik heel wat gevechten. Nu willen ze me alleen nog als boksbal gebruiken. Als trainingsmateriaal, begrijpt u. Sommigen van die lui kan ik heus wel aan. Maar ik mag niet meer mijn eigen stijl toepassen.' Hij hief zijn vuisten en maakte schijnbewegingen tegen de stoel. 'Snapt u?'

Ze knikte en legde haar hand op zijn reusachtige hand.

'U bent een knappe dame, mevrouwtje. Is ze niet knap, Herr Gunther?'

'Dank je, Rukelie.'

'Dat is ze zeker,' zei ik.

'Vroeger kende ik veel knappe dames, omdat ik er zelf ook niet slecht uitzag voor een bokser. Waar of niet, Herr Gunther?'

Ik knikte.

'Er was geen betere bokser te vinden.'

'Dat kwam omdat ik wist hoe je moest dansen, zodat je alle slagen kon ontwijken. Boksen is namelijk meer dan mensen slaan. De kunst is ook zelf niet geraakt te worden. Maar dat willen die nazi's niet. Ze vinden mijn stijl maar niks.' Hij zuchtte en in de hoek van zijn runderachtige oog welde een traan op. 'Ach, tegenwoordig is het voor mij als professioneel vechter wel bekeken. Ik heb sinds maart niet meer gebokst. Zes nederlagen op rij. Ik denk dat het tijd wordt om de bokshandschoenen aan de wilgen te hangen.'

'Waarom gaat u niet weg uit Duitsland?' vroeg ze. 'Als ze u hier niet op uw eigen manier laten boksen.'

Trollmann schudde zijn hoofd. 'Hoe zou dat moeten? Mijn kinderen wonen hier. En mijn ex-vrouw. Ik zou hen niet achter kunnen laten. Bovendien heb je geld nodig om je ergens opnieuw te vestigen. En ik verdien niet meer zo veel als vroeger. Dus werk ik hier. En verkoop bokskaartjes. Wilt u er een paar kopen? Ik heb kaartjes voor Emil Scholz tegen Adolf Witt in de Spichernsäle. 16 november. Dat belooft een mooi gevecht te worden.'

Ze kocht vier kaartjes. Na haar opmerkingen bij de T-gym geloofde ik niet dat ze echt naar een bokswedstrijd wilde. Ik veronderstelde dat het haar manier was om Trollmann wat geld toe te stoppen.

'Hier,' zei ze terwijl ze me de kaartjes overhandigde. 'Die mag jij bewaren.'

'Heb je ooit tegen iemand gevochten die Seelig heet?' vroeg ik Trollmann. 'Eric Seelig?'

'Jazeker, Eric herinner ik me nog. Ik herinner me al mijn gevechten. Boksen doe ik alleen nog in mijn herinnering. Ik heb tegen Seelig gebokst in juni 1932. En ik verloor. Op punten, in de brouwerij. Zeker herinner ik me Seelig. Hoe zou ik hem kunnen vergeten? Hij heeft ook een zware tijd gehad, die Eric, net als ik. Omdat hij Joods was. De nazi's namen hem zijn titels af, en zijn licentie. Het laatste wat ik over hem heb gehoord is dat hij in Hamburg heeft gebokst tegen Helmut Hartkopp, en dat hij op punten heeft gewonnen. Dat was vorig jaar februari.'

'Wat is er met hem gebeurd?' Ze bood hem een sigaret aan, maar hij schudde zijn hoofd.

'Weet ik niet. Maar hij bokst niet meer in Duitsland, dat staat honderd procent vast.'

Ik toonde Trollmann de foto van Fritz en vertelde hem hoe hij was aangetroffen. 'Zou dit Eric Seelig kunnen zijn, denk je?'

'Dit is Seelig niet,' zei Trollmann. 'Seelig is jonger dan ik. En ook jonger dan deze vent was, dat is zeker. Wie heeft je verteld dat dit Seelig zou zijn?'

'De Turk.'

'Solly Mayer? Dat verklaart veel. De Turk is aan een oog blind. Loslatend netvlies. Geef hem een schaakspel en hij kan wit en zwart niet van elkaar onderscheiden. Begrijp me niet verkeerd, de Turk is oké. Maar hij kan niet meer zo goed zien.'

Het was inmiddels drukker geworden. Trollmann wuifde naar een meisje aan de andere kant van de bar. Om de een of ander reden droeg ze stukjes zilverpapier in haar haar. Allerlei mensen zwaaiden naar Trollmann. Ondanks alle pogingen van de nazi's om een onmens van hem te maken, bleef hij populair. Zelfs de papegaai bij onze tafel leek Trollmann aardig te vinden en liet toe dat hij haar grijs gevederde borst streelde zonder een stuk uit zijn vinger te bijten.

Trollmann keek nogmaals naar de foto en knikte.

'Ik ken die vent. En ík ben het niet. Waarom denkt u trouwens dat het een bokser is?'

Ik vertelde hem van de genezen pinkbreuken en de brandwond op zijn borst. Hij knikte veelzeggend.

'U bent een slimme kerel, Herr Gunther. En u hebt gelijk. Dit is een bokser. Hij heet Isaac Deutsch. Zeker, een Joodse bokser. Dat hebt u goed gezien.'

'Hou op,' zei mevrouw Charalambides. 'Zijn hoofd zwelt op.' Inmiddels zat ze te schrijven. De pen bewoog over de pagina van haar blocnote met het geluid van een onverdroten gefluister.

Trollmann grijnsde, maar praatte door. 'Zak zat op dezelfde arbeiderssportschool als ik. De Sparta, in Hannover. Arme Zak. Thuis heb ik ergens een foto waar alle boksers van de Sparta op staan. In ieder geval degenen die wedstrijdboksten. Zak staat pal voor me op die foto. Arme kerel. Hij was een aardige vent en een behoorlijk goede bokser, en hij had gevoel. We hebben nooit tegen elkaar gevochten. Dat zou ik niet leuk gevonden hebben. Niet uit angst, hoewel hij taai genoeg was. Maar omdat hij echt een aardige gozer was. Zijn oom, Joey, trainde hem. Hij leek kans te maken op deelname aan de Olympische Spelen totdat hij uit de boksfederatie en de Sparta werd geschopt.' Hij zuchtte en schudde nogmaals zijn hoofd. 'Dus die goeie arme Zak is dood. Wat erg.'

'Dus hij was geen professional?' vroeg ik.

'Wat maakt dat uit?' vroeg mevrouw Charalambides.

Ik kreunde. Maar Trollmann legde het haar geduldig uit, alsof hij tegen een klein meisje sprak. Hij had een aardige, vriendelijke manier van doen. Als ik hem niet had zien vechten, had ik wellicht moeilijk kunnen geloven dat hij ooit professioneel bokser was geweest.

'Zak wilde een medaille voor hij beroeps werd,' zei hij. 'Misschien had hij nog wel gewonnen ook, maar ja, hij was Joods. En dat maakt het ironisch, geloof ik. Tenminste, als ironisch betekent wat ik denk dat het betekent.'

'Wat denkt u dat het betekent?' vroeg ze.

'Als er een verschil is tussen wat er zou moeten gebeuren met iemand en wat er uiteindelijk in werkelijkheid met hem is gebeurd.'

'Dat klopt wel zo'n beetje in dit geval,' zei ze instemmend.

'Zoals het feit dat Zak Deutsch niet voor Duitsland op de Olympische Spelen mocht boksen omdat hij een Jood was. Maar hij heeft wel als bouwvakker gewerkt in Pichelsberg, om te helpen bij de bouw van het nieuwe stadion. Hoewel dat eigenlijk niet mocht. Alleen arische Duitsers mogen werken op het bouwterrein van het nieuwe olympisch stadion. Tenminste, zoiets heb ik gehoord. En dat bedoelde ik met ironisch. Want er werken heel wat Joden op het bouwterrein van Pichelsberg. Ik had er zelf ook heen gemoeten, maar toen kreeg ik dit baantje. Er is zoveel druk om het stadion op tijd af te krijgen dat ze zich niet kunnen veroorloven om geschikte arbeiders te weigeren. Of ze nou Joods zijn of niet. Dat heb ik gehoord.'

'Ik begin het te begrijpen,' zei ik.

'U hebt een raar idee van begrip, Herr Gunther.' Trollmann grijnsde zijn grote tanden bloot. 'Ik vind het idioot.'

'Ik ook,' mompelde mevrouw Charalambides.

'Ik bedoelde te zeggen dat me een paar dingen duidelijk beginnen te worden,' zei ik. 'Maar je hebt gelijk, Rukelie. Het is idioot.' Ik stak een sigaret op. 'Tijdens de oorlog heb ik heel wat dwaze dingen gezien. Mannen die zinloos werden gedood. De totale verspilling van levens. En ook heel wat dwaasheid na de oorlog. Maar dit gedoe met de Joden en de zigeuners is gewoon krankzinnig. Hoe anders moet je het onverklaarbare verklaren?'

'Ik heb daarover nagedacht,' zei Trollmann. 'Veel zelfs. En uitgaande van hetgeen ik heb gezien bij bokswedstrijden, is mijn slotsom: soms, als je per se wilt winnen, helpt het om je tegenstander te haten.' Hij haalde zijn schouders op. 'Roma. Joden. Homo's en communisten. De nazi's hebben mensen nodig om te haten, meer niet.'

'Ik denk dat je gelijk hebt,' zei ik. 'Maar ik maak me zorgen over een mogelijke oorlog. Ik vraag me af wat er zal worden van al die arme zielen aan wie de nazi's een hekel hebben.'

17

Het grootste gedeelte van de terugweg naar het Adlon dacht ik aan hetgeen we te weten waren gekomen. Zigeuner Trollmann had me beloofd
dat hij de foto van de Spartaclub zou opsturen, maar ik twijfelde niet aan
zijn identificatie van de dode die bij de schutsluis van Mühlendamm was
aangetroffen of aan zijn informatie over Isaac Deutsch en zijn werk als
bouwvakker op het terrein van het Olympisch Stadion. Iets zeggen en
iets anders doen, dat was typerend voor de nazi's. Maar Pichelsberg was
evengoed een heel eind van Mühlendamm verwijderd; het lag aan de andere kant van de stad. En tot nu toe had ik nog van niemand een verklaring gehoord over het feit dat Deutsch in zout water was verdronken.

'Je praat te veel, Gunther.'

'Ik zat na te denken, mevrouw Charalambides. Wat moet u wel niet
van ons denken? We schijnen het enige volk ter wereld te zijn dat zijn best
doet om al het slechte dat men van ons denkt waar te maken.'

'Toe, noem me Noreen. Charalambides is zo'n lange naam, zelfs voor
Duitse begrippen.'

'Ik weet niet of ik dat kan doen, nu u mijn werkgever bent. Tien mark
per dag vereist een zekere professionele afstandelijkheid.'

'Je kunt me moeilijk mevrouw Charalambides blijven noemen als je
me gaat kussen.'

'Ga ik u kussen?'

'Vanochtend zei u iets over Isaac Newton. Daaruit meen ik toch echt
te kunnen afleiden dat u dat gaat doen.'

'O, ja? Hoezo dan?'

'Newton kwam met drie natuurwetten om de relaties tussen lichamen te beschrijven. Volgens mij had hij ook met een vierde natuurwet
kunnen komen als hij jou en mij ooit had ontmoet, Gunther. Jij gaat me
beslist kussen. Daar is geen twijfel over mogelijk.'

'Wilt u zeggen dat dat te bewijzen is, met algebra en zo?'

'Pagina's vol. De wet van behoud van impuls, kracht en beweging, actie en reactie. Genoeg wiskunde om een heel laken mee te bedekken.'

'Dan denk ik dat het geen zin heeft dat ik me verzet tegen de wetten van de planetaire beweging, Noreen.'

'Absoluut niet. Het is eigenlijk maar het beste om meteen toe te geven aan die impuls, want voor je het weet ligt het hele universum uit zijn evenwicht.'

Ik zette de auto stil, trok de handrem aan en boog me naar haar toe. Ze draaide zich even van me af.

'Hermann Göringstraße,' zei ze. 'Heette die straat vroeger niet anders?'

'Budapester Straße.'

'Dat bevalt me beter. Ik wil onthouden waar je me voor het eerst hebt gekust. Ik wil niet dat Hermann Göring bij die herinnering hoort.'

Ze keerde zich verwachtingsvol naar me toe en ik kuste haar stevig. Haar adem rook naar sigaretten, ijskoude drank, lippenstift en naar iets speciaals in haar broek. Ze smaakte lekkerder dan lichtgezouten boter op versgebakken brood. Ik voelde hoe haar wimpers mijn wangen licht beroerden, als de vleugeltjes van een kolibrie. Ongeveer na een minuut begon ze te hijgen als een medium dat probeert contact te krijgen met bovennatuurlijke geesten. Misschien wat dat ook wel zo. Ik wilde haar hele lichaam, dus ik stak mijn linkerhand onder haar bontjas, streelde haar dij en romp alsof ik een poging deed statische elektriciteit op te wekken. Noreen Charalambides was niet de enige die iets van natuurkunde wist. Haar handtas viel met een plof van haar schoot op de vloer van de auto. Ik opende mijn ogen en maakte me los van haar mond.

'De zwaartekracht werkt dus nog,' zei ik. 'Ik vroeg me dat af, want ik voel me zo zweverig. Die Newton was toch niet helemaal gek.'

'Die man kon ook niet alles. Ik wil wedden dat hij niet zo kon kussen.'

'Dat komt omdat hij nooit een vrouw zoals jij heeft ontmoet. Als hij dat wel had gedaan, had hij misschien iets nuttigs gedaan met zijn leven. Zoals dit.'

Ik kuste haar opnieuw, maar deze keer zette ik er mijn volle gewicht achter, zodat het serieus zou lijken. En misschien bedoelde ik het ook wel serieus. Het was lang geleden dat ik iets dergelijks voor een vrouw had gevoeld. Ik wierp een blik uit het raampje en toen ik het bordje met de straatnaam zag, moest ik denken aan wat ik tegen mezelf had gezegd toen ik Noreen voor het eerst had gezien in Hedda Adlons appartement in het hotel; dat Noreen de beste vriendin van mijn werkgeefster was en dat ik voor straf naar bed moest met Hermann Göring als ik haar ook maar met één vinger zou aanraken. Het zag ernaar uit dat de Pruisische rijksmaarschalk een grote verrassing te wachten stond.

Haar tong lag in mijn mond, naast mijn hart en de twijfels die ik probeerde weg te slikken. Ik begon mijn beheersing te verliezen, vooral die over mijn linkerhand, die zich nu onder haar jurk bevond en die het gebied rond haar jarretelgordel en haar koele dij verkende. Pas toen mijn hand naar de geheime ruimte tussen haar dijen gleed, bewoog ze haar benen om mijn pols klem te zetten. Ik liet haar mijn hand weghalen, bracht mijn vingers naar mijn mond en likte ze af.

'Die hand van mij toch. Soms weet ik niet wat hem bezielt.'

'Je bent een man, Gunther. Dat bezielt die hand van je.' Ze pakte mijn vingers en beroerde ze met haar lippen. 'Ik vind het fijn als je me kust. Je kust goed. Als kussen een olympische sport was, zou je een medaillekandidaat zijn. Maar ik laat me niet graag opjagen. Ik wil graag een tijdje door de manege geleid worden voordat ik word bestegen. En denk niet dat je de zweep mag gebruiken als je in het zadel wilt blijven. Ik ben het onafhankelijke type, Gunther. Als ik het op een draven zet, is dat omdat ík het wil, met open ogen. En ik draag geen oogkleppen bij de finish. Misschien draag ik wel helemaal niets.'

'Natuurlijk,' zei ik. 'Iets anders kan ik me bij jou ook niet voorstellen. Geen oogkleppen. Niet eens een bit. Lijkt het je wat als je ik af en toe een appel geef?'

'Ik ben dol op appels,' zei ze. 'Maar pas op dat je niet in je vingers wordt gebeten.'

Ik liet toe dat ze me beet, en hard ook. Het was pijnlijk maar ik genoot ervan. Pijn die door haar werd veroorzaakt, voelde fijn aan, als een oergevoel, iets wat onvermijdelijk was. Bovendien wisten we allebei dat ik haar met gelijke munt zou terugbetalen als onze kleren op de vloer lagen naast onze zwetende, naakte lichamen. Zo gaat het nou eenmaal tussen man en vrouw. Een man neemt een vrouw. Een vrouw wordt genomen. Er wordt niet altijd rekening gehouden met wat eerlijk, fatsoenlijk en goed gemanierd is. Soms zorgt de menselijke aard ervoor dat je een beetje beschaamd naar jezelf staat te kijken.

Ik reed terug naar het hotel en parkeerde de auto. Toen we door de deur liepen en in de lobby kwamen, zagen we Max Reles, die net op weg was naar het een of ander. Hij werd vergezeld door Gerhard Krempel en Dora Bauer en het hele gezelschap droeg avondkleding. Reles sprak eerst

Noreen aan, in het Engels. Dat gaf mij de gelegenheid met Dora te praten.

'Goedenavond, Fräulein Bauer,' zei ik beleefd.

'Herr Gunther.'

'U ziet er mooi uit.'

'Dank u.' Ze glimlachte warm. 'En dat meen ik echt. Ik ben u heel dankbaar dat u me die baan hebt bezorgd.'

'Graag gedaan, Fräulein. Ik heb van Behlert gehoord dat u inmiddels bijna uitsluitend voor Herr Reles werkt.'

'Ja, Max zorgt er wel voor dat ik bezig blijf. Ik geloof niet dat ik ooit zo veel typewerk heb verricht. Zelfs niet toen ik nog bij Odol werkte. Maar nu gaan we naar de opera.'

'Naar welke voorstelling?'

Ze glimlachte argeloos. 'Ik heb geen flauw idee. Ik weet niets van opera.'

'Ik ook niet.'

'Misschien vind ik het wel vreselijk. Maar Max wil dat ik wat dingen noteer tijdens de pauze.'

'En u, Herr Krempel? Wat doet u tijdens de pauze? Een fraaie melodie de nek omdraaien? Bij gebrek aan iets anders?'

'Ken ik jou?' vroeg hij, me nauwelijks aankijkend. Zijn hese, grauwende stem klonk alsof hij was ingewreven met schuurpapier en daarna was gemarineerd in brandende kerosine.

'Nee, u kent mij niet. Maar ik ken u wel.'

Krempel was lang, met schouders als luchtbogen en doodse, zwarte ogen. Dik geelblond haar groeide op een hoofd dat zo groot was als een schildpad van de Galapagoseilanden, en waarschijnlijk even traag. Zijn mond deed denken aan een oud litteken op de knie van een voetballer. Zijn haakvingers balden zich al tot vuisten zo groot als sloopkogels. Hij zag eruit als een echte zware jongen, en als de Duitse vakbeweging een afdeling had die zich bezighield met intimidatie en dwang zou het me niet verbazen als ze Gerhard Krempel tot afgevaardigde kozen.

'Ik denk dat u me voor iemand anders aanziet,' zei hij terwijl hij een geeuw onderdrukte.

'Mijn fout. Het zal wel door die avondkleding komen. Ik dacht dat u een vechtersbaas van de sa was.'

Max Reles moest dat laatste hebben opgevangen, want hij keek eerst afkeurend naar mij en toen naar Noreen.

'Veroorzaakt die bordenwasser problemen?' vroeg hij haar. Hij sprak nu Duits, zodat ik het ook verstond.

'Nee,' zei ze. 'Herr Gunther heeft me uitstekend geholpen.'

'Werkelijk?' Reles grinnikte. 'Hij is zeker jarig of zo. Hoe zit het, Gunther? Ben je vandaag in bad geweest?'

Krempel vond dat hilarisch.

'Heb je mijn Chinese doos al gevonden? Of het meisje dat hem heeft gestolen?'

'De zaak is in handen van de politie, meneer. Ik weet zeker dat ze alles zullen doen om die zaak tot een bevredigend eind te brengen.'

'Dat is erg geruststellend. Zeg eens, Gunther, wat voor politieman was jij eigenlijk voordat je door de sleutelgaten van hoteldeuren ging loeren? Ik wil wedden dat je een van de agenten was met zo'n stomme leren helm met die platte bovenkant. Is dat omdat jullie moffen allemaal platte koppen hebben of omdat jullie stiekem zwart bijverdienen met het dragen van plateaus met vis van de markt op Friedrichshain?'

'Beide, als je het mij vraagt,' zei Krempel.

'In de Verenigde Staten noemen sommige mensen smerissen "platvoeten" omdat veel van hen platvoeten hebben,' zei Reles. 'Maar ik geloof dat "platkoppen" een betere benaming is.'

'Wij zien graag dat de mensen tevreden over ons zijn,' zei ik geduldig. 'Dames, heren.' Terwijl ik me omdraaide en wilde vertrekken, tikte ik zelfs tegen de rand van mijn hoed. Dat leek me diplomatieker dan Max Reles een dreun op z'n neus te geven. En ik wilde mijn baantje niet verliezen. 'Prettige avond verder, Fräulein Bauer.'

Ik kuierde naar de receptie en liep door tot achter de balie. Franz Joseph, de conciërge, was net in gesprek met Dajos Béla, de leider van het hotelorkest. Ik inspecteerde mijn postvakje. Twee berichten. Een was afkomstig van Emil Linthe, die me liet weten dat zijn werk klaar was. Het andere bericht kwam van Otto Trettin. Hij vroeg me of ik hem dringend wilde terugbellen. Ik pakte de telefoon en liet me doorverbinden met het Alex en daarna met Otto, die vaak nog tot in de kleine uurtjes zat te werken omdat hij zelden vroeg begon.

'Hoe gaat het in Danzig?' vroeg ik.

'Dat komt een andere keer wel,' zei hij. 'Herinner je je die vermoorde politieman nog? August Krichbaum?'

'Jazeker,' zei ik. Ik maakte een vuist en beet kalm op mijn knokkels.

'De getuige is een ex-smeris. Hij denkt dat de moordenaar ook een ex-smeris is. Hij heeft de politiedossiers bestudeerd en hij heeft een lijst van verdachten opgesteld.'

'Dat heb ik gehoord.'

Otto was even stil. 'Jij staat op die lijst, Bernie.'

'Ik?' zei ik zo beheerst als ik kon. 'Hoe is dat mogelijk?'

'Misschien heb je het gedaan.'

'Dat zou kunnen. Aan de andere kant kan het ook doorgestoken kaart zijn. Omdat ik republikein was.'

'Dat is mogelijk,' zei Otto. 'Ze hebben mensen er voor minder ingeluisd.'

'Hoe lang is die lijst?'

'Tien man, heb ik me laten vertellen.'

'Juist. Nou, bedankt voor de tip, Otto.'

'Het leek me iets wat je wel zou willen weten.'

Ik stak een sigaret op. 'Volgens mij heb ik een alibi. Maar dat gebruik ik niet graag. Het is die vent bij de afdeling Joodse Zaken van de Gestapo. Degene die mij heeft ingelicht over mijn grootmoeder. Als ik hem noem, zullen ze willen weten wat ik deed in het Gestapo-gebouw. En dan zou ik hem erbij betrekken.'

Een eenvoudig leugentje kost vaak minder tijd dan de omslachtige waarheid. Ik wilde Otto geen zand in de ogen strooien maar ik had weinig keus.

'Dan komt het goed uit dat je rond de tijd van Krichbaums dood bij mij was,' zei Otto. 'We dronken een biertje in de Zum. Weet je nog?'

'Ja, dat weet ik nog goed.'

'We hebben het gehad over mijn boek. Jij zou me helpen met een hoofdstuk. Een zaak waar je ooit aan hebt gewerkt. Gormann de Wurger. Je zou denken dat ik er alles van wist, zo vaak heb je me verveeld met dat verhaal.'

'Dat zal ik onthouden. Bedankt, Otto.'

Ik slaakte een zucht van opluchting. De naam en het woord van Trettin betekenden nog wel degelijk iets op het Alex. Minstens een halve zucht.

'Trouwens,' ging hij verder. 'Die Joodse stenotypiste van je, die Isle Szrajbman, heeft inderdaad die Chinese lakdoos. Ze zegt dat ze hem in een opwelling heeft gepikt omdat Reles zich onbeschoft gedroeg en weigerde haar te betalen voor haar werk.'

'Reles kennende lijkt me dat heel goed mogelijk.' Ik probeerde mijn zenuwen in bedwang te houden. 'Maar waarom heeft ze er niets over tegen de hotelmanager gezegd? Waarom is ze niet naar Herr Behlert gestapt?'

'Ze zei dat het niet zo gemakkelijk is voor een Jood om z'n beklag te doen. Of te klagen over een man die allerlei hoge connecties heeft zoals die Max Reles. Ze heeft tegen de Kripo van Danzig gezegd dat ze bang voor hem was.'

'Zo bang dat ze iets van hem durfde te stelen?'

'Danzig is ver van Berlijn, Bernie. Bovendien was het een opwelling, zoals ze al zei. En ze had er spijt van.'

'De Kripo van Danzig gaat hier ongewoon discreet mee om, Otto. Waarom?'

'Om mij een plezier te doen, niet die Jodin. Veel van die plaatselijk politiemensen willen de misdaad bestrijden in een grote stad, dat weet je. Voor die imbecielen bén ik iemand. Hoe dan ook, ik heb die doos terug. En eerlijk gezegd snap ik niet waar al die drukte voor nodig was. Ik heb in menig warenhuis mooier antiek zien staan. Wat wil je dat ik ermee doe?'

'Misschien kun je hem bij gelegenheid bij het hotel afgeven. Ik ga liever niet naar het Alex, tenzij ik word gevraagd. De laatste keer dat ik daar was, heeft je oude makker Liebermann von Sonnenberg me om een gunst gevraagd.'

'Dat heeft hij me verteld.'

'Maar als ik het allemaal goed begrijp, ben ik degene die bij hem in het krijt staat.'

'Je staat bij mij in het krijt, Bernie, niet bij hem.'

'Dat zal ik proberen te onthouden. Weet je, Otto, er zit meer achter dat gedoe rond Max Reles dan een stenotypiste die een appeltje te schillen had met haar baas. Een paar weken geleden stond die Chinese doos nog in een museum hier in Berlijn. Vervolgens heeft Reles die doos en wordt hij door hem gebruikt om de een of andere Amerikaan om te kopen die deel uitmaakt van het Olympisch Comité. En dat alles met volledig medeweten van het ministerie van Binnenlandse Zaken.'

'Vergeet niet dat ik gevoelige oren heb, Bernie. Er zijn dingen die ik wil weten. Maar er zijn ook een hoop dingen die ik níét wil weten.'

Ik legde de hoorn op de haak en keek naar Franz Joseph. Zijn echte naam was Gustav, maar met zijn kale hoofd en zijn dikke bakkebaarden leek de conciërge van het Adlon sprekend op de oude Oostenrijkse keizer Franz Joseph. Bijna iedereen in het hotel gebruikte die bijnaam.

'Hé, Franz Joseph. Heb je vanavond kaartjes voor de opera geregeld voor Herr Reles?'

'Reles?'

'Die Amerikaan in suite 114.'

'Ja. Alexander Kipnis zingt de rol van Gurnemanz, in *Parsifal*. De kaartjes waren moeilijk te krijgen, zelfs voor mij. Kipnis is namelijk een Jood. Je hoort tegenwoordig niet vaak meer dat een Jood iets van Wagner zingt.'

'Ik denk dat Kipnis een van de minst onaangename stemmen heeft die je nu in Duitsland kunt horen.'

'Ze zeggen dat Hitler het niet goedkeurt.'

'Welke opera is het?'

'Het Deutscher Opernhaus. In de Bismarckstraße.'

'Weet je de stoelnummers nog? Ik moet een boodschap doorgeven aan Herr Reles.'

'De voorstelling begint over een uur. Hij heeft een loge op de eerste rang, aan de linkerkant van het podium.'

'Dat klinkt alsof het heel wat is, Franz.'

'Dat is ook zo. Hitler gebruikt dezelfde loge als hij naar de opera gaat.'

'Maar vanavond niet.'

'Nee, dat spreekt vanzelf.'

Ik liep terug naar de lobby. Behlert stond te praten met twee mannen. Ik had hen niet eerder gezien, maar ik wist dat het politiemannen waren. Om te beginnen kon ik dat afleiden uit het gedrag van Behlert: het leek net alsof hij sprak met de twee belangrijkste mensen ter wereld. En dan was er nog hún manier van doen: ze leken onverschillig voor alles wat hij zei, behalve als het over mij ging. Dat wist ik omdat Behlert mijn kant op wees. Dat het politiemannen waren kon ik ook zien aan hun dikke jassen, hun zware schoenen en hun lichaamsgeur. Tijdens de winter kleedden en roken Berlijnse politiemensen altijd alsof ze in de loopgraven vertoefden. Nagekeken door een ongerust kijkende Behlert, kwamen ze op me af. Ze toonden hun politiepenningen en namen me met samengeknepen ogen op – bijna alsof ze hoopten dat ik ervandoor zou gaan. Dat zou namelijk betekenen dat ze me mochten neerschieten. Ik kon het ze nauwelijks kwalijk nemen; op die manier werden heel wat misdaden in Berlijn opgelost.

'Bernhard Gunther?'

'Ja.'

'Inspecteur Rust en Brandt, van het Alex.'

'Ja, ik ken jullie nog. Jullie waren die twee rechercheurs die Lieber-mann von Sonnenberg heeft opgedragen om de dood van Herr Rubusch in kamer 210 te onderzoeken, toch? Waar is hij trouwens aan overleden? Ik ben het niet te weten gekomen.'

'Hersenaneurysma.'

'Een aneurysma, hè? Je weet het maar nooit met die dingen, nietwaar? Zo huppel je nog rond als een konijn en het volgende ogenblik lig je op de bodem van een loopgraaf naar de hemel te staren.'

'We willen u een paar vragen stellen op het Alex.'

'Prima.'

Ik liep achter hen aan de koude avondlucht in.

'Gaat het daarover?'

'Dat merk je wel als we op het bureau zijn.'

De Bismarckstraße heette nog steeds Bismarckstraße en liep helemaal van de westelijke punt van de Tiergarten naar de oostelijke rand van het Grunewald. Het Deutscher Opernhaus, voorheen Städtischer Oper ge-naamd, lag ongeveer halverwege, aan de noordkant, en was betrekkelijk modern qua ontwerp en constructie. Niet dat het gebouw me eerder was opgevallen. Aan het eind van een werkdag zit ik niet te wachten op de aanblik van een stel te dikke mensen die spelen dat ze helden en heldin-nen zijn. Mijn idee van een muzikaal avondje is het Kempinski Water-landkoor: een revue van wulpse meiden in korte rokjes die ukelele spelen en vulgaire liedjes zingen over Beierse geitenhoeders.

Ik was nauwelijks in de stemming voor iets dat in Duitsland dermate serieus werd genomen als opera, niet na een paar ongemakkelijke uren die ik op het Alex had doorgebracht om vragen te beantwoorden over de politieman die ik had gedood, waarna ze Otto Trettin gingen zoeken – hij zat in café Zum – om mijn verhaal te bevestigen. Toen ze me eindelijk lie-ten gaan, vroeg ik me af of hun onderzoek nu definitief was afgesloten. Op de een of andere manier vermoedde ik van niet, met het gevolg dat ik niet erg in een feeststemming verkeerde. Alles bij elkaar was het een schokkende ervaring geweest. Vaak is dat de les die het leven je leert als je er nét niet op zit te wachten.

Toch wilde ik graag weten met wie Max Reles zijn loge deelde. Ik was op tijd bij de opera voor de pauze. Ik kocht een kaartje voor een staan-plaats dat me een voortreffelijk uitzicht bood op het toneel en, wat belangrijker was, de gasten die in de loge zaten waar Hitler altijd zat op de eerste rang. Voor de lichten doofden, lukte het me zelfs om een toneelkijker te lenen van een vrouw die in de buurt zat van waar ik stond, zodat ik de loge van dichterbij kon bekijken.

'Hij is er niet vanavond,' zei de vrouw die had opgemerkt op wie ik mijn blik richtte.

'Wie niet?'

'De Führer.'

Dat was wel duidelijk. Maar het was ook duidelijk dat er anderen in de loge zaten, gasten van Max Reles, die toonaangevende figuren waren in de nazipartij. Een van hen was een man van eind veertig met zilvergrijs haar en borstelige, donkere wenkbrauwen. Hij droeg een bruin uniformjasje in militaire stijl met een aantal onderscheidingen, waaronder een IJzeren Kruis en een nazi-armband, een wit overhemd, een zwarte das, bruine paardrijbroek en leren kaplaarzen.

Ik gaf de toneelkijker terug. 'Weet u toevallig wie die hoge partijleider is?'

De vrouw keek door de kijker en knikte. 'Dat is Von Tschammer und Osten.'

'De minister van Sport?'

'Ja.'

'En de generaal die achter hem staat?'

'Von Reichenau.' Ze antwoordde zonder enige aarzeling. 'Die kale is Walther Funk, van het ministerie van Propaganda.'

'Ik ben onder de indruk,' zei ik, met oprechte bewondering.

De vrouw glimlachte. Ze droeg een bril. Ze was geen schoonheid maar ze leek op een aantrekkelijke manier intelligent. 'Het is mijn werk om te weten wie die mensen zijn,' legde ze uit. 'Ik ben fotoredacteur van de *Berliner Illustrierte*.' Terwijl ze de loge nauwgezet bleef inspecteren, schudde ze haar hoofd. 'Maar die lange herken ik niet. Degene met die botte kop. En dat nogal aantrekkelijke meisje naast hem ook niet. Zo te zien zijn ze de gastheer en gastvrouw, maar zij is óf te jong voor hem óf hij is te oud voor haar. Ik weet het niet helemaal zeker.'

'Hij is Amerikaan,' zei ik. 'Hij heet Max Reles. En het meisje is zijn stenotypiste.'

'Meent u dat?'

Ik leende de toneelkijker nogmaals en keek opnieuw. Ik zag niets dat erop wees dat Dora Bauer iets meer was dan Reles' secretaresse. Ze had een notitieblok in haar hand en zat zo te zien te schrijven. Anderzijds zag ze er buitengewoon aantrekkelijk uit, niet bepaald als een gemiddelde stenotypiste. De halsketting die ze droeg, schitterde als de reusachtige elektrische kroonluchter boven ons hoofd. Terwijl ik keek, legde ze het notitieblok neer, pakte een fles champagne en vulde de glazen van iedereen in de loge. Er verscheen een andere vrouw. Von Tschammer und Osten dronk zijn glas leeg en hield het op om zich nog eens te laten inschenken. Reles stak een grote sigaar op. De generaal lachte om zijn eigen grapje en wierp wellustige blikken op het decolleté van de tweede vrouw. Dat decolleté was op zichzelf al de moeite van de aanschaf van een toneelkijker waard.

'Ze maken er een aardig feestje van,' zei ik.

'Dat zou zo zijn, als dit geen *Parsifal* was.'

Ik keek haar onbegrijpend aan.

'*Parsifal* duurt vijf uur.' De dame van de toneelkijker keek op haar horloge. 'Er we hebben nog drie uur te gaan.'

'Bedankt voor de tip,' zei ik en ik vertrok.

Ik keerde terug naar het Adlon, leende een loper bij de receptie en liep via de trap naar suite 114. De kamers roken zwaar naar sigaren en parfum. De kasten hingen vol maatpakken en de laden zaten vol met keurig gevouwen overhemden. Zelfs zijn schoenen waren handgemaakt door een bedrijf in Londen. Alleen al door het aanschouwen van zijn garderobe kreeg ik het gevoel dat ik het verkeerde baantje had gekozen. Maar aan de andere kant hoefde ik niet naar een paar schoenen van Max Reles te kijken om dat te weten. Wat die Amerikaan ook deed voor de kost, hij verdiende kennelijk zeer goed. Alles wat hij deed bracht geld op, stelde ik me zo voor. Zo'n air had hij wel. Een verzameling gouden horloges en ringen op zijn nachtkastje onderstreepten slechts de indruk van een man die bijna onverschillig deed over zijn persoonlijke veiligheid of over de torenhoge kamerprijzen van het Adlon.

De Torpedo op de tafel bij het raam was bedekt met een hoes, maar aan de alfabetische vouwmap op de vloer eronder kon ik zien dat hij intensief werd gebruikt. De map zal vol correspondentie aan en van bouwbedrijven, gasbedrijven, houtbedrijven, rubberbedrijven, loodgieters, elektriciens, ingenieurs, timmerlieden, en ze zaten verspreid over heel Duitsland, van Bremen tot Würzburg. Sommige brieven waren in het Engels, uiteraard, en verschillende daarvan waren gericht aan Avery

Brundage Company in Chicago, wat misschien iets had moeten betekenen voor me, maar dat was niet zo.

Ik snuffelde in de prullenbak en streek een paar velletjes carbonpapier glad voordat ik ze opvouwde en in mijn zak stak. Het leek me niet waarschijnlijk dat Max Reles correspondentie uit zijn prullenbak zou missen. Eerlijk gezegd kon het me niet veel schelen als zou blijken dat Reles rommelde met olympische contracten. In een land als Duitsland, dat werd geleid door een collectief moordenaars en fraudeurs, had het weinig zin om een begrijpelijk weigerachtige Otto Trettin over te halen een zaak te onderzoeken waarbij waarschijnlijk hoge nazileiders betrokken waren. Ik zocht naar iets met een duidelijker crimineel karakter. Ik had alleen geen idee wat ik precies hoopte te vinden. Hoe dan ook, ik zou het wel herkennen als ik het zag.

Uiteraard werd ik vooral gemotiveerd door mijn afkeer van en wantrouwen jegens die vent. Dat waren gevoelens waar ik het verleden op had kunnen bouwen. Op het Alex zeiden we altijd dat een gewone politieman iedereen moet verdenken die schuldig is, terwijl een rechercheur iemand moet verdenken van wie iedereen aanneemt dat hij onschuldig is.

Er viel me iets op. Het idee dat Max Reles een ratelschroevendraaier had liggen in een suite in het Adlon vond ik ietwat vreemd. Hij lag op de vensterbank in de badkamer. Ik kwam al bijna tot de slotsom dat hij achtergelaten moest zijn door onderhoudspersoneel toen ik zag wat er op het handvat stond: YANKEE NO.15 NORTH BROS. MFG. CO PHIL. PA. USA. Reles had die schroevendraaier uit Amerika meegebracht. Maar waarom? De aanwezigheid van vier schroefkoppen in een met marmer afgewerkt paneel waarachter de stortbak van de wc schuilging, leek het waard om te onderzoeken. Het viel me op dat ze veel losser zaten dan je zou verwachten.

Ik schroefde het paneel los, tuurde in de ruimte onder de stortbak en zag een canvas tas liggen. Ik trok hem naar me toe. Het was een zware tas. Ik tilde hem uit de holle ruimte, legde hem op de bril van de wc-pot en knoopte het touw los waarmee hij was dichtgebonden.

Hoewel het bezit van vuurwapens, vooral pistolen, in Duitsland aan bepaalde regels onderhevig was, konden mensen met een legitieme reden eenvoudig aan een wapen komen. Voor drie mark kon je vrij gemakkelijk een wapenvergunning aanschaffen. Een geweer, een revolver en zelfs een automatisch pistool konden geheel legaal in het bezit zijn van bijna iedereen. Maar ik geloofde niet dat er ergens een magistraat was die een vergunning zou afgegeven voor een Thompson halfautomatisch machinegeweer met een trommelmagazijn. De tas bevatte tevens honderden patronen, twee halfautomatische Colt-pistolen met rubberhandgrepen en een stiletto. In de tas zat een andere, kleinere tas met vijf dikke stapels biljetten van duizend dollar met het portret van president Grover Cleveland erop en verscheidene iets dunnere stapeltjes Duitse marken. Er zat ook een leren knapzak in met honderd Zwitserse gouden franken en tientallen inhalers met benzedrine die nog in hun verpakking van Smith Kline & French zaten.

Op het eerste gezicht leken al die spullen – met name de typemachine uit Chicago – erop te wijzen dat Max Reles een of andere gangster was.

Ik stopte alles terug in de canvas zak, legde hem terug in de schuilplaats onder de stortbak en schroefde het marmeren paneel weer op zijn plaats. Toen alles er weer precies zo uitzag als ik het had aangetroffen, glipte ik de deur van de suite uit. Ik liep door de gang, bleef onder aan de trap staan en vroeg me af of ik me naar kamer 201 zou wagen. Ik zou de loper kunnen gebruiken om de suite van Noreen binnen te dringen. Even gaf ik mijn verbeelding vrij spel en zat ik in een snelle auto die over de AVUS-snelweg naar Potsdam reed. Ik staarde wel tien seconden intens naar de loper voordat ik hem in mijn zak liet glijden en mijn libido naar beneden dwong.

Rustig aan, Gunther, hield ik mezelf voor. Je hebt gehoord wat mevrouw zei. Ze houdt niet van overhaast gedoe.

Maar achter de receptie trof ik een ander bericht aan. Het was afkomstig van Noreen en niet ouder dan een paar uur. Ik liep weer naar boven en drukte mijn oor tegen haar deur. In beschouwing genomen wat er in het briefje stond had ik best de loper kunnen gebruiken om binnen te komen. Maar ik liet me overmannen door mijn goede Duitse manieren en klopte.

Een zeer lange minuut ging voorbij voordat ze de deur opende.

'O, ben jij het.' Ze klonk bijna teleurgesteld.

'Verwachtte je iemand anders?'

Noreen droeg een peignoir van bruine chiffon en daaronder een bijpassend nachthemd. Ze rook naar kamperfoelie en er lag nog genoeg slaperigheid in haar blauwe ogen om me ervan te overtuigen dat ze weer naar bed zou willen, alleen deze keer met mij. Misschien. Ze werkte me naar binnen en sloot de deur.

'Wat ik bedoelde, was dat ik een paar uur geleden een briefje voor je heb achtergelaten. Ik dacht dat je meteen zou komen. Ik moet in slaap zijn gevallen.'

'Ik ben een tijdje naar buiten gegaan. Om af te koelen.'

'Waar ben je geweest?'

'*Parsifal*. Die opera.'

'Jij bent een en al verrassingen, weet je dat? Ik had nooit gedacht dat jij een muziekliefhebber was.'

'Dat ben ik ook niet. Ik ben vijf minuten gebleven, daarna voelde ik een onweerstaanbare neiging om jou te gaan opzoeken.'

'Hmm. Wat zegt dat over mij? Ben ik dan een bloemenmeisje? Klingsors slavin – hoe heette ze ook alweer? Die in *Parsifal*?'

'Geen flauw idee.' Ik haalde mijn schouders op. 'Zoals ik al zei, ik ben maar vijf minuten gebleven.'

Noreen legde haar armen om mijn nek. 'Ik hoop dat je Parsifals heilige speer hebt meegebracht Gunther, want die heb ik hier niet liggen.' Ze duwde me achteruit naar het bed. 'Tenminste, nog niet.'

'Zal ik vannacht bij je blijven?'

'Naar mijn bescheiden mening, ja.' Ze schudde de peignoir met een schouderbeweging van zich af. Hij viel zacht ruisend op het dikke tapijt.

'Jij hebt nog nooit een bescheiden mening gehad,' zei ik en ik kuste haar. Deze keer stond ze toe dat mijn handen de contouren van haar lichaam verkenden, alsof het de handen waren van een ongeduldige masseur. Ze bleven vooral op haar kont liggen. Mijn vingers verzamelden chiffon totdat ik haar tegen mijn kruis aan kon trekken. Mijn rechterhand leek opeens op miraculeuze wijze genezen.

'Het is dus toch waar,' zei ze. 'De roomservice in het Adlon is de beste van Europa.'

'De sleutel tot het voeren van een goed hotel,' zei ik, terwijl ik een van haar borsten met mijn hand omvatte, 'is verveling te voorkomen. Bijna al onze problemen worden veroorzaakt door de onschuldige nieuwsgierigheid van onze gasten.'

'Ik geloof niet dat iemand mij daar ooit van heeft beschuldigd...' zei ze. '... van onschuld. Al heel lang niet meer.' Ze schudde haar hoofd. 'Ik ben niet het onschuldige type, Gunther.'

Ik grijnsde.

'Je gelooft me zeker niet,' zei ze terwijl ze een streng haar door haar mond trok. 'Omdat ik nog steeds kleren aan heb.'

Ze drukte me omlaag zodat ik al zittend op de rand van het bed te-rechtkwam en deed een paar passen achteruit om een voorstelling te ma-ken van het uittrekken van haar nachtkleed. Naakt verdiende ze een privé-kamer in Pompeii en wat de voorstelling betreft won ze het van *Parsifal* met verschillende wellustige akten. Als je Noreen zag, vroeg je je af waar-om iemand ooit nog de moeite nam om iets anders dan het lichaam van een naakte vrouw te schilderen. Braque viel misschien meer op kubus-sen, maar ik hield van rondingen, en die van Noreen waren goed genoeg om Apollonius van Perga tevreden te stellen, en Kepler waarschijnlijk ook. Ze trok mijn hoofd tegen haar buik, trok aan mijn haar alsof het de vacht was van haar lievelingshond en plaagde me met de afwezigheid van alles dat mij tot man maakte.

'Waarom raak je me niet aan?' zei ze zachtjes. 'Ik wil dat je me aan-raakt. Nu meteen.'

Ze liep op me af, ging op mijn in omvang toegenomen schoot zitten en stond geduldig mijn onbeschaamde nieuwsgierigheid toe met ogen die gesloten waren voor al het andere dan haar eigen plezier. Ze hijgde met wijd uitstaande neusgaten als een yogi die zich op haar ademhaling concentreert.

'Wat heeft je van mening doen veranderen?' vroeg ik terwijl ik me over haar hardgeworden tepel boog om die te kussen. 'Over deze nacht?'

'Wie zegt dat ik van mening ben veranderd?' zei ze. 'Misschien was ik dit al de hele tijd van plan. Alsof dit een scène is uit een door mij geschre-ven toneelstuk.' Ze duwde mijn jasje uit en begon mijn das los te knopen. 'Dit is precies wat jouw personage moet doen. Misschien heb je zelf erg weinig keus. Heb je het gevoel dat je enige keus hebt, Gunther?'

'Nee.' Ik beet op haar tepel. 'Nu niet. Maar voorheen kreeg ik de in-druk dat je deed alsof je moeilijk te versieren was.'

'Dat ben ik ook. Alleen niet voor jou. Jij bent de eerste sinds lange tijd.'

'Ik zou hetzelfde kunnen zeggen.'

'Dat zou je kunnen doen. Maar het zou het leugen zijn. Je bent een van de hoofdrolspelers in mijn toneelstuk, weet je nog? Ik weet alles van je, Gunther.' Ze begon mijn overhemd open te knopen.

'Speelt Max Reles ook een rol? Je kent hem toch wel?'

'Moeten we nu over hem praten?'

'Dat kan wachten tot later.'

'Mooi. Want ik kan niet wachten. Heb ik nooit gekund, al niet sinds ik een klein meisje was. Vraag me later over hem, als het wachten voorbij is.'

18

De plafonds in de suites van het Adlon bevonden zich op precies de goede afstand van de vloer. Als je op bed lag en een zuil van sigarettenrook recht omhoog blies, leek de kristallen kroonluchter net een verre, met ijs bedekte bergtop omgeven door een bontkraag van wolken. Vroeger had ik nooit veel aandacht aan de plafonds geschonken. Eerdere erotische afspraakjes met Frieda Bamberger waren heimelijke, gehaaste affaires geweest, uitgevoerd met één oog op de klok en het andere op de deurkruk, en ik had me nooit voldoende ontspannen gevoeld om daarna in slaap te vallen. Maar nu ik naar de imposante hoogte van deze kamer keek, merkte ik dat mijn ziel langs de zijdeachtige wanden omhoog klom om plaats te nemen op de schilderijenrail, als een of andere onzichtbare waterspuwer, om met forensische fascinatie neer te kijken op het naakte naspel van wat er eerder was gebeurd.

Met onze ledenmaten nog omstrengeld lagen Noreen en ik zij aan zwetende zij, als Eros en Psyche gevallen uit een hemels plafond – hoewel het moeilijk voorstelbaar was dat er iets meer hemels bestond dan dat wat zojuist had plaatsgevonden. Ik voelde me als de heilige Petrus die een mooie, nieuwe leegstaande basiliek in bezit nam.

'Ik wed dat je nog nooit in een van deze bedden hebt gelegen,' zei Noreen. Ze nam de sigaret tussen mijn vingers vandaan en rookte hem met de overdreven gebaren van een dronkenlap of iemand op het toneel. 'Of wel soms?'

'Nee,' loog ik. 'Het voelt eigenaardig.'

Ik wilde haar uiteraard niet vertellen over mijn afspraakjes met Frieda. Zeker niet zo graag als ik over Max Reles wilde horen.

'Hij lijkt je niet erg te mogen,' zei ze nadat ik zijn naam weer had laten vallen.

'Waarom toch? Ik ben er uitstekend in geslaagd om mijn afkeer van hem te verbergen. Nee, echt, ik verafschuw die man, maar hij is een gast in dit hotel, zodat ik hem niet zes trappen naar beneden mag slaan om hem vervolgens de deur uit te schoppen. Dat is wat ik zou willen doen. En ik zou het doen ook, als ik een andere baan kon vinden.'

'Wees voorzichtig, Bernie. Hij is gevaarlijk.'

'Dat weet ik. De vraag is, hoe weet jij dat?'

'We hebben elkaar ontmoet op de SS Manhattan,' zei ze. 'Tijdens de bootreis van New York naar Hamburg. We werden aan de tafel van de inspecteur aan elkaar voorgesteld en af en toe speelden we *Gin rummy*.' Ze haalde haar schouders op. 'Hij was geen goede kaartspeler. Hoe dan ook, het was nogal een lange reis en als vrouw alleen kun je verwachten dat je de aandacht zult krijgen van alleen reizende mannen. En misschien ook wel van een paar getrouwde. Behalve Max Reles was er nog een man. Een Canadese advocaat die John Martin heette. Ik had iets met hem gedronken en hij had zich verkeerde ideeën over mij in zijn hoofd gehaald. Hij begon te geloven dat hij en ik – nou ja, om zijn woorden te gebruiken, dat hij en ik iets bijzonders hadden. Maar dat was echt niet zo. Nee, heus niet. Maar hij kon dat niet accepteren en hij begon een beetje lastig te worden. Hij zei dat hij van me hield en dat hij met me wilde trouwen, en dat vond ik onprettig. Ik probeerde hem te ontlopen, maar op een boot is dat niet zo eenvoudig.

Op een avond, voor de kust van Ierland, zei ik hier iets over tegen Max Reles terwijl we zaten te kaarten. Hij zei er niet veel over. En het is heel goed mogelijk dat ik er helemaal naast zit, maar de volgende dag werd die Martin opeens vermist. Men nam aan dat hij overboord was gevallen. Ik geloof dat ze nog een zoekactie hebben uitgevoerd, maar dat was voor de schijn. Hij had al die uren in het zeewater nooit kunnen hebben overleefd.

Al snel daarna kreeg ik het idee dat Reles iets te maken had met de verdwijning van die arme kerel. Het kwam door iets wat hij zei. Ik weet niet meer precies hoe hij het formuleerde, maar ik weet nog wel dat hij erbij glimlachte.' Noreen schudde haar hoofd. 'Je zult wel denken dat ik gek ben. Ik bedoel, het zijn alleen maar vage aanwijzingen. Dat is dan ook de belangrijkste reden dat ik dit nog nooit tegen iemand heb verteld.'

'Ik denk zeker niet dat je gek bent,' zei ik. 'Er is niets mis met vage aanwijzingen. Zeker niet als het om vage types gaat. Wat zei hij?'

'Hij zei iets als: "Het klinkt alsof uw probleempje is verholpen, mevrouw Charalambides." En toen vroeg hij me of ík hem van de boot had geduwd. Dat leek hij nogal grappig te vinden. Ik zei dat ik het helemaal niet grappig vond en vroeg hoe groot hij de kans achtte dat de heer Mar-

tin nog leefde. Waarop hij antwoordde: "Ik hoop ten zeerste van niet."
Daarna ben ik uit zijn buurt gebleven.'

'Wat weet je precies van Max Reles?'

'Niet erg veel. Alleen wat hij me tijdens het kaarten heeft verteld. Hij
zei dat hij zakenman was, op die speciale manier als mannen de indruk
willen wekken dat hetgeen ze doen niet erg interessant is. Hij spreekt natuurlijk uitstekend Duits. En ook wat Hongaars, geloof ik. Hij zei dat hij
op weg was naar Zürich, dus ik verwachtte eigenlijk niet dat ik hem nog
zou tegenkomen. En zeker niet hier. Ik zag hem ongeveer een week geleden voor het eerst terug. In de bibliotheek. Ik heb iets met hem gedronken, beleefdheidshalve. Kennelijk is hij hier al een tijdje.'

'Dat klopt.'

'Je gelooft me toch wel?'

Ze zei het op zo'n manier dat ik rekening hield met de mogelijkheid
dat ze niet de waarheid sprak. Maar zo zit ik nou eenmaal in elkaar. Sommige mensen geloven dat er een pot met goud aan het einde van een re-
genboog staat. Ik ben het type dat denkt dat die pot met goud in de gaten
wordt gehouden door vier agenten in een politieauto.

'Je denkt toch niet dat ik dit allemaal heb verzonnen?'

'Helemaal niet,' zei ik, hoewel ik me wel afvroeg waarom iemand een
moord zou plegen voor een vrouw die niet meer voor hem was geweest
dan een medespeelster aan de kaarttafel. 'Uitgaande van wat je me hebt
verteld, denk ik dat je een zeer redelijke conclusie hebt getrokken.'

'Je vindt zeker dat ik het aan de inspecteur had moeten vertellen? Of
aan de politie, toen we in Hamburg waren aangekomen.'

'Zonder hard bewijs zou Reles alles ontkend hebben, met als gevolg
dat jij voor gek staat. Bovendien zou het die man die was verdronken
toch niet meer gebaat hebben.'

'Toch voel ik me op de een of andere manier verantwoordelijk voor
wat er is gebeurd.'

Ze rolde over het bed, reikte naar de asbak op het nachtkasje en drukte de peuk uit. Ik rolde achter haar aan en haalde haar een uur of twee later in. Het was een groot bed. Ik begon haar achterste te kussen, de onderkant van haar rug en toen haar schouders. Ik stond op het punt mijn
hoektanden in haar nek te zetten toen mijn oog op het boek viel dat naast
de asbak lag. Het was dat boek van Hitler.

Ze zag me kijken en zei: 'Dat boek ben ik aan het lezen.'

'Hoezo?'

'Het is een belangrijk boek. Maar dat ik het lees, maakt me nog niet tot een nazi, net zomin als het lezen van Marx betekent dat je communist bent. Hoewel ik mezelf toevallig wel beschouw als communist. Verbaast je dat?'

'Dat je denkt dat je communist bent? Niet bijzonder. De beste mensen denken dat tegenwoordig. George Bernard Shaw. Zelfs Trotski, heb ik me laten vertellen. Ik zie mezelf graag als sociaaldemocraat, maar aangezien de democratie niet langer bestaat in dit land, zou dat nogal naïef zijn.'

'Ik ben blij dat je democraat bent. Dat dat ook van belang is voor je. Als je een nazi zou zijn, was ik echt niet met je naar bed gegaan, Gunther.'

'Net als vele anderen zou ik hen misschien iets meer mogen als ik de leiding had in plaats van Hitler.'

'Ik probeer een interview met hem te krijgen. Dat is een van de rede- nen dat ik Hitlers boek lees. Niet dat ik denk dat hij me zal willen ont- moeten. Waarschijnlijk zal ik het moeten doen met de minister van Sport. Ik heb morgenmiddag een afspraak met hem.'

'Je zwijgt toch wel over onze vriend Zak Deutsch, hè, Noreen? En over mij hopelijk ook.'

'Vanzelfsprekend. Zeg eens, denk je dat hij is vermoord?'

'Misschien wel, misschien ook niet. We zullen meer weten als we met Stefan Blitz hebben gesproken. Hij is die geoloog over wie ik heb verteld. Ik hoop dat hij enige duidelijkheid kan verschaffen over hoe iemand in het centrum van Berlijn in zout water kan verdrinken. Als zoiets voor de kust van Ierland gebeurt, in de Atlantische Oceaan, vooruit. Maar in het plaatselijke kanaal, dat is heel wat anders.'

Tot de lente van 1934 had Stefan Blitz geologie gedoceerd aan de Fried- rich Wilhelm Universität in Berlijn. Ik kende hem omdat hij de Kripo soms had geholpen bij het identificeren van modder onder de schoenen van moordverdachten of hun slachtoffers. Hij woonde in Zehlendorf, in het zuidwesten van Berlijn, in een modern wooncomplex dat 'de Neger- hut van Oom Tom' werd genoemd, naar een plaatselijke kroeg en metro- winkel die op hun beurt weer naar het gelijknamige boek van Harriet Beecher Stowe waren genoemd. Noreen was geïntrigeerd.

'Niet te geloven dat ze die naam hebben gebruikt,' zei ze. 'In de Ver- enigde Staten zouden ze die naam nooit aan een gebouw durven geven. Mensen zouden kunnen denken dat het alleen geschikt was voor negers.'

Ik parkeerde de auto voor een reusachtig flatgebouw van vier verdiepingen. De gladde, moderne gevel was licht gebogen en zat vol met terugspringende ramen van verschillende afmetingen, allemaal op een andere hoogte. Het deed denken aan een gezicht dat herstellende was van een pokkenaanval. Er waren honderden, misschien wel duizenden van dit soort Weimar-gebouwen in Berlijn er ze waren even opmerkelijk als een pak Persil. En toch, hoewel ze modernisme verachtten, hadden de nazi's meer gemeenschappelijk met de grotendeels Joodse architecten dan ze wellicht dachten. Nazisme en modernisme waren beide producten van ontmenselijking, en als ik naar een van die keurige, gestandaardiseerde grijze betonnen gebouwen keek, kon ik me zonder moeite een keurig, gestandaardiseerde afdeling grijze stormtroepers voorstellen die in zo'n gebouw woonden, als ratten in een doos.

Vanbinnen zag het er echter anders uit – in ieder geval wel in de flat van Stefan Blitz. In tegenstelling tot het zorgvuldig geplande modernisme van het exterieur bestond zijn inrichting uit meubels van oud mahonie, verschoten stoffering, gebroken wilhelminische decoraties, plastic tafellakens en hoge stapels boeken op de grond, want de planken van de boekenkast lagen vol met stukken steen.

Blitz zelf zag er even haveloos uit als zijn stoffering en net als de andere Joden die geen middelen van bestaan meer hadden na hun gedwongen ontslag, was hij zo mager als een maquette op het zolderkamertje van een kunstenaar. Hij was gastvrij, aardig en gul, kortom precies het tegenovergestelde karakter van de grijpgrage boeman die zo vaak als karikatuur werd gebruikt in de Duitse pers. Desalniettemin zag hij er wel zo uit: als een geilaard in de bordelen van Damascus. Hij bood ons thee, koffie, Coca-Cola, alcohol, iets te eten, een gemakkelijkere stoel, chocolaatjes en zijn laatste sigaretten aan voordat we, nadat we alles hadden afgeslagen, duidelijk konden maken waar we precies voor kwamen.

'Is het mogelijk dat iemand verdrinkt in zeewater in het centrum van Berlijn?' vroeg ik.

'Ik neem aan dat u de mogelijkheid van een zwembad buiten beschouwing wilt laten, anders zou u niet hier zijn. Het zwembad in de tuin van het Admiralspalast op Alexanderplatz heeft brak water. Ik heb daar zelf vaak gezwommen voordat Joden daar niet meer mochten komen.'

'Het slachtoffer is Joods,' zei ik. 'En inderdaad, om die reden heb ik die mogelijkheid buiten beschouwing gelaten.'

'Waarom, als ik vragen mag, is een niet-Jood geïnteresseerd in een onderzoek naar de dood van een Jood in het nieuwe Duitsland?'

'Het was mijn idee,' zei Noreen en ze vertelde Blitz over de olympiade, de mislukte boycot van de vs en het krantenartikel waarmee ze hoopte dat aan de kaak te stellen, en ze zei ook dat ze zelf Joods was.

'Ik denk dat het wel iets zou betekenen als de Amerikaanse boycot zou slagen,' gaf Blitz toe. 'Hoewel ik mijn twijfels heb. De nazi's zijn niet zo gemakkelijk van slag te brengen, met of zonder boycot. Nu ze de macht hebben, willen ze eraan vasthouden. De Reichstag zal nog eerder in de grond wegzakken dan dat zij een verkiezing houden. En ik kan het weten. Dat gebouw is namelijk op palen gebouwd vanwege alle moerassige plekken die er liggen tussen het parlement en het Altes Museum.'

Noreen glimlachte haar stralende glimlach. Haar glamour leek de flat te verwarmen, alsof iemand een vuur had aangestoken in de lege haard. Ze stak een sigaret uit die ze uit een gouden doosje haalde dat ze in zijn richting duwde. Hij pakte er een en liet hem als een potlood achter zijn oor glijden.

'Kan iemand in Berlijn in zout water verdrinken, vraagt hij,' zei Blitz. 'Tweehonderdzestig miljoen jaar geleden was dit hele gebied een oude zee – de Zechstein-zee. De bakermat van Berlijn is tijdens de laatste ijstijd ontstaan op een aantal eilanden in een riviervallei. De onderlagen bestaan grotendeels uit zand. En zout. Veel zout afkomstig van de Zechstein-zee. Het zout heeft verschillende eilanden op het landoppervlak en er zijn nog heel wat diepe grondwaterkamers overal in de stad en het omringende gebied.'

'Reservoirs met zeewater?' vroeg Noreen.

'Ja, ja. Ik ben van mening dat er plekken in Berlijn zijn waar je niet zomaar moeten graven. Zo'n ondergrondse kamer kan gemakkelijk scheuren, met mogelijk fatale gevolgen.'

'Zou een dergelijke plek op Pichelsberg kunnen liggen?'

'Het zou bijna overal in Berlijn kunnen gebeuren,' zei Blitz. 'Iemand die haast heeft, iemand die geen fatsoenlijk geologisch onderzoek laat doen – boorgaten en dergelijke – zou niet alleen een hoop oude leugens moeten slikken die het oude Duitsland hem voert, maar ook een aanzienlijke hoeveelheid zout water.' Hij glimlachte behoedzaam, als iemand die twijfelt aan de regels van het kaartspel dat hij speelt.

'Geldt dat ook voor Pichelsberg?' hield ik aan.

Blitz haalde zijn schouders op. 'Pichelsberg? Vanwaar die interesse in Pichelsberg? Ik ben geoloog, ik werk niet bij de stadsplanning, Herr Gunther.'

'Toe, Stefan, je weet waarom ik het vraag.'

'Ja, en het bevalt me niks. Ik heb al genoeg problemen zonder Pichelsberg. Waar ben je precies op uit? Je had het over een man die is verdronken. Een Jood, zei je. En een krantenartikel. Neem me niet kwalijk maar het lijkt me dat één dode Jood wel genoeg is.'

'Doctor Blitz,' zei Noreen, 'ik beloof u dat niets van de informatie herleidbaar tot u zal zijn. Ik zal u niet citeren. Ik zal niks schrijven over de Negerhut van Oom Tom of dat ik zelfs maar heb gesproken met een geoloog.'

Blitz haalde de sigaret achter zijn oor vandaan en bestuurde hem alsof het een stuk witte rots was. Toen hij hem aanstak kon je zijn voldoening zien en horen. 'Amerikaanse sigaretten. Ik ben zo gewend geraakt aan goedkope dat ik helemaal was vergeten hoe lekker tabak kan zijn.' Hij knikte bedachtzaam. 'Misschien moet ik proberen naar Amerika te gaan. Ik weet vrij zeker dat de zin van het leven in Duitsland niets te maken heeft met vrijheid en het streven naar geluk. Althans niet voor Joden.'

Noreen schudde haar sigarettendoos leeg op tafel. 'Toe,' zei ze, 'hou ze maar. Ik heb nog andere in het hotel.'

'Als u erop staat,' zei hij.

Ze knikte en trok de bontjas dichter om zich heen.

'Een goed ingenieursbedrijf zou eerst boren, niet meteen graven,' zei hij. 'Snapt u? De mengeling van grondlagen die hier zijn achtergebleven na de ijstijd maken de mogelijkheden tot bouwen hier erg onvoorspelbaar. Vooral in Pichelsberg. Is dat een antwoord op uw vraag?'

'Is het mogelijk dat de mensen die het Olympisch Stadion bouwen dit niet weten?'

Blitz haalde zijn schouders op. 'Wie had het over de Olympische Spelen? Ik weet niets over de Spelen en ik wil het ook niet weten. We hebben te horen gekregen dat die spelen niet voor Joden zijn bedoeld, en daar ben ik zelf erg blij om.' Het was kil in zijn flat, maar hij veegde zich het zweet van het voorhoofd met een vale zakdoek. 'Luister, als u het niet erg vindt: ik heb denk ik genoeg gezegd.'

'Nog één vraag,' zei ik, 'en dan gaan we.'

Blitz wierp even een blik op het plafond alsof hij zijn Schepper smeekte om hem geduld te schenken. Zijn hand trilde toen hij de sigaret weer tussen zijn gebarsten lippen stopte.

'Zit er goud in de grondlagen van Berlijn?'

'Goud, ja. Maar niet meer dan sporen. Geloof me, Bernie, je zult niet rijk worden van het zoeken naar goud in Berlijn.' Hij grinnikte. 'Behalve als je het afpakt van mensen die het al hebben, natuurlijk. Je hoort het van een Jood, dus daar kun je zeker van zijn. Zelfs de nazi's zijn niet zo stom om naar goud te zoeken in Berlijn.'

We bleven niet veel langer. We wisten beiden dat we Blitz ongerust hadden gemaakt. En in beschouwing genomen wat hij had verteld, kon ik het hem niet kwalijk nemen dat hij op zijn hoede en nerveus was. De nazi's zouden niet vriendelijk reageren op hetgeen hij wist te zeggen over het bouwterrein in Pichelsberg. Toen we gingen, boden we hem geen geld aan. Hij zou het niet hebben aangenomen. Maar toen hij met zijn rug naar ons toe stond om ons uit te laten, stopte Noreen onopvallend een bankbiljet onder de koffiepot.

In de auto zuchtte Noreen diep en ze schudde haar hoofd. 'Deze stad begint me te deprimeren,' zei ze. 'Of went het?'

'Niet voor mij. Ik ben niet gewend aan het idee dat we de oorlog hebben verloren. Iedereen zegt dat dat de schuld was van de Joden, maar ik vind dat het de schuld was van de marine. Zij hebben ons erin geluisd en het was hun muiterij die ons dwong tot opgeven. Zonder dat hadden we kunnen doorgevechten om een eerlijke vrede te bereiken.'

'Je klinkt alsof je dat betreurt.'

'Alleen het feit dat de verkeerde mensen de wapenstilstand hebben getekend. Dat had het leger moeten doen in plaats van de politici, wat het leger nogal heeft vrijgepleit, wat de reden is van de staat waar wij ons nu in bevinden. Snap je?'

'Niet echt.'

'Nee? Nou, dat is half het probleem. Niemand snapt het. Wij Duitsers nog wel het minst van allemaal. De meeste ochtenden word ik wakker en dan denk ik dat ik de gebeurtenissen van de afgelopen twee jaar heb gedroomd. De laatste vierentwintig uur vooral. Wat ziet een vrouw als jij in een man als ik?'

Ze pakte mijn linkerhand en kneep er zachtjes in. 'Een man als jij. Dat klinkt alsof er meer dan een van is. Dat is niet zo. Ik kan het weten, want ik heb gezocht. Op allerlei plekken. Het bed waarin we hebben geslapen incluis. Afgelopen nacht vroeg ik me af hoe ik me deze ochtend zou voelen. Nou, nu weet ik het.'

'Hoe voel je je?'

'Bang.'

'Waarvoor?'

'Hoe ik me voel, uiteraard. Alsof jij de auto bestuurt.'

'Dat doe ik ook.' Ik trok het stuur heen en weer om mijn woorden kracht bij te zetten.

'Thuis laat ik me nooit rijden. Ik rij graag zelf. Ik maak het liefst zelf uit waar ik begin en waar ik stop. Maar met jou kan het me niet schelen. Ik zou er geen bezwaar tegen hebben om samen met jou naar China te rijden en weer terug.'

'China? Ik zou er genoeg aan hebben als je een tijdje in Berlijn bleef.'

'Wat houdt je tegen?'

'Nick Charalambides, wellicht. En dat artikel voor je krant. En misschien nog dit: dat ik oprecht van mening ben dat Isaac Deutsch helemaal niet is vermoord. Dat zijn dood een ongeval was. Niemand heeft hem verdronken. Hij is verdronken. Zonder hulp van iemand anders. Hier midden in Berlijn. Ik weet dat het geen goed verhaal oplevert, niet zo goed als een moordverhaal. Maar wat kan ik eraan doen?'

'Verdomme.'

'Precies.'

Even moest ik denken aan Richard Bömer en zijn teleurstelling toen hij merkte dat Isaac Deutsch Joods was. En nu weer Noreen Charalambides die teleurgesteld was dat die arme kerel niet was vermoord. Vreemde wereld.

'Weet je het zeker?'

'Ik denk dat het als volgt is gegaan. Nadat zijn verdere carrière als bokser onmogelijk was gemaakt door de nazi's, vonden Isaac Deutsch en zijn oom een baan als bouwvakker voor het Olympisch Stadion. Ondanks het officiële beleid om alleen arische arbeiders in te huren. Gezien de hoeveelheid werk die er nog te doen is voor de olympiade in 1936 begint, heeft iemand besloten een paar regels te negeren. En niet alleen wat betref de raciale afkomst van de werknemers. Ook wat betreft de veiligheid, vermoed ik. Isaac Deutsch was waarschijnlijk betrokken bij opgraafwerkzaamheden toen hij op een van de waterkamers is gestoten waar Blitz ons over vertelde. Hij kreeg een ongeluk en verdronk in zeewater. Maar niemand wist dat het zeewater was. Iemand bedacht dat het beter was als zijn lichaam ver weg van Pichelsberg werd gevonden. Voor het geval een of andere nieuwsgierige politieman vragen zou gaan stellen over illegale Joodse arbeiders. Op die manier is het lijk in het zoetwaterkanaal beland, aan de andere kant van Berlijn.'

Noreen zocht iets te roken in haar lege sigarettendoos. 'Verdomme,' zei ze.

Ik gaf haar mijn sigaretten. 'Ik geef het niet graag toe, Noreen, maar dit onderzoek is voorbij. Ik zou niets liever doen dan dit onderzoek rekken en je rond blijven rijden in Berlijn. Maar eerlijkheid lijkt me het beste. Want dat ben ik om de een of andere reden een beetje verleerd, de laatste tijd.'

'Stop,' zei ze vinnig.

'Wat zeg je?'

'Stop,' zei ik.'

Ik zette de auto stil, dicht bij het stadhuis, op de hoek van de Schloss-straße en begon me te verontschuldigen in de veronderstelling dat ze aanstoot had genomen aan iets wat ik had gezegd. Voordat ik de motor had afgezet was ze al uitgestapt. Ze liep snel een stuk terug. Ik liep achter haar aan.

'Hé, het spijt me,' zei ik. 'Maar je kunt nog steeds een artikel schrijven. Als je die oom Joey van Isaac Deutsch weet te vinden, die vent die zijn trainer was, kun je hem misschien aan de praat krijgen. Dat is een geschikte invalshoek. Hoe het Joden verboden wordt om mee te doen met de Olympische Spelen en dat iemand met een illegaal baantje dood wordt aangetroffen bij de bouw van het stadion. Daar zit een fantastisch artikel in.'

Noreen leek niet te luisteren. Tot mijn grote afschuw liep ze recht op een grote groep sa- en ss-leden af die rond een man en een vrouw in burgerkleding stonden. De vrouw was blond, in de twintig; de man was ouder en Joods. Ik wist dat hij Joods was omdat hij, net als zij, een bord rond zijn hals had. Op het bord van de man stond: ik ben een vuile jood en ik neem duitse meisjes mee naar mijn kamer. Op het bord van het meisje stond: ik ga naar de kamer van dit vieze varken om met een jood te slapen!

Voor ik haar kon tegenhouden had Noreen haar sigaret weggesmeten. Ze viste haar kleine Brownie uit haar ruime tas, keek door de priegelige zoeker en maakte een foto van het sombere stel en de grijnzende nazi's.

Ik kwam naast haar staan en probeerde haar bij de arm te pakken. Ze trok zich boos los.

'Dit is geen goed idee,' zei ik.

'Onzin. Die borden rond hun hals zijn juist bedoeld om aandacht te trekken. En ik geef die aandacht.' Ze draaide het rolletje door en nam de groep nogmaals in beeld.

Een van de ss'ers schreeuwde me toe: 'Hé, Bubi, laat haar met rust. Die vriendin van je heeft gelijk. Het heeft geen zin die smeerlappen als voorbeeld te stellen als niemand het opmerkt.'

'Dat is precies wat ik doe,' zei Noreen. 'Opmerken.'

Ik wachtte geduldig tot Noreen klaar was. Tot nu toe had ze alleen foto's gemaakt van antisemitische bordjes in de parken en van een stel nazivlaggen op Unter den Linden. Ik hoopte dat haar vrijmoedige gefotografeer geen gewoonte werd. Ik betwijfel of mijn zenuwen het aan zouden kunnen.

We liepen zwijgend terug naar de auto en lieten het stel van gemengd ras achter, ten prooi aan publieke schande en vernedering.

'Als je ooit had gezien hoe ze iemand in elkaar slaan,' zei ik, 'zou je voorzichtiger zijn met zoiets. Als je iets interessants wilt fotograferen, breng ik je wel naar het Bismarck Denkmal of naar het Schlofl Charlottenburg.'

Noreen liet het fototoestel in haar tas glijden. 'Behandel me niet als een stomme toerist,' zei ze. 'Die foto is niet bestemd voor mijn album. Ik heb hem genomen voor de krant. Snap je het niet? Een dergelijke foto spot met alle beweringen van Avery Brundage dat Berlijn een geschikte stad is voor het houden van de Olympische Spelen.'

'Brundage?'

'Ja, Avery Brundage. Heb je niet geluisterd? Ik heb het eerder over hem gehad. Hij is voorzitter van het Amerikaans Olympisch Comité.'

Ik knikte. 'Wat weet je nog meer van hem?'

'Bijna niets, behalve dan dat het een grote klootzak moet zijn.'

'Zou het je verbazen dat hij correspondeert met je oude vriend Max Reles? En dat hij eigenaar is van een bouwbedrijf in Chicago?'

'Hoe weet je dat?'

'Ik ben detective. Ik moet dingen weten die ik niet word geacht te weten.'

Ze glimlachte. 'Wel verdraaid. Je heb zijn kamer doorzocht, niet dan? Daarom vroeg je me gisteravond over hem. Ik wil wedden dat je het toen ook hebt gedaan. Vlak na die kleine scène in de lobby, toen je wist dat hij een tijdje weg zou zijn.'

'Bijna goed. Ik heb hem eerst gevolgd naar de opera.'

'Vijf minuten *Parsifal*. Dat weet ik nog. Dus daar ging je heen.'

'Onder zijn gasten bevond zich de minister van Sport. Funk van Propaganda. Een of andere legergeneraal die Von Reichenau heet. De rest

162

herkende ik niet. Maar ik weet zeker dat het allemaal nazi's waren.'

'De mensen die je noemt zijn allemaal lid van het organiserende Duitse Olympisch Comité,' zei ze. 'En de rest zal dat ook wel zijn.' Ze schudde haar hoofd. 'En daarna ging je terug naar het Adlon en heb je zijn kamer doorzocht. Je wist toch dat hij ergens anders was. Wat heb je nog meer ontdekt?'

'Veel brieven. Reles heeft een stenotypiste in dienst die ik voor hem heb gevonden, en zo te zien houdt hij haar flink aan het werk met het schrijven van brieven aan bedrijven die mee bieden voor olympische contracten.'

'Dan krijgt hij vast smeergeld. En het DOC misschien ook.'

'Ik heb wat doorslagen uit zijn prullenbak gevist.'

'Geweldig. Mag ik ze zien?'

Toen we weer in de auto zaten, gaf ik haar de brieven. Ze begon er een te lezen. 'Hier kan ik niets bezwarends in vinden,' zei ze.

'Dat dacht ik ook. Aanvankelijk.'

'Het is gewoon een bieding voor een contract om cement te leveren aan het ministerie van Binnenlandse Zaken.'

'Die andere brief gaat over een contract om propaangas te leveren voor de olympische vlam.' Ik zweeg even. 'Snap je het niet? Dat is een velletje carbonpapier. Dat betekent dat het door Adlons eigen stenotypiste is getypt in zíjn suite. Die contracten zijn uitsluitend bedoeld voor Duitse bedrijven. Maar Max Reles is een Amerikaan.'

'Misschien heeft hij die bedrijven opgekocht.'

'Dat zou kunnen. Hij heeft er waarschijnlijk geld genoeg voor. Ik neem aan dat dat de reden is dat hij naar Zürich is geweest voor hij hier kwam. In zijn kamer ligt een grote zak met duizenden dollars en gouden Zwitserse franken. Om maar niet te spreken van een machinegeweer. Zelfs in Duitsland heb je tegenwoordig geen machinegeweer nodig om een bedrijf te leiden. Tenzij je grote problemen hebt met je werknemers.'

'Ik moet hierover nadenken.'

'Dat geldt ook voor mij. Ik heb het gevoel dat we ons hoofd verliezen, en ik ben nogal gehecht aan het mijne. Ik zeg dat alleen omdat we in dit land de guillotine hebben, en het zijn niet alleen criminelen die hier kort worden geknipt en geschoren. Ook communisten, republikeinen en waarschijnlijk iedereen aan wie de regering een hekel heeft. Je zegt hier toch niets over tegen Von Tschammer und Osten, hè?'

'Nee, natuurlijk niet. Ik heb niet bepaald zin om nu al Duitsland uitgesmeten te worden. Al helemaal niet na afgelopen nacht.'

'Dat hoor ik graag.'

'Ik zit te denken aan dat idee van je, over Max Reles. Dat ik op zoek moet naar de oom van Isaac Deutsch en dat ik mijn verhaal op hem moet baseren. Dat is een goed idee.'

'Dat zei ik alleen maar om je terug in de auto te krijgen.'

'Nou, ik zit weer in de auto en het blijft een goed idee.'

'Daar ben ik niet zo zeker van. Stel dat je echt een verhaal schrijft over Joden die helpen bij de bouw van het nieuwe stadion. Misschien verliezen al die Joden hun baan als gevolg daarvan. En wat gebeurt er daarna met hen? Hoe moeten ze dan voor hun gezin zorgen? Sommigen van hen belanden misschien zelf in een concentratiekamp. Heb je daar over nagedacht?'

'Natuurlijk heb ik daar over na gedacht. Wat voor iemand denk je dat ik ben? Ik ben Joods, weet je nog? Ik denk voortdurend aan de menselijke gevolgen van wat ik schrijf. Luister, Bernie, ik zie het als volgt: het gaat hier om veel grotere zaken dan een paar honderd mensen die hun baan verliezen. De vs is veruit het grootste land onder de deelnemers aan de Olympische Spelen. In Los Angeles hebben we eenenveertig medailles gewonnen, meer dan welk land dan ook. Italië, het land dat op de tweede plaats kwam, won er twaalf. Een olympiade zonder Amerika zou betekenisloos zijn. Dat is de reden waarom een boycot belangrijk is. Want als de spelen hier niet doorgaan, zou dat de ernstigste klap voor het prestige van de nazi's zijn die ze ooit hebben gehad. Om nog maar te zwijgen over het feit dat het een van de meest effectieve manieren is voor de buitenwereld om de jeugd van Duitsland te tonen wat ze werkelijk vinden van de denkbeelden van de nazi's. Dat moet belangrijker zijn dan de vraag of een paar Joden hun gezinnen kunnen onderhouden. Vind je niet?'

'Dat zou best kunnen. Maar als we naar Pichelsberg gaan om naar antwoorden te zoeken over Isaac Deutsch, komen we misschien dezelfde mensen tegen die hem in het kanaal hebben geworpen. Die kunnen het waarschijnlijk niet erg waarderen dat er over hen wordt geschreven. Zelfs niet als het in een krant uit New York staat. Naspeuringen doen naar Isaac Deutsch is wellicht net zo gevaarlijk als onderzoek doen naar Max Reles.'

'Jij bent detective. Een voormalig politieman. Een zekere hoeveelheid gevaar hoort toch zeker bij je functieomschrijving?'

'Een zekere hoeveelheid wel, ja. Maar daarom ben ik nog niet kogelvrij. Bovendien, als jij in New York die Pulitzer Prize ophaalt voor je journalistieke werk, zit ik nog steeds hier. Dat hoop ik tenminste. Ik kan even gemakkelijk in een kanaal belanden als Isaac Deutsch.'

'Is het soms een kwestie van geld?'

'Gelet op wat er afgelopen nacht is gebeurd, zou ik kunnen zeggen dat het niet om geld draait. Tegelijkertijd moet ik toegeven dat geld altijd een grote overtuigingskracht heeft.'

'Alles draait om geld, hè, Gunther?'

'Ja, en soms word ik draaierig van jou. Dat ik hoteldetective ben is pure noodzaak, Noreen, niet omdat ik het zo leuk vind. Ik ben platzak, engel. Toen ik bij de Kripo vertrok, liet ik een redelijk salaris en pensioen achter, om nog maar niet te spreken van wat mijn vader altijd "goede vooruitzichten" noemde. Ik zie mezelf nog geen promotie maken tot hotelmanager, jij wel?'

Noreen glimlachte. 'Niet in een hotel waar ik in zou willen logeren.'

'Precies.'

'Hoe klinkt twintig mark per dag?'

'Ruimhartig. Zeer. Maar ik bedoelde eigenlijk iets anders.'

'Zoveel bedraagt die Pulitzerprijs nou ook weer niet.'

'Ik wil niet van je profiteren. Ik wil een lening. Een zakelijke lening, met rente. Door de Depressie willen de banken geen geld meer lenen. Zelfs niet aan elkaar. En ik kan de Adlons moeilijk vragen me geld te geven zodat ik mijn ontslag kan indienen.'

'Om wat te doen?'

'Dit werk. Als privédetective uiteraard. Dat is ongeveer het enige werk waar ik goed in ben. Ik denk dat ik met ongeveer vijfhonderd mark een eigen bedrijf kan beginnen.'

'Hoe weet ik dat je lang genoeg in leven blijft om me terug te betalen?'

'In leven blijven is wel een stimulans voor me. Ik zou mijn leven niet graag verliezen. En ik zou ook niet graag hebben dat jij daardoor geld verloor. Ik kan je waarschijnlijk een rente van twintig procent betalen.'

'Je hebt er kennelijk over nagedacht.'

'Al sinds de nazi's aan de macht zijn. Menselijke tragedies zoals die we net hebben aanschouwd voor het stadhuis vinden overal in de stad plaats. En het wordt alleen maar erger. Veel mensen – Joden, zigeuners, vrijmetselaars, communisten, homoseksuelen, Jehovah's getuigen – weten al dat ze geen gehoor meer krijgen bij de politie. Dus die gaan ergens anders heen. Dat moet wel goed zijn voor iemand als ik.'

165

'Dus uiteindelijk zou je nog winst kunnen maken dankzij de nazi's?'

'Dat is altijd mogelijk. Tegelijkertijd zou ik er behalve mezelf ook iemand anders mee van dienst kunnen zijn.'

'Weet je wat ik zo leuk vind aan je, Gunther?'

'Dat blijft leuk om te horen.'

'Dat je in vergelijking met jou Copernicus en Kepler kortzichtig en onpraktisch doet lijken, terwijl je toch als een redelijk romantisch type weet over te komen.'

'Betekent dat dat je me nog steeds aantrekkelijk vindt?'

'Dat weet ik niet. Dat moet je me later vragen, als ik ben vergeten dat ik niet alleen je werkgeefster ben maar ook je bankier.'

'Betekent dat dat je me die lening geeft?'

Noreen glimlachte. 'Waarom niet? Maar op één voorwaarde. Je mag Hedda nooit vertellen dat je die lening van mij hebt gekregen.'

'Het blijft ons geheimpje.'

'Een van de twee, zoals het er nu uitziet.'

'Besef je wel dat je weer met me naar bed moet?' zei ik. 'Om mijn stilzwijgen te garanderen.'

'Natuurlijk. Als je bankier had ik dat al ingecalculeerd. Met rente en al.'

19

Ik zette Noreen af bij het ministerie van Binnenlandse Zaken voor haar interview met Von Tschammer und Osten, reed terug naar het hotel en daarna bleef ik in westelijke richting doorrijden. Nu Noreen weg was, wilde ik op eigen houtje rondneuzen bij het bouwterrein van het Olympisch Stadion in Pichelsberg. Ik had helaas maar één paar rubberlaarzen; en bovendien wilde ik geen aandacht trekken terwijl ik rondneusde, en dat was bijna onmogelijk met Noreen aan mijn arm. Ze trok de aandacht als een nudist die trombone speelt.

De renbaan van Pichelsberg lag ten noorden van het Grunewald. In het midden van de renbaan lag het stadion, vervaardigd naar een ontwerp van Otto March en geopend in 1913. Rond de renbaan lagen atletiekbanen en wielerbanen, en aan de noordelijke zijde lag een zwembad – allemaal gebouwd voor de afgelaste Olympische Spelen in Berlijn van 1916. Op de tribunes waar plaats was voor bijna veertigduizend mensen, stonden standbeelden, waaronder een overwinningsgodin en een Neptunusgroep. Alleen waren ze er niet meer. Niets was er meer. Alles, zelfs de renbaan, het stadion en het zwembad was afgebroken en vervangen door enorme graafwerkzaamheden. Er was een vagelijk ronde kuil gegraven, wat een reusachtige hoop aarde had opgeleverd. Ik nam aan dat dat de plek was waar het nieuwe stadion zou worden gebouwd. Maar toch leek dat onwaarschijnlijk. Het duurde minder dan twee jaar voordat de Olympische Spelen gehouden zouden worden in Berlijn, en er was nog niets gebouwd. Een volmaakt geschikt en recentelijk voltooid stadion was zelfs afgebroken om plaats te maken voor de *Battle of Verdun* zoals verbeeld door D.W. Griffith. Toen ik uit de auto stapte, verwachtte ik half-en-half om de Franse frontlinies, onze eigen linie te zien, met daarbij het geluid van hevige granaatontploffingen.

Even droeg ik weer een uniform en voelde ik me behoorlijk ziek van angst bij de herinnering aan die grijsbruine woestenij. En toen begon ik te bibberen, alsof ik zojuist was ontwaakt uit de nachtmerrie die ik altijd had: dat ik dáár weer was…

… terwijl ik een doos met munitie door de modder en klei sleepte, terwijl overal om me heen granaten neerkwamen. Het kostte me twee uur om hondervijftig meter in de richting van de frontlinie af te leggen. Ik bleef mezelf maar op de grond gooien of ik viel gewoon vanzelf om totdat ik drijfnat was en bedekt was met een dikke laag aarde, als een man die van modder was gemaakt.

Ik had onze verschansing bijna bereikt toen ik in een granaatkuil viel. Ik zakte tot aan mijn middel in de modder en zonk nog verder weg. Ik schreeuwde om hulp, maar het lawaai van het spervuur was te luid en niemand kon me horen. Proberen omhoog te komen leek het zakken alleen maar te versnellen en in minder dan vijf minuten zat ik vast tot aan mijn nek en had ik het afschuwelijke vooruitzicht te verdrinken in een kleine zee van bruine smurrie. Ik had paarden gezien die vastzaten in de modder. Die werden bijna altijd doodgeschoten, want de inspanningen die het kostte om ze eruit te trekken was te groot. Ik deed verwoede pogingen mijn pistool te pakken zodat ik mezelf door het hoofd zou kunnen schieten voordat ik stikte, maar dat was ook hopeloos. Ik zat muurvast in de modder. Ik probeerde achterover te hellen in een poging als het ware in de modder te 'drijven', maar ook dat had geen zin.

En toen, net toen de modder tot mijn kin reikte, was er een paar meter bij mij vandaan een reusachtige explosie toen een granaat op de grond terechtkwam. Ik werd op miraculeuze wijze uit het moeras getild, schoot hoog de lucht in en landde ergens twintig meter verderop, in een rare verdraaide houding maar niet gewond. Zonder die laag beschermende modder om me heen zou de kracht van de ontploffing me beslist hebben gedood.

Dat was mijn terugkerende nachtmerrie. Ik ontwaakte altijd doorweekt van het zweet en happend naar adem alsof ik zojuist een sprint door niemandsland had afgelegd. Zelfs nu, in het volle daglicht, moest ik op mijn hurken gaan zitten en verschillende keren diep ademhalen om weer tot mezelf te komen. Enkele kleurvlekjes in het eens vruchtbare maar nu verwoeste landschap, hielpen me mijn geestelijk evenwicht te hervinden: een of andere blauwe distel aan de boomgrens in de verte; paarse dovenetel in de buurt van mijn auto; wat geel boerenwormkruid; een roodborstje dat een sappige worm uit de grond trok; de lege blauwe hemel; en ten slotte een leger arbeiders en een spoorlijn met een kleine rode trein met wagons vol aarde die van de ene kant van het bouwterrein naar de andere reed.

'Alles in orde?'

De man droeg een kleppet en een gewatteerd jasje dat zo volumineus was als een boerenkiel. Zijn zwarte broek eindigde centimeters boven zijn laarzen die in omvang waren verdubbeld door kilo's klei. Op zijn schouder ter grootte van Jutland rustte een sloophamer. Zijn blonde haar was bijna wit en zijn ogen waren blauw als de distels die ik zo-even had gezien. Zijn kin en jukbeenderen hadden getekend kunnen zijn door een van die nazi-artiesten als Josef Thorak.

'Het gaat best.' Ik stond op, stak een sigaret op en gebaarde naar het landschap. 'Toen ik dit niemandsland zag, schoten me een paar regels van August Stramm te binnen, snapt u? "Wegzakkende kluiten aarde wiegen ijzer in slaap/Bloed klontert en lekt weg/Roest verkruimelt/Vlees verslijmt/Begeerte zuigt aan het bederf."'

Tot mijn verbazing voltooide hij het gedicht: '"Moord na moord/Knipperen/Kinderogen."'

'Ja, ik ken dat gedicht. Ik heb gediend in het Tweede Koninklijke Württemburg, zevenentwintigste divisie. En jij?'

'Zesentwintigste divisie.'

'Dan hebben we bij dezelfde veldslag gevochten.'

Ik knikte. 'Amiens. Augustus 1918.'

Ik bood hem een sigaret aan. Hij stak hem aan met mijn brandende sigaret. Dat deden we in de loopgraven ook, om lucifers te sparen.

'Twee afgestudeerden aan de universiteit van de modder,' zei hij. 'Wetenschappers van de menselijke evolutie.'

'Ah, ja. De mens die zich verheft.' Ik grijnsde en er schoot me een oude wijsheid te binnen. 'Als iemand je niet met een bajonet doodt, dan met een machinegeweer; niet met een machinegeweer, dan met een vlammenwerper; niet met een vlammenwerper, dan met gifgas.'

'Wat doe je hier, vriend?'

'Beetje aan het rondkijken.'

'Nou, dat mag niet. Niet meer. Heb je het bord niet gezien?'

169

'Nee,' antwoordde ik naar waarheid.

'We liggen al ver achter op schema. We werken nu in drie ploegendiensten, dus we hebben geen tijd voor bezoekers.'

'Het ziet er hier niet erg druk uit.'

'De meeste jongens werken aan de andere kant van die aarden wal,' zei hij terwijl hij naar de westkant van het bouwterrein wees. 'Weet je zeker dat je niet van het ministerie bent?'

'Van Binnenlandse Zaken? Nee, hoezo?'

'Omdat ze bedreigingen hebben geuit jegens bouwbedrijven die niet genoeg hun best doen. Ik dacht dat je ons misschien bespioneerde.'

'Ik ben geen spion. Ik ben zelfs niet eens een nazi. De waarheid is dat ik hier ben omdat ik iemand zoek. Iemand die Joseph Deutsch heet. Misschien ken je hem wel.'

'Nee.'

'Misschien heeft de voorman van hem gehoord.'

'Dat ben ik. Blask, Heinrich Blask is de naam. Waarom ben je trouwens op zoek naar die vent?'

'Het is niet zo dat hij in moeilijkheden verkeert of zoiets. En ik kom hem ook niet vertellen dat hij de loterij heeft gewonnen.' Ik vroeg me af wat ik hem precies moest vertellen, totdat ik dacht aan de twee bokskaartjes in mijn zak, de kaartjes die we van Zigeuner Trollmann hadden gekocht. 'Ik vertegenwoordig een paar boksers en die wil ik laten trainen door Joseph. Ik weet niet hoe hij is met een schop en een pikhouwcel, maar als trainer is hij erg goed. Een van de besten. Hij zou nu eigenlijk zelf in de ring moeten staan, maar ja, dat is niet zo, om de bekende reden.'

'En die is?'

'Met een naam als Deutsch? Hij is Joods. En Joden worden niet meer toegelaten tot sportclubs. Tenminste niet in sportclubs die openbaar zijn. Ik heb mijn eigen sportvereniging. Dus dan kan niemand zich beledigd voelen, snap je?'

'Misschien weet je het niet, maar we mogen hier geen niet-ariërs aanstellen,' zei Blask.

'Zeker, dat weet ik. Ik weet ook dat het toch gebeurt. En wie zou het jullie kwalijk kunnen nemen, als het ministerie in je nek hijgt dat het stadion op tijd af moet zijn? Behoorlijk onredelijke eis, lijkt me. Luister, Heinrich, ik ben hier niet om moeilijkheden te veroorzaken. Ik wil alleen Joseph vinden. Misschien werkt zijn neef met hem. Isaac. Hij heeft vroeger zelf ook gebokst.'

Ik haalde twee kaartjes uit mijn zak en liet ze aan de voorman zien. 'Misschien wil je zelf een paar kaartjes voor het boksen? Scholz tegen Witt in de Spichernsäle. Wat denk je ervan, Heinrich? Kun je me helpen?'

'Als er Joden waren die werkten op dit terrein,' zei Blask, 'en ik zeg niet dat dat zo is, kun je daar het beste over praten met de man die het personeel aanneemt. Hij heet Erich Goerz. Hij is hier niet veel. Hij werkt meestal in een bar op Schildhorn.' Hij nam een van de kaartjes. 'Er staat daar een monument.'

'De Schildhornsäule.'

'Juist. Ik heb gehoord dat je daar heen moet gaan als je werk zoekt en niet wilt dat ze te veel vragen stellen. Elke ochtend rond zessen staat daar een hele stoet illegalen te wachten. Joden, zigeuners, noem maar op. Goerz verschijnt, besluit wie werk krijgt en wie niet. Meestal wordt dat bepaald door de hoeveelheid commissie die mensen bereid zijn te betalen. Hij roept de namen af, geeft hun een werkbriefje en zij melden zich op de plekken waar het het drukst is.' Hij haalde zijn schouders op. 'Hij vindt het prima arbeiders, dus wat moet ik met mijn schema? Hij vertelt me niks en ik hoef niks te weten, toch? Ik doe alleen maar wat de bazen me vertellen dat ik moet doen.'

'Enig idee hoe die bar heet?'

'Albert de Beer of zoiets.' Hij pakte het andere kaartje aan. 'Maar laat ik je wat gratis raad geven, kameraad. Wees voorzichtig. Eric Goerz heeft niet bij het Koninklijke Württemburg gediend zoals ik. Zijn idee van kameraadschap staat dichter bij Al Capone dan bij het Pruisische leger. Snap je wat ik bedoel? Hij is niet zo groot als jij, maar wel erg handig met zijn vuisten. Misschien vindt u dat best. Zo te zien kunt u uw eigen boontjes wel doppen. Maar Eric Goerz heeft ook een pistool, en niet op een plek waar je dat zou verwachten. Hij heeft het rond zijn enkel gebonden. Als hij ooit blijft staan om zijn schoenveters te strikken, aarzel dan niet. Schop hem voor zijn bek voordat hij u neerknalt.'

'Bedankt voor de waarschuwing, maatje.' Ik knipte mijn sigaret het niemandsland in. 'Je zei al dat hij niet zo groot is als ik. Kun je verder nog iets zeggen over zijn uiterlijk?'

'Eens kijken.' Blask liet de sloophamer zakken en streek over zijn kin, die het formaat had van een aambeeld. 'Om te beginnen rookt hij Russische sigaretten. Ik geloof tenminste dat ze Russisch zijn. Vrij platte dingen die stinken als een nest brandende wezels. Dus het is gemakkelijk om te weten of hij er is of niet. Voor de rest is hij vrij gewoon, ten minste, om te zien. Rond de dertig, vijfendertig jaar oud, pooiersnorretje, beetje donker – alsof hij een fez zou moeten dragen. Heeft een nieuwe Hanomag met een kenteken uit Brandenburg. Het zou goed kunnen dat hij daar oorspronkelijk vandaan komt. De chauffeur komt uit een oord ergens ten zuiden daarvan. Wittenberg, geloof ik. Hij is ook een vechtersbaas, met armen die een bereik hebben van hier tot Tokio, dus met hem moet je ook oppassen.'

Ten zuiden van Pichelsberg liep een hooggelegen weg met fraaie vergezichten die nu veel werd gebruikt door bouwverkeer langs de Havelrivier, om uit te komen bij Beelitzhof en het twee kilometer lange schiereiland Schildhorn. Dicht bij de rivieroever lag een groepje bars en met klimop begroeide restaurants. Een aantal stenen treden rees steil omhoog naar een groep dennenbomen waarachter het Schildhorn-monument verscholen ging, net als de zaken die daar nog meer gebeurden om zes uur in de ochtend. Het monument was een goed gekozen plek voor het oppikken van illegale arbeiders. Vanaf de weg was het onmogelijk om te zien wat er bij het monument gebeurde.

Café Albert de Beer had een beetje de vorm van een laars of een schoen en was zo oud dat het leek of er een oude vrouw in woonde met zo veel kinderen dat ze niet meer wist wat ze moest doen. Voor de deur stond een nieuwe Hanomag met een IE-kentekenplaat. Zo te zien kwam ik op het juiste moment.

Ik reed drie- of vierhonderd meter door en parkeerde de auto. In de kofferbak van Behlerts auto lag een overal. Behlert zat altijd te rommelen onder de motorkap van de Mercedes W. Ik trok de overal aan en liep terug naar het dorp. Onderweg stopte ik nog even om mijn handen te bevuilen met wat vochtige aarde, de manicure van een arbeider zal ik maar zeggen. Een koude oostenwind woei aan over de rivier en kondigde ontegenzeggelijk de naderende winter aan, om maar niet te spreken van een vleugje chemische geuren afkomstig van de gasfabriek Hohenzollerndamm aan de rand van Wilmersdorf.

Buiten het café leunde een man met een gezicht zoals je dat vaak ziet in illustraties bij rechtbankverslagen tegen de Hanomag terwijl hij de Zeitung las. Hij rookte een Tom Thumb en hield waarschijnlijk een oogje in het zeil op de auto. Toen ik de deur openduwde, rinkelde er boven mijn hoofd een belletje. Het leek geen goed idee, maar ik ging toch naar binnen.

Ik werd begroet door een grote opgezette beer. Hij had zijn klauwen open en zijn poten opgeheven in de lucht. Ik neem aan dat de bedoeling was om bezoekers schrik aan te jagen, maar op mij maakte het de indruk alsof hij een berenkoor stond te dirigeren om het lied 'De Picknick van de teddyberen' in te zetten. Verder was het bijna leeg in het café. Op de vloer lag goedkoop linoleum met een ruitmotief. Tafeltjes met keurige gele kleedjes stonden langs de oranjegekleurde muren die waren beschilderd met taferelen van rivieren en mensen. In een verre hoek, onder een grote foto van de rivier de Spree vol met zondagse kanovaarders, zat een man in een wolk stinkende sigarettenrook. Hij las een krant die over de gehele tafel lag uitgespreid en hij keek nauwelijks op toen ik voor hem ging staan.

'Hallo,' zei ik.

'Maak niet de vergissing op die stoel te gaan zitten,' mompelde hij. 'Ik ben niet het type dat houdt van gezelligheid met onbekenden.'

Hij droeg een groen pak en een donkergroen overhemd met een bruine wollen das. Op de bank naast hem lag een leren jas en een hoed, en, om een voor mij onduidelijke reden, een vervaarlijk uitziende hondenriem. De platte, gelige sigaretten die hij rookte waren niet Russisch, maar Frans.

'Dat begrijp ik. Bent u Herr Goerz?'

'Wie mag jij dan wel zijn?'

'Stefan Blitz. Ik heb gehoord dat u het aanspreekpunt bent voor werk op het bouwterrein van het Olympisch Stadion.'

'O, ja? Wie heeft dat gezegd?'

'Iemand die Trollmann heet. Johann Trollmann.'

'Nooit van gehoord. Werkt hij voor mij?'

'Nee, Herr Goerz. Hij zei dat hij het van een vriend had gehoord. Ik kan me zijn naam niet meer herinneren. Trollmann en ik hebben vroeger samen gebokst.' Ik zweeg even. 'Ik zei vroeger, omdat we dat nu niet meer kunnen doen. Niet nu er regels zijn over niet-ariërs bij sportwedstrijden. Vandaar dat ik een baantje zoek.'

'Ik heb zelf nooit veel aan sport gedaan,' zei Goerz. 'Ik had het te druk met geld verdienen.' Hij keek op van zijn krant. 'Ik kan zien dat je hebt gebokst, geloof ik. Maar ik zie geen Joodse trekjes.'

'Ik ben een *mischling*. Half-en-half. Maar dat schijnt voor de regering niet veel verschil te maken.'

Goerz lachte. 'Nee, dat is zeker zo. Laat me je handen zien, Stefan Blitz.'

Ik hield ze voor hem op en toonde mijn vuile nagels.

173

'Niet de ruggen van je handen. De palmen.'

'Gaat u mij de toekomst voorspellen?'

Hij trok zijn ogen samen tot spleetjes terwijl hij aan de laatste centimeters van zijn stinkende sigaret trok. 'Misschien wel.' Hij raakte mijn handen niet aan, keek er alleen maar naar en zei: 'Die handen lijken me sterk genoeg. Maar zo te zien hebben ze niet echt veel werk verzet.'

'Zoals ik al zei, heb ik vooral met mijn vuisten gewerkt. Maar ik kan omgaan met een pikhouweel en een schop. Tijdens de oorlog heb ik heel wat loopgraven gegraven. En ook heel wat graven.'

'Wat een ellende.' Hij doofde de sigaret. 'Vertel me eens, Stefan, weet je wat betaling van tienden betekent?'

'Dat is iets uit de Bijbel. Dat betekent toch een tiende deel?'

'Juist. Kijk, het zit zo. Ik ben niet alleen de chef die mensen aanneemt. Ik word betaald door het bouwbedrijf om personeel te vinden voor hen. Maar ik word ook door jou betaald omdat ik voor jou een baan heb gevonden, snap je? Een tiende van wat je aan het eind van de dag hebt verdiend. Eigenlijk net zoiets als je contributie aan een vakbond.'

'Een tiende lijkt me wat veel voor een vakbond waar ik nooit lid van ben geweest.'

'Dat is waar. Maar lieverkoekjes worden niet gebakken. Joden mogen geen lid worden van Duitse vakbonden. Dus in deze omstandigheden word je gevraagd een tiende te betalen. Graag of niet.'

'Akkoord.'

'Dat dacht ik al. Bovendien, zoals ik al zie, het staat in jullie Heilige Boek. Genesis, hoofdstuk veertien, vers twintig. "En hij gaf hem de tiende van alles." Dat is de beste manier om het te beschouwen, lijkt me. Als je heilige plicht. En als je dat niet snapt, onthoud dan dit. Ik kies alleen mannen uit die me een tiende betalen? Duidelijk?'

'Duidelijk.'

'Zes uur precies, buiten bij het monument. Misschien krijg je werk, misschien niet. Het ligt er maar aan hoeveel mannen we nodig hebben.'

'Ik zal er zijn.'

'Alsof mij dat iets kan schelen.' Goerz keek weer naar zijn krant. Het gesprek was voorbij.

Ik had met Noreen afgesproken bij het Romanisches Café op de Tauentzienstraße. Het was vroeger een populaire plek geweest bij de literaire kringen van Berlijn. Het leek op een luchtschip dat een onvoorziene landing had gemaakt op de stoep voor een romaans gebouw van vier verdiepingen dat een tweelingbroertje had kunnen zijn van de Kaiser-Wilhelm-Gedächtniskirche aan de overkant van de straat. Of wellicht was het het moderne equivalent van een jachthut van de Hohenzollernfamilie – een plek waar de prinsen en keizers van het eerste Duitse Rijk koffie of kummel konden krijgen nadat ze een lange ochtend op hun knieën hadden doorgebracht voor een god die, in vergelijking met hen, tamelijk ordinair en slecht opgevoed moest lijken.

Onder het glazen plafond van het café was ze gemakkelijk te zien, als een exotische bloem in een kas. Maar zoals bij elke tropische bloesem was er ook iets gevaarlijks in de buurt. Een jongeman in een glad zwart uniform zat aan haar tafeltje als de spin van Miss Muffet. Minder dan zes maanden na het ter ziele gaan van de SA als politiemacht die onafhankelijk was van de nazi's, had de onberispelijk geklede SS zich al doen gelden als de meest gevreesde geüniformeerde organisatie in Hitlers Duitsland.

Ik was niet erg blij om hem te zien. Hij was lang, blond en knap, met een gemakkelijke lach en manieren die even glad waren als zijn laarzen. Hij gaf Noreen, die een sigaret opstak, vuur alsof zijn leven ervan afhing en hij stond op met een klak van zijn hielen die zo hard klonk als een knallende champagnekurk toen ik aan hun tafel verscheen. De bijpassende zwarte labrador van de ss-officier schoof onzeker op zijn billen en liet een gedempt gegrom horen. Meester en hond zagen eruit als een tovenaar en zijn huisgeest en voordat Noreen had kunnen beginnen aan het voorstellen, hoopte ik dat hij zou verdwijnen in een zwarte rookwolk.

'Dit is luitenant Seetzen,' zei ze met een beleefde glimlach. 'Hij houdt me gezelschap en oefent zijn Engels.'

Ik zette een grimas op en deed alsof het gezelschap van deze nieuwe vriend mij een plezier deed, maar ik was blij toen hij zich excuseerde en vertrok.

'Dat is een opluchting,' zei ze. 'Ik dacht dat hij nooit weg zou gaan.'

'O? Het leek erop alsof jullie het samen goed konden vinden.'

'Doe niet zo stom, Gunther. Wat kon ik doen? Ik zat mijn aantekeningen door te lezen en hij ging zitten en begon zomaar tegen me te praten. Toch was het in zekere zin fascinerend, op een griezelige manier. Hij heeft me verteld dat hij heeft gesolliciteerd bij de Pruisische Gestapo.'

'Nou, dat is nog eens een baan met vooruitzichten. Als ik niet zoveel scrupules had, zou ik het ook doen.'

'Hij volgt nu een cursus in het Grunewald.'

'Ik vraag me af wat ze hun leren. Hoe je iemand met een rubberslang kunt afrossen zonder hem te doden? Waar vinden ze die klootzakken?'

'Hij komt uit Eutin.'

'Aha, halen ze die lui daar vandaan.'

Noreen probeerde een geeuw te onderdrukken met haar elegante handschoen. Het was gemakkelijk te begrijpen waarom de luitenant haar had aangesproken. Ze was veruit de knapste vrouw in het café. 'Het spijt me,' zei ze, 'maar het is een enerverende middag geweest. Eerst Von Tschammer und Osten, en daarna die jonge luitenant. Voor een slim volk kunnen jullie Duitsers vreselijk dom doen.' Ze keek op haar blocnote. 'Jullie minister van Sport raaskalt maar wat.'

'Daarom heeft hij die baan ook gekregen, liefje.' Ik stak een sigaret op.

Ze bladerde door de pagina's met steno en schudde haar hoofd.

'Moet je horen. Ik bedoel, hij heeft veel onzin verteld, maar dit spande de kroon. Toen ik hem vroeg over Hitlers belofte dat Duitsland rekening zou houden met de olympische statuten en geen acht zou slaan op ras of kleur wat betreft de selectie voor haar olympisch team, zei hij, en ik citeer: "Maar daar houden we inderdaad rekening mee. Tenminste, in principe. Technisch gesproken wordt niemand op een van die gronden uitgesloten." En moet je dit horen, Bernie. Dit stukje is het beste. "Tegen de tijd dat de spelen gehouden zullen worden, zijn Joden waarschijnlijk al geen Duitse staatsburgers meer, in ieder geval geen eersteklas staatsburgers. Misschien worden ze nog toegelaten als toeschouwers. En met het oog op alle internationale agitatie vanwege de Joden, is het zelfs mogelijk dat de regering op het laatste moment een kleine hoeveelheid Joden aan het team zal toevoegen, maar dan wel in sporten waarbij de Duitsers slechts een kleine kans hebben om te winnen, zoals schaken of cricket. Want het blijft een feit dat er sporten zijn waarbij een Duits-Joodse overwinning ons met een politieke, om niet te zeggen filosofische vraag zou opzadelen."'

'Is dat waar?' Ik drukte mijn sigaret uit. Hij was pas half op maar ik voelde iets in mijn keel steken, alsof ik zojuist het kleine insigne met de zilveren doodskop op de zwarte pet van de luitenant had ingeslikt.

'Ontmoedigend, nietwaar?'

'Als ik je de indruk heb gegeven dat ik een stoere vent ben, dan kan ik je beter nu vertellen dat ik dat níet ben. Ik word graag van tevoren gewaarschuwd als iemand me in de maag stompt.'

'Er is nog meer. Von Tschammer und Osten zei dat, in navolging van alle Joodse organisaties, ook alle rooms-katholieke en protestantse jeugdorganisaties verboden zal worden om deel te nemen aan enige sport. Wat de nazi's betreft zullen mensen moeten kiezen tussen religie en sport. De clou is dat alle sporttraining voortaan onder auspiciën van de nazi's zal staan. Hij zei zelfs dat de nazi's een culturele oorlog tegen de kerk voeren.'

'Zei hij dat?'

'En katholieke of protestantse atleten die geen lid worden van nazi-sportclubs verliezen hun recht om uit te komen voor Duitsland.'

Ik haalde mijn schouders op. 'Dan laten we ze toch. Wie maakt zich druk om een paar idioten die over een sintelbaan rennen?'

'Daar gaat het niet om, Gunther. Ze hebben de politie gezuiverd. Nu gaan ze de sporten zuiveren. Als ze slagen, blijft er geen enkel aspect van het Duitse leven meer over waarin ze geen macht uitoefenen. In alle geledingen van de Duitse maatschappij zal de voorkeur uitgaan naar nazi's. Als je vooruit wilt komen in het leven, zul je een nazi moeten worden.'

Ze glimlachte en het ergerde me dat ze dat deed. Ik wist waarom ze glimlachte. Ze was blij omdat ze dacht dat ze een primeur had voor haar krantartikel. Maar toch irriteerde het me dat ze glimlachte. Voor mij was dit meer dan alleen een verhaal. Voor mij ging het om mijn land.

'Nee, jíj mist de clou,' zei ik. 'Denk je dat het toevallig was dat je werd aangesproken door een ss-luitenant? Denk je dat het voor hem niet meer was dan tijdverdrijf?' Ik lachte. 'De Gestapo heeft je in de gaten, liefje. Waarom zou hij je anders hebben verteld dat hij lid werd van de Gestapo? Na je interview met de minister van Sport zijn ze je waarschijnlijk hierheen gevolgd.'

'Ach, dat is onzin, Bernie.'

'O, ja? Het lijkt me het meest waarschijnlijk dat luitenant Seetzen te horen heeft gekregen dat hij je moest charmeren, en moest uitzoeken wat voor iemand je bent. En met wie je omgaat. En nu weten ze van mij.' Ik keek om me heen in de caféruimte. 'Waarschijnlijk houden ze ons ook nu in de gaten. Misschien hoort de ober wel bij hen. Of die man daar die de krant zit te lezen. Het kan iedereen zijn. Zo werken ze.'

Noreen slikte zenuwachtig en stak nog een sigaret op. Haar prachtige blauwe ogen schoten alle kanten op en ze keek onderzoekend naar de ober en de man met de krant, speurend naar een teken dat ze ons bespioneerden. 'Denk je dat werkelijk?'

Noreen begon zo te zien overtuigd te raken, en ik had glimlachend kunnen zeggen dat ik maar een grapje maakte, maar inmiddels had ik ook mezelf overtuigd. Waarom zou de Gestapo niet een Amerikaanse journaliste volgen die zojuist de minister van Sport had geïnterviewd? Het was volkomen logisch. Ik zou dat zelf ook gedaan hebben als ik lid was van de Gestapo. Ik had dit kunnen verwachten, hield ik mezelf voor.

'Dus nu zijn ze op de hoogte van jouw bestaan,' zei ik. 'En ze weten van mij.'

'Heb ik je in gevaar gebracht?'

'Zoals je vanochtend al zei. Een zekere hoeveelheid gevaar hoort bij dit werk.'

'Wat vervelend nou.'

'Vergeet het maar. Of misschien ook niet. Ik vind het wel fijn als jij je schuldig voelt ten opzichte van mij. Dat betekent dat ik je met een schoon geweten kan chanteren, schat. Bovendien. Zodra ik je zag, wist ik dat je moeilijkheden zou veroorzaken. En toevallig hou ik van vrouwen die dat doen. Met grote spatborden, een blinkende carrosserie, veel chroom en een supersterke motor, net als de auto van Hedda. Zo'n auto waarin je ongemerkt opeens in Polen zit als je op het gas hebt getrapt. Als ik was geïnteresseerd in een affaire met een bibliothecaresse zou ik de bus nemen.'

'Ik heb al die tijd alleen maar aan mijn artikel gedacht en niet aan de invloed die het op jou zou kunnen hebben. Niet te geloven dat ik zo stom ben geweest om de aandacht van de Gestapo op je te vestigen.'

'Misschien heb ik het er nog niet eerder over gehad, maar die lui houden mij al een tijdje in de gaten. Al zolang ik bij de politie weg ben, in feite. Ik kan verschillende goede redenen bedenken waarom de Gestapo of de Kripo me kunnen arresteren als ze dat willen. Het zijn juist de redenen die ik níet ken die me het meest zorgen baren.'

20

Noreen wilde de nacht met me doorbrengen in mijn appartement, maar ik had geen zin om haar mee te nemen naar mijn woning, die niet meer was dan een kamer met een klein keukentje en een nog kleinere badkamer. Dit een flat noemen, was zoiets als een mosterdzaadje groente noemen. Er waren kleinere appartementen in Berlijn, maar die werden vooral door muizen bewoond.

Het was gêne die me ervan weerhield haar te laten zien hoe ik woonde. Maar het was schaamte die me ervan weerhield haar te vertellen dat ik een achtste Joods was. Het is waar dat ik in verlegenheid was gebracht toen ik ontdekte dat mijn zogenaamde afkomst van gemengd bloed aan de Gestapo was doorgegeven, maar ik voelde geen schaamte over wie en wat ik was. Hoe zou dat ook kunnen? Het leek zo onbelangrijk. Nee, de schaamte die ik voelde had te maken met het feit dat ik Emil Linthe had gevraagd om juist datgene wat me met Noreen verbond, in hoe geringe mate dan ook, mijn Joodse bloed, te retoucheren uit de officiële gegevens. Hoe moest ik haar dat vertellen? Ik bewaarde mijn geheim en bracht weer een verrukkelijke nacht met Noreen door in haar suite in het Adlon.

Liggend tussen haar dijen sliep ik maar weinig. We hadden betere dingen te doen. En vroeg in de morgen, toen ik als een dief in de nacht haar kamer verliet, zei ik tegen haar dat ik naar huis ging en dat ik haar later op de dag zou ontmoeten. Ik vertelde niet dat ik de S-Bahn naar Grunewald en Schildhorn nam.

Ik had wat werkkleding in mijn kantoor liggen. Zodra ik me had omgekleed, liep ik in de ochtendschemering naar het Potsdamer Bahnhof. Ongeveer vijfenveertig minuten later liep ik de trappen naar het Schildhorn-monument op met verschillende andere mannen, voornamelijk Joods uitziende types met bruin haar, donkere, weemoedige ogen, wijduitstaande oren en gokken die je deden afvragen of God dit volk had uitverkoren op basis van neuzen die ze mogelijk zelf niet gekozen zouden hebben. Die generalisatie was des te makkelijker door het besef dat al die mannen een bloedlijn deelden die waarschijnlijk zuiverder was dan die van mij. Bij het schijnsel van de maan wierpen een of twee van hen me een blik toe alsof ze zich afvroegen wat de nazi's in godsnaam konden hebben tegen een lange, stevig gebouwde man met blond haar, blauwe ogen en een kleine neus. Ik nam het hen niet kwalijk. Te midden van hen viel ik op alsof ik farao Ramses II was.

Er stonden ongeveer honderdvijftig man in het donker onder de donkergroene dennen, die zacht ruisten in het ochtendbriesje. Het monument zelf moest een gestileerde boom voorstellen, gekroond door een kruis waaraan een schild hing. Het betekende waarschijnlijk iets voor iemand die dol was op afzichtelijke religieuze monumenten. Mij deed het denken aan een lantaarnpaal zonder lantaarn. Of misschien een stenen brandstapel om stadsarchitecten te verbranden. Dat zou een monument zijn geweest dat de moeite waard was. Vooral in Berlijn.

Ik liep rond die kleine obelisk en luisterde een paar gesprekken af. Ze gingen grotendeels over hoeveel dagen men de afgelopen tijd had gewerkt. Of niet gewerkt, wat vaker leek voor te komen.

'Ik heb vorige week een dag gehad,' zei een man. 'En de week daarvoor twee. Ik moet vandaag werk hebben, anders kan ik mijn gezin niet te eten geven.'

Een ander iemand begon Goerz te hekelen, maar hij werd stilzwijgend gemaand zijn mond te houden.

'Geef de nazi's de schuld, niet Goerz. Zonder hem zou niemand van ons werk hebben. Hij riskeert evenveel als wij. Misschien nog wel meer.'

'Als je het mij vraagt, wordt hij goed betaald voor dat risico.'

'Het is mijn eerste keer,' zei ik tegen een man die naast me stond. 'Hoe zorg je ervoor dat je wordt uitgekozen?'

Ik bood hem een sigaret aan en hij keek vreemd naar mij en mijn sigaret, alsof hij vermoedde dat iemand die echt werk nodig had geen geld had voor dergelijke sensuele en kostbare genoegens. Hij pakte hem toch aan en stak hem achter zijn oor.

'Er zit weinig methode in,' zei hij. 'Ik kom hier al zes maanden en het lijkt nog steeds allemaal willekeur. Er zijn dagen dat hij je mag en op andere dagen keurt hij je nog geen blik waardig.'

'Misschien probeert hij het werk een beetje te spreiden,' zei ik. 'Eerlijkheidshalve.'

'Eerlijkheidshalve?' De man lachte smadelijk. 'Eerlijkheid heeft er niets mee te maken. Op de ene dag neemt hij honderd man aan. Op een andere dag vijfenzeventig. Volgens mij is het een soort fascisme. Goerz die ons eraan herinnert hoe machtig hij is.'

De man was een kop kleiner dan ik, had rood haar en scherpe gelaatstrekken, met een gezicht als een zwaar verroeste bijl. Hij droeg een dikke jekker en een pet, en rond zijn hals droeg hij een lichtgroene zakdoek die overeenkwam met de kleur van zijn ogen achter zijn stalen brilletje. Uit zijn jaszak stak een boek van Dostojevski. Het leek bijna of deze jonge, studentikoos uitziende Jood in zijn geheel uit de ruimte tussen de pagina's was opgedoken; neurotisch, arm, ondervoed, wanhopig. Hij heette Solomon Feigenbaum, wat mij, met mijn grotendeels arische oren, zo Joods klonk als een getto vol kleermakers.

'Hoe dan ook, als het je eerste keer is, word je bijna altijd uitgekozen,' zei Feigenbaum. 'Goerz houdt ervan nieuwe mensen een dag werk te geven, zodat ze de smaak te pakken krijgen.'

'Dat is een hele opluchting.'

'Als jij het zegt. Maar je ziet er niet uit alsof je wanhopig om werk verlegen zit. Eerlijk gezegd zie je er niet eens Joods uit.'

'Dat zei mijn moeder ook tegen mijn vader. Ik heb altijd gedacht dat dat de reden was waarom ze met hem is getrouwd. Er is meer nodig dan een haakneus en een keppeltje om je tot Jood te maken, vriend. Wat dacht je van Helene Mayer?'

'Wie is dat?'

'Een Joodse schermster in het Duits olympisch team van 1932. Ziet eruit als de natte droom van Hitler. Ze heeft meer blond haar dan de vloer in een Zweedse kapperszaak. En wat dacht je van Leni Riefenstahl? Je heb de geruchten toch wel gehoord?'

'Dat meen je niet.'

'Nou en of. Haar moeder was een Poolse Jodin.'

Feigenbaum leek dat tamelijk grappig te vinden.

'Luister,' zei ik. 'Ik heb al wekenlang geen werk gehad. Een vriend van me vertelde over deze plek. Ik dacht eigenlijk dat ik hem hier zou zien.' Alsof ik hoopte Isaac Deutsch te zien, keek ik om me heen naar de mannen die bij het monument stonden en schudde teleurgesteld mijn hoofd.

'Heeft je vriend je over het werk verteld?'

'Alleen dat er geen vragen worden gesteld.'

'Is dat alles?'

'Wat zou er nog meer moeten zijn?'

'Dat ze Joodse arbeidskrachten gebruiken voor werk dat zogenaamde Duitse arbeiders niet willen doen omdat het gevaarlijk is. Dat ze het niet zo nauw nemen met de veiligheid omdat het stadion op tijd af moet. Heeft je vriend je dat verteld?'

'Probeer je me afkerig te maken van het werk?'

'Ik vertel alleen maar hoe het zit. Als die vriend van je een echte vriend was, had hij dit ook kunnen vertellen. Dat je een beetje wanhopig moet zijn om de risico's te nemen die ze soms van je verwachten. Denk maar niet dat je een helm krijgt, vriend. Als er een steen op je hoofd valt of je onder het zand raakt bij een instorting, kijkt er niemand verbaasd of verdrietig. Er is geen sociale bijstand voor illegaal te werk gestelde Joden. Misschien niet eens een grafsteen. Snap je?'

'Ik begrijp dat je me wilt ontmoedigen. Om je eigen kansen op werk te verbeteren.'

'Ik probeer te zeggen dat we voor elkaar zorgen, snap je? Als wij het niet doen, doet niemand het. Als wij die groeve in gaan, zijn we als de Drie Musketiers.'

'De groeve? Ik dacht dat we op het terrein van het stadion werkten.'

'Dat is boven, voor Duitse arbeiders. Niks bijzonders. De meesten van ons werken aan de tunnel voor de nieuwe S-Bahn die van het stadion naar de Königgratzer Straße. Als je vandaag werk krijgt, zul je merken wat het is om een mol te zijn.' Hij keek op naar de hemel die nog steeds donker was. 'We gaan omlaag in het donker, we werken in het donker en we komen weer omhoog in het donker.'

'Je hebt gelijk, mijn vriend heeft me daar allemaal niets over verteld,' zei ik. 'Je zou denken dat hij daar wel iets over had gezegd. Maar het is ook alweer een tijdje geleden dat ik hem heb gezien. Of zijn oom. Hé, misschien ken je hen wel. Isaac en Joseph Deutsch?'

'Die ken ik niet,' zei Feigenbaum, maar achter zijn brillenglazen zag ik dat hij zijn ogen vernauwde en dat hij me behoedzaam opnam, alsof hij toch van hen had gehoord. Ik had niet voor niets tien jaar op het Alex doorgebracht en had een soort intuïtie ontwikkeld voor mensen die liegen. Hij trok een paar keer aan zijn oorlelletje en keek toen zenuwachtig weg. Daardoor wist ik het zeker.

'Maar je moet hem kennen,' zei ik volhardend. 'Isaac was vroeger bokser. Hij was echt veelbelovend totdat de nazi's Joden verboden te boksen en hem zijn licentie afnamen. Joseph was zijn trainer. Je kent hen toch zeker wel?'

'Ik zeg je dat ik hen niet ken,' zei Feigenbaum resoluut.

Ik haalde mijn schouders op en stak een sigaret op. 'Als jij het zegt. Ik bedoel, het is niet belangrijk.' Ik trok aan de sigaret zodat hij de geur kon opsnuiven. Ik kon zien dat hij wanhopig verlangde naar een sigaret, hoewel hij nog steeds de sigaret achter zijn oor had die hij van mij had gekregen. 'Ik neem aan dat al dat gepraat over de Drie Musketiers en voor elkaar zorgen alleen maar loos gepraat was.'

'Hoezo?' Zijn neusgaten stonden wijd open terwijl de rook voorbij trok en hij likte zijn lippen af.

'Niets,' zei ik. 'Helemaal niets.' Ik nam nog een haal en droogde zijn gezicht ermee. 'Hier. Rook de rest maar op. Je bent eraan toe.'

Feigenbaum nam de sigaret van me over en ging ermee aan de slag alsof ik hem een opiumpijp had aangeboden. Sommige mensen weten je ervan te overtuigen dat het roken van zoiets kleins als een sigaret heel slecht is. Het is soms een beetje verontrustend om te zien wat een verslaving met je doet.

Ik keek de andere kant op, nog steeds nonchalant. 'Het verhaal van mijn leven, geloof ik. Het betekent niets. Misschien betekenen wij allemaal wel niets. Het ene moment zijn we er nog en het volgende zijn we verdwenen.' Ik keek op mijn pols en herinnerde me toen dat ik mijn horloge in het hotel had achtergelaten. 'Stom horloge. Ik vergeet steeds dat ik het heb verpand. Waar is de Goerz trouwens? Moest hij er niet al zijn?'

'Je ziet hem vanzelf verschijnen,' zei Feigenbaum. Nog steeds aan mijn sigaret trekkend liep hij weg.

Erich Goerz kwam een paar minuten later aan. Hij werd vergezeld door zijn lange chauffeur en een andere, gespierde man. Goerz rookte dezelfde scherpe Franse sigaretten en onder een grijze gabardinen jas droeg hij hetzelfde groene pak. Achter op zijn hoofd zat een hoed als een halo van vilt en in zijn hand hield hij dezelfde riem voor dezelfde onzichtbare hond. Onmiddellijk na zijn aankomst begonnen de mannen zich rond hem te verdringen alsof hij op het punt stond de Bergpreek af te steken. Zijn twee discipelen spreidden hun dikke armen om te voorkomen dat Goerz onder de voet werd gelopen. Ik werkte mezelf ook een beetje naar voren, om de indruk te wekken dat ik net zo verlegen zat om werk als de mannen om mij heen.

'Ga achteruit, stelletje Joodse smeerlappen, ik zie jullie wel,' snauwde Goerz. 'Denken jullie soms dat dit een missverkiezing is? Ga achteruit, zei ik. Als ik net zoals vorige week omver word gelopen, krijgt niemand van jullie werk, gesnopen? Goed. Luister naar me, stelletje Joden. Ik heb vandaag maar tien ploegen nodig. Tien ploegen. Honderd mannen, begrepen? Jij daar. Waar is het geld dat je me schuldig bent? Ik heb je gezegd dat ik je niet wilde zien tot je me kunt betalen.'

'Hoe kan ik u betalen als ik geen werk heb?' zei een klagerige stem.

'Daar had je eerder aan moeten denken,' zei Goerz. 'Ik weet niet hoe. Verkoop die hoer van een zuster van je of zoiets. Wat kan het mij schelen?'

De twee discipelen grepen de man en duwden hem buiten het gezichtsveld van Goerz.

'Jij.' Goerz sprak nu iemand anders aan. 'Hoeveel heb je gekregen voor die koperen leidingen?'

De man die hij had aangesproken mompelde een antwoord.

'Geef hier,' snauwde Goerz en hij graaide enkele bankbiljetten uit de hand van de man.

Toen hij dit had geregeld begon hij mannen te kiezen voor de werkploegen en terwijl elke ploeg vol raakte, begonnen de niet uitgekozen mannen steeds wanhopiger te kijken. Goerz leek er lol in te hebben. Hij was als een grillige schooljongen die klasgenootjes mocht uitkiezen voor een belangrijke voetbalwedstrijd. Toen de laatste ploeg bijna vol was, zei iemand: 'Ik geef je nog twee extra als ik mag.'

'Ik geef drie,' zei de man naast hem en hij werd prompt beloond met een van de kaartjes die werden uitgedeeld door een discipel aan de gelukkigen die door Goerz voor werk waren uitverkoren.

'Nog een dag over,' zei hij, breed grijnzend. 'Wie wil hem hebben?'

Feigenbaum werkte zich door de mensenmassa die nog steeds rond Goerz stond naar voren. 'Toe, Herr Goerz,' zei hij. 'Doe me een lol. Ik heb al een week geen werk gehad. Ik heb echt een dag werk nodig. Ik heb drie kinderen.'

'Dat is het probleem met Joden als jullie. Net konijnen. Geen wonder dat de mensen jullie haten.'

Goerz keek mij aan. 'Jij. Bokser.' Hij greep het laatste kaartje uit de hand van zijn discipel en drukte het in mijn hand. 'Hier heb je een baantje.'

Ik voelde me schuldig maar ik pakte het kaartje toch aan. Ik keek Feigenbaum niet aan toen ik achter de rest van de uitgekozen mannen aan liep, omlaag naar de rivieroever. We moesten ongeveer dertig tot veertig treden af en ze waren zo steil als een jakobsladder, wat misschien ook de bedoeling was geweest van de Pruisische keizer Wilhelm IV, wiens romantische ideeën over ridderlijkheid aan de basis hadden gestaan van dit eigenaardige monument. Ik was op bijna twee derde van de weg omlaag toen ik de vrachtwagen zag die klaarstond om de illegale ploeg dagloners van Erich Goerz te vervoeren naar het bouwterrein. Tegelijkertijd hoorde ik voetstappen naderen. Dat was geen engel, het was Goerz. Hij maaide naar me met een ploertendoder maar hij miste me. Net als Jakob moest ik even met hem worstelen voordat ik mijn evenwicht verloor en omlaag duikelde over de resterende treden en mijn hoofd tegen de stenen muur stootte.

Ik had het gevoel alsof ik op een concertharp had gelegen waar iemand hard met een voorhamer op had geslagen. Alles aan me leek woest te trillen. Een moment lag ik daar, omhoog starend naar de vroege ochtendhemel in het zekere besef dat, in tegenstelling tot Hitler, God gevoel voor humor heeft. Het stond tenslotte in de Psalmen. Hij die in de hemelen zetelt, zal lachen. Hoe moest ik anders uitleggen dat Feigenbaum, om het werk te krijgen dat mij was toebedeeld, bijna zeker de antisemiet Goerz had verteld dat ik vragen had gesteld over Isaac en Joseph Deutsch? Hij die in de hemelen zetelt lachte beslist. Dat was genoeg om me ziek te lachen. Ik sloot mijn ogen en bad tot Hem met de vraag of hij iets tegen Duitsers had, maar het antwoord lag al te zeer voor de hand en ik opende mijn ogen weer. Ik merkte dat ik nauwelijks verschil zag als ik mijn ogen open of dicht had, alleen leken mijn oogleden nu de zwaarste dingen ter wereld. Zo zwaar dat ze van steen leken. Misschien zoals een steen boven een diep, donker, koud graf. Zo'n soort steen die zelfs Jakobs engel niet had kunnen wegduwen. Voor eeuwig en eeuwig. Amen.

21

Hedda Adlon zei altijd dat ze alleen maar een echt goed hotel kon runnen als de gasten zestien uur per dag sliepen; de overige acht uur moesten ze rustig in de bar doorbrengen. Dat klonk prima, vond ik. Ik wilde lange tijd slapen, bij voorkeur in het bed van Noreen. Geen gek idee, behalve dat ze probeerde haar sigaret uit te maken op mijn onderrug. Zo voelde het tenminste. Ik probeerde weg te schuiven en toen werd ik hard door iets tussen mijn hoofd en schouders geraakt. Ik opende mijn ogen en zag dat ik op een houten vloer zat die was bedekt met zaagsel. Ik zat ruggelings vastgebonden tegen een vrijstaande kachel van geglazuurd aardewerk – een van die keramische kachels in de vorm van een openbaar drinkfonteintje die in menig Duitse woonkamer te vinden zijn, als een seniel familielid in een schommelstoel. Aangezien ik zelden thuis was, stond de kachel in mijn eigen woonkamer zelden aan en was dus zelden warm, maar deze voelde door mijn jas heen heter dan de kolenwagen van een werkende stoomlocomotief. Ik kromde mijn rug om het contactoppervlak met het hete keramiek zo klein mogelijk te maken, maar dat had slechts tot gevolg dat ik mijn handen brandde. Toen hij mijn kreet van pijn hoorde, begon Erich Goerz me weer te slaan met de hondenriem. Nu wist ik tenminste waarom hij die bij zich droeg. Ongetwijfeld beschouwde hij zichzelf als een soort opzichter, zoals die Egyptische slavendrijver die door Mozes wordt vermoord in Exodus. Ik zou er geen bezwaar tegen hebben om Goerz ook te vermoorden.

Toen hij ophield met slaan keek ik op. Ik zag dat hij mijn identiteitskaart in zijn handen hield. Ik vervloekte mezelf dat ik die niet in het hotel in mijn jaszak had laten zitten. Een stukje achter Goerz stonden de lange, kadaverachtige chauffeur en de vierkante man van bij het monument. Hij had een gezicht als een onafgewerkt marmeren beeld.

'Bernhard Gunther,' zei Goerz. 'Hier staat dat je hotelmedewerker bent, maar dat je daarvoor bij de politie werkte. Wat heeft een hotelmedewerker hier te zoeken en vanwaar die vragen over Isaac Deutsch?'

'Als je me losmaakt, zal ik het vertellen.'

'Vertel het me en dan maak ik je los. Misschien.'

Ik zag geen reden om hem niet de waarheid te vertellen. Geen enkele reden. Marteling heeft soms dat effect. 'Een van de gasten in het hotel is een Amerikaanse verslaggeefster,' zei ik. 'Ze schrijft een artikel over Joden en Duitse sporten. En in het bijzonder over Isaac Deutsch. Ze probeert te bereiken dat de vs de olympiade boycotten. En ze betaalt mij om haar te helpen bij het doen van onderzoek.'

Ik trok een grimas en probeerde de hitte in mijn rug te negeren, wat net zoiets was als het negeren van een duiveltje in de hel, gewapend met een gloeiende hooivork en mijn naam op zijn werkblad van die dag.

'Dat is flauwekul,' zei Goerz. 'Het is flauwekul omdat ik de kranten lees. Daarom weet ik dat de het Olympische Comité van de vs al tegen een boycot heeft gestemd.' Hij hief de hondenriem en begon me opnieuw te slaan.

'Ze is Joods,' schreeuwde ik tussen de slagen door. 'Ze denkt dat als ze de waarheid schrijft over wat er in dit land gebeurt met mensen als Isaac Deutsch, dat de Amerikanen dan van mening zullen moeten veranderen. Deutsch is de centrale figuur van haar artikel. Hoe hij uit de boksvereniging is geschopt en hoe hij hier als dagloner is terechtgekomen. En hoe er een ongeluk is gebeurd. Ik weet niet wat er precies is gebeurd. Hij is verdronken, nietwaar? In de tunnel van de S-Bahn, toch? En toen heeft iemand hem gedumpt in het kanaal aan de andere kant van de stad.'

Goerz hield op met slaan. Hij leek buiten adem. Hij veegde het haar uit zijn ogen, trok zijn das recht, sloeg de hondenriem rond zijn nek en hing met beide handen aan de uiteinden. 'En hoe ben je dat over hem te weten gekomen?'

'Een ex-collega, een smeris bij het Alex, heeft me het lichaam in het mortuarium getoond en me het dossier gegeven. Dat is alles. Ik heb vroeger namelijk bij Moordzaken gewerkt. Ze wisten niet wie die vent kon zijn en hoopten dat ik met nieuwe ideeën zou komen.'

Goerz keek zijn chauffeur aan en lachte. 'Zal ik je zeggen wat ik denk?' zei hij. 'Ik denk dat je vroeger bij de politie werkte. En ik denk dat je dat nog steeds doet. Bij de geheime politie. Gestapo. Ik heb nog nooit iemand gezien die er minder als een hotelwerknemer uitzag dan jij, vriend. Ik wed dat dat gewoon een lulverhaal is om jou in staat te stellen mensen te bespioneren. En wat belangrijker is, ons te bespioneren.'

'Het is de waarheid, echt. Luister, ik weet dat je Deutsch niet hebt vermoord. Het was een ongeluk. Dat bleek wel uit de autopsie. Hij kon namelijk niet in het kanaal zijn verdronken omdat zijn longen vol zaten met zout water. Dat was de reden dat de politie achterdochtig werd.'

'Heeft er een autopsie plaatsgevonden?' Het was de vierkantige man die sprak. 'Wil je zeggen dat ze hem hebben opengesneden?'

'Natuurlijk was er een autopsie, domme zakkenwasser. Dat is de wet. Waar denk je dat we zijn? In Belgisch Congo? Als een lijk wordt gevonden, moet dat lijk worden onderzocht. Chirurgisch en wat de omstandigheden betreft.'

'Maar toen ze klaar met hem waren hebben ze hem een fatsoenlijke begrafenis gegeven?'

Ik kreunde van pijn en schudde mijn hoofd. 'Begrafenissen zijn voor Otto Normals,' zei ik. 'Niet voor niet-geïdentificeerde lijken. Er heeft geen identificatie plaatsgevonden. Niet formeel. Niemand heeft hem namelijk opgeëist. Ik onderzoek die zaak alleen maar omdat die Amerikaanse meer over die vent wilde weten. De politie weet niks over hem. Voor zover ik weet is het lijk naar het Charité-ziekenhuis gebracht. Naar de anatomieles. De jongeren met de tangen en de chirurgische messen mogen met hem spelen.'

'Bedoel je studenten medicijnen?'

'Ik heb het niet over studenten politieke economie, stomme eendvogel. Natuurlijk zijn dat studenten medicijnen.'

Ik begon in te zien dat dit een gevoelig onderwerp was voor de man met de marmeren kin. Maar met een losse tong van de pijn die ik voelde van de hitte van de kachel, bleef ik ongeremd praten. 'Rond deze tijd zullen ze hem wel open hebben gesneden en is zijn lul gebruikt om ossenstaartsoep van te maken. Zijn schedel is waarschijnlijk een asbak op het bureau van een of andere student. Wat kan het jou schelen, Hermann? Jullie hebben die arme kerel in het kanaal gedumpt alsof het ging om een emmer met restaurantafval.'

De vierkante man schudde grimmig zijn hoofd. 'Ik dacht dat hij in ieder geval een nette begrafenis zou krijgen.'

'Zoals ik al zei, nette begrafenissen zijn voor burgers. Niet voor drijvende lijken. Ik heb het idee dat de enige persoon die probeerde Isaac Deutsch met enig respect te behandelen mijn cliënt is.' Ik probeerde van de kachel weg te kronkelen, maar het had geen zin. Ik begon me als Jan Hus te voelen.

'Je cliënt.' De stem van Erich Goerz was vol minachting, alsof hij een grootinquisiteur was. Hij begon me weer te slaan. De hondenriem knalde door de lucht als een dorsvlegel. Ik voelde me als een stoffig kleedje in het Adlon. 'Je gaat… mij precies… vertellen… wie… je bent…'

'Zo is het genoeg,' zei de vierkante man.

Ik zag niet wat er daarna gebeurde. Ik was te druk bezig mijn kin op mijn borst te drukken en mijn ogen te sluiten in een poging te ontsnappen aan de pijn van de aframmeling. Ik weet alleen dat het slaan opeens ophield en dat Goerz op de vloer voor me viel terwijl er bloed uit een mondhoek vloeide. Ik keek net op tijd op om te zien hoe Marmerkaak op soepele wijze een enorme vuistslag ontweek van de chauffeur van Goerz voordat hij hem achterover sloeg met een vuist die omhoog vloog alsof het een expreslift was. De chauffeur ging neer als een stapel van houten blokken, wat voor mij even bevredigend was als wanneer ik hem zelf had neergeslagen.

Marmerkaak haalde diep adem en begon me los te maken.

'Het spijt me,' zei ik.

'Wat?'

'Wat ik zei over je neef Isaac.' Ik trok de touwen los en maakte mijn rug los van de kachel. 'Heb ik gelijk of niet? Jij bent toch Isaacs oom Joseph?'

Hij knikte en hielp me opstaan. 'De achterkant van je jas is helemaal verschroeid,' zei hij. 'Ik kan niet zien hoe je rug eraan toe is, maar het kan niet al te erg zijn. Anders zouden we het waarschijnlijk wel ruiken.'

'Dat is een troostrijke gedachte. Trouwens nog bedankt. Voor je hulp.' Ik legde mijn arm rond zijn reusachtige schouder en kwam moeizaam overeind.

'Dat kwam hem al een tijdje toe,' zei Joseph.

'Ik ben bang dat alles wat ik heb gezegd waar was. Maar het spijt me dat je het op deze manier moest horen.'

Joseph Deutsch schudde zijn hoofd. 'Ik vermoedde al zoiets,' zei hij. 'Goerz heeft me uiteraard een ander verhaal verteld, maar in mijn hart wist ik dat het anders zat. Ik wilde hem geloven, omwille van Isaac. Ik neem aan dat ik het eerst van iemand anders moest horen voor het doordrong.'

Erich Goerz rolde langzaam op zijn buik en kreunde.

'Dat was een beste opstoot, Joseph,' zei ik.

'Kom. Ik zal je thuisbrengen.' Hij aarzelde. 'Kun je staan?'

'Ja.'

Joseph boog zich over de bewusteloze chauffeur en viste een setje autosleutels uit zijn vestzak. 'We nemen de auto van Erich,' zei hij. 'Zodat die twee klootzakken ons niet achterna kunnen komen.'

Goerz kreunde opnieuw en hij vouwde zich langzaam op in een foetushouding. Heel even dacht ik dat hij een soort stuiptrekking had maar toen herinnerde ik me wat Blask, de voorman van het bouwterrein, me had verteld over het pistool dat Goerz om zijn enkel droeg. Alleen zat het niet langer om zijn enkel. Het lag in zijn hand.

'Pas op,' schreeuwde ik en ik schopte Goerz tegen zijn hoofd. De bedoeling was om hem tegen zijn hand te schoppen maar toen ik mijn voet hief, verloor ik de controle en kwam ik weer op de vloer terecht.

Het pistool ging af zonder iemand te raken en de kogel ging door een ruit.

Ik kroop naar Goerz toe om de schade op te nemen. Ik wilde niet nog een dode op mijn geweten hebben. Hij was bewusteloos, maar gelukkig voor mij, en vooral voor hem, ademde Erich Goerz nog steeds. Ik raapte mijn identiteitskaart van de vloer, waar hij hem een paar minuten geleden boos had neergesmeten en pakte het pistool op. Het was een Bayard, halfautomatisch, 6.35mm.

'Franse sigaretten, Frans pistool,' zei ik. 'Klinkt logisch.' Ik schoof de veiligheidspal terug en wees naar de deur. 'Zijn er nog meer daar?' vroeg ik Joseph.

'Zoals hij, bedoel je? Nee, alleen deze twee, de drie vrachtwagenchauffeurs en, moet ik helaas toegeven, ik. Na de dood van Isaac hebben ze mij aangenomen. Als extra gespierde jongen, zeiden ze, maar ik denk dat het vooral was bedoeld om ervoor te zorgen dat ik mijn mond hield.'

Terwijl Joseph me hielp naar de deur te lopen, bekeek ik hem eens beter. Ik zag een man die er niet Joodser uitzag dan ik. Het haar op de slapen van zijn hoofd ter grootte van een watermeloen was grijs, maar bovenop was het zo blond en gekruld als een jas van astrakanbont. Zijn reusachtige gezicht was zowel hoogrood als pappig, als oude bacon. Zijn gebroken neus was scherp en puntig en hij had kleine bruine ogen. Zijn wenkbrauwen waren bijna onzichtbaar, evenals de tanden in zijn grote mond. Op de een of andere manier deed hij me denken aan een volwassen baby.

We liepen naar beneden en ik zag dat we in de café Albert de Beer waren. De eigenaar was nergens te zien, en ik vroeg ook niet naar hem. De frisse ochtendlucht buiten deed me goed. Ik ging op de passagiersstoel van de Hanomag zitten en Deutsch reed weg, waarbij hij bijna de versnellingsbak molde. Hij was een vreselijk slechte chauffeur en raakte bijna een waterton op de hoek.

Het bleek dat hij niet zo ver bij mij vandaan woonde, in het zuidwestelijke deel van de stad. We lieten wat er over was van de Hanomag op de parkeerplaats bij het kerkhof in de Baruther Straße achter. Joseph wilde me naar het ziekenhuis brengen, maar ik zei dat ik het waarschijnlijk wel zou redden.

'En jij?' vroeg ik aan hem.

'Ik? Ik voel me prima. Je hoeft je geen zorgen over mij te maken, jochie.'

'Ik heb je net van een baan beroofd.'

Joseph schudde zijn hoofd. 'Ik had dat baantje nooit moeten aannemen.'

Ik stak sigaretten op voor ons beiden. 'Wil je erover praten?'

'Wat bedoel je precies?'

'Mijn Amerikaanse vriendin. Die journalist. Noreen Charalambides. Degene die over Isaac schrijft. Ik denk dat ze je graag zou willen spreken. Om jouw verhaal en dat van Isaac te horen.'

Joseph bromde iets, met weinig enthousiasme voor het idee.

'Aangezien hij geen echt graf heeft, zou het je kunnen beschouwen als een gedenkteken voor hem,' zei ik. 'Ter nagedachtenis.'

Terwijl Joseph dit idee overwoog, trok hij aan zijn sigaret. In zijn grote vuist leek die meer op een veiligheidslucifer.

'Niet eens zo'n slecht idee,' zei hij ten slotte. 'Breng haar vanavond maar mee. Ze kan het hele verhaal krijgen. Als ze het niet erg vindt om zich een beetje te behelpen.'

Hij gaf me een adres in Britz, vlakbij de vleesconservenfabriek. Ik schreef het op aan de binnenkant van mijn pakje sigaretten.

'Kent Erich Goerz dit adres?' vroeg ik.

'Niemand kent het. Ik woon er nu alleen. Als je het wonen kunt noemen. Sinds de dood van Isaac heb ik mezelf een beetje laten afglijden, snap je? Het lijkt zo zinloos om dat oord te onderhouden nu hij weg is. Eigenlijk is alles zinloos geworden.'

'Ik weet hoe dat is,' zei ik.

'Tijdje geleden sinds ik bezoek heb gehad. Misschien kan ik het een beetje netjes maken. Alles een beetje opruimen voordat...'

'Doe geen moeite.'

'Het is geen moeite,' zei hij kalm. 'Helemaal geen moeite. Hij knikte vastberaden. 'Eigenlijk had ik het al lang geleden moeten doen.'

Hij liep weg. Ik liep naar een telefooncel en belde het Adlon.

Ik vertelde Noreen het een en ander, maar lang niet alles. Dat ik bijna het hele verhaal had verklapt aan Erich Goerz liet ik achterwege. De enige troost was dat ik de naam van het hotel waar zij verbleef niet had genoemd.

Ze zei dat ze direct zou komen.

22

Ik deed de deur wijd open, maar de ogen van Noreen waren nog wijder opengesperd. Ze stond daar in een rode jurk onder haar jas van sabelbont en keek me aan met een mengeling van shock en verbijstering, zo'n beetje als Lotte toen ze net had ontdekt dat de jonge Werther zich door zijn hersens had geschoten – aangenomen dat hij die had, hersens.

'Mijn hemel,' fluisterde ze terwijl ze mijn gezicht beroerde. 'Wat is jou overkomen?'

'Ik heb net een stukje Ossian gelezen,' zei ik. 'Tweederangs poëzie heeft altijd zo'n effect op mij.'

Ze duwde me zachtjes opzij en sloot de deur achter zich.

'Je zou me moeten zien als ik echt onder de indruk ben van iets goeds. Zoals Schiller. Dan ben ik dagenlang bedlegerig.'

Ze schudde met een schouderbeweging haar mantel af en wierp hem op een stoel.

'Misschien kun je dat beter niet doen,' zei ik. Ik probeerde me niet te schamen voor mijn huis, maar dat viel niet mee. 'Het is alweer een tijdje geleden sinds die stoel goed is ontluisd.'

'Heb je jodium in huis?'

'Nee, maar wel een fles kummel. Ik geloof dat ik er zelf ook eentje neem.'

Ik liep naar het dressoir om iets in te schenken. Ik vroeg niet of zij ook een glas wilde. Ik had eerder gezien wat ze kon verstouwen.

Ondertussen keek ze om zich heen. In de woonkamer stonden een dressoir, een fauteuil en een klaptafel. Tegen de wanden stonden ingebouwde boekenkasten die vol stonden met boeken, waarvan ik er verschillende had gelezen. Ook was er een fornuis, een kleine open haard met een nog kleiner vuur erin. Er stond ook een bed, want de woonkamer diende tevens als slaapkamer. Een open doorgang leidde naar de ruimte waar ik het huisvuil neerzette, een plek die ook als keuken fungeerde. Aan de andere kant van het matglazen keukenraam zat traliewerk en een brandtrap, puur om de muizen een veilig gevoel te geven. Naast de voordeur was de deur naar de badkamer, alleen hing het bad op zijn kop aan het plafond, precies boven de wc. Iemand die op de pot zat, kon mijmeren over het ongerief van een bad dat dicht bij de kachel stond. Overal op de vloer lag zeil, met hier en daar een kleedje ter grootte van een postzegel. Sommige mensen zouden het een miserabel onderkomen noemen, maar voor mij was het een paleis, of beter gezegd, de armoedigste kamer in een paleis, de ruimte waar de bedienden hun rotzooi neersmeten.

'Mijn binnenhuisarchitect komt nog met een portret van de Führer,' zei ik. 'Dat geeft een huis meteen iets knus en gezelligs.'

Ze nam het glas dat ik haar aanbood aan en inspecteerde mijn gezicht. 'Die striem,' zei ze. 'Daar moet je iets op doen.'

Ik trok haar naar me toe. 'Wat dacht je van je mond?'

'Heb je vaseline in huis?'

'Wat is dat?'

'Gelei om op wondjes te smeren.'

'Zeg, ik overleef het wel hoor. Ik heb de slag bij Amiens meegemaakt en ik ben er nog steeds. Geloof me, dat was geen kattenpis.'

Ze haalde haar schouders op en maakte zich van me los. 'Ga je gang. Doe maar stoer. Maar ik geef toevallig om je, wat betekent dat ik het geen prettig idee vind als iemand je met een zweep heeft afgerost. Als iemand dat al doet, zou ík het moeten zijn, maar ik zou er wel op letten dat er geen striemen achterbleven.'

'Bedankt, dat zal ik onthouden. Het was trouwens geen zweep, het was een hondenriem.'

'Je hebt het niet over een hond gehad.'

'Er was geen hond. Ik geloof dat Goerz liever een zweep bij zich had, maar dan kijken de mensen in de tram je raar aan. Zelfs in Berlijn.'

'Denk je dat hij zijn Joodse arbeiders ermee slaat?'

'Dat zou me niet verbazen.'

Ik dronk de kummel in één teug op, hield de drank even tegen mijn amandelen en slikte toen door, genoot van de warme gloed die zich door mijn lichaam verspreidde. Ondertussen vond Noreen ergens een zalfje met kamille, dat ze op de ergste wonden smeerde. Daarna voelde ze zich iets beter, geloof ik. Ik schonk nog een kummel in voor mezelf. Gaf mij ook een beter gevoel.

We liepen naar een taxihalte en gaven het adres in Britz op. Ten zuiden van een ander wooncomplex dat het Hoefijzer heette en naast de fabriek voor vleesconserven van Grossman Coburg, lag een vervallen, overwelfde doorgang die toegang gaf tot een serie hofjes en huurkazernes van het soort dat een willekeurige architect de overtuiging zou kunnen geven dat hij een of andere messias was die de mensheid kwam redden van smerigheid en armoede. Persoonlijk heb ik niet zo'n moeite met een beetje smerigheid. Eerlijk gezegd is het me tot ver na de oorlog niet eens opgevallen.

Na een andere overdekte doorgang kwamen we uit bij een kitscherig uithangbord aan de muur dat reclame maakte voor infrarode lampen, die goed waren voor je gezondheid. Dat leek me een tikkeltje optimistisch. We liepen een duistere trap op die naar de grafzerkachtige binnenzijde van het gebouw leidde. Ergens klonken weemoedige klanken van een draaiorgel die overeenstemden met ons steeds treuriger wordende gemoed. Een Duitse huurkazerne had zelfs het licht bij de wederkomst van de Heer verduisterd.

Halverwege de trap liepen we langs een vrouw die op weg was naar beneden. Ze had een fietswiel in haar hand en een brood onder haar arm. Een paar passen achter haar liep een jongen van tien of elf in een uniform van de Hitlerjügend. De vrouw glimlachte en knikte naar Noreen, of, wat waarschijnlijker was, naar haar jas van sabelbont. Noreen vroeg of dit de trap was die naar de woning van Herr Deutsch voerde. De vrouw met het fietswiel antwoordde eerbiedig dat dat zo was en we liepen verder omhoog, waarbij we voorzichtig om een vrouw heen liepen die de traptreden zat te schrobben met een dikke borstel en iets giftigs in een emmer. Ze had ons naar Joseph Deutsch horen vragen en terwijl we doorliepen zei ze: 'Zeg tegen die Jood dat het zijn beurt is om de trap te schrobben.'

'Zeg het zelf,' zei Noreen.

'Dat heb ik gedaan,' zei de vrouw. 'Net nog. Maar hij gaf geen sjoege. Kwam niet eens naar de deur. Daarom doe ik het zelf.'

'Misschien is hij niet thuis,' zei Noreen.

'O, hij is er zeker. Dat moet wel. Ik heb hem een tijdje geleden naar binnen zien gaan en daarna heb ik hem niet meer naar beneden zien gaan. Bovendien staat zijn deur open.' Ze ging even door met het borstelen van de treden. 'Ik denk dat hij me probeert te ontlopen.'

'Laat hij zijn voordeur wel vaker openstaan?' vroeg ik, opeens argwanend.

'Wat? Hier? Ben je raar? Maar ik denk dat hij bezoek verwacht. U misschien wel, als u Gunther heet. Er zit een briefje op de deur.'

We liepen snel de laatste twee trappen op en bleven staan voor een deur die ooit rood was geverfd, maar nu leek hij nauwelijks nog geverfd, tenzij je de gele ster en de woorden JUDEN RAUS meetelde die iemand attent op de deur had gezet. Op de deurstijl zat een blauwe envelop. Hij was geadresseerd aan mij. En de deur stond open, precies zoals de schoonmaakster had gezegd. Ik stak de envelop in mijn zak, pakte het pistool van Erich Goerz en duwde Noreen achter me.

'Er klopt hier iets niet,' zei ik en ik duwde de deur open.

Terwijl we het kleine appartement binnen liepen, stak Noreen haar hand omhoog en raakte een kleine koperen plaat op de deurstijl aan. 'De mezuzah,' zei ze. 'Het is een passage uit de Thora. Veel Joodse huizen hebben zoiets.'

Ik trok aan de slede van het kleine automatische pistool en stapte het gangetje in. Het appartement had twee grote kamers. Aan de linkerkant lag een woonkamer die was ingericht als altaar voor een bokser, en wel één bokser in het bijzonder: Isaac Deutsch. In een glazen pronkkast stonden tien of vijftien lege houten standers en verschillende foto's van Joseph en Isaac. Ik begreep dat de trofeeën al een hele tijd geleden waren verpand. De muren waren behangen met boksposters en in de hele kamer stonden stapels bokstijdschriften. Op tafel lag een zeer oud brood en een fruitschaal met een paar zwarte bananen die werden omgeven door een zwerm vliegjes. Een paar versleten uitziende bokshandschoenen hing aan een spijker en een stel roestige gewichten lag naast een stang die tegen de muur stond. Erboven hing een stuk touw waar een overhemd en een kapotte paraplu aan hingen. Er stond een doorgezakte leunstoel en daarachter een manshoge spiegel met een barst in het glas. De rest was alleen maar rotzooi.

'Herr Deutsch?' Mijn stem klonk benauwd, alsof er een koekoek tussen mijn longen zat genesteld. 'Ik ben Gunther. Bent u thuis?'

We liepen de gang door en kwamen uit in de slaapkamer, waar de gordijnen waren dichtgetrokken. Er hing een sterke lucht van carbolzeep en ontsmettingsmiddel. Dat dacht ik tenminste. Tegenover een klerenkast die de omvang had van een kleine Zwitserse kluis stond een groot bed met koperen spijlen.

'Joseph? Ben jij dat?'

In het halfduister van de kamer zag ik de omtrek van iemand op het bed en ik voelde hoe mijn nekhaar overeind ging staan. Als je tien jaar bij de politie hebt gewerkt, weet je soms wat je te wachten staat voordat je het echt heb gezien. En je weet dat niet iedereen dat aankan.

'Noreen,' zei ik. 'Ik geloof dat Joseph zelfmoord heeft gepleegd. Maar dat weten we pas zeker als ik de gordijnen opentrek en dat briefje lees. Misschien ben jij het soort schrijfster die vindt dat ze alles moet zien, die vindt dat ze de plicht heeft alles te rapporteren, zonder een spier te vertrekken. Ik weet het niet. Maar ik vind dat je jezelf schrap moet zetten of de kamer moet verlaten. Ik heb al heel wat lijken gezien en ik weet dat het nooit…'

'Ik heb eerder lijken gezien, Bernie. Ik heb je toch verteld over die lynchpartij in Georgia. En mijn vader heeft zichzelf doodgeschoten met een jachtgeweer. Dat vergeet je niet snel, dat kan ik je verzekeren.'

Het was interessant om te merken hoe snel mijn bezorgdheid om haar gevoelens te sparen, overging in iets dat leek op sadisme. Ik trok de gordijnen open zonder verdere plichtplegingen. Als ze zo graag de Toergenjev wilde uithangen, vond ik dat best.

Joseph Deutsch lag op zijn bed. Hij droeg dezelfde kleren als waarin ik hem eerder had gezien. Zijn rug was licht hol, alsof sommige veren van het matras waren gesprongen en zijn rug omhoog hadden geduwd. Hij was glad geschoren, alleen leek het nu alsof hij een bruine snor had en een dunne baard. Hij vertoonde brandplekken van een bijtende stof – het gevolg van hetgeen hij had geslikt om zichzelf te vergiftigen. Op de vloer lag een fles die hij had laten vallen, en daarnaast lag een poel bloederige kots. Voorzichtig raapte ik het flesje op. Ik rook aan de open hals.

'Loog,' zei ik tegen haar. Maar ze had zich al omgedraaid en liep de kamer uit. Ik liep achter haar aan naar de gang. 'Hij heeft reinigingsmiddel gedronken. Mijn hemel. Wat een manier om zelfmoord te plegen.'

Noreen had haar gezicht in een hoek van de gang gedrukt, als een ongehoorzaam kind. Ze had haar armen afwerend over elkaar geslagen en haar ogen waren gesloten. Ik stak twee paar sigaretten aan, tikte haar tegen haar elleboog en gaf haar er een. Ik zei niets. Wat ik ook gezegd zou hebben, het zou geklonken hebben als: 'Dat heb ik toch gezegd.'

Ik rookte nog toen ik terugging naar de woonkamer. Boven op een stapel bokstijdschriften lag een leren schrijfmapje. Er zaten wat enveloppen in en schrijfpapier dat overeenkwam met het briefje aan mij. Evenals de inkt van de vulpen die hij in de leren lus had gestoken. Er was niets dat erop wees dat iemand hem had gedwongen dat briefje te schrijven. Het schrift was netjes en rustig. Ik had liefdesbrieven ontvangen die minder leesbaar waren, hoewel niet vaak. Ik las de brief zorgvuldig, alsof Joseph Deutsch iets voor me had betekend. Dat leek het minste wat ik kon doen voor een dode man. Daarna las ik de brief opnieuw.

'Wat staat erin?' Noreen stond in de deuropening. Ze had een zakdoek in haar hand en haar ogen waren betraand.

Ik hield haar het briefje voor. 'Hier.' Ik keek toe terwijl ze het las en vroeg me af wat er in haar omging; of ze echt iets voelde voor de arme donder die net zelfmoord had gepleegd, of dat ze alleen maar opgelucht was dat ze een einde aan haar verhaal had gevonden en een goed excuus had om naar huis te gaan. Dat klinkt misschien cynisch, maar in werkelijkheid kon ik alleen maar denken aan haar vertrek uit Berlijn, want ik besefte nu voor het eerst dat ik van haar hield. En als je van iemand houdt van wie je denkt dat ze op het punt staat je te verlaten, is het gemakkelijker cynisch te zijn, alleen al om je te beschermen tegen de pijn die zeker zal komen.

Ze gaf me het briefje terug.

'Hou het maar,' zei ik. 'Hoewel hij je nooit heeft ontmoet, geloof ik werkelijk dat hij wilde dat jij het zou hebben. Voor je artikel in de krant. Ik heb hem min of meer gelijmd met het idee dat jouw artikel een soort aandenken voor Isaac zou zijn.'

'Dat zal het zeker zijn, denk ik. Waarom niet?' Ze pakte de brief aan. 'Maar hoe zit het met de politie? Moeten zij die brief niet hebben? Het is toch bewijsmateriaal?'

'Wat kan het hun schelen?' Ik haalde mijn schouders op. 'Misschien ben je vergeten hoe gretig ze waren om uit te zoeken wat er met Isaac was gebeurd. Hoe dan ook, misschien is het beter om hier weg te gaan voordat we vragen moeten beantwoorden die we liever niet beantwoorden. Zoals hoe het komt dat ik een pistool heb zonder vergunning, en waarom ik striemen van een hondenriem op mijn gezicht heb.'

'De buren,' zei ze. 'Die vrouw op de trap. Stel dat zij de politie over ons inlicht. Dat briefje. Ze weet hoe je heet.'

'Ik zal haar geld toestoppen als we weggaan. Tien mark is een aardig bedrag als zwijggeld tegenwoordig in deze wijk van Berlijn. Bovendien heb je de deur gezien. Die buren lijken me niet erg vriendelijk. Volgens mij zijn ze blij dat Joseph dood is. En wat denk je dat de politie met zo'n briefje doet? Laten afdrukken in een krant? Dat denk ik niet. Waarschijnlijk zullen ze het vernietigen. Nee, het lijkt me beter dat jij het bewaart, Noreen. Voor Joseph. En ook voor Isaac.'

'Waarschijnlijk heb je gelijk, Gunther. Maar ik wou dat het niet zo was.'

'Dat snap ik.' Ik keek om me heen in het armoedige appartement en zuchtte. 'Wie weet? Misschien is hij zo beter af.'

'Dat meen je niet.'

'Ik geloof niet dat de zaken voor Joden zullen verbeteren in dit land. Er komen nieuwe wetten die het nog moeilijker zullen maken voor mensen die niet zuiver Duits zijn, naar hun idee. Dat heb ik in ieder geval gehoord.'

'Nog vóór de Olympische Spelen?'

'Heb ik dat niet verteld?'

'Dat weet je best.'

Ik haalde mijn schouders op. 'Ik wilde geen deuk slaan in je optimisme, liefje. In het idee dat je nog iets kon bereiken. Misschien hoopte ik dat iets van je linkse idealisme op mij zou overgaan, net zoals je kousen en ondergoed.'

'En is dat gebeurd?'

'Deze ochtend niet.'

23

Vroeg in de avond bracht ik Noreen terug naar het hotel. Ze ging naar haar kamer om een bad te nemen en daarna op tijd naar bed te gaan. De ontdekking van het lijk van Joseph Deutsch had haar emotioneel en fysiek uitgeput. Ik kon me goed voorstellen hoe ze zich voelde.

Ik was op weg naar mijn kantoor toen Franz Joseph me riep. Na enige beleefde opmerkingen over de striemen op mijn gezicht, vertelde hij me dat hij een pakketje voor me had. Het kwam van Otto Trettin op het Alex. Ik wist dat het de Chinese doos van Max Reles was. Toen ik achter mijn bureau zat maakte ik het pakje open, om eens te kijken wat de oorzaak was geweest van al die drukte.

Hij zag eruit als een doos voor paperclips voor een Chinese keizer. Best mooi, denk ik, als je ervan houdt. Ik heb liever iets van sterling zilver, met een bijpassende tafelaansteker. Op de deksel van zwart lakwerk was een in goud geverfde arcadische scène met een meer, wat bergen, een knappe treurwilg, een kersenboom, een visser, een stel boogschutters op paarden, een koelie die een grote zak hotelwasgoed droeg en een groep Fu Manchu-types in een plaatselijk eethuisje die het leken te hebben over het gele gevaar en de finesses van blanke slavernij. Ik neem aan dat je er nooit genoeg van kreeg als je in het China van de zeventiende eeuw woonde, tenzij je naar drogende verf kon kijken. Het zag eruit als een goedkoop souvenir na een dagtochtje in het lunapark.

Ik opende de doos. Er zat een aantal aanbestedingscontracten in van bedrijven, helemaal in Würzburg en Bremerhaven. Ik bekeek ze zonder veel interesse. Ik stak ze in mijn zak, om Reles te ergeren met het verlies in geval ze voor hem belangrijk waren, en liep naar zijn suite.

Ik klopte op de deur. Dora Bauer deed open. Ze droeg een plisséjurk van lichtbruine geruite stof met een bijpassende capekraag en een grote strik op de schouder. De golf in haar haar viel als een tsunami over haar voorhoofd, tot aan een wenkbrauw zo dun als een spinnenpoot. Ze glimlachte breeduit met haar fraai gewelfde bovenlip. De glimlach veranderde in een getroffen uitdrukking toen ze de striem op mijn gezicht zag.

'Oh… wat is er met u gebeurd?'

Verder leek ze het prettig te vinden me te zien, in tegenstelling tot Reles, die mijn kant op kuierde met zijn gebruikelijke minachtende blik. Ik hield de Chinese doos achter mijn rug en verheugde me op het moment van teruggave na de gebruikelijke litanie van beledigingen. Ik had de vage hoop dat ik hem in verlegenheid kon brengen of hem zijn woorden kon doen inslikken.

'Kijk aan, daar hebben we meneer de agent,' zei hij.

'Ik heb weinig tijd voor detectiveverhalen,' zei ik.

'Je hebt het zeker te druk met het lezen van het boek van de Führer?'

'Voor zijn verhalen heb ik evenmin veel tijd.'

'Je moet oppassen met dergelijke oneerbiedige opmerkingen. Dat kan je duur komen te staan.' Hij fronste zijn wenkbrauwen en keek me onderzoekend aan. 'Of is dat soms al gebeurd? Tenzij je net hebt gevochten met een hotelgast. Dat is meer jouw niveau, schat ik in. Op de een of andere manier lijk je me niet het heroïsche type.'

'Max, toe nou.' Dora klonk berispend, maar verder ging het niet.

'U zou verbaasd staan over wat ik allemaal moet doen in dit beroep, Herr Reles,' zei ik. 'Iemand die zijn rekeningen niet betaalt in de ballen knijpen. Een of andere dronkenlap in de bar aan zijn oor trekken. Een billenknijper een dreun geven. Ik breng zelfs gestolen goed terug.'

Ik haalde mijn arm achter mijn rug vandaan en overhandigde hem de doos alsof het een bos bloemen was. Ik had hem liever een mep verkocht.

'Nee, maar. Je hebt hem gevonden. Je hebt dus echt bij de politie gewerkt?' Hij nam de doos aan, liep weg van de deur en wenkte me naar binnen. 'Kom binnen, Gunther. Dora schenk iets in voor Herr Gunther, alsjeblieft. Wat mag het zijn, detective? Schnaps? Whisky? Wodka?' Hij wees op een aantal flessen op het dressoir.

'Dank u. Schnaps is prima.'

Ik sloot de deur achter me en keek nauwlettend toe wanneer hij de doos zou openmaken. En toen hij dat deed, zag ik tot mijn genoegen een kleine teleurstelling op zijn gezicht.

'Dat is jammer,' zei hij.

'Wat bedoelt u, meneer?'

'Alleen maar dat er wat geld en correspondentie in deze doos zat. En nu is het weg.'

'Daar hebt u eerder niets over gezegd, meneer.' Ik schudde mijn hoofd. 'Wilt u dat ik het doorgeef aan de politie, meneer?' Dat was twee keer 'meneer' achter elkaar; misschien was het nog mogelijk om een carrière als hotelier te beginnen.

Hij glimlachte geërgerd. 'Het is niet zo belangrijk, denk ik.'

'IJs?' Dora stond bij een emmer met een brok ijs erin. Ze had een ijspriem in haar hand en deed erg aan Lady Macbeth denken.

'IJs? In schnaps?' Ik schudde mijn hoofd. 'Nee, liever niet.'

Dora stak een paar keer in het ijs en deed een paar ijsscherven in een groot tuimelglas dat ze aan Reles gaf.

'Amerikaanse gewoonte,' zei Reles. 'Wij doen overal ijs in. Maar in schnaps is het best lekker. Je zou het eens moeten proberen.'

Dora gaf me een kleiner glas met schnaps erin. Ik lette op of ze de trucjes van haar vroegere beroep als hoer uithaalde, maar er was niets van te merken. Ze deinsde zelfs een beetje achteruit toen hij te dichtbij kwam. De typemachine werd kennelijk nog steeds veel gebruikt. De prullenmand zat propvol.

Ik toostte in stilte naar Reles.

'Ad fundum,' zei hij en hij nam een grote slok ijskoude schnaps.

Ik nipte mijn drankje als een douairière en we stonden in een onhandig stilzwijgen. Ik wachtte even en dronk toen de rest van mijn glas leeg.

'Nou, als dat alles was, detective,' zei hij. 'We hebben werk te doen, nietwaar, Fräulein Bauer?'

Ik gaf Dora het glas en liep naar de deur. Reles was me voor om de deur voor me te openen en me weg te werken.

'En nogmaals bedankt,' zei hij, 'dat je mijn eigendom hebt teruggevonden. Ik stel het op prijs. Voor wat het waard is, je hebt mijn vertrouwen in het Duitse volk hersteld.'

'Ik zal het doorgeven, meneer.'

Hij grinnikte, dacht na over een antwoord, bedacht zich kennelijk en wachtte toen geduldig tot ik zijn suite had verlaten.

'Bedankt voor het drankje, meneer.'

Hij knikte en sloot de deur achter me.

Ik haastte me de trap af. Ik stak de lobby over en liep onder een hoog raam naar de ruimte met de telefooncentrale. Vier meisjes op hoge stoelen zaten voor iets wat leek op een rechtopstaande piano. Achter hen was een bureau waar Hermine, de supervisor van de telefooncentrale de druk pratende 'hallo-meisjes' van het hotel in de gaten hield terwijl ze telefoongesprekken doorverbonden. Ze was een nuffige vrouw met kort rood haar en een gelaat dat zo wit was als melk. Toen ze me zag stond Hermine op en keek bedenkelijk.

'Die striem op uw gezicht,' zei ze. 'Lijkt wel het gevolg van een zweep-slag.'

Sommige meisjes draaiden zich om en lachten.

'Ik ben wezen paardrijden met Hedda Adlon,' zei ik. 'Luister, Hermine, de klant in 114, Herr Reles. Ik wil een lijst van iedereen die hij vanavond belt.'

'Weet Herr Behlert hiervan?'

Ik schudde mijn hoofd. Ik ging iets dichter bij het schakelbord staan en Hermine liep oplettend achter me aan.

'Hij vindt het niet goed dat u onze gasten bespioneert, Herr Gunther. Ik denk dat u om zijn schriftelijke toestemming moet vragen.'

'Het is geen bespioneren, het is snuffelen. Daar word ik namelijk voor betaald, weet u wel? Voor de veiligheid van u en de gasten, hoewel niet noodzakelijk in die volgorde.'

'Dat is mogelijk. Maar als hij merkt dat u de gesprekken van Herr Reles afluistert, zijn wij de klos.'

'Ik verbind u door, Herr Reles,' zei Ingrid, die een van de knapsten was van de hallo-meisjes van het Adlon.

'Herr Reles? Belt hij nu? Met wie?'

Ingrid wisselde een blik met Hermine.

'Vooruit, dames, dit is belangrijk. Als hij een oplichter is, en volgens mij is hij dat, moeten we dat weten.'

Hermine knikte instemmend.

'Potsdam 3058,' zei Ingrid.

'Wie is dat?' Ik wachtte even.

Hermine knikte nogmaals.

'Dat is het nummer van graaf Von Helldorf,' zei Ingrid. 'Op het hoofdbureau van politie in Potsdam.'

Als we niet in het Adlon hadden gezeten, had ik hen misschien kunnen overreden om mij het gesprek te laten afluisteren, maar bij gebrek aan een felle lamp en een boksbeugel, was dit alle informatie die ik aan de hallo-meisjes kon ontlokken. De reputatie van andere Berlijnse instituties, zoals de politie, de rechtbanken en de kerken was misschien bezoedeld, maar voor het beste hotel gold dat niet.

Ik liep terug naar mijn kantoor om een paar sigaretten te roken, een paar glaasjes te drinken en nog eens naar de papieren te kijken die ik uit de Chinese doos had gepikt. Ik had het eigenaardige idee dat die papieren voor Max Reles belangrijker waren dan de doos zelf. Maar mijn gedachten waren elders. Een telefoontje van Max Reles aan Von Helldorf, zo snel nadat ik de Amerikaan had bezocht, was verontrustend. Was het mogelijk dat ze over mij hadden gesproken? En indien dat zo was, met welk doel? Er waren goede redenen waarom Von Helldorf nuttig kon zijn voor iemand als Max Reles, en vice versa.

Vroeger was de leider van de Berlijnse SA, Wolf-Heinrich graaf von Helldorf politiepresident van Berlijn geweest, maar al na drie maanden stokte zijn carrière door een geruchtmakend schandaal. Hij stond bekend als een fanatiek gokker en volgens de geruchten ook als een pederast, met een voorkeur voor kastijding van jonge jongens. Hij was ook nauw bevriend met Erik Hanussen, de befaamde helderziende die, zo werd verondersteld, de zeer aanzienlijke gokschulden van de graaf had betaald in ruil voor een introductie bij de Führer.

Veel van wat daarna gebeurde, bleef speculatie en mysterie, maar het scheen dat Hitler sterk onder de indruk was van de man die door Berlijns communisten 'de bedwelmer van het volk' werd genoemd. Als gevolg van de openlijke gunsten van Hitler werd de invloed van Hanussen op belangrijke partijleden, onder wie ook Von Helldorf, nog groter. Maar toch was niet alles wat het leek. Hanussens macht binnen de partij, zo bleek, was niet het resultaat van goede adviezen en ook niet van helderziende talenten maar van chantage. Tijdens losbandige seksfeestjes aan boord van zijn jacht, de Ursel IV, had Hanussen verschillende leidinggevende nazi's 'gehypnotiseerd' en vervolgens gefilmd terwijl ze deelnamen aan seksuele orgieën. Dat was op zich al erg genoeg, maar het werd nog erger toen bleek dat sommige van die orgieën homoseksuele orgieën waren.

Het is mogelijk dat Berlijns beroemde helderziende dit alles zou hebben overleefd. Maar toen Goebbels krant, *Der Angriff*, onthulde dat Hanussen een Jood was, kwam de vuiligheid pas echt boven tafel, en Hitler werd er het meeste door gecompromitteerd. Plotseling was Hanussen een ernstige sta-in-de-weg geworden en Von Helldorf, die als grotendeels verantwoordelijk werd beschouwd, moest de rotzooi opruimen. Verschillende dagen nadat Hermann Göring hem had ontslagen als politipresident van Berlijn, ontvoerden Von Helldorf en enkelen van zijn moordzuchtige SA-vrienden Hanussen uit zijn buitensporig luxe appartement in de Berlijnse wijk Westend, reden hem naar zijn jacht en martelden hem daar tot Hanussen hun al het belastende materiaal gaf dat hij in de loop van een aantal maanden had verzameld: schuldbriefjes, brieven, foto's en film. Daarna schoten ze hem dood. Zijn lijk werd in een veld in Mühlenbeck gedumpt. Ergens ten noorden van Berlijn in ieder geval.

Er deden hardnekkige geruchten de ronde dat Von Helldorf een deel van het materiaal dat hij van Hanussen had verkregen, gebruikte om een nieuwe positie voor zichzelf te regelen als politiecommissaris van Potsdam, een onbelangrijke stad ongeveer een uur ten zuidwesten van Berlijn, waar, naar men zegt, bier doodslaat. Von Helldorf bracht het grootste deel van zijn tijd door met het fokken van paarden en het organiseren van vervolgingen van de sociaaldemocraten en Duitse communisten die de nazi's het zwaarst hadden beledigd tijdens de laatste dagen van de republiek. En algemeen werd aangenomen dat Von Helldorf voornamelijk handelde in de hoop dat hij er uiteindelijk in zou slagen weer volledig bij Hitler in de gunst te komen. Ik wist uiteraard dat Von Helldorf ook lid was van het organiserende Duitse Olympische Comité, wat iets zei over het succes van zijn poging om weer in de gratie bij Hitler te komen, hoewel ik niet precies wist wat hij in dat comité uitvoerde. Misschien was het gewoon een gunst van zijn oude SA-maatje Von Tschammer und Osten. Misschien stond hij sinds het vertrek van Göring bij het ministerie van Binnenlandse Zaken daar ook beter aangeschreven. Ondanks alles was Von Helldorf niet iemand om te onderschatten.

Maar ik was niet erg lang zenuwachtig; zolang als het duurde voordat de alcohol begon te werken. Na een paar drankjes overtuigde ik me ervan dat er in de brieven en contracten die ik uit de Chinese doos had gehaald niets stond dat bewijskracht had in een rechtbank en dat ik me dus geen zorgen hoefde te maken. Ik had niets gezien dat iemand als Max Reles kon beschadigen. Bovendien kon Reles niet weten dat ik het was die die papieren had weggenomen en niet Ilse Szrajbman.

Dus legde ik de papieren en het pistool in de la van mijn bureau en besloot naar huis te gaan, net als Noreen van plan om vroeg naar bed te gaan. Ik was moe en elk deel van mijn lichaam deed pijn.

Ik liet de auto van Behlert achter op de plek waar ik hem eerder had geparkeerd en liep in zuidelijke richting door de Hermann-Göring-Straße om een tram te nemen op de Potsdamer Platz. Het was donker en een beetje winderig en de nazibanieren die aan de Branderburger Tor hingen wapperden als seinvlaggen, alsof ons keizerlijke verleden ons probeerde te waarschuwen over iets in ons nazi-heden. Zelfs een zwerfhond die voor me over de stoep liep, bleef staan en keek me treurig aan, misschien om te vragen of ik een oplossing had voor de problemen van ons land. Maar het kon ook zijn dat hij probeerde de open deur te vermijden van de zwarte Mercedes W die een paar meter voor me tot stilstand was gekomen. Een man in een bruine leren jas stapte uit de auto en liep snel op me toe.

Ik draaide me automatisch om om in de andere richting te lopen en ontdekte dat mijn weg werd versperd door een man die een dikke overjas droeg met een dubbele rij knopen en een hoed met een lage rand, hoewel zijn keurige strikje me het eerst opviel. Totdat ik de penning in zijn knuist zag.

'Meekomen, alstublieft.'

De andere man in de leren jas stond nu pal achter me, zodat ik me in een sandwich bevond en niet kon ontsnappen. Als ervaren etaleurs die een etalagepop verplaatsen stopten ze me in de auto en sprongen aan weerszijden van mij op de achterbank. We reden al voordat ze de portieren hadden dichtgeslagen.

'Als het om die politieman gaat,' zei ik. 'August Krichbaum was het toch? Ik dacht dat die flauwekul was opgelost. Ik bedoel, jullie hebben mijn alibi gecontroleerd. Ik heb er niets mee te maken. Dat weten jullie.'

Na een paar tellen had ik door dat we naar het westen reden, door Charlottenburger Straße, in compleet tegenovergestelde richting van de Alexanderplatz. Ik vroeg waar we heen gingen, maar geen van beiden zei iets. De hoed van de chauffeur was van leer. Zijn oren waarschijnlijk ook. Tegen de tijd dat we Berlijns beroemde radiotoren hadden bereikt en de AVUS op waren gereden – Berlijns snelste weg – raadde ik al waar we heen gingen. De chauffeur kocht een kaartje en we reden snel richting Bahnhof Wannsee. Een paar jaar geleden had Fritz von Opel een snelheidsrecord op de AVUS gevestigd. Hij had bijna 240 kilometer per uur behaald met een door een raket aangedreven motor. Zo snel reden we lang niet, maar ik kreeg evenmin de indruk dat we onderweg zouden stoppen voor koffie en cake. Aan het eind van de AVUS kwamen we via wat bossen op de Glienicker Brücke en hoewel het erg donker was, kon ik nog net zien dat we twee kastelen waren gepasseerd. Kort daarna reden we Potsdam binnen via de Neue Königstraße.

Omgeven door de Havel en haar meren was Potsdam niet veel meer dan een eiland. En ik had me niet eenzamer kunnen voelen als ik was aangespoeld op een verlaten atol met een enkele palmboom en een pa-

pegaai. De stad was meer dan honderd jaar hoofdkwartier van het Pruisische leger geweest, maar het had net zo goed het hoofdkwartier van de
padvinders kunnen zijn want het leger kon me nu toch niet helpen. Ik
stond op het punt de gevangene te worden van graaf Von Helldorf en er
was niets wat iemand daar aan kon doen. Een van de gebouwen in Potsdam is het slot Sanssouci, wat Frans is voor 'zonder zorgen'. Die geestes-
toestand stond ver van me af.

Terwijl we langs een ander kasteel en een paradeplaats reden, ving ik
een glimp op van een straatnaambordje. We bevonden ons op de Priest
Straße en ik begon te denken dat ik inderdaad een priester nodig zou
kunnen hebben terwijl we de binnenplaats van het lokale hoofdbureau
van politie opreden.

We liepen het gebouw in, gingen verschillende trappen op en kwamen
via een koude, schaars verlichte gang in een mooi ingericht kantoor met
een prachtig uitzicht op de Havel, wat ik alleen herkende omdat er onder
het glas-in-loodraam een nog prachtiger motorjacht lag, verlicht als een
attractie in het lunapark.

In het kantoor lag een boom te branden in een open haard die zo
groot was dat er een hele os in had kunnen roosteren. Er hing een groot
wandtapijt, een portret van Hitler en er stond een harnas dat ongeveer
even stijf leek als de man die ernaast stond. Hij droeg het uniform van
een politiegeneraal en had een aristocratische, superieure manier van
doen, alsof hij liever had gehad dat mijn schoenen waren uitgetrokken
voordat ik voet zette op zijn Perzische tapijten ter grootte van een park.
Ik denk dat hij ongeveer even oud was als ik, maar daar hield elke gelijkenis op. Als hij sprak, klonk hij zorgelijk en getergd, en hij gaf me de indruk dat hij door mijn schuld het begin van een opera had gemist, of,
waarschijnlijker in zijn geval, een schuin homograpje in een cabaret. Op
een gigantisch bureau stond een backgammonspel klaar en in zijn hand
hield hij een leren beker met dobbelstenen waar hij af en toe zenuwachtig mee rammelde alsof hij een bedelmonnik was.

'Ga zitten,' zei hij.

De man in de leren jas duwde me op een stoel die bij een tafeltje stond
en schoof een stuk papier en een pen naar me toe. Hij was kennelijk erg
goed in het schuiven van dingen. 'Tekenen,' zei hij.

'Wat is het?' vroeg ik.

'Een D-11,' zei de man. 'Een order om iemand gevangen te zetten voor
zijn eigen veiligheid.'

'Ik heb zelf bij de politie gewerkt,' zei ik. 'Bij het Alex. En ik heb nog nooit van een D-11 gehoord. Wat is dat voor iets?'

Leren Jas keek naar Von Helldorf, die antwoordde: 'Als je tekent, geef je toestemming om naar een concentratiekamp te worden gestuurd.'

'Ik wil niet naar een concentratiekamp. Eerlijk gezegd wil ik ook niet hier zijn. Dat bedoel ik niet beledigend, maar ik heb een zware dag achter de rug.'

'Het tekenen van een D-11 betekent niet dat u ook echt naar een kamp gaat,' legde Von Helldorf uit. 'Het betekent dat u ermee instemt daarheen te gaan.'

'Neemt u me niet kwalijk, meneer, maar ik stem er niet mee in.'

Von Helldorf wipte op de hielen van zijn kaplaarzen en rammelde met de beker die hij achter zijn rug hield.

'Je zou kunnen zeggen dat een getekende verklaring een garantie biedt voor goed gedrag,' zei hij. 'Voor toekomstig goed gedrag. Begrijpt u wel?'

'Ja. Maar, met alle respect, generaal, het kan net zo goed gebruikt worden om van hier naar het dichtstbijzijnde concentratiekamp gestuurd te worden. Begrijp me niet verkeerd, ik ben aan vakantie toe, ik zou graag een paar weken luieren en weer bijraken met lezen. Maar ik heb gehoord dat er van concentratie niet veel komt in een concentratiekamp.'

'Veel van wat u zegt is waar, Herr Gunther,' zei Von Helldorf. 'Als u echter niet tekent, wordt u hier vastgehouden in een politiecel tot u dat wel doet. Dus zoals u zult begrijpen hebt u niet erg veel keus.'

'Dus, met andere woorden zit ik altijd fout.'

'In zekere zin wel, ja.'

'Ik neem aan dat ik geen document hoef te ondertekenen voordat ik in een politiecel gezet kan worden?'

'Helaas niet, nee. Maar ik zeg nogmaals dat zo'n D-11 niet betekent dat u naar een kamp wordt gestuurd. Het feit is, Herr Gunther dat deze regering zijn best doet spaarzamer om te gaan met deze vorm van in-bewaringstelling. Misschien weet u bijvoorbeeld dat het concentratie-kamp Oranienburg onlangs is gesloten. En ook dat de Führer op 11 augustus dit jaar een amnestieregeling heeft ondertekend voor politieke gevangenen. Allemaal volkomen logisch, gelet op het feit dat bijna iedereen in dit land zijn geïnspireerde leiderschap steunt. De hoop bestaat zelfs dat alle concentratiekampen na verloop van tijd zullen verdwijnen, net als met Oranienburg is gebeurd. Desalniettemin,' ging Von Helldorf verder, 'kan er een tijd komen dat, laten we zeggen, de veiligheid van de staat in gevaar wordt gebracht. Op dat moment wordt iedereen met een D-11 gearresteerd en opgesloten zonder dat de rechter eraan te pas komt.'

'Ja, dat kan handig zijn.'

'Goed, goed. Wat ons terugbrengt bij het onderwerp van uw eigen D-11.'

'Misschien als ik de reden wist waarom u het nodig vindt een belofte van goed gedrag van mij te krijgen,' zei ik. 'Misschien dat ik dan meer geneigd zou zijn iets dergelijks te tekenen.'

Von Helldorf fronste zijn wenkbrauwen en keek streng naar de drie mannen die me helemaal van het Adlon naar hier hadden gebracht. 'Willen jullie zeggen dat hem niet is verteld waarom hij hierheen is gebracht?'

Leren Jas schudde zijn hoofd. Hij had zijn hoed ondertussen afgezet en hij begon nu iets meer vorm te krijgen. Hij zag eruit als een gorilla. 'Mij is alleen verteld dat we hem moesten oppikken en onmiddellijk hierheen brengen, meneer.'

Von Helldorf rammelde geïrriteerd met de dobbelbeker, alsof hij wou dat het de schedel van Leren Jas was. 'Zo te zien moet ik alles zelf doen, Herr Gunther,' zei hij en hij liep naar me toe.

Terwijl ik wachtte tot hij bij me was, liet ik mijn blik rond de kamer gaan, die was ingericht voor de playboyprins van Ruritanië. Aan een wand hing een geometrische uitstalling van floretten en sabels. Daaronder stond een reusachtige tafel waarop een radio stond ter grootte van een grafzerk en een zilveren dienblad met meer flessen en karaffen dan de cocktailbar van het Adlon. Een secretaire met twee kleppen stond vol met in leer gebonden boeken. Enkele daarvan gingen over juridische kwesties en procedures, maar het waren grotendeels klassieke werken uit de Duitse literatuur, zoals Zane Grey, P.C. Wren, Booth Tarkington en Anita Loos. Politiewerk had nog nooit zo'n ontspannen en gerieflijke indruk gemaakt.

Von Helldorf trok een van de zware eetstoelen die rond de tafel stonden naar achteren, ging zitten en leunde tegen een rugleuning die meer geometrische patronen had dan een raam in een gotische kathedraal. Toen legde hij zijn handen op het bureau alsof hij piano ging spelen. Hoe dan ook, hij had mijn volledige aandacht.

'Zoals u misschien weet, maak ik deel uit van het Duitse Olympisch Comité. Het is mijn taak om de veiligheid te garanderen, niet alleen van de mensen die in 1936 naar Berlijn komen, maar ook van de mensen die ervoor zorgen dat alles op tijd klaar is. Er zijn een paar honderd aannemers, wat in zekere zin een logistieke nachtmerrie is als je in beschouwing neemt dat de deadline zo goed als onmogelijk is. Gelet op het feit dat we minder dan twee jaar hebben om alles gereed te krijgen, geloof ik niet dat het iemand zal verbazen dat er soms fouten worden gemaakt of als er gerommeld moet worden met de regels. Toch is het vervelend voor sommigen van die aannemers als ze, ondanks het feit dat ze hun uiterste best doen, het gevoel hebben dat ze nauwlettend worden geïnspecteerd door elementen die niet hetzelfde mate van enthousiasme kunnen opbrengen voor de Olympische Spelen als de andere. Men zou zelfs kunnen volhouden dat sommige van die elementen zich gedragen op een manier die je als onpatriottisch en on-Duits zou kunnen opvatten. Begrijpt u wat ik bedoel?'

'Ja,' zei ik. 'Even terzijde, generaal, mag ik roken?'

Hij knikte. Ik stak snel een sigaret op terwijl ik me verbaasde over Von Helldorfs talent voor subtiel understatement. Maar ik was niet van plan om hem verkeerd te begrijpen of te onderschatten. Onder de fluwelen handschoen zat een ijzeren vuist, dat wist ik zeker, en zelfs als de generaal mij er niet eigenhandig mee zou slaan, waren er wel anderen in die absurd grote kamer die zijn goedgemanierde scrupules over het gebruik van geweld niet deelden.

'Om het maar ronduit te zeggen, Herr Gunther, een aantal mensen is verbolgen over het feit dat u en uw Joodse vriendin, mevrouw Charalambides, een hoop vervelende vragen hebben gesteld over die dode Joodse arbeider, Herr Deutsch en die onfortuinlijke doctor Rubusch. Zeer verbolgen. Ik heb gehoord dat u zelfs een opzichter hebt aangevallen die arbeiders inhuurt voor de nieuwe tunnel van de S-Bahn. Is dat juist?'

'Ja, dat klopt helemaal,' zei ik. 'Dat was ik. Maar als verdediging kan ik aanvoeren dat hij me als eerste aanviel. Die striem op mijn gezicht komt van hem vandaan.'

'Hij zegt dat dat alleen maar is gebeurd omdat u probeerde zijn werkploeg te ondermijnen.' Von Helldorf rammelde ongeduldig met zijn dobbelbeker.

'Ik geloof niet dat het woord "ondermijnen" hier van toepassing was, meneer.'

'Hoe zou u het gebeurde dan willen omschrijven?'

'Ik wilde uitzoeken hoe Isaac Deutsch – die Joodse arbeider die u noemde – is gestorven en of zijn dood, zoals ik veronderstelde, het gevolg was van het feit dat hij illegaal te werk was gesteld op het bouwterrein van het Olympisch Stadion.'

'Zodat mevrouw Charalambides daar een artikel over kan schrijven als ze weer in Amerika is. Klopt dat?'

'Ja, meneer.'

Von Helldorf fronste zijn wenkbrauwen. 'Ik begrijp u niet, Herr Gunther. Wilt u niet dat uw land een goede indruk maakt ten overstaan van de hele wereld? Bent u een vaderlandslievend Duitser of niet?'

'Ik geloof dat ik net zo vaderlandslievend ben als iedereen, meneer. Ik vind alleen dat ons beleid ten opzichte van de Joden nogal inconsistent is.'

'En met welk doel wilt u dat onthullen? Wilt u dat alle Joodse arbeiders hun baan verliezen? Want dat zal het gevolg zijn, als mevrouw Charalambides hierover schrijft in haar Amerikaanse krant, dat garandeer ik u.'

'Nee meneer, dat is niet wat ik wil. Maar ik ben het gewoon niet eens met ons beleid ten opzichte van de Joden.'

'Dat doet er niet toe. De meeste mensen in Duitsland zijn het er wél mee eens. Maar toch, dat beleid moet worden verzacht, wat praktisch is. En het feit blijft dat het eenvoudigweg niet haalbaar is om het project op tijd klaar te krijgen zonder een paar Joodse arbeiders te gebruiken.'

Hij bracht het zo zakelijk dat ik het bijna niet met hem oneens kon zijn. Ik haalde mijn schouders op. 'Dat zal dan wel.'

'Inderdaad,' zei hij. 'U mag hier gewoon geen drukte over maken. Het is niet realistisch, Herr Gunther. En ik kan het gewoon niet toestaan. En dat is nou juist het nut van de D-11, vrees ik. Een garantie dat u ophoudt met die gewoonte die u hebt ontwikkeld om uw neus in zaken te steken die u niet aangaan.'

Het klonk allemaal zo redelijk dat ik werkelijk in de verleiding kwam om die D-11 te tekenen, al was het maar omdat ik dan naar huis en naar bed kon gaan. Ik moest het Von Helldorf nageven: hij was een gladde prater. Het was goed mogelijk dat hij meer van Erik Hanussen, de helderziende, had geleerd dan zijn eigen geluksnummer en -kleur. Misschien had hij ook geleerd hoe je mensen kon overhalen iets te doen wat ze niet wilden. Zoals het tekenen van een document waarin staat dat je toestemming geeft om naar een concentratiekamp gestuurd te worden. Misschien maakte dat Von Helldorf tot een typische nazi. Een groot aantal van hen – Goebbels, Göring, en vooral Hitler – leek een speciaal talent te hebben om Duitsers over te halen dingen te doen die tegen hun gezonde verstand in gingen.

In aanmerking nemend dat het wel eens een tijd kon duren voor ik weer kon roken, nam ik snel een paar trekjes voordat ik mijn sigaret doofde in een asbak van rookglas dat dezelfde kleur had als de leugenaarsogen van Von Helldorf. Het gaf me net voldoende tijd om te denken aan de dag dat ik was gaan kijken bij de rechtszaak vanwege de brand in de Reichstag, en hoeveel liegende nazi's ik daar in de rechtbank had gezien; en hoe iedereen luidkeels de grootste leugenaar van allemaal, Hermann Göring, had toegejuicht. Zelden had ik het zó onaangenaam gevonden om Duitser te zijn als op die dag. Met dat alles in gedachten had ik zin om tegen Von Helldorf te zeggen dat hij kon oprotten. Maar uiteraard deed ik dat niet. Ik pakte het iets beleefder aan. Dapperheid is één ding, volslagen domheid is iets heel anders.

'Het spijt me, generaal, maar ik kan dat document niet tekenen. Dat zou zoiets zijn als een gans die een kerstkaart stuurt. Bovendien weet ik toevallig dat al die arme kerels die in Oranienburg hebben gezeten naar een concentratiekamp in Lichtenberg zijn gestuurd.'

De generaal keerde de dobbelbeker om op de tafel voor hem en inspecteerde het resultaat, alsof dat er toe deed. Misschien was dat ook zo en wist ik dat gewoon niet. Als hij een paar zessen had gegooid, was dat misschien fortuinlijk voor mij, en zou hij me laten gaan. Maar hij had slechts een één en een twee gegooid. Hij sloot zijn ogen en zuchtte.

'Neem hem mee,' zei hij tegen de man met de leren jas. 'We zullen zien of u van gedachten verandert na een nachtje in de cel, Herr Gunther.'

Zijn mannen tilden me bij de schouders van mijn pak op en slaapwandelden me het kantoor van Von Helldorf uit. Tot mij verrassing liepen we naar een andere verdieping.

'Krijg ik een kamer met uitzicht?'

'Al onze cellen hebben een mooi uitzicht op de Havel,' zei Leren Jas. 'Als je dat document niet tekent zullen we je morgen een zwemlesje geven vanaf de boeg van het jacht van de graaf.'

'Mij best, ik kan toch al zwemmen.'

Leren Jas lachte. 'Dat denk ik niet. Niet als je aan het anker bent vastgebonden.'

Ze stopten me in een cel en deden de deur op slot. Een slot aan de verkeerde kant van de deur is een van de dingen waardoor je beseft dat je in een cel zit en niet in een hotelkamer. Dat en een paar tralies in het venster en een stinkend matras op een vochtige vloer. De cel had de gebruikelijke voorzieningen, zoals een emmer-en-suite, maar het waren de kleine dingen die me eraan herinnerden dat ik me niet in het Adlon bevond. Kleine dingen zoals kakkerlakken. Hoewel deze alleen maar klein te noemen waren in vergelijking met de kakkerlakken ter grootte van een Zeppelin die we in de loopgraven hadden. Er wordt gezegd dat mensen nooit zullen verhongeren op deze planeet als ze kakkerlakken leren eten. Maar probeer dat maar eens te vertellen aan iemand die ooit op een kakkerlak heeft getrapt of midden in de nacht wakker werd omdat er een op zijn gezicht zat.

Freud heeft een psychologische techniek uitgevonden die vrije associatie word genoemd. Op de een of andere manier wist ik dat ik kakkerlakken altijd zou associëren met nazi's als ik hier ooit uitkwam.

24

Ze lieten me een paar dagen met rust, wat beter was dan een aframmeling. Dit gaf me natuurlijk genoeg tijd om na te denken over Noreen en
me er zorgen over te maken dat zij zich zorgen zou maken om mij. Wat
zou ze denken? Wat dacht iemand als een geliefd persoon van de straten
van Berlijn werd geplukt om te verdwijnen in een concentratiekamp of
politiecel? Deze ervaring hielp me beter te begrijpen wat het betekende
om een Jood of een communist te zijn in het nieuwe Duitsland. Maar ik
maakte me vooral zorgen om mezelf. Waren ze werkelijk van plan me in
de Havel te gooien als ik weigerde de D-11 te tekenen? En als ik dat wél
deed, kon ik er dan op vertrouwen dat Von Helldorf me niet meteen naar
een kamp zou sturen?

Als ik me geen zorgen maakte over mezelf dacht ik aan hoe ik, dankzij
Von Helldorf, iets meer wist over de dood van Isaac Deutsch dan eerder. Ik
wist dat zijn lijk op de een of andere manier te maken had met het lijk van
doctor Heinrich Rubusch. Was het mogelijk dat zijn dood in een kamer in
hotel Adlon het gevolg was geweest van iets anders dan een natuurlijke
oorzaak? Maar wat? Ik heb nooit een natuurlijker uitziend lijk gezien. De
twee politiemannen die de zaak hadden onderzocht, Rust en Brandt, hadden me verteld dat de doodsoorzaak een cerebraal aneurysma was geweest. Hadden ze gelogen? En Max Reles – welke rol speelde hij in dit alles?

Aangezien mijn opsluiting in een politiecel in Potsdam alles te maken
leek te hebben met een telefoontje van Max Reles aan graaf Von Helldorf,
moest ik aannemen dat de Amerikaan op de een of andere manier betrokken was bij de dood van beide mannen en dat dit iets te maken had
met olympische prijsopgaven voor opdrachten en contracten. Reles had
ergens gehoord over mijn interesse voor Deutsch en had ten onrechte
aangenomen dat dit verband hield met het feit dat ik de gestolen Chinese lakdoos had teruggevonden, of preciezer gezegd, met de inhoud van
die Chinese doos. Gegeven de betrokkenheid van de berucht corrupte
Von Helldorf had het er alle schijn van dat ik op een samenzwering was

gestuit waarbij diverse mensen van het DOC en het ministerie van Binnenlandse Zaken waren betrokken. Hoe kon ik anders verklaren dat kunstvoorwerpen uit het etnologisch museum van Berlijn aan Max Reles werden gegeven, zodat hij die naar Avery Brundage van het AOC kon sturen in ruil voor zijn voortdurende tegenwerking van een Amerikaanse boycot van de Berlijnse spelen?

Als dit allemaal waar was, zat ik dieper in de nesten dan ik had beseft toen ik van de Herman-Göring-Straße werd gehaald door de mannen van Von Helldorf. En rond de vierde of mogelijk de vijfde dag van mijn gevangenschap begon ik er spijt te krijgen van dat ik niet had gegokt op Von Helldorfs woord en het D-11 niet had getekend, vooral als ik terugdacht aan zijn redelijke toon.

Vanuit mijn cel kon ik de Havel zien en horen. Tussen de zuidelijke muur van de gevangenis stond een rij bomen en daarachter lag de S-Bahn naar Berlijn, die langs de rivieroever liep en over een brug naar de Teleturm. Soms toeterden een trein en een stoomboot naar elkaar, als goedaardige personages uit een kinderverhaal. Een keer hoorde ik een militaire fanfare ergens in het westen spelen, achter de eigen Lustgarten van Potsdam. Het regende veel. Potsdam is niet voor niets zo groen.

Op de zesde dag ging de deur eindelijk langer open dan nodig was om mij een maaltijd te verstrekken.

Leren Jas glimlachte kalm en wenkte me vanuit de gang buiten mijn cel. 'Je bent vrij om te gaan,' zei hij.

'En hoe zit het dan met die D-11?'

Hij haalde zijn schouders op.

'Gaat dat zo maar?' zei ik.

'Dat zijn mijn orders.'

Ik wreef bedachtzaam over mijn gezicht. Ik wist niet precies waarom het zo erg jeukte: het feit dat ik me nodig moest scheren of mijn argwaan jegens deze ontwikkeling. Ik had verhalen gehoord van mensen die werden neergeschoten 'tijdens een ontsnappingspoging'. Was dat mijn lot? Een kogel in mijn achterhoofd terwijl ik door de gang liep?

Leren Jas merkte mijn aarzeling en zijn lach werd breder, alsof hij de reden voor die aarzeling had geraden. Maar hij zei niets om me gerust te stellen. Zo te zien genoot hij van mijn onbehaaglijke gevoel, alsof hij net had toegekeken hoe ik een zeer hete chilipeper had gegeten en zich nu verheugde dat ik de hik zou krijgen. Hij stak een sigaret op en staarde even naar zijn vingernagels.

'En mijn spullen dan?'

'Die krijg je beneden terug.'

'Daar maakte ik me zorgen over.' Ik pakte mijn jasje en trok het aan.

'Au, nu heb je mijn gevoelens gekwetst,' zei hij.

'Die groeien wel weer aan als je terugkruipt onder je steen.'

Hij bewoog zijn hoofd in de richting van de gang. 'Schiet op, Gunther, voordat we van mening veranderen.'

Ik liep voor hem uit en het was maar goed dat ik die ochtend niet had gegeten – anders zou het niet alleen mijn hart zijn geweest dat in mijn keel klopte. Mijn hoofdhuid jeukte, alsof de kakkerlakken van het hoofdbureau in mijn haar zaten. Ik verwachtte elk moment de koude loop van een Luger tegen mijn schedel en het geluid van een schot dat abrupt eindigde terwijl een 9.5mm met holle punt zich door mijn hersenpan boorde. Even herinnerde ik me een Duitse officier in 1914 die een Belgische burger doodschoot die ervan werd verdacht dat hij onze soldaten had aangevallen, en hoe de kogel zijn hoofd, dat eruitzag als een gebarsten voetbal, had verlaten.

Mijn benen beefden als een riet, maar ik dwong mezelf door de gang te lopen zonder om te kijken en te controleren of Leren Jas een pistool in zijn hand had. Boven aan de trap liep de gang eindeloos door en ik bleef even staan om op zijn instructies te wachten.

'Naar beneden,' zei de stem achter me.

Ik draaide me om en liep de treden af. Mijn leren zolen kletsten op de stenen zoals mijn hart tegen het inwendige van mijn borst bonsde. Het was plezierig koel in het trappenhuis. Een stevige stroom frisse lucht steeg op van de grond als een zeebries. En eindelijk zag ik de open deur die naar de centrale binnenplaats voerde, waar verschillende politie-auto's en busjes geparkeerd stonden.

Tot mijn opluchting liep Leren Jas nu voor me. Hij bracht me naar een kantoortje waar mijn jas, hoed, bretels en de inhoud van mijn zakken aan me werden teruggegeven. Ik stak een sigaret tussen mijn lippen en stak hem aan voordat ik achter Leren Jas aan door een andere gang liep en uitkwam in een kamer ter grootte van een abattoir. De muren waren van witte baksteen en aan een ervan hing een groot houten kruis; even dacht ik dat we ons in een soort kapel bevonden. We sloegen een hoek om en ik bleef pardoes staan, daar waar, als een vreemd uitziende tafel en stoel, een gloednieuwe guillotine stond. Hij was gemaakt van donker gebeitst eikenhout en mat staal en hij was ongeveer tweeënhalve meter hoog – iets hoger dan een beul met een puntmuts. Even voelde ik een dermate koude rilling over mijn rug lopen dat ik daadwerkelijk huiverde. En ik moest mezelf inprenten dat het onwaarschijnlijk was dat Leren Jas me eigenhandig zou executeren. De nazi's hadden niet bepaald tekort aan personeel als het ging om het uitvoeren van doodvonnissen.

'Ik wed dat jullie de Hitlerjugend hierheen brengen in plaats van ze een verhaaltje voor het slapen voor te lezen,' zei ik.

'We dachten dat je haar zou willen zien.' Leren Jas grinnikte droog en streelde liefhebbend het houten frame van de guillotine. 'Voor het geval je in de verleiding zou komen terug te keren.'

'Jullie gastvrijheid overweldigt me. Ik neem aan dat ze dit bedoelen als ze het hebben over mensen die hun hoofd aan het nazisme hebben verloren. Maar het is goed om te onthouden wat het lot was van bijna alle Franse revolutionairen die zo dol waren op de guillotine: Danton, Desmoulins, Robespierre, Saint-Just, Couthon. Ze mochten ten slotte allemaal zelf het schavot op.'

Hij schraapte met zijn duim langs het blad en zei: 'Alsof mij het wat kan schelen wat er met een paar Fransozen is gebeurd.'

'Dat kan toch handig zijn.' Ik knipte mijn halfopgerookte sigaret naar de vreselijke machine en liep achter Leren Jas aan naar een andere ruimte. We kwamen weer in een gang. Deze keer zag ik tot mijn vreugde dat hij uitkwam op straat.

'Puur uit nieuwsgierigheid: waarom laten jullie me los? Ik heb tenslotte niet jullie D-11 getekend. Kwam het omdat jullie niet meer zeker wisten hoe je "concentratiekamp" schrijft? Of lag het aan iets anders? De wet? Gerechtigheid? De juiste politieprocedures? Ik weet dat dat onwaarschijnlijk klinkt, maar ik wou het toch even vragen.'

'Als ik jou was, vriend, zou ik blij zijn dat ik hier levend uitkwam.'

'O, maar dat ben ik ook. Alleen niet zo blij als ik ben voor het feit dat jij mij niet bent. Dat zou echt deprimerend zijn.'

Ik tikte even tegen mijn hoed en liep naar buiten. Even later hoorde ik de deur achter me dichtvallen. Het klonk een stuk beter dan een Luger maar ik maakte toch een schrikbeweging. Het regende, maar de regen was mij welkom, want erboven lag de open lucht. Ik nam mijn hoed af en kantelde mijn ongeschoren gezicht naar boven. De regen voelde nog beter dan dat hij eruitzag en ik wreef de druppels over mijn kin en haar, op dezelfde manier waarop ik me altijd waste in de loopgraven. Regen: het was schoon en gratis, het viel uit de lucht en het zou je niet doden. Maar terwijl ik het moment van mijn vrijlating vierde voelde ik iets aan mijn mouw trekken. Ik draaide me om en zag een vrouw achter me staan. Ze droeg een lange, donkere jurk met een ceintuur, een reebruine regenjas en een klein, schelpachtig hoedje.

'Toe, meneer,' zei ze zachtjes. 'Hebt u daar misschien gevangengezeten?'

Ik wreef weer over mijn kin. 'Is dat zo duidelijk te zien?'

'Bent u misschien iemand tegengekomen die Dettmann heet, Ludwig Dettmann? Ik ben zijn vrouw.'

Ik schudde van nee. 'Helaas, Frau Dettmann, ik heb helemaal niemand gezien. Maar waarom denkt u dat hij daarbinnen zit?'

Ze schudde meewarig haar hoofd. 'Dat denk ik niet. Niet meer. Maar toen ze hem arresteerden hebben ze hem hierheen gebracht. Dat weet ik in ieder geval zeker.' Ze haalde haar schouders op. 'Wat er later is gebeurd, wie zal het zeggen? Niemand vertelt zijn familie iets. Hij kan overal zijn. Maar niemand denkt eraan om zijn familie in te lichten. Ik heb dat politiebureau verschillende keren bezocht om informatie over mijn Ludwig te vragen, maar ze willen me niet vertellen wat er met hem is gebeurd. Ze hebben zelfs gedreigd me te arresteren als ik nog een keer langskom.'

'Dat is ook een manier om erachter te komen,' zei ik, iets te rap van tong.

'U snapt het niet. Ik heb drie kinderen. Wat moet er van hen worden? Wat komt er van hen terecht als ik ook word gearresteerd?' Ze schudde haar hoofd. 'Niemand begrijpt het. Niemand wil het begrijpen.'

Ik knikte. Ze had natuurlijk gelijk. Ik begreep het niet. Net zomin als ik begreep wat Von Helldorf had bewogen om mij vrij te laten.

Ik wandelde door de Lustgarten. Voor het kasteel lag een brug die over de Havel liep en via een eiland naar station Teleturm leidde, waar ik de metro terug naar Berlijn nam.

25

Gewassen en geschoren en met schone kleren aan liep ik terug naar het Adlon. Ik werd ontvangen met verrassing en vreugde, om maar niet te spreken van een zekere dosis achterdocht. Het kwam wel vaker voor dat personeel zich een paar dagen ziek meldde en dan met dezelfde verklaring opdook als ik. Soms was het zelfs waar. Behlert begroette me zoals hij een kater begroet zou hebben na een afwezigheid van verscheidene dagen en nachten: met een mengeling van vermaak en minachting.

'Waar bent u je geweest?' zei hij berispend. 'We hebben ons zorgen over u gemaakt, Herr Gunther. Godzijdank kon uw vriend brigadier Stahlecker een aantal van uw taken overnemen.'

'Dat is fijn om te horen.'

'Maar ook hij kon niet achterhalen wat er met u was gebeurd. Niemand op het politiebureau op Alexanderplatz leek iets te weten. Het is niks voor u om zomaar te verdwijnen. Wat is er gebeurd?'

'Ik heb in een ander hotel gelogeerd, Georg,' zei ik tegen hem. 'Dat hotel dat wordt geleid door de politie in Potsdam. En ik heb er niet van genoten. Helemaal niet. Ik zit erover te denken om naar dat reisbureau MER op Unter den Linden te gaan en hun te vertellen het niet langer aan te bevelen als logeeradres als je in Potsdam bent. Je slaapt een stuk comfortabeler in de rivier. Dat heb ik trouwens bijna gedaan.'

Behlert keek, slecht op zijn gemak, om zich heen in de mausoleumachtige ingangshal. 'Toe Herr Gunther, praat niet zo hard. Als iemand het hoort krijgen we allebei moeilijkheden met de politie.'

'Ik zou geen moeilijkheden hebben als een van onze gasten daar niet voor gezorgd had, Georg.'

'Ik begrijp niet wat u bedoelt.'

Ik had de naam Max Reles kunnen laten vallen. Maar ik zag het nut er niet van in om uit te leggen wat er precies was gebeurd. Net als de meerderheid van gezagsgetrouwe Berlijners, gaf Behlert er de voorkeur aan zo weinig mogelijk te weten over zaken die moeilijkheden konden veroorzaken. En in zekere zin respecteerde ik dat. Gezien mijn recente ervaring was dat waarschijnlijk de verstandigste manier van handelen. Dus zei ik: 'Frau Charalambides, natuurlijk. U weet dat ik voor haar heb gewerkt. Haar heb ik geholpen bij dat artikel.'

'Ja, dat wist ik. En ik kan niet zeggen dat ik het goedkeurde. Naar mijn mening was het fout van Frau Adlon om u daarvoor te vragen. Het heeft u in een uiterst moeilijke positie gebracht.'

Ik haalde mijn schouders op. 'Daar is niets aan te doen. Is ze in het hotel?'

'Nee.' Hij leek opgelaten. 'Misschien kunt u maar beter praten met Frau Adlon. Ze heeft trouwens deze ochtend nog naar u gevraagd. Ik geloof dat ze in haar appartement boven is.'

'Is Frau Charalambides iets overkomen?'

'Ze maakt het prima, dat kan ik u verzekeren. Zal ik Frau Adlon bellen en een afspraak voor u maken?'

Maar ik had het gevoel dat er iets niet klopte en vloog de trap op.

Ik klopte op Hedda's deur, hoorde haar stem, draaide de deurklink om en opende de deur. Ze zat op de sofa, rookte een sigaret en las een exemplaar van het tijdschrift *Fortune*. Gelet op het feit dat ze ook een fortuin bezat, leek me dat alleen maar toepasselijk. Toen ze me zag, smeet ze *Fortune* opzij en stond op. Ze leek opgelucht me te zien.

'Godzijdank is alles in orde met je,' zei Hedda. 'Ik heb me zorgen gemaakt.'

Ik deed de deur dicht. 'Waar is ze?'

'Naar huis in New York,' zei Hedda. 'Ze is gisteren met de boot uit Hamburg vertrokken.'

'Dan neem ik aan dat ze zich minder zorgen maakte dan u.'

'Niet naar doen, Bernie. Zo zit het helemaal niet. Dat ze Duitsland heeft verlaten en heeft beloofd niet over de Olympische Spelen te schrijven was de prijs die ze heeft betaald om jou vrij te krijgen. En waarschijnlijk ook om je uit de gevangenis te houden.'

'Op die manier.' Ik liep naar het buffet en pakte een van haar karaffen. 'Mag ik zo vrij zijn? Ik heb een zware week achter de rug.'

'Natuurlijk. Help jezelf.' Hedda liep naar haar schrijfmeubel en opende de klep.

Ik schonk een glas in. Een flink glas vol van een mij onbekend spul. Het kon me niet schelen wat het was en ik dronk het alsof het een medicijn was dat ik mezelf had voorgeschreven. Het smaakte afschuwelijk, dus schreef ik mezelf nog een dosis voor, die ik meenam naar de sofa.

'Ze heeft dit voor je achtergelaten.' Hedda overhandigde me een envelop. Het was briefpapier van het Adlon.

Ik liet de brief in mijn zak glijden.

'Het is mijn schuld dat je hierbij betrokken bent geraakt.'

Ik schudde mijn hoofd. 'Ik wist wat ik deed. Maar wat ik deed was misschien niet zo handig.'

'Noreen heeft altijd dat effect op mensen gehad,' zei Hedda. 'Toen we nog meisjes waren werd ik altijd betrapt op een overtreding van de schoolregels, en Noreen wist er altijd aan te ontsnappen. Maar ik liet me daar nooit door weerhouden. Ik was altijd gereed voor een volgende escapade. Misschien had ik je voor haar moeten waarschuwen. Ik weet het niet. Misschien wel. Zelfs nu heb ik nog het gevoel dat ik degene ben die moet nablijven, extra lessen moet volgen en excuus moet aanbieden.'

'Ik wist wat ik deed,' herhaalde ik dof.

'Ze drinkt te veel,' zei Hedda, als verklaring. 'Zij en Nick, haar echtgenoot. Ik neem aan dat ze je alles over hem heeft verteld.'

'Wel iets.'

'Ze drinkt en het lijkt totaal geen invloed op haar te hebben. Iedereen om haar heen drinkt, en op die andere mensen heeft het wel invloed. Dat is wat die arme Nick is overkomen. Mijn hemel, hij dronk geen druppel totdat hij Noreen ontmoette.'

'Ze is erg verslavend.' Ik probeerde een glimlach maar het lukte niet helemaal. 'Ik denk dat ik een kater krijg voordat ik er overheen ben.'

Hedda knikte. 'Waarom neem je niet een paar dagen vrij? De rest van de week, als je wilt. Na vijf nachten in de cel kun je wel wat vrije tijd gebruiken. Je vriend Herr Stahlecker valt wel voor je in.' Ze knikte. 'Hij doet het erg goed. Hij heeft niet jouw ervaring, maar…'

'Misschien neem ik een paar vrije dagen. Bedankt.' Ik dronk mijn tweede glas leeg. 'Trouwens, logeert Max Reles nog in het hotel?'

'Ja, ik geloof van wel. Hoezo?'

'Zomaar.'

'Hij zei dat je zijn eigendom had teruggevonden. Hij was zeer content.'

Ik knikte. 'Misschien ga ik ergens heen. Naar Würzburg of zo.'

'Heb je familie in Würzburg?'

'Nee. Maar ik heb er altijd al heen willen gaan. Het is de hoofdstad van Frankenland, weet u. Bovendien is het ten opzichte van Hamburg aan de andere kant van Duitsland.'

Ik zei niets over doctor Rubusch, of het feit dat de enige reden dat ik daar heen ging was dat hij uit Würzburg kwam.

'Logeer in het slothotel Rusland,' zei ze. 'Volgens mij is dat het beste hotel van de staat. Rust goed uit. Slaap wat bij. Je ziet er moe uit. Neem het ervan. Als je wilt, zal ik de hotelmanager bellen en zorgen dat je een speciaal tarief krijgt.'

'Bedankt, dat zal ik doen.' Maar ik vertelde haar niet dat de bloemetjes buitenzetten het laatste was wat ik van plan was. Niet nu Noreen voorgoed uit mijn leven was verdwenen.

26

Ik verliet het Adlon en liep in oostelijke richting naar het Alex. Het trein-station krioelde van de ss'ers en weer was er een militaire kapel die een of andere zelfingenomen kwast van de regering verwelkomde. Er zijn tij-den dat ik zweer dat we meer militaire fanfares hebben dan de Fransen en de Engelsen samen. Misschien willen al die Duitsers het gewoon op safe spelen. Niemand zal je nog beschuldigen van een gebrek aan vader-landsliefde als je een flügelhorn of een tuba bespeelt. Niet in Duitsland.

Ik maakte me los van de opwinding die in de lucht hing rond het sta-tion en liep het Alex binnen. Seldte, de slimme jonge vent van de Schupo stond nog steeds achter de balie.

'Ik zie dat je carrière een grote vlucht neemt.'

'Ja, hè?' zei hij. 'Als ik hier nog veel langer blijf, verander ik zelf in een van die fanaten. Als u op zoek bent naar Herr Trettin: ik zag hem hier twintig minuten geleden naar buiten gaan.'

'Bedankt, maar ik hoopte op een gesprekje met Liebermann von Son-nenberg.'

'Wilt u dat ik hem even bel?'

Vijftien minuten later zat ik tegenover de Berlijnse chef van de Kripo en rookte ik een van de Schwarze Weisheit-sigaren die Bernhard Weiss had moeten achterlaten bij zijn vertrek.

'Als dit gaat over die onfortuinlijke zaak betreffende August Krich-baum,' zei Liebermann von Sonnenberg, 'hoef je je geen zorgen te ma-ken, Bernie. Jij en de andere politiemensen die we in beeld hadden als mogelijke verdachten gaan vrijuit. Alles is tot een soort conclusie geko-men. Het was allemaal onzin, uiteraard.'

'O? Hoezo dan?' Ik probeerde mijn opluchting te verbergen. Maar na het vertrek van Noreen kon het me niet meer zoveel schelen. Tegelijker-tijd hoopte ik dat ze niet iemand vals van die moord hadden beschul-digd. Daar zou mijn geweten het een tijdje heel moeilijk mee hebben.

'Omdat we niet langer een betrouwbare getuige hebben. De hotelportier die de schuldige heeft gezien was een ex-politieman, zoals je waarschijnlijk weet. Nou, het blijkt dat hij ook homo is en communist. Dat is kennelijk de reden dat hij de politie heeft verlaten. We geloven nu zelfs dat zijn verklaring was gemotiveerd door kwaadwillende gevoelens jegens de politie in het algemeen. Hoe dan ook, dat is allemaal irrelevant, aangezien de Gestapo hem al maandenlang op een arrestatielijst heeft staan. Niet dat hij dat weet, uiteraard.'

'En waar is hij nu?'

'In het concentratiekamp van Lichtenberg.'

Ik knikte en vroeg me af of ze hem een D-11 hadden laten tekenen.

'Het spijt me dat je dat allemaal mee hebt moeten maken, Bernie.'

Ik haalde mijn schouders op. 'Jammer dat ik niet meer heb kunnen doen voor je protegé Bömer.'

'Je hebt gedaan wat mogelijk was, onder de gegeven omstandigheden.'

'Ik wil graag nogmaals helpen.'

'Die jonge kerels van tegenwoordig,' zei Liebermann von Sonnenberg. 'Als je het mij vraagt, hebben ze te veel haast.'

'Die indruk had ik al. Weet je, er staat een pientere jonge vent bij de receptiebalie beneden. Hij heet Heinz Seldte. Je zou hem een kans kunnen geven. Die vent is te slim om zijn ballen in een bureaula te stoppen.'

'Bedankt, Bernie. Ik zal het eens bekijken.' Hij stak een sigaret op. 'Maar goed. Kom je hier om accordeon te spelen of kunnen we op een of andere manier zakendoen?'

'Dat hangt ervan af.'

'Van wat?'

'Van je mening over graaf Von Helldorf.'

'Je kunt net zo goed vragen of ik een hekel heb aan Stalin.'

'Ik heb gehoord dat de graaf zichzelf probeert te rehabiliteren door iedereen aan te pakken tegen wie de SA ooit wrok heeft gekoesterd.'

'Dat zou beslist een prijzenswaardig loyale indruk maken, toch?'

'Misschien wil hij nog steeds je baas zijn hier in Berlijn.'

'Heb je een plan om dat te voorkomen?'

'Misschien wel.' Ik trok aan de sterke sigaar en blies de rook naar het hoge plafond. 'Herinner je je dat lijk nog dat we een tijdje geleden in het Adlon hadden? Die zaak die je aan Rust en Brandt hebt toevertrouwd.'

'Zeker. Natuurlijke doodsoorzaak. Ik weet het nog.'

'Stel dat dat niet zo was.'

'Waarom denk je dat?'

'Iets wat Von Helldorf zich liet ontvallen.'

'Ik wist niet dat je zo'n nauwe band had met die nicht, Bernie.'

Ik ben de afgelopen zes dagen zijn huisgast geweest in het hoofdbureau van politie in Potsdam. Ik zou zijn gastvrijheid graag terugbetalen, als ik kan.'

'Ze zeggen dat hij nog steeds viezigheid van Hanussen heeft, als een verzekeringspolis om niet te worden gearresteerd. De films die hij op die boot van hem heeft geschoten – de Ursel. Ik heb ook gehoord dat een deel van die viezigheid onder een paar heel belangrijke vingernagels vandaan komt.'

'Van wie, bijvoorbeeld?'

'Heb je je ooit afgevraagd hoe hij in dat Olympische Comité is weten te komen? In ieder geval niet vanwege een voorliefde voor paardrijden.'

'Von Tschammer und Osten?'

'Klein grut. Nee, Goebbels heeft hem die baan bezorgd.'

'Maar hij was degene die Hanussen kapot heeft gemaakt.'

'En het was Goebbels die Von Helldorf heeft gered. Zonder Joseph zou Von Helldorf samen met zijn goede vriend Ernst Röhm zijn doodgeschoten, toen Hitler de SA in de pan hakte. Met andere woorden, Von Helldorf heeft nog steeds connecties. Dus ik zal je helpen hem te grazen te nemen, als je dat lukt. Maar je zult iemand anders moeten vinden om de staak door zijn hart te drijven.'

'Goed, ik zal jouw naam niet noemen.'

'Wat moet je hebben?'

'Het dossier over Heinrich Rubusch. Ik zou graag een paar dingen natrekken. En ik ga zijn weduwe in Würzburg opzoeken.'

'Würzburg?'

'Dat ligt bij Regensburg, dacht ik.'

'Dat weet ik ook wel. Ik probeer me alleen te herinneren waarom ik weet waar die stad ligt.' Liebermann von Sonnenberg haalde een schakelaar over op de intercom op zijn bureau en sprak met zijn secretaresse. 'Ida? Waarom doet Würzburg mij ergens aan denken?'

'U hebt een verzoek ontvangen van de Gestapo in Würzburg,' zei een vrouwenstem. 'In uw hoedanigheid als verbindingsofficier van Interpol. Het verzoek luidde of u contact wilde opnemen met de FBI in Amerika over een verdachte die hier in Duitsland woont.'

'En heb ik dat gedaan?'

'Ja. We hebben ze een week of zo geleden opgestuurd wat we hadden.'

'Wacht even, Erich,' zei ik. 'Ik geloof dat hier meer achter steekt. Ida? Bernie Gunther hier. Weet je de naam nog van die verdachte over wie de Gestapo in Würzburg meer wilde weten?'

'Momentje. Ik heb de brief van de Gestapo nog in mijn bakje liggen. Ik heb hem nog niet gearchiveerd. Ja, hier heb ik hem. De naam van de verdachte is Max Reles.'

Liebermann von Sonnenberg haalde de schakelaar van de intercom over en knikte. 'Je glimlacht alsof die naam iets betekent voor je, Bernie,' merkte hij op.

'Max Reles is een gast in het Adlon en een goede vriend van de graaf.'

'Werkelijk?' Hij haalde zijn schouders op. 'Misschien is het gewoon een kleine wereldje.'

'Nou en of. Als hij groter was, moesten we speuren naar aanwijzingen, net als in de verhalen. Met een vergrootglas en een jachthoedje en een verzameling sigarettenpeuken als bewijsmateriaal.'

Liebermann von Sonnenberg maakte zijn peuk uit in de overvolle asbak. 'Wie zegt dat ik al die dingen niet heb?'

'Heb je misschien een kopie van de informatie die je van de FBI hebt ontvangen?'

'Ik zal je vertellen wat verbindingsofficier voor Interpol inhoudt, Bernie. Het is extra *sauerkraut*. Ik heb al genoeg aardappelen en vlees op mijn bord, en ik heb geen extra sauerkraut nodig. Ik weet dat het op tafel staat omdat Ida me dat heeft verteld. Maar zij is voornamelijk degene die het eet, snap je? En ze zou zelfs geen doorslag van de vijfennegentig stellingen van Luther bewaren, behalve in opdracht van mij. Dus.'

'Dan heb ik nu dus twee redenen om naar Würzburg te gaan.'

'Drie, als je de wijn meetelt.'

'Dat heb ik nooit gedaan.'

'Wijnen uit Frankenland zijn goed,' zei Liebermann von Sonnenberg. 'Tenminste, als je van zoete wijn houdt.'

'Sommige provinciale Gestapo-officieren zijn allesbehalve zoet,' zei ik.

'Hun collega's in de grote stad zijn ook niet bepaald het type dat oude dametjes helpt bij het oversteken.'

'Luister Erich, ik stapel niet graag nog meer sauerkraut op je bord, maar een introductiebrief of een telefoontje zou die Gestapo-man op het rechte spoor zetten. En het zou ervoor zorgen dat hij op het rechte spoor blijft, terwijl ik hem klemzet.'

Liebermann von Sonnenberg grijnsde. 'Met genoegen. Ik doe niets liever dan sommigen van die jonkies bij de Gestapo kortwieken.'

'Dat zou ik ook goed kunnen.'

'Misschien ben jij wel de eerste persoon die met plezier naar Würzburg reist.'

'Dat is goed mogelijk.'

27

Ik las haar brief in de trein naar Würzburg.

Hotel Adlon, Unter den Linden 1, Berlijn

Lieve Bernie,

Het bedroeft me meer dan met woorden is uit te drukken dat ik
niet persoonlijk afscheid van je kan nemen, maar ik heb van
iemand van het politiebureau in Potsdam gehoord dat je pas
wordt vrijgelaten als ik Duitland heb verlaten.
Ik vrees dat dit afscheid voorgoed is, in ieder geval zolang de
nazi's de macht hebben, want ik heb van iemand van
Buitenlandse Zaken gehoord dat ik geen visum meer zal krijgen.
En of dit alles al niet erg genoeg was, heb ik van een medewerker
van het ministerie van Propaganda te horen gekregen dat, als ik
het krantenartikel publiceer dat ik van plan was te schrijven en
het AOC oproep de Duitse Olympiade te boycotten, jij dan in een
concentratiekamp kunt belanden. Aangezien ik je niet op een
dergelijke manier in gevaar wil brengen, kun je ervan verzekerd
zijn, mijn lieve Bernie, dat zo'n artikel nooit zal verschijnen.
Misschien denk je dat dat een tragedie voor me is. Ik betreur het
dat ik nu niet langer het kwaad van het nationaalsocialisme kan
bevechten op de manier die mij het beste ligt, maar de grootste
tragedie, zoals ik dat woord begrijp, is de verplichting dat ik jou
nu op moet geven, en de totale onmogelijkheid om jou in de
nabije toekomst weer te zien – en misschien wel ooit!
Met meer tijd had ik met je over liefde kunnen spreken en
misschien had jij hetzelfde gedaan. Hoe verleidelijk het ook is
voor een schrijver om iemand woorden in de mond te leggen:
dit is mijn brief en ik moet me beperken tot hetgeen ik zelf kan

zeggen. En dat is dit: ik hou echt van je. En als ik dat nu lijk te benadrukken, is dat alleen maar omdat de opgetogenheid die ik gevoeld zou hebben omdat ik weer van iemand hou – het is niet gemakkelijk voor mij om van iemand te houden – is vermengd met de acute pijn van mijn vertrek en onze scheiding.

Er is een schilderij van Caspar David Friedrich dat samenvat hoe ik mij nu voel. Het heet *De wandelaar boven de nevelen* en als je ooit in Hamburg komt, moet je naar de plaatselijke kunstgalerie gaan om het te bewonderen. Als je het schilderij niet kent: er staat een eenzame man op, op een bergtop. Hij kijkt uit over een landschap van verre pieken en puntige rotsen. En je moet je mij voorstellen in een gelijksoortige positie maar dan op de steven van de ss Manhattan dat mij terugvoert naar New York terwijl ik voortdurend omkijk naar een rotsachtig, grillig en steeds verder van mij verwijderd Duitsland, het land waar jij woont, mijn lief. Je zou net zo goed aan een ander schilderij van Friedrich kunnen denken als je probeert mijn hart te visualiseren. Dat schilderij heet *De IJszee*. Het toont een schip, nauwelijks zichtbaar, verpletterd door grote ijsschotsen in een landschap dat desolater is dan het maanoppervlak. Ik weet niet zeker waar je dit schilderij kunt zien; zelf heb ik alleen de afbeelding ervan in een boek gezien. Maar toch, het laat heel goed de koude verwoesting zien die overeenkomt met hoe ik me nu voel.

Ik zou het geluk dat ervoor heeft gezorgd dat ik van je hou, gemakkelijk kunnen vervloeken, lijkt me, en toch weet ik, ondanks alles, dat ik het in het geheel niet betreur, want als ik in de toekomst iets lees over een vreselijke daad of misdadig beleid van die grootsprakige man in zijn belachelijke uniform, dan zal ik aan jou denken, Bernie, en onthouden dat er veel goede Duitsers zijn die een dapper, goed hart hebben (hoewel niemand volgens mij zo'n dapper en goed hart kan hebben als jij). En dat is goed, want als Hitler ons één ding leert, is het de domheid van het over één kam scheren van een heel ras. Er zijn slechte Joden en er zijn goede Joden, net zoals er slechte Duitsers en goede Duitsers zijn.

Jij bent een goede Duitser, Bernie. Je beschermt jezelf achter een dikke laag cynisme, maar ik weet dat je in wezen een goed mens bent. Maar ik vrees voor alle goede mannen in Duitsland en ik vraag me af welke verschrikkelijke keuzes in het vooruitzicht liggen voor hen en jou. Ik vraag me af welke afschuwelijke compromissen je zult moeten sluiten.

Daarom wil ik jou helpen anderen te helpen op de enige manier die me nu nog ter beschikking staat.

Je zult nu de ingesloten cheque wel hebben gevonden, en je eerste reactie, als je ziet dat het bedrag veel hoger is dan wat je vroeg, is misschien om het niet aan te nemen. Dat zou een vergissing zijn. Je moet het zien als een gift van mij aan jou om die zaak als privédetective op te zetten waarover je me hebt verteld. En wel om deze goede reden: in een maatschappij die is gebaseerd op leugens, wordt het blootleggen van de waarheid steeds belangrijker. Je komt er waarschijnlijk door in moeilijkheden, maar jou kennende zul je dat wel op je eigen manier weten op te lossen. Het meest van al hoop ik dat je anderen die je nodig hebben, kunt helpen, zoals je mij hebt geprobeerd te helpen en dat je gevaar niet uit de weg zult gaan als het gaat om een rechtvaardige zaak.

Ik weet niet zeker of ik me correct uitdruk. Ik spreek redelijk goed Duits, maar ik heb te weinig ervaring met het schrijven ervan. Ik hoop dat deze brief niet te formeel is. Keizer Karel V zei dat hij Spaans sprak tegen God, Italiaans tegen vrouwen, Frans tegen mannen en Duits tegen zijn paard. Maar dat paard was wellicht het wezen dat hij het meest van alle wezens ter wereld liefhad en net als jij was zijn paard heel dapper en levendig; en ik kan me geen andere taal voorstellen die zozeer bij je temperament past, Bernie. Zeker niet Engels, met al zijn subtiele betekenisverschuivingen! Ik heb nog nooit zo'n eerlijke man als jij ontmoet en dat is een van de redenen dat ik van je hou.

Het zijn lelijke tijden en je zult naar lelijke plekken moeten gaan en omgaan met mensen die zichzelf lelijk hebben gemaakt, maar jij bent mijn ridder uit de hemel, mijn Galahad, en ik weet zeker dat je al die testen kunt verduren zonder zelf lelijk te worden. En je moet jezelf altijd voorhouden dat je werk niet nutteloos is, hoewel er tijden zullen komen dat dat wel zo lijkt.

Ik kus je, Noreen xx

Würzburg was geen lelijke stad, hoewel de Franken hun best hadden gedaan van hun hoofdstad een altaar voor het nazisme te maken. Ze waren erin geslaagd de plezierig gelegen middeleeuwse stad met haar rode daken in een open gedeelte van een riviervallei een stuk lelijker te maken. In bijna elke etalage stond een foto van Hitler of een bord dat Joden weg moesten blijven of de gevolgen aanvaarden – soms beide. Vergeleken met deze stad was Berlijn een toonbeeld van democratie.

Op de linkeroever van de rivier domineerde het oude kasteel Marienberg het landschap. Het was gebouwd door de prins-bisschoppen van Würzburg die voorvechters van de contrareformatie waren geweest in een andere lelijke tijd in de Duitse geschiedenis. Maar het was net zo gemakkelijk voorstelbaar dat het indrukwekkende witte kasteel werd bewoond door een boosaardige wetenschapper met een machtige en kwaadaardige invloed op Würzburg, die elementaire krachten vrijmaakte om de nietsvermoedende boeren van de stad te veranderen in monsters. Het waren grotendeels normaal uitziende lieden, hoewel er een of twee waren met vierkante voorhoofden, diepe littekens en slecht passende jassen die de meest overtuigde galvanist te denken hadden gegeven. Ik voelde mezelf ook een beetje onmenselijk en liep in zuidelijke richting van het treinstation naar de Adolf-Hitler-Straße met rare, stijve benen die net zo goed van een dode hadden kunnen zijn, hoewel dat ook het gevolg kon zijn van de brief van Noreen.

Nadat ik had ingecheckt in slothotel Rusland klaarde mijn stemming iets op. Na een week in een politiecel was ik wel toe aan een goed hotel. Maar ik had nou eenmaal een dure smaak en nu ik had besloten mijn gewetensbezwaren opzij te zetten en de cheque van Noreen in te wisselen, had ik er ook het geld voor. Na een lichte avondmaaltijd in het Königs Café van het hotel liep ik zevenhonderdvijftig meter naar het oosten, via de Rottendorfer Straße naar een rustige buitenwijk bij een waterreservoir om de weduwe Rubusch te bezoeken.

Het was een groot huis van twee verdiepingen – drie als je de dakkapel in het hoge mansardedak meetelde – met een gewelfde voordeur en een lang wit hek op een muur van granietsteen. Het was geschilderd in dezelfde geelbeige kleur als de kleine davidster op de gelijksoortige tuinmuur van het huis aan de overkant van de straat. Er stonden twee auto's geparkeerd voor het huis, beide nieuw en beide van het merk Mercedes-Benz. De bomen waren onlangs gesnoeid. Het was een mooie Duitse buurt: rustig, goed onderhouden, degelijk en fatsoenlijk. Zelfs die gele

ster zag eruit alsof hij door een professionele huisschilder was aangebracht.

Ik liep de treden naar de voordeur op en trok aan een bel ter grootte
van een scheepskanon, en bijna even luid.

Er ging een licht aan en een dienstmeisje opende de deur. Het was een
stevige dame met rode vlechten en koppige, bijna strijdlustige trekken
op haar gezicht.

'Ja?'

'Bernhard Gunther,' zei ik. 'Frau Rubusch verwacht me.'

'Daar weet ik niets van.'

'Misschien is Hitlers telegram nog niet aangekomen. Ik weet zeker dat
hij gewild zou hebben dat u het wist.'

'U hoeft niet zo sarcastisch te doen,' zei ze. Ze deed een grote pas achteruit, en opende de gewelfde deur. 'Als u eens wist hoeveel taken er van
mij worden verwacht hier.'

Ik zette mijn aktetas neer en ontdeed me van mijn jas en hoed terwijl
zij de voordeur sloot en hem zorgvuldig op slot draaide.

'Zo te horen hebt u een dienstmeisje nodig,' zei ik.

Ze keek me een fractie van een seconde aan.

'Wacht u hier maar even.' Ze opende een deur met de zijkant van haar
voet en tikte met de zijkant van haar hand tegen een schakelaar van het
elektrisch licht. 'Maakt u het zich gemakkelijk, dan zal ik haar halen.'
Toen ze mijn jas en hoed zag, zuchtte ze diep en nam ze ze hoofdschuddend mee. Het zoveelste vervelende klusje.

Ik liep naar de open haard, waar een zwartgeblakerd stuk hout bijna
brandde en pakte een lange pook. 'Wilt u dat ik dit weer tot leven wek? Ik
ben goed met vuur. Toon me een plank met decadente literatuur en ik
heb in een mum van tijd een laaiend vuurtje gereed.'

Het dienstmeisje glimlachte somber. Misschien probeerde ze wel
spottend te kijken. Ze dacht erover een scherp antwoord te geven, maar
bedacht zich. Ik had tenslotte een pook in mijn hand en ze leek precies
het type dat met een pook wordt geslagen. Ik zou het nog gedaan hebben
ook, denk ik, als ik met haar getrouwd was. Niet dat een paar klappen
met een pook op haar hoofd die meid veel last bezorgd zouden hebben,
vooral niet als ze honger had. Ik heb nijlpaarden gezien die er kwetsbaar-
der uitzagen.

Ik draaide het halfverbrande blok hout om, legde er wat gloeiende
sintels naast en pakte een nieuw stuk hout uit een mand bij de haard. Ik

bukte me zelfs om het vuur even aan te blazen. Een vlam lekte rond het stapeltje dat ik had gebouwd en het hout vatte vlam met een knal als van vuurwerk.

'Dat kunt u goed.'

Ik draaide me om en zag een kleine, vogelachtige vrouw met een sjaal om. Ze had een ongemakkelijke glimlach op haar gestifte lippen.

Ik stond op, veegde mijn handen af en maakte dezelfde flauwe grap over decadente boeken als daarnet. De tweede keer klonk het niet grappiger. Niet in dat huis. In de hoek van de kamer stond een tafel met een radio, een kleine foto van Hitler en een glazen schaal met fruit.

'Zo zijn we hier niet echt,' zei ze terwijl ze met haar armen over elkaar naar het vuur keek. 'Achttien maanden geleden hebben ze wel wat boeken verbrand voor het bisschoppelijk paleis, maar hier niet. Niet in Oost-Würzburg.'

Zoals zij het bracht leek het alsof we in Parijs waren.

'En die gele ster op het huis hier tegenover is zeker kattenkwaad van kinderen,' zei ik.

Frau Rubusch lachte maar bedekte haar mond beleefd met haar hand zodat ik niet naar haar tanden hoefde te kijken, die volmaakt waren en porseleinwit, als van een pop. En inderdaad deed ze me vooral aan een pop denken met haar getekende wenkbrauwen, haar fijne gelaatstrekken, haar delicate rode wangen en haar fijne haar. 'Dat is geen davidster,' zei ze, door haar vingers pratend. 'De man die in dat huis woont is directeur van Würzburger Hofbrau, de plaatselijke brouwerij. Die ster is het handelsmerk van het bedrijf.'

'Misschien moet hij de nazi's laten vervolgen wegens schending van het merkenrecht.'

'Maar voor ik het vergeet, wilt u een glaasje schnaps?'

Naast de tafel stond een houten rolwagentje met drie plateaus met flessen waar ik dol op was. Ze schonk twee grote glazen in, gaf mij er een met haar benige kleine hand, ging op de sofa zitten, schopte haar schoenen uit en stopte haar voeten onder haar magere, kleine achterste. Ik had opgevouwen wasgoed gezien dat er minder keurig uitzag dan zij.

'In uw telegram stond dat u me wilde spreken over wijlen mijn echtgenoot.'

'Ja. Ik leef met u mee om uw verlies, Frau Rubusch. Het moet een verschrikkelijke schok voor u geweest zijn.'

'Inderdaad.'

Ik stak een sigaret op, inhaleerde de rook door keel en neus en slikte de helft van mijn drank door. Het maakte me nerveus om deze vrouw te moeten vertellen dat haar echtgenoot mogelijk was vermoord. Vooral omdat ze hem net pas had begraven in de overtuiging dat hij in zijn slaap was overleden aan een hersenaneurysma. Ik dronk de rest van mijn glas op.

Ze zag mijn nervositeit. 'Neem er nog een,' zei ze. 'Misschien dat u me dan durft te vertellen wat de huisdetective van hotel Adlon helemaal uit Berlijn hierheen brengt.'

Ik liep naar het drankwagentje en vulde mijn glas opnieuw. Naast de foto van Hitler stond een foto van een jongere, magerder Heinrich Rubusch.

'Ik weet echt niet waarom Heinrich die foto daar heeft neergezet. Die van Hitler, bedoel ik. We zijn nooit erg politiek geweest. En het is niet zo dat we hier altijd veel mensen ontvingen en indruk wilden maken. Ik neem aan dat hij hem toch heeft neergezet voor eventuele bezoekers. Zodat ze bij hun vertrek zouden denken dat we goede Duitsers waren.'

'Daar hoef je geen nazi voor te zijn,' zei ik. 'Hoewel het helpt als je bij de politie werkt. Voor ik als huisdetective bij het Adlon ging werken, werkte ik bij Moordzaken op Berlin Alexanderplatz.'

'En u denkt dat mijn echtgenoot mogelijk is vermoord? Is dat het?'

'Ik denk inderdaad dat die mogelijkheid bestaat.'

'Nou, dat is een hele opluchting.'

'Pardon?'

'Heinrich verbleef altijd in het Adlon als hij in Berlijn was. Ik dacht dat u me kwam vertellen dat hij een paar handdoeken had gestolen.' Ze wachtte even en glimlachte toen. 'Dat was een grapje.'

'Gelukkig maar. Dat hoopte ik al. Maar ik dacht dat uw gevoel voor humor misschien een tijdje was verdwenen nu u weduwe bent.'

'Voor ik mijn echtgenoot ontmoette, leidde ik een sisalboerderij in Oost-Afrika, Herr Gunther. Ik heb mijn eerste leeuw geschoten toen ik veertien was. En op mijn vijftiende hielp ik mijn vader een opstand van inboorlingen te onderdrukken tijdens de Maji-Maji-opstand. Ik ben heel wat flinker dan ik eruitzie.'

'Mooi zo.'

'Bent u gestopt met uw werk als politieman omdat u geen nazi was?'

'Ik heb ontslag genomen voordat ze me zouden dwingen. Misschien ben ik niet zo flink als ik eruitzie. Maar ik heb het liever over uw echtgenoot. Ik heb in de trein in zijn dossier gelezen dat hij last had van zijn hart.'

'Ja, hij had een vergroot hart.'

'Dan blijft de vraag waarom hij daar niet aan is overleden, maar wel aan een hersenaneurysma. Leed hij aan hoofdpijn?'

'Nee.' Ze schudde haar hoofd. 'Maar zijn dood kwam niet bepaald als een verrassing. Hij at te veel en hij dronk te veel. Hij was dol op worst, bier, room, sigaren, chocolade. Hij was een erg Duitse Duitser.' Ze zuchtte. 'Hij genoot op alle mogelijke manieren van het leven. En dan bedoel ik ook op alle mogelijke manieren.'

'Afgezien van zijn eten en drinken en sigaren, bedoelt u?'

'Dat is precies wat ik bedoel. Ik ben nooit in Berlijn geweest. Maar ik heb gehoord dat het nogal is veranderd sinds de nazi's aan de macht zijn gekomen. Men zegt dat het niet langer een poel van zonde is zoals tijdens de Weimar-jaren.'

'Die tijd is inderdaad voorbij.'

'Toch valt nauwelijks te geloven dat het moeilijk is om het gezelschap van een bepaald type vrouw te vinden, als men dat wil. De nazi's kunnen niet álles veranderen, lijkt me zo. Het wordt tenslotte niet voor niets het oudste beroep ter wereld genoemd.'

Ik glimlachte.

'Heb ik iets grappigs gezegd?'

'Nee, helemaal niet, Frau Rubusch. Maar nadat ik uw man dood heb aangetroffen, heb ik veel moeite gedaan om de politie over te halen u bepaalde details te besparen als ze u over zijn dood zouden inlichten – om het feit dat hij het bed had gedeeld met een andere vrouw weg te laten. Ik had het curieuze idee dat die informatie u onnodig van streek zou maken.'

'Dat was heel attent van u. Misschien hebt u gelijk. U bent niet zo flink als u eruitziet.'

Ze nipte van haar schnaps en zette het glas neer op een salontafeltje van gevlamd berkenhout. Door de X-vormige voet leek het op een voorwerp uit de Romeinse oudheid. Frau Rubusch had zelf ook wel iets Romeins. Misschien kwam het door de manier waarop ze zat, halfliggend op haar sofa, maar je kon je haar gemakkelijk voorstellen als de invloedrijke en onwrikbare vrouw van een of andere dikke senator die niet langer bruikbaar was.

'Vertelt u mij eens, Herr Gunther. Is het normaal dat ex-politiemensen in het bezit zijn van een politiedossier?'

'Nee. Ik heb een vriend die bij Moordzaken werkt geholpen. En eerlijk gezegd mis ik het werk. De zaak van uw echtgenoot liet me gewoon niet los.'

'Ja, ik snap hoe dat kan gebeuren. U zei dat u het dossier van mijn echtgenoot in de trein hebt gelezen. Zit dat dossier in uw aktetas?'

'Ja.'

'Ik zou dat dossier graag willen inzien.'

'Met uw welnemen, ik geloof niet dat dat een goed idee is. Het dossier bevat foto's van het lijk van uw echtgenoot zoals hij in zijn hotelkamer werd aangetroffen.'

'Daar hoopte ik al op. Die foto's zou ik graag willen zien. O, u hoeft zich geen zorgen om mij te maken. Dacht u dat ik hem niet had bekeken voordat we hem gingen begraven?'

Ik zag dat het geen nut had om haar tegen te spreken. Bovendien waren er wat mij betreft andere dingen die ik met haar wilde bespreken die belangrijker waren dat de gelukzalige glimlach op het dode gezicht van haar echtgenoot. Dus opende ik mijn aktetas, viste het Kripo-dossier eruit en gaf het aan haar.

Zodra ze de foto zag, begon ze te huilen. Even vervloekte ik mezelf voor het feit dat ik Frau Rubusch op haar woord had geloofd. Maar toen slaakte ze een zucht, wuifde zichzelf koelte toe met haar vlakke hand, slikte een onzichtbare brok in haar keel weg en zei: 'En dit is hoe u hem hebt aangetroffen?'

'Ja. Precies zo hebben we hem aangetroffen.'

'Dan vrees ik dat u gelijk hebt met uw argwaan, Herr Gunther. Ziet u, mijn echtgenoot draagt hier een pyjamajasje in bed. Dat deed hij nooit. Ik pakte altijd twee pyjama's voor hem in, maar hij droeg altijd alleen maar de broek. Iemand anders moet hem dat jasje hebben aangetrokken. Hij zweette namelijk nogal veel 's nachts. Dat komt vaak voor bij dikke mannen. Daarom droeg hij dat jasje nooit. Dat doet me eraan denken. Toen de politie zijn spullen terugbracht, heb ik slechts één pyjamajasje ontvangen. Twee pyjamabroeken, maar slechts één jasje. Toentertijd dacht ik dat de politie het had gehouden of dat ze het misschien hadden verloren. Niet dat het erg belangrijk leek. Maar nu ik deze foto heb gezien, denk ik wel dat het belangrijk is. Vindt u ook niet?'

'Ja.' Ik stak nog een sigaret op en stond op om een derde glas in te schenken. 'Als ik zo vrij mag zijn.'

Ze knikte en bleef naar de foto staren.

'Goed,' zei ik. 'Iemand moet hem dat jasje hebben aangetrokken nadat hij was gestorven, met de bedoeling zijn dood zo natuurlijk mogelijk te doen lijken. Maar welke prostituee zou zoiets doen? Als hij tijdens of onmiddellijk na de seks is gestorven, zou elk verstandig meisje als de wiedeweerga zijn vertrokken.'

'Bovendien was mijn echtgenoot erg zwaar. Het is moeilijk voor te stellen dat een meisje hem kon optillen om hem zijn jasje aan te trekken. Ik zou dat in ieder geval niet kunnen. Op een keer, toen hij dronken was, heb ik geprobeerd zijn overhemd uit te trekken, en dat was bijna onmogelijk.'

'En toch is er het bewijs van de lijkschouwing: de doodsoorzaak is natuurlijk. Wat kon nog meer een hersenaneurysma veroorzaken, behalve een inspannend potje vrijen?'

'Vrijen was altijd inspannend voor Heinrich, dat kan ik u verzekeren. Maar hoe bent u gaan vermoeden dat zijn dood een moord zou kunnen zijn, Herr Gunther?'

'Door iets wat iemand zei. Kent u iemand die Max Reles heet?'

'Nee.'

'Nou, hij kende uw man.'

'En denkt u dat hij iets te maken had met de dood van mijn echtgenoot?'

'Het is niet meer dan een licht vermoeden, maar inderdaad. Ik zal u vertellen waarom.'

'Wacht. Hebt u al warm gegeten?'

'Ik heb een licht avondmaal gebruikt in het hotel.'

Ze glimlachte vriendelijk. 'Dit is Frankenland, Herr Gunther. We doen niet aan lichte maaltijden in dit land. Wat hebt u gegeten?'

'Een schotel koude ham en kaas. En een biertje.'

'Ik dacht al zoiets. Goed, u blijft dus dineren. Magda kookt toch altijd veel te veel. Het is fijn als iemand weer eens goed eet in dit huis.'

'Nu u het zegt, ik heb best honger. Ik heb de laatste tijd een paar maaltijden overgeslagen.'

Het huis was te groot voor één persoon. Het zou nog te groot zijn geweest voor een basketbalteam. Haar twee zonen waren volwassen en het huis uit, naar de universiteit, zei ze, maar ik rekende op Magda's kookkunsten. Niet dat daar iets mis mee was. Maar iemand die voor langere tijd in dat huis verbleef, nam een groot risico met zijn slagaderen. Ik was pas een paar uur in dat huis en ik voelde me al zo dik als Hermann Göring. Elke keer dat ik mijn lepel en vork neerlegde, werd ik overgehaald nogmaals op te scheppen. En als ik geen voedsel at, keek ik er naar. Overal hingen schilderijen van dood wild en hoorns des overvloeds en uitpuilende fruitschalen voor het geval iemand trek had. Zelfs het meubilair wekte de indruk dat het een extra dosis bijenwas had gehad. Het was massief en zwaar en als ze ergens zat of tegenaan leunde leek Angelika Rubusch op Alice die in het konijnhol verdween.

Ik vermoedde dat ze halverwege de veertig was, maar misschien was ze ook wel ouder. Ze was een elegante vrouw, wat gewoon een manier is om te zeggen dat ze mooier oud werd dan een knappe vrouw. En er waren verschillende redenen om te vermoeden dat ze mij aantrekkelijk vond, wat een andere manier is om te zeggen dat ik waarschijnlijk te veel had gedronken.

Na het eten probeerde ik me te concentreren op wat ik wist over haar echtgenoot: 'Uw man was toch eigenaar van een steengroeve?'

'Dat klopt. We leverden een groot aantal soorten natuursteen aan bouwers in heel Europa. Maar voornamelijk kalksteen. Dit deel van Duitsland is er beroemd om. We noemen het beige kalksteen vanwege de honingachtige kleur. De meeste openbare gebouwen in Würzburg zijn gemaakte van beige kalksteen. Het is uniek voor Duitsland, wat het populair maakt bij de nazi's. Sinds Hitler aan de macht is gekomen, nemen de zaken een grote vlucht. Ze kunnen er niet genoeg van krijgen. Voor elk nieuw openbaar gebouw in Duitsland lijkt beige Jura-kalksteen nodig. Voor hij stierf kwam Paul Troost, de architect van Hitler, hier om naar ons kalksteen te kijken voor de nieuwe kanselarij.'

'Hoe zit het met de Olympische Spelen?'

'Nee, dat contract hebben we niet gekregen. Niet dat dat er nu nog toe doet. Ik verkoop de zaak. Mijn zonen hebben geen enkele interesse in kalksteen. Ze studeren rechten. Ik kan het bedrijf niet in mijn eentje leiden. Ik heb een zeer goed aanbod gehad van een ander bedrijf hier in Würzburg. Dus ik accepteer het geld en word een rijke weduwe.'

'Maar u hebt wel meegedongen naar een olympisch contract?'

'Natuurlijk. Daarom ging Heinrich naar Berlijn. Hij is verschillende keren gegaan. Om onze offerte te bespreken met Werner March, de architect van het Olympisch Stadion en wat andere mensen van het ministerie van Binnenlandse Zaken. De dag voordat Heinrich is gestorven, belde hij me op vanuit het Adlon om te zeggen dat we hadden verloren. Hij maakte zich daar erg druk om en zei dat hij een en ander zou bespreken met Walter March, die dol was op ons steen. Ik weet nog dat ik hem heb gezegd dat hij op zijn bloeddruk moest letten. Zijn gezicht werd zeer rood als hij ergens kwaad om werd. Dus toen hij stierf, nam ik uiteraard aan dat het iets te maken moest hebben met zijn gezondheid.'

'Weet u waarom Max Reles in het bezit zou zijn van een offerte voor een contract van uw bedrijf?'

'Is hij iemand van het ministerie?'

'Nee, hij is een Duits-Amerikaanse zakenman.'

Ze schudde haar hoofd.

Ik pakte de brief die ik had gevonden in de Chinese doos en vouwde hem open op de eettafel. 'Ik had half-en-half verwacht dat Max Reles een aandeel van die leverancierscontracten voor zichzelf opeiste. Zoiets als een vindersrecht of een commissie. Maar aangezien het bedrijf van uw man het contract niet kreeg, ben ik niet meer zo zeker van de aard van de connectie. Of waarom Max Reles bezorgd was dat ik vragen stelde over uw echtgenoot. Niet dat ik ooit heb begrepen wat die connectie was, moet u weten. Niet tot op heden. Niet tot iemand anders een verband legde tussen Heinrich Rubusch en Isaac Deutsch. En aannam dat ik die twee zaken al met elkaar in verband had gebracht.' Ik gaapte. 'Wat niet zo was. Sorry, niets van dit alles zal u begrijpelijk voorkomen. Ik ben moe, denk ik. En waarschijnlijk een beetje dronken.'

Angelika Rubusch luisterde niet en dat kon ik haar niet kwalijk nemen. Ze wist niets over Isaac Deutsch en waarschijnlijk kon het haar ook niets schelen. Wat ik zei was even onzinnig als de actie van een blind footballteam. Bernie Gunther, rondstommelend in het duister en schoppend naar een bal die er niet eens is. Ze schudde haar hoofd en ik stond op het punt me opnieuw te verontschuldigen toen ik zag dat ze naar de brief met haar eigen offerte keek.

'Ik begrijp het niet,' zei ze.

'Dat geldt ook voor mij. Ik begrijp al een tijdje nergens meer iets van. Ik ben gewoon iemand die dingen overkomen. En ik weet niet waarom. Wat een detective, hè?'

'Hoe komt u hieraan?'

'Max Reles had hem bij zich. Hij lijkt heel wat invloed te hebben in de olympische zaken. Ik heb dat document gevonden in iets anders dat van hem was. Een antieke Chinese doos die een tijdje zoek was. Toen dat zo

239

was, had ik sterk de indruk dat hij hem erg graag terug wilde hebben.'

'Ik denk dat ik weet waarom,' zei Angelika Rubusch. 'Dit is niet onze offerte. Het is ons briefpapier maar dit zijn niet onze cijfers. Dit is veel hoger dan de prijs die wij vroegen voor de levering van onze kalksteen. Ongeveer twee keer zo hoog. Nu ik deze cijfers zie, begrijp ik dat we dat contract niet hebben gekregen.'

'Weet u het zeker?'

'Natuurlijk weet ik het zeker. Ik was secretaresse van mijn echtgenoot. Dat was om te voorkomen dat hij… u snapt het wel. Maar goed, dat is nu niet meer belangrijk. Ik typte altijd al onze correspondentie, inclusief de oorspronkelijke offerte aan het Duitse Olympisch Comité, en ik kan u verzekeren dat ik deze brief niet heb getypt. Ten eerste zit er een spelfout in. Er hoort geen "e" in Würzburg.'

'Is dat zo?'

'Als je zelf uit Würzburg komt, weet je dat. En de letter "g" op deze typemachine staat iets hoger dan de rest van de letters.' Ze legde de offerte voor me neer en plaatste een goed gemanicuurde vingernagel onder de verkeerd geplaatste 'g'. 'Ziet u het?'

Eerlijk gezegd zag ik alles niet zo helder meer, maar ik knikte toch.

Ze hield het briefpapier omhoog tegen het licht. 'En nog iets. Dit is zelfs niet eens ons briefpapier. Het ziet er wel zo uit, maar het watermerk is anders.'

'Juist.' En nu zag ik het ook echt.

'Natuurlijk,' zei ik. 'Max Reles heeft zitten rommelen met de biedingen. En ik denk dat het als volgt werkt: je brengt ergens een offerte op uit en zorgt ervoor dat de offertes van de concurrenten onredelijk hoog zijn. Of je jaagt de andere bieders weg, op welke manier dan ook. Als dit een valse offerte is, moet Max Reles een belang hebben in het bedrijf dat het contract in de wacht heeft gesleept voor het leveren van kalksteen. Waarschijnlijk was dat ook een hoge offerte, maar niet zo hoog als die van uw echtgenoot. Naar wie is dat contract trouwens gegaan?'

'Würzburg Jura Kalksteen,' zei ze mat. 'Onze grootste concurrent. Hetzelfde bedrijf aan wie ik onze zaak verkoop.'

'Goed. Misschien had Reles al aan Heinrich gevraagd om een hoog bod uit te brengen zodat uw concurrent het contract kon binnenhalen. In dat geval zou hij een commissie hebben ontvangen. En misschien uiteindelijk zelf aan Würzburg Jura had moeten leveren. Het voordeel is dan dat hij twee keer betaald zou worden.'

240

'Heinrich bedroog me dan wel als echtgenoot,' zei ze, 'maar in zaken was hij niet zo.'

'In dat geval moet Max Reles geprobeerd hebben hem onder druk te zetten, wat hem niet is gelukt. Of hij heeft de offerte van uw echtgenoot gewoon vervalst. Of beide. Hoe dan ook, Heinrich is erachter gekomen. En dus heeft Max Reles hem uit de weg geruimd. Snel. Discreet. Maar wel voorgoed. Het wordt nu allemaal duidelijk. De eerste avond dat ik uw man zag, was tijdens een diner dat door Reles werd gegeven voor een stel zakenmensen. Er was toen een ruzie. Een van de andere zakenmensen stormde naar buiten. Misschien was hij gevraagd een te hoog bod uit te brengen op iets anders.'

'Wat gaan we nu doen?'

'Morgenochtend heb ik een afspraak met de plaatselijke Gestapo. Het lijkt erop dat ik niet de enige ben die in Max Reles is geïnteresseerd. Misschien kunnen zij me vertellen wat ze weten, dan vertel ik wat ik weet, misschien dat we dan vooruitgang kunnen boeken. Maar ik vrees dat het gevolg van dit alles zal zijn dat er nog een lijkschouwing moet komen. Het is duidelijk dat de patholoog in Berlijn iets heeft gemist. Dat gebeurt tegenwoordig wel vaker. De normen voor forensisch onderzoek zijn niet meer zo streng als vroeger. En eigenlijk geldt dat voor alle normen.'

28

Je loopt naar een deur die wordt bewaakt door twee mannen met een stalen helm op en die gehuld zijn in zwarte uniformen en witte handschoenen. Ik weet niet wat het doel is van die witte handschoenen. Moeten ze ons ervan overtuigen dat de ss puur is in hart en daden? Als dat zo is, ben ik niet overtuigd: dit is de militie die Ernst Röhm en god mag weten hoeveel andere sa'ers heeft vermoord.

Achter een zware deur van hout en glas ligt een grote ontvangsthal met een stenen vloer en een marmeren trap. Naast de balie hangt een nazivlag en een manshoge foto van Adolf Hitler. Achter de balie zit nog een man in een zwart uniform. Hij heeft die onbehulpzame gelaatsuitdrukking die je tegenwoordig in heel Duitsland tegenkomt. Dit gezicht wil niemand plezieren. Het is er niet om jou te dienen. Of je leeft of sterft, kan hem niet schelen. Het beschouwt jou niet als burger maar als een object dat moet worden verwerkt, dat de trap op moet of de deur uit. Zo ziet iemand eruit als hij zich niet langer gedraagt als een menselijk wezen en verandert in een soort robot.

Onvoorwaardelijke gehoorzaamheid. Orders opvolgen zonder nadenken. Dat is wat ze willen. Rijen vol automaten met stalen helmen in gesloten gelid.

Mijn afspraak wordt afgevinkt op een keurig getypte lijst die op een blinkend bureau ligt. Ik ben te vroeg. Ik mag eigenlijk net zomin te vroeg als te laat komen. Nu moet ik wachten en de robot weet niet wat hij moet doen met iemand die te vroeg is en die moet wachten. Naast de liftkooi staat een lege houten stoel. Normaal gesproken zit daar een bewaker, wordt me verteld, maar tot de tijd van de afspraak mag ik daar zitten.

Ik ga zitten. Enkele minuten verstrijken. Om precies tien uur tilt de robot de hoorn van de telefoon, draait een nummer en kondigt mijn aanwezigheid aan. Ik moet de lift in en mij naar de vierde verdieping begeven, waar ik zal worden opgewacht door een andere robot. Ik stap de lift in. De robot die de machine bedient, heeft de order gehoord en neemt tijdelijk de verantwoordelijkheid op zich voor mijn bewegingen binnen het gebouw.

Op de vierde verdieping staat een groep mensen op de lift te wachten om naar beneden te gaan. Een van hen is een man die wordt ondersteund door twee andere robots. Hij is geboeid en half bewusteloos en er stroomt bloed uit zijn neus op zijn kleren. Niemand lijkt beschaamd of in verlegenheid gebracht dat ik hier ben en dit zie. Dat zou betekenen dat wat er is gebeurd fout zou kunnen zijn. En aangezien wat die man is aangedaan heeft plaatsgevonden uit naam van de Führer, kan dit eenvoudigweg niet het geval zijn. De man wordt de lift in gesleept en de derde robot die op de overloop van de vierde etage is blijven staan gaat me voor door een lange, brede gang. Hij blijft staan voor een deur met nummer 43 erop, klopt aan en doet de deur open zonder te wachten. Als ik binnen ben, sluit hij de deur achter me.

De kamer is gemeubileerd maar verder leeg. Het raam staat wijd open, maar er hangt een geur die me doet vermoeden dat dit de plek is waar de man met de bloedneus zojuist is ondervraagd. En als ik een paar bloedvlekken op het zeil zie, weet ik dat ik gelijk heb. Ik loop naar het raam en kijk uit op de Ludwigstraße. Mijn hotel ligt net om de hoek en hoewel het buiten mistig is, kan ik vanaf hier het dak zien. Tegenover het hoofdbureau van de Gestapo in Würzburg, aan de overzijde van de straat, is het kantoor van de plaatselijke nazipartij gevestigd. Door een bovenraam zie ik een man zitten met zijn voeten op zijn bureau en ik vraag me af wat daar, uit naam van de partij, wordt gedaan wat hier niet wordt gedaan.

Een bel begint te rinkelen. Het geluid dat over de rode daken komt aanwaaien, is afkomstig van de kathedraal, vermoed ik, maar het klinkt meer als een geluid dat afkomstig is van zee, iets om schepen te waarschuwen tegen rotsen in de mist. En ik denk aan Noreen, ergens op het noordelijke gedeelte van de Atlantische Oceaan, staand op de voorsteven van de SS Manhattan, terwijl ze naar de dichte mist staart die mij onzichtbaar maakt.

De deur gaat achter me open. Een sterke zeeplucht drijft de kamer binnen. Ik draai me om en zie een kleine man die de deur sluit en de mouwen van zijn overhemd omlaag rolt. Ik vermoed dat hij zojuist zijn handen heeft gewassen. Misschien zat er bloed op. Hij zegt niets totdat hij zijn zwarte ss-uniform van een hangertje uit de kast heeft gepakt. Hij trekt het aan alsof het zijn gebrek aan lengte kan compenseren.

243

'Ben u Gunther?' zei hij met een gewild populaire stem met Frankisch accent.

'Dat klopt. En u moet kapitein Weinberger zijn.'

Hij ging door met het dichtknopen van zijn uniform zonder antwoord te geven. Toen wees hij op de stoel voor zijn bureau. 'Gaat u zitten.'

'Nee, dank u,' zei ik terwijl ik in de vensterbank ging zitten. 'Ik ben een beetje als een kat. Ik ben heel kieskeurig waar ik ga zitten.'

'Wat bedoelt u?'

'Er ligt bloed op de vloer onder die stoel en zo te zien ook op de stoel. Ik verdien niet zo veel geld dat ik het kan riskeren een goed pak te verpesten.'

Weinberger bloosde een beetje. 'Zoals u wilt.'

Hij ging achter zijn bureau zitten. Zijn voorhoofd was het enige hoge aan hem. Erboven zat een bos dik bruin krulhaar. Zijn ogen waren groen en doordringend. Zijn mond had een arrogante trek. Hij zag eruit als een opstandige schooljongen. En het was moeilijk voor te stellen dat hij ruig kon omgaan met iets anders dan een verzameling speelgoedsoldaatjes of een werpspel op de kermis. 'En, waarmee kan ik u van dienst zijn, Herr Gunther?'

Ik mocht hem niet. Maar dat deed er nauwelijks toe. Vertoon van goede manieren zou de verkeerde toon hebben gezet. Het couperen van de staarten van jonge pups bij de Gestapo was, zoals Liebermann von Sonnenberg had gezegd, bijna een sport onder hogere politiebeambten.

'Een Amerikaan die Max Reles heet. Wat weet u over hem?'

'En in welke hoedanigheid vraagt u mij dat?' Weinberger legde zijn laarzen op het bureau, net als de man in het kantoor aan de overkant en vouwde zijn handen achter zijn hoofd. 'U hoort niet bij de Gestapo en niet bij de Kripo. En het lijkt me ook niet dat u lid bent van de ss.'

'Ik voer een undercoveronderzoek uit namens Berlijns adjunct-commissaris van politie, Liebermann von Sonnenberg.'

'Ja, ik heb zijn brief ontvangen. En zijn telefoontje. Het komt niet vaak voor dat Berlijn aandacht schenkt aan een plaats als deze. Maar u hebt mijn vraag nog steeds niet beantwoord.'

Ik stak een sigaret op en knipte de lucifer uit het raam. 'Doe niet vervelend. Gaat u me helpen of moet ik terug naar mijn hotel om het Alex te bellen?'

'O, ik zou beslist niet vervelend tegen u willen doen, Herr Gunther.' Hij glimlachte minzaam. 'Aangezien dit kennelijk geen officiële zaak is, wil ik gewoon weten waarom ik u ga helpen. Dat klopt toch? Als dit een officiële zaak was, zou het verzoek van de adjunct-commissaris mij hebben bereikt via mijn superieuren, denkt u niet?'

'We kunnen het op die manier doen, als u dat liever hebt,' zei ik. 'Maar in dat geval verknoeit u mijn tijd. En die van u. Dus beschouw dit maar gewoon als een gunst aan het hoofd van de Berlijnse Kripo.'

'Ik ben blij dat u dat zegt. Een gunst. Want ik zou graag een gunst van u krijgen. Dat is toch redelijk, nietwaar?'

'Wat wilt u dan?'

Weinberger schudde zijn hoofd. 'Niet hier, hè? Laten we koffie gaan drinken. Uw hotel is niet ver weg. Laten we daar heen gaan.'

'Goed. Als u het zo wilt aanpakken.'

'Dat lijkt me het beste. Gezien het onderwerp waarover u vragen stelt.' Hij stond op en pakte zijn riemen en pet. 'Bovendien verleen ik u al een gunst. De koffie hier is afschuwelijk.'

Hij zei niets meer tot we het gebouw uit waren. Maar toen was hij ook nauwelijks meer te stuiten.

'Dit is geen slechte stad. Ik kan het weten, ik ben hier naar de universiteit geweest. Ik heb rechten gestudeerd en na mijn afstuderen ben ik bij de Gestapo gegaan. Het is natuurlijk een heel katholieke stad en daarom waren ze hier aanvankelijk niet erg nazigezind. Ik zie dat u dat verbaast, maar het is waar. Toen ik voor het eerst partijlid werd, hoorde deze stad tot een van de plaatsen met het minste aantal partijleden in heel Duitsland. Zo zie je maar weer hoeveel je in korte tijd kunt bereiken, hè?

De meeste zaken die wij op ons kantoor van de Gestapo in Würzburg krijgen, zijn aanklachten tegen personen. Duitsers die een seksuele relatie onderhouden met Joden, dat soort zaken. Maar het abnormale is dit: het grootste deel van de aanklachten is niet afkomstig van partijleden, maar van goede katholieken. Natuurlijk is er niet echt een wet die Duitsers en Joden hun smerige liefdesverhoudingen verbiedt. Nog niet. Maar dat houdt de aanklachten niet tegen, en we zijn verplicht ze te onderzoeken, al was het maar om te bewijzen dat de partij deze obscene relaties afkeurt. Af en toe laten we een stel dat is beschuldigd van raciale vervuiling op het dorpsplein paraderen, maar het gaat zelden veel verder dan dat. Een of twee keer hebben we een Jood de stad uit gejaagd vanwege woekerhandel, maar dat is alles. En het behoeft geen betoog dat de meeste van die aanklachten ongegrond zijn en het gevolg van domheid en onwetendheid – uiteraard. De meeste mensen die hier wonen zijn niet veel meer dan boeren. We zijn hier niet in Berlijn. Was dat maar zo.

'Mijn eigen situatie is heel toepasselijk, Herr Gunther. Weinberger is geen Joodse naam. Ik ben geen Jood. Geen van mijn grootouders is een Jood. En toch ben ik zelf aan de kaak gesteld als Jood, en meer dan één keer, kan ik toevoegen. Dat helpt mijn carrière hier in Würzburg niet erg vooruit.'

'Dat kan ik me voorstellen.' Ik stond mezelf een glimlach toe, maar meer niet. Ik had de informatie die ik nodig had nog niet en tot dan wilde ik de jonge Gestapo-man die naast me op straat liep niet verontrusten. We liepen de Adolf-Hitler-Straße in en liepen in noordelijke richting naar mijn hotel.

'Ja, het is grappig. Natuurlijk. Dat zie zelfs ik wel in. Maar ik heb het gevoel dat zoiets niet zou gebeuren in een mondainere stad als Berlijn. Er zijn daar mensen bij de politie die Joods klinkende namen hebben en die nazi zijn, toch? Liebermann von Sonnenberg? Zeg nou zelf. Nou, ik weet zeker dat hij zou begrijpen dat ik in een lastig parket zit.'

Ik had geen zin om hem te vertellen dat Berlijns adjunct-commissaris dan wel lid van de partij was, maar dat hij de Gestapo en alles waar het voor stond verachtte.

'Kijk, ik denk dit,' zei hij oprecht. 'Dat mijn naam in een stad als Berlijn geen probleem zou zijn voor mijn carrière. Hier in Würzburg zal er altijd een flauw vermoeden blijven dat ik niet helemaal arisch ben.'

'Ach, wie wel? Ik bedoel, als je ver genoeg teruggaat en als de Bijbel gelijk heeft, zijn we allemaal Joden. Toren van Babel en zo. Ja, toch?'

'Hmm, ja.' Hij knikte onzeker. 'Bovendien zijn de zaken die ik te behandelen krijg zo onbenullig dat het nauwelijks de moeite van het onderzoeken waard is. Dat is dan ook de reden dat ik geïnteresseerd ben in Max Reles.'

'En wat wilt u? Graag iets meer duidelijkheid, hoofdinspecteur.'

'Niets meer dan een kans. Een kans om mezelf te bewijzen, meer niet. Een woordje van de adjunct-commissaris tegen de Gestapo in Berlijn zou mijn overplaatsing zeker versoepelen. Denkt u ook niet?'

'Dat zou kunnen,' gaf ik toe. 'Dat zou zeker kunnen.'

We kwamen bij de ingang van het hotel en liepen door naar het café, waar ik koffie en taart bestelde voor ons beiden.

'Als ik terug ben in Berlijn,' zei ik tegen hem, 'zal ik kijken wat ik kan doen. Ik ken toevallig iemand bij de Gestapo. Hij heeft zijn eigen afdeling in de Prinz-Albrecht-Straße. Misschien kan hij u helpen. Ja, dat is zeer wel mogelijk. Gesteld natuurlijk dat u mij kunt helpen.'

Zo ging tegenwoordig alles in Duitsland. Voor ratten als Othman Weinberger was het waarschijnlijk de enige manier om vooruit te komen. En hoewel ik hem persoonlijk beschouwde als iets dat ik het liefst van de zolen van mijn Salamanders zou schrapen, kon ik hem nauwelijks kwalijk nemen dat hij uit Würzburg weg wilde. Ik was er pas vierentwintig uur en ik had al evenveel zin om het oord te verlaten als de zwerfhond van de Wandelende Jood.

'Maar weet je,' zei ik, 'die zaak. Samen kunnen we daar misschien iets van maken. Iets waar je een carrière op zou kunnen bouwen. Misschien heb je geen vriendelijk woordje nodig als dit indruk maakt op je meerderen.'

Weinberger glimlachte wrang en bekeek de serveerster langzaam van top tot teen terwijl ze bukte om de koffie en taart neer te zetten. 'Denk je? Ik betwijfel het. Niemand hier leek erg geïnteresseerd in wat ik had te vertellen over Max Reles.'

'Ik ben hier niet voor kletspraatjes bij de koffie, hoofdinspecteur. Vertel op.'

Weinberger negeerde de koffie en de uitstekende taart en boog zich opgewonden naar voren. 'Die man is een echte gangster,' zei hij. 'Net als Al Capone en die andere bendeleden uit Chicago – De FBI…'

'Wacht even. Ik wil dat je begint bij het begin.'

'Nou, goed. Je weet misschien dat Würzburg de hoofdstad is van de Duitse steengroeven. Onze kalksteen wordt hoog geprezen door architecten in het hele land. Maar er zijn slechts vier bedrijven die dat spul verkopen. Een van hen is een bedrijf dat Würzburg Jura Kalksteen heet en dat eigendom is van een prominente plaatselijke inwoner die Roland Rothenberger heet.' Hij haalde meesmuilend zijn schouders op. 'Klinkt dat minder Joods dan mijn naam? Zeg het maar.'

'Ga door.'

'Rothenberger is een vriend van mijn vader. Mijn vader is hier arts en lid van de gemeenteraad. Een paar maanden geleden kwam Rothenberger hem opzoeken in zijn hoedanigheid als gemeenteraadslid. Hij zei dat hij werd geïntimideerd door iemand die Krempel heette. Gerhard Krempel. Hij was vroeger lid van de SA, maar hij werkt nu als lijfwacht voor Max Reles. Enfin, Rothenbergers verhaal was dat iemand die Max Reles heette hem had aangeboden aandelen in zijn bedrijf te kopen en dat die Krempel onaangenaam werd toen Rothenberger hem liet weten dat hij niet wilde verkopen. Dus toen ben ik een en ander gaan uitzoeken, maar ik had het dossier nog niet geopend of Rothenberger nam contact met me op om te zeggen dat hij de klacht wilde intrekken. Hij zei dat Reles zijn aanbod aanzienlijk had verbeterd en dat er sprake was geweest van een eenvoudig misverstand. Dat Max Reles nu aandeelhouder was van Würzburg Jura Kalksteen. En dat ik het allemaal maar moest vergeten. Dat is wat hij mij vertelde.

Maar uit verveling ben ik toch gaan kijken of ik nog meer informatie over Reles te pakken kon krijgen. Ik ontdekte al meteen dat hij Amerikaans staatsburger was en naar het zich liet aanzien was er daar ook een overtreding begaan. Zoals u waarschijnlijk weet mogen alleen Duitse bedrijven meedingen naar de olympische contracten en er kwam aan het licht dat Würzburg Jura Kalksteen de plaatselijke concurrentie voor Berlijns nieuwe stadion zojuist had overboden. Ik heb ook ontdekt dat Reles kennelijk invloedrijke connecties had hier in Duitsland. Ik besloot dus te onderzoeken wat er over hem bekend was in Amerika. Dat is de reden dat ik contact heb opgenomen met Liebermann von Sonnenberg.'

'Wat heeft de FBI u verteld?'

'Veel meer dan waarop ik had gerekend, eerlijk gezegd. Genoeg om mij ervan te overtuigen zijn gegevens te controleren bij de Kripo van Wenen. Het beeld wat ik van Reles heb opgebouwd komt uit twee afzonderlijke informatiebronnen. En daarnaast heb ik zelf nog het een en ander ontdekt.'

'U hebt het druk gehad.'

'Max Reles komt uit Brownsville, New York. Hij is een Jood van Hongaars-Duitse afkomst. Dat zou al erg genoeg zijn, maar er is veel meer. Zijn vader, Theodor Reles, verliet rond de eeuwwisseling Wenen voor Amerika. Het meest waarschijnlijke is dat hij probeerde te ontsnappen aan een beschuldiging van moord. De Weense Kripo had een sterk vermoeden dat hij iemand had vermoord – misschien meer dan een persoon – met een ijspriem. Het was kennelijk een techniek die hij had geleerd van een Weens-Joodse arts die Arnstein heette. Toen Theodor zich in Amerika had gevestigd, trouwde hij en kreeg hij twee zonen: Max en zijn jongere broer Abraham.

Max is nooit ergens voor veroordeeld, hoewel hij betrokken was bij gangsterpraktijken rond de drooglegging, en ook bij woekering en gokken. Sinds het einde van de drooglegging in maart vorig jaar heeft hij connecties gelegd in de onderwereld van Chicago. Broertje Abraham is veroordeeld voor jeugdcriminaliteit en is eveneens betrokken bij de georganiseerde misdaad. Naar verluidt is hij een van de koelbloedigste moordenaars van de onderwereld in Brooklyn en men zegt dat hij moordt met een ijspriem, net als zijn vader. Hij is zo bekwaam met dat wapen dat hij in bepaalde gevallen geen enkel spoor achterlaat.'

'Hoe werkt dat dan?' vroeg ik. 'Als je iemand doodsteekt met een ijspriem laat dat toch meer achter dan alleen een blauwe plek?'

Weinberger grijnsde. 'Dat dacht ik ook. Er stond niets over die techniek in de informatie die ik van de FBI had gekregen. Maar de Weense Kripo heeft nog een oud dossier over Theodor Reles. De vader, zoals ik al zei. Blijkbaar was zijn werkwijze om de ijspriem door het oor van het slachtoffer te rammen, precies in zijn hersenen. Hij was daar zo goed in dat van veel van zijn slachtoffers werd gedacht dat ze waren gestorven aan een hersenaneurysma; of in ieder geval een natuurlijke dood waren gestorven.'

'Mijn god,' mompelde ik. 'Op die manier moet Reles ook Rubusch hebben vermoord.'

'Wat zegt u?'

Ik vertelde Weinberger wat ik wist over de moord op Heinrich Rubusch en hoe Würzburg Jura Kalksteen nu de nieuwe eigenaar was van Rubusch Stone Company. 'U zei dat Max Reles connecties had opgebouwd bij de onderwereld van Chicago,' zei ik. 'Met wie dan bijvoorbeeld?'

'Tot voor kort werd Chicago geleid door Capone zelf. Die ook afkomstig was uit Brooklyn. Maar Capone zit nu in de gevangenis en de organisatie van Chicago heeft zich vertakt naar andere gebieden, waaronder de bouwwereld en gangsterpraktijken met het ronselen van arbeiders. De FBI vermoedt dat de onderwereld van Chicago betrokken was bij omkoping met betrekking tot bouwcontracten voor de Olympische Spelen van Los Angeles in 1932.'

'Dat verbaast me niks. Max Reles heeft een goede vriend die in het Amerikaans Olympisch Comité zit en die ook eigenaar is van een bouwbedrijf uit Chicago. Een vent die Brundage heet. Hij krijgt een of andere vorm van provisie van ons Olympisch Comité in ruil voor het voorkomen van een boycot van de Amerikanen.'

'Geld?'

'Nee. Hij ontvangt af en toe kunstschatten uit Oost-Azië die deel uitmaakten van een collectie die aan het Berlijnse Etnologische Museum was gedoneerd door een of andere oude Jood.' Ik knikte instemmend.

'Zoals ik al zei, u hebt niet stilgezeten, hoofdinspecteur. Ik ben onder de indruk van de hoeveelheid feiten die u boven tafel hebt gekregen. Eerlijk gezegd denk ik dat de adjunct-commissaris net zo onder de indruk zal zijn als ik. Met uw talenten zou u misschien een carrière bij de echte politie moeten overwegen. Bij de Kripo.'

'Kripo?' Weinberger schudde zijn hoofd. 'Nee, bedankt,' zei hij. 'De Gestapo is de politiemacht van de toekomst. Volgens mij zullen de Gestapo en de ss de Kripo op lange termijn opslorpen. Nee, nee, ik waardeer uw complimenten, maar met het oog op mijn carrière kan ik het beste bij de Gestapo blijven. Maar bij voorkeur wel de Gestapo van Berlijn, uiteraard.'

'Uiteraard.'

'Vertelt u mij eens, Herr Gunther, u denkt toch niet dat wij al te pedant zijn? Ik bedoel, die Reles kan dan wel een Jood en een gangster zijn, maar hij heeft invloedrijke vrienden in Berlijn.'

'Ik heb al met Frau Rubusch gesproken over het opgraven van het lijk van haar echtgenoot. Dan zal blijken dat hij is vermoord. Ik denk zelfs dat ik wel weet wat het moordwapen is. Net als de meeste Amerikanen houdt Reles van veel ijs in zijn drank. Op het dressoir van zijn hotelkamer ligt een tamelijk dodelijk uitziende ijspriem. En als dat nog niet voldoende is, is er nog het feit dat hij een Jood is, zoals u al zei. Ik wil wel eens zien wat zijn belangrijke vrienden binnen de partij daarvan denken. Het is een kaart die ik niet graag speel, maar uiteindelijk blijft er misschien geen andere manier over om die smeerlap te pakken te krijgen. Liebermann von Sonnenberg is door Hermann Göring zelf benoemd. En misschien moeten we alle opvallende details aan hem voorleggen. Aangezien Göring geen lid is van het Olympisch Comité, is het moeilijk voorstelbaar dat hij corruptie binnen de leden van het comité zal negeren, hoewel anderen misschien wel die neiging hebben.'

'U kunt maar beter zeker zijn van het bewijsmateriaal voor u dat doet. Hoe luidt het gezegde ook alweer? De haan die te vroeg kraait wordt de nek omgedraaid.'

'Ik neem aan dat u dat in de Gestapo-school hebt geleerd. Nee, ik onderneem niets voor ik alle bewijzen rond heb. Ik hou niet van overhaast gedoe.'

Weinberger knikte. 'Ik moet een afspraak maken met de weduwe. Haar schriftelijke toestemming krijgen om het lijk op te graven. Misschien moet ik er ook de Kripo van Würzburg bij betrekken. Zoals de zaken nu liggen. En een gerechtelijk ambtenaar. Dat kan allemaal even tijd kosten. Ten minste een week. Mogelijk langer.'

'Heinrich Rubusch heeft tijd genoeg, hoofdinspecteur. Maar hij moet uit de dood herrijzen en praten als we deze zaak tot een goed einde willen brengen. Het is één ding om een smeergeldaffaire in de bouwwereld te negeren. Het is heel iets anders om voorbij te gaan aan de moord op een prominent Duits burger. Vooral als het nog een keurige ariër is ook. U doet een beetje te populair naar mijn smaak, Weinberger, maar het zal nog wel lukken om een eersteklas politieman van u te maken. Op het Alex, toen ik nog bij de politie werkte, hadden we ook een gezegde. Het bot komt niet naar de hond. De hond gaat naar het bot.'

29

Het was drie uur naar Frankfurt met de trein. We stopten in bijna elke stad in de vallei van de Main en als ik niet uit het raam keek om het landschap te bewonderen, schreef ik een brief. Ik schreef hem op een aantal verschillende manieren. Het was geen brief die ik eerder had geschreven of die me een gelukkig gevoel gaf, maar hij moest desalniettemin geschreven worden. En op de een of andere manier lukte het me mezelf ervan te overtuigen dat het een manier was om mezelf te beschermen.

Ik zou niet aan andere vrouwen mogen denken, maar dat deed ik wel. In Frankfurt volgde ik met mijn blik een vrouw die over het perron liep. Ze had de bouw van een cello van Stradivarius en ik voelde een steek van teleurstelling toen ze in de damescoupé stapte, mij achterlatend in de eersteklas rookcoupé naast een professioneel type met een pijp die de vorm had van een tenorsaxofoon, en een SA-leider die de voorkeur gaf aan zeppelinachtige sigaren die dodelijker roken dan de locomotief. In de acht uur die de trein er over deed om in Berlijn te komen, genereerden we een hoop rook – bijna evenveel als de R101 Borsig-stoomlocomotief zelf.

Het regende pijpenstelen toen ik eindelijk in Berlijn aankwam. Ik had een gat in de zool van mijn schoen en moest een tijdje wachten bij de taxistandplaats aan de voorzijde van het station. De regen kletterde op het grote glazen dak als traproeden en aan het uiteinde lekte het dak. De taxichauffeurs zagen het niet, wat betekende dat ze altijd precies op dezelfde plek stopten zodat de volgende in de rij een douche moest nemen voordat hij of zij kon instappen, als een scène uit een film van Laurel en Hardy. Toen ik aan de beurt was trok ik mijn jas over mijn hoofd en dook de taxi in. Ik slaagde erin om een hele mouw van mijn overhemd te wassen zonder een bezoekje aan de wasserette. Maar gelukkig was het nog te vroeg in de winter voor sneeuw. Altijd als het sneeuwt in Berlijn, besef je weer dat die stad tweehonderd kilometer dichter bij Moskou dan bij Madrid ligt.

De winkels waren dicht. Ik had geen drank in huis en ik had geen zin om naar een bar te gaan. Ik zei tegen de chauffeur dat hij me naar het Adlon moest brengen, want ik herinnerde me dat ik nog een halve fles Bismarck in mijn bureau had bewaard – de fles die ik van Fritz Muller had gepikt. Ik was van plan net genoeg te gebruiken om mezelf op te warmen en als Max Reles niet in de buurt was, om genoeg krachten op te doen om eens te gaan kijken hoe goed ik kon typen op de Torpedo in zijn suite.

In het hotel was het druk. Er was een feest in de Rafaël-zaal en ongetwijfeld staarden de vele beschermheren in de dinerruimte omhoog naar het panegyrieke plafond van Tiepolo, al was het maar om zichzelf eraan te herinneren hoe een blauwe en wolkenloze hemel eruitzag. Dikke wolken van witte tabaksrook dreven langzaam de deur van de leeszaal uit, als een quilt van Freyja's bed in Asgard. Een dronken man die een witte das en een rokkostuum droeg, klampte zich vast aan de balie van de receptie terwijl hij luidkeels klaagde tegen Pieck, de assistent-manager, dat de fonograaf in zijn suite het niet deed. Ik kon zijn adem ruiken aan de andere kant van de entreehal. Maar terwijl ik erop afliep om een handje te helpen, viel de man achterover, alsof zijn benen ter hoogte van zijn enkels waren afgezaagd. Gelukkig voor hem kwam hij op tapijt terecht dat nog dikker was dan zijn hoofd. Zijn hoofd stuiterde een beetje en toen lag hij stil. Het was een bijna perfecte imitatie van een gevecht dat ik op het bioscoopjournaal had gezien, toen Maxie Bear op een avond in San Francisco Frankie Campbell had neergeslagen.

Pieck schoot achter de balie vandaan om te helpen. Zo ook enkele piccolo's, en in de verwarring lukte het me om de sleutel van kamer 114 van de haak te plukken en in mijn zak te laten glijden voor ik bij de bewusteloze man neerknielde. Ik controleerde zijn pols.

'Godzijdank dat u er bent, Herr Gunther,' zei Pieck.

'Waar is Stahlecker?' vroeg ik. 'Die vent die voor mij zou invallen?'

'Er was hiervoor een incident in de keuken. Twee leden van de Brigade waren aan het vechten. De *rotisseur* probeerde de pasteibakker te steken. Herr Stahlecker is tussenbeide gekomen.'

De Brigade was de naam die in het Adlon aan het keukenpersoneel was gegeven.

'Hij overleeft het wel,' zei ik, terwijl ik de hals van de dronkenlap losliet. 'Hij is gewoon buiten westen, meer niet. Hij ruikt net als de schnapsacademie in Oberkirch. Dat is waarschijnlijk de reden dat hij zichzelf niet heeft verwond toen hij viel. Je zou een hoedenpen in dit drankorgel kunnen steken en hij zou nog niets voelen. Geef me even de ruimte, dan draag ik hem naar zijn kamer en kan hij zijn roes uitslapen.'

Ik greep de man bij de kraag van zijn jas en sleepte hem naar de lift.

'Kun je niet beter de dienstlift nemen?' protesteerde Pieck. 'Een van de gasten zou je kunnen zien.'

'Wil jij hem slepen?'

'Eh… nee. Misschien beter van niet.'

Een livreiknecht kwam achter me aan met de kamersleutel van de gast. Ik gaf hem de brief die ik in de trein had geschreven.

'Wil je deze brief op de post doen, jongen? En niet in het hotel. Gebruik de brievenbus bij het postkantoor om de hoek in de Dorotheenstraße.' Ik viste vijftig pfennig uit mijn zak. 'Hier, dit is voor jou. Het regent.'

Ik sleepte de nog steeds bewusteloze man naar de liftcabine en keek naar het nummer op de sleutelhanger. 'Drie-twintig,' zei ik tegen Wolfgang.

'Ja, meneer,' zei hij en hij deed de deur dicht.

Ik bukte me, trok de man op mijn schouder en tilde hem op.

Een paar minuten later lag de gast op zijn bed. Ik veegde het zweet van mijn gezicht en schonk mezelf wat in uit een fles goede Korn die op de vloer stond. Hij smaakte niet branderig, zelfs niet ter hoogte van mijn boordknoopje. Het was van dat zacht smakende, dure spul dat je dronk voor de smaak terwijl je een goed boek las of luisterde naar een impromptu van Schubert, niet het soort spul dat je drinkt om een ongelukkige liefde te vergeten. Maar het werkte wel. Het zakte naar beneden als een zuiver geweten of zo dicht ik nog aan het gevoel van een zuiver geweten kon raken nadat ik die brief had laten posten.

Ik pakte de telefoon, verdraaide mijn stem en vroeg aan een van de hallo-meisjes om me door te verbinden met suite 114. Ze liet de telefoon een tijdje rinkelen voordat ze weer aan de lijn kwam en me vertelde wat ik nu zeker wist, namelijk dat er niet werd opgenomen. Ik vroeg haar me door te verbinden met de conciërge en Franz Joseph kwam aan de lijn.

'Hé, Franz, ik ben het, Gunther.'

'Hallo. Ik heb gehoord dat je terug was. Ik dacht dat je met vakantie was.'

'Dat was ook zo. Maar weet je, ik had heimwee. Weet je toevallig waar Herr Reles vanavond is?'

'Hij dineert in Habel. Ik heb zijn tafeltje zelf geboekt.'

Habel, op Unter den Linden, met zijn historische wijnkamer en nog meer historische prijzen, was een van Berlijns oudste en beste restaurants. Echt iets voor Reles om zo'n plek te kiezen.

'Bedankt.'

Ik trok de overhemdboord open van de man die nu zijn roes lag uit te slapen op het bed en draaide hem behoedzaam op zijn zijde. Toen draaide ik de dop op de fles en nam hem mee. Ik liet hem in mijn jaszak glijden terwijl ik naar de deur liep. Die fles was nog voor twee derde gevuld en ik vond dat die gast mij dat maar moest gunnen; meer dan een van ons ooit zou weten als hij zou overgeven in zijn slaap.

30

Ik liet mezelf binnen in suite 114 en sloot de deur achter me voordat ik het licht aandeed. De balkondeuren stonden open en het was koud in de kamer. Achter de sofa bewoog de vitrage golvend op en neer als een toneelspook en de hevige regen had de rand van het dure tapijt doorweekt. Ik sloot de balkondeuren. Dat zou Reles niet vreemd vinden. Hij zou denken dat het dienstmeisje dat had gedaan.

Op de vloer lagen verschillende geopende pakketjes. Elk bevatte een of ander Oost-Aziatisch kunstobject verpakt in een vogelnest van stro. Ik bekeek er een wat beter. Het was een bronzen of mogelijk gouden beeldje van een of andere oriëntaalse god met twaalf armen en vier hoofden. Het figuurtje was ongeveer dertig centimeter hoog en leek een tango te dansen met een tamelijk schaars gekleed meisje dat me erg aan Anita Berber deed denken. Anita was de koningin geweest van de Berlijnse naaktdanseressen in Club de Weifle Maus in de Jägerstrasse tot de avond dat ze een van haar chefs had neergeslagen met een lege champagnefles. Het verhaal ging dat hij had geprotesteerd tegen het feit dat zij op de tafels piste, een van de vaste onderdelen van haar optreden. Ik miste het oude Berlijn.

Ik propte het beeldje terug in het stro en keek om me heen. De slaapkamer achter de halfopen deur lag in het duister gehuld. De deur van de badkamer was gesloten. Ik vroeg me af of de pistoolmitrailleur, het geld en de gouden munten nog steeds achter het betegelde paneel van het wc-reservoir lagen.

Op hetzelfde moment werd mijn blik getrokken naar de ijsemmer naast het dienblad met de drankflessen op het dressoir. Naast de ijsemmer lag een ijspriem.

Ik pakte hem op. Het ding was ongeveer vijfentwintig centimeter lang en zo scherp als een rijgnaald. De rechthoekige handvat van zwaar staal was gegraveerd met de tekst CITIZENS ICE 100% PURE aan de ene kant en met CITIZENS aan de andere. Het leek een vreemd ding om mee te nemen uit Amerika totdat je je herinnerde dat het mogelijk een geliefd moordwapen was. Het zag er zeer effectief uit. Ik had minder dodelijke stiletto's uit de rug van een man zien steken. Maar het leek weinig zinvol de ijspriem te lenen in de hoop dat iemand in het Alex er een paar testen mee zou doen. Niet zo lang Max Reles hem ook gebruikte om het ijs voor zijn drankjes te splijten.

Ik legde de ijspriem neer en keerde me naar de typemachine. Op de rol van de glimmende, draagbare Torpedo zat een half afgemaakte brief. Ik draaide aan de rolknop tot het papier vrij kwam van het richtstuk en de papierklemmen. De brief was geadresseerd aan Avery Brundage in Chicago en was geschreven in het Engels, maar dat verhinderde niet dat ik zag dat de letter 'g' op de Torpedo een halve millimeter hoger stond dan de rest van de letters.

Ik had het waarschijnlijke moordwapen. Ik had de typemachine waarop Reles vervalste offertes had gemaakt voor Olympische contracten. Ik had een kopie van het rapport van de FBI. Een document van de Kripo uit Wenen. Nu hoefde ik alleen nog maar te controleren of de pistoolmitrailleur nog steeds op dezelfde plaats lag. Zelfs een man als Max Reles zou dat moeilijk uit kunnen leggen. Ik keek rond naar zijn schroevendraaier. Ik zag hem niet liggen en begon in de laden te rommelen.

'Op zoek naar iets bijzonders?'

Het was Dora Bauer. Ze stond in de deuropening van de slaapkamer, naakt, hoewel ze zich had kunnen bedekken met het object in haar handen. Een Mauser Bolo is een behoorlijk geweer. Ik vroeg me af hoe lang ze hem met gestrekte arm voor zich uit kon houden zonder dat haar armen moe werden.

'Ik dacht dat er niemand thuis was,' zei ik. 'Ik had zeker niet verwacht jou te treffen, Dora lief. En nog wel zo veel van jou.'

'Ik ben eerder van top tot teen begluurd, poliep.'

'Hoe kom je daarbij. Ik een poliep, tss...'

'Vertel me niet dat je de laden doorzoekt om iets te stelen. Jij niet. Daar ben je het type niet voor.'

'Wie zegt dat?'

'Nee.' Ze schudde haar hoofd. 'Je hebt me dit baantje bezorgd en je hebt niet eens om een percentage gevraagd. Welke dief zou zoiets doen.'

'Het bewijst wel dat je me iets schuldig bent.'

'Die schuld heb je al geïnd.'

'O, ja?'

'Nou en of. Een man met een fles in zijn jas dringt hier binnen en begint de laden te doorzoeken? Ik had je al vijf minuten geleden kunnen neerschieten. En het feit dat ik de trekker nog niet heb overgehaald, wil niet zeggen dat ik dat niet durf. Politieman of niet. Van wat ik over jou heb gehoord, Gunther, zou ik je oude collega's op het Alex er een plezier mee doen.'

'Je doet mij een plezier, Fräulein. Ik heb niet zo veel van een knappe meid gezien sinds het Eldorado is gesloten. Is dit je normale tenue voor steno en typen? Of is naakt de staat waar je als het ware vanzelf in eindigt als Max Reles klaar is met dicteren? Hoe dan ook, mij hoor je niet klagen. Zelfs met een wapen in je handen ben je nog steeds een lust voor het oog, Dora.'

'Ik lag te slapen,' zei ze. 'Tenminste, tot de telefoon ging. Ik neem aan dat jij dat was om te zien of de kust veilig was.'

'Jammer dat je niet hebt opgenomen. Ik had je het blozen kunnen besparen.'

'Je kunt nog zo veel naar mijn poes staren, poliep, maar je zult me niet zien blozen.'

'Luister. Waarom leg je dat wapen niet weg en trek je niet een nachtpon aan? Daarna kunnen we praten. Er is een volkomen eenvoudige reden dat ik hier ben.'

'En denk niet dat ik niet weet wat die reden is, Gunther. We hebben je wel verwacht, Max en ik. Als sinds die kleine excursie van je naar Würzburg.'

'Mooi stadje. Eerst vond ik er niks aan, let wel. Wist je dat die stad een van de mooiste barok-kathedralen in Duitsland heeft? De plaatselijke prins-bisschop heeft hem gebouwd, als goedmakertje voor het feit dat de burgers van de stad een arme Ierse priester hebben vermoord in het jaar 689. Sint Kilian. Max Reles zou er goed passen. Maar hij zal er wel heen gaan nu hij eigenaar is van een of twee steengroeven, en steen levert aan het Duitse Olympisch Comité. Hij heeft uiteraard ook iemand vermoord. Laten we dat feit niet vergeten. Met die ijspriem die op het dressoir ligt.'

'Je zou op de radio te horen moeten zijn.'

'Luister naar me, Dora. Op dit moment is het alleen Max die naar de binnenkant van de mand van de beul staart. Zegt de naam Myra Scheidemann je nog iets? De moordenares van het Zwarte Woud? In dit land worden ook vrouwen geëxecuteerd, voor het geval je dat vergeten was. Zou toch zonde zijn als je zou eindigen zoals zij. Dus wees verstandig en leg dat wapen weg. Ik kan je helpen. Op dezelfde manier als ik je eerder heb geholpen.'

'Kop dicht.' Ze wenkte met de lange loop van de Mauser naar mij en toen naar de badkamer. 'Daar naar binnen,' zei ze vinnig.

Ik deed wat me werd opgedragen. Ik had gezien wat een kogel uit een Mauser kan doen met een man. Ik dacht niet zozeer aan het gat van de ingaande kogel maar aan de uitgangswond. Het is het verschil tussen een pinda en een sinaasappel.

Ik trok de badkamerdeur open en deed het licht aan.

'Haal de sleutel uit de deur,' zei ze. 'En stop hem aan deze kant van de deur weer in het slot.'

Bovendien was Dora een gewezen hoer. Misschien was ze nog steeds hoer. En hoeren maken zich minder druk om het neerschieten van mensen. Vooral mannen. Myra Scheidemann was een hoer die drie van haar klanten in hun hoofd had geschoten met een .32mm terwijl ze seks met hen had in een bos. Soms had ik het gevoel dat veel hoeren niet van mannen hielden. Deze hier gaf de indruk dat ze het niet erg zou vinden om een kogel op me af te vuren. Dus pakte ik de sleutel en stak hem in het slot aan de andere kant van de deur, precies zoals ze had gezegd.

'Sluit nu de deur.'

'Dan mis ik de hele show.'

'Laat me niet bewijzen dat ik weet hoe ik met een wapen moet omgaan.'

'Misschien moet je proberen mee te doen in het olympisch schietteam. Ik geloof niet dat je te weinig indruk op de selectiecommissie zou maken, in deze uitdossing. Aan de andere kant is het opspelden van een medaille op je borst dan wel een probleem. Hoewel je altijd nog een ijspriem kunt gebruiken.'

Dora stak haar arm uit, richtte zeer precies op mijn hoofd en ondersteunde haar hand met de Mauser.

'Goed, goed.' Ik schopte de deur dicht, boos op mezelf dat ik er niet aan had gedacht het kleine automatisch pistool mee te nemen dat ik van Erich Goerz had afgepakt. Ik hoorde hoe de sleutel in het slot werd omgedraaid, drukte mijn oor tegen de deur en probeerde het gesprek voort te zetten.

'Ik dacht dat we vrienden waren, Dora. Ik heb je tenslotte dat baantje bij Max Reles bezorgd. Weet je nog? Ik heb je een kans gegeven uit het leven te treden.'

'Toen wij elkaar ontmoetten, Gunther, was Max al een klant van mij. Je hebt me alleen maar de kans gegeven om hier legaal bij hem te zijn. Zoals ik je al eerder heb verteld ben ik dol op grote hotels zoals dit.'

'Ik weet het. Je houdt van de grote badkamers.'

'En wie zegt dat ik uit het "leven" wil stappen?'

'Jij. En ik geloofde je.'

'Dan ben je geen groot mensenkenner, of wel soms? Max denkt dat je hem dicht op de huid zit, maar ik denk dat je gewoon in het duister hebt rondgetast. En je had geluk. Max denkt dat je alles zal weten omdat je naar Würzburg ging en zo. Maar dat geloof ik niet. Hoe zou je alles kunnen weten?'

'Puur uit interesse: hoe is hij daarachter gekomen? Dat ik naar Würzburg ging.'

'Dat heeft Frau Adlon hem verteld. Na je tochtje naar Potsdam vroeg hij zich af waar je was. En dus vroeg hij haar ernaar. Hij heeft haar verteld dat hij je een beloning wilde geven voor het opsporen van die Chinese doos. Zodra hij wist dat je in Würzburg zat, kon hij wel raden dat je daar heen ging om gegevens over hem na te trekken. Met de weduwe Rubusch of de Gestapo. Misschien met beiden.'

'De Gestapo leek niet erg geïnteresseerd in Reles en zijn activiteiten,' zei ik.

'Ik neem aan dat dat de reden is waarom ze de FBI om informatie over Max hebben gevraagd.' Dora lachte. 'Ja, ik dacht al dat ik je hiermee stil kon krijgen. Max kreeg een telegram van zijn broer in Amerika. Hij was getipt door iemand van de FBI en zei dat de FBI een verzoek had gekregen voor informatie over hem van de Gestapo in Würzburg. Je moet weten dat Max vrienden heeft zitten bij de FBI, net zoals hij hier heel veel vrienden heeft. Zo slim is hij wel.'

'Werkelijk?'

Ik keek om me heen in de badkamer. Ik had een raampje los kunnen trappen en naar de straat kunnen klimmen, afgezien van het feit dat de badkamer geen raampje had. Ik had het pistool achter het paneel nodig. Ik keek zoekend naar de schroevendraaier om me heen en opende daarna de vier badkamerkastjes. 'Weet je, Max zal niet erg blij zijn als hij terugkomt en mij in zijn badkamer aantreft,' zei ik. 'Al was het maar omdat hij nu geen gebruik kan maken van zijn eigen toilet.'

Er zat niet veel in de kastjes. De meeste toiletspullen van Reles stonden op het plankje of aan de zijkant van de wasbak. In een kastje stond een fles Blue Grass van Elizabeth Arden en Charbert Grand Prix mannen-parfum. Ze stonden daar als een volmaakt stel naast elkaar. In een ander kastje vond ik een tas met een paar tamelijk ordinair uitziende dildo's, een blonde pruik, wat duur uitziende lingerie en een diamanten dia-deem dat duidelijk vals was. Niemand laat een echt diadeem achter in een badkamerkastje. Niet als een hotel beschikt over een prima kluis. Maar een schroevendraaier was nergens te zien.

'Max heeft nu een groot probleem: wat moet hij met mij doen? Hij kan me hier niet met goed fatsoen in het Adlon vermoorden, of wel soms? Ik ben niet het type dat stil blijft zitten als iemand met een ijs-priem in zijn oor wil porren. En het geluid van een schot trekt altijd aan-dacht en vereist uitleg. Maar vergis je niet, Dora, hij zal me moeten ver-moorden. En dat maakt jou tot medeplichtige.'

Inmiddels had ik natuurlijk uitgedokterd wat de pruik en het diadeem en het Blue Grass parfum betekenden. Ik wilde dit niet tegen Dora zeggen omdat ik nog steeds hoopte dat ik haar kon overhalen met me samen te werken. Maar het werd elke minuut duidelijker dat ik geen andere keus had dan haar zo bang te maken dat ze wel met me moest samenwerken.

'Maar je hebt geen enkel probleem om medeplichtige te zijn bij een moord, nietwaar Dora? Want je hebt immers al assistentie verleend bij een moord? Jij was het die bij Heinrich Rubusch was tijdens de nacht dat Max Reles hem vermoordde met een ijspriem. Jij was die blondine met dat diadeem. Protesteerde die vent niet toen je hem je poes toonde? Dat je geen echte blondine was?'

'Hij gedroeg zich net als elke andere Fritz als hij een poes ziet. Het eni-ge waar hij zich druk om maakte was de vraag of-ie zou gaan spinnen.'

'Vertel me alsjeblieft dat Max hem niet heeft vermoord terwijl jullie het deden.'

'Waarom wil je dat trouwens weten? Hij maakte geen geluid. Er was zelfs geen bloed. Nou ja, misschien een beetje. Max heeft het opgedept met het pyjamasje van die vent. Maar je zag niet eens een wond. Onge-lofelijk maar waar. En hij heeft niets gevoeld, neem dat maar van mij aan. Dat kon niet. Dat kan ik niet zeggen. Rubusch wilde geen meisje, hij wil-de een racepaard. Ik had de afdrukken van zijn haarborstel nog dagen-lang daarna op mijn kont staan. Als je het mij vraagt, heeft die dikke perverseling zijn verdiende loon gekregen.'

'Maar de deur was aan de binnenkant afgesloten toen we hem von-den. De sleutel stak nog in het slot.'

'Jij hebt hem toch geopend? Ik heb het slot op dezelfde manier dicht gedraaid. Heel veel hotelhoeren hebben lopers of apparaatjes om sleutels mee om te draaien. Of ze weten hoe ze er een kunnen bemachtigen. Soms krijg je bij het afrekenen geen fooi van een klant. Dan ga je een tijdje buiten staan wachten, ga je weer naar binnen en pak je wat geld. Wat een hoteldetective ben jij, Gunther. Die andere smeris, hoe heette hij ook alweer? Die zuiplap. Muller. Hij wist hoe het werkte. Hij heeft me een sleuteldraaier verkocht en een goede loper. En in ruil, ach, je kunt je wel voorstellen wat hij wilde. De eerste keer in ieder geval. In de nacht dat Max Rubusch vermoordde liep ik hem tegen het lijf en had ik geen andere keus dan hem een paar bankbiljetten toe te schuiven.'

'En dat was een deel van het geld dat je van Rubusch had ontvangen.'

'Natuurlijk.'

Ondertussen zocht ik niet langer naar de schroevendraaier. En ik bekeek al mijn kleingeld om te zien of er een muntje tussen zat dat dun genoeg was voor de schroefkop op het paneel van de stortbak. Dat was niet zo. Ik had wel een zilveren geldclip – een huwelijksgeschenk van wijlen mijn vrouw – en met dat ding probeerde ik verschillende minuten een van de schroeven los te peuteren, met als enig resultaat dat ik de clip zelf beschadigde. Zoals de zaken er nu uitzagen zou ik zeer snel de kans krijgen mijn verontschuldigingen te maken tegen mijn vrouw, zo niet in persoon dan toch tegen iets wat vagelijk op haar leek.

Dora Bauer was opgehouden met praten. Dat was prima. Elke keer als ze iets zei, moest ik denken aan hoe stom ik was geweest. Ik pakte het wastafelglas, spoelde het om, schonk mezelf een ruim glas Korn in en ging op het toilet zitten. De dingen klaren altijd iets op onder het genot van een drankje en een sigaret.

Je zit in de nesten, Gunther, hield ik mezelf voor. Over een tijdje komt er een man door die deur met een revolver en hij gaat je ofwel neerschieten of hij neemt je ergens mee naartoe buiten het hotel en schiet je daar neer. Het kan natuurlijk ook dat hij je probeert op je hoofd te slaan en je daarna vermoordt met de ijspriem, en je naar buiten vervoert in een wasmand. Hij logeert hier al een hele tijd. Hij weet nu wel waar alles zo'n beetje ligt, en hoe de dingen hier werken.

Of hij kan je lijk dumpen in een liftschacht. Het kan een tijdje duren voor iemand je daar vindt. Of misschien belt hij zijn vriendjes in Postdam en laat hij ze je opnieuw arresteren. Er zal heus niemand protesteren. Iedereen in Berlijn kijkt tegenwoordig de andere kant op als er iemand wordt gearresteerd. Het gaat niemand iets aan. Niemand wil iets zien.

Van de andere kant kunnen ze niet het risico nemen dat ik iets zal zeggen waar iedereen bij is als ze me de voordeur uit proberen te loodsen. Von Helldorf zou dat niet leuk vinden. Noch onze geëerde minister van Sport, Von Tschammer und Osten.

Ik dronk nog wat meer van de Korn. Ik voelde me er niet beter door. Maar ik kwam wel op een idee. Het was niet een idee dat veel voorstelde. Maar ik was dan ook geen detective die veel voorstelde. Dat was nu wel duidelijk.

31

Enkele uren verstreken. En met de drank schoot het ook aardig op. Wat moest ik anders doen? Ik hoorde het geluid van de sleutel in het slot en stond op. De deur ging open. In plaats van Max Reles stond ik opeens tegenover Gerhard Krempel, wat mijn idee een flinke knauw gaf. Krempel was niet erg slim en het viel moeilijk in te zien hoe ik erin moest slagen mezelf vrij te kletsen als hij met zijn bloemkooloren degene was die luisterde. Hij had een .32 in de ene hand en een kussen in de andere.

'Ik zie dat je je hebt weten te vermaken,' zei hij.

'Ik moet Max Reles spreken.'

'Dat is dan jammer, want hij is er niet.'

'Ik wil een deal met hem sluiten. Hij zal er zeker naar willen luisteren. Dat kan ik garanderen.'

Krempel glimlachte kil. 'Wat dan?'

'En de verrassing bederven? Laat ik alleen zeggen dat de politie erbij betrokken is.'

'Ja, maar welke politie? De waardeloze politieman die jij zelf bent geweest, Gunther? Of degenen die mijn baas kent en die problemen laten verdwijnen? Je hebt drie kaarten laten vallen en nu probeer je je inzet te verhogen. Nou, ik ga mee met die bluf van jou. Het kan me niet schelen wat je te zeggen hebt. Ik zeg het volgende. Voor jou zijn er twee wegen uit deze badkamer: dood, of stomdronken. Aan jou de keus. Beide vind ik vervelend, maar een van de twee is minder vervelend voor jou. Vooral nu je zo attent bent geweest zelf een fles mee te brengen en zo te zien al begonnen bent mijn plannetje uit te voeren.'

'En wat gebeurt er daarna?'

'Dat hangt van Reles af. Maar ik kan alleen maar met je dit hotel uit lopen als je op de een of andere manier onbekwaam bent. Als je dronken bent kun je lullen wat je wilt, daar let dan toch niemand op. Zelfs niet in dit hotel. Vooral niet in dit hotel. Ze houden niet van dronkenlappen in het Adlon. Ze jagen de dames angst aan. Als we iemand treffen die jou kent, ben je gewoon de ex-politieman die te veel op heeft. Net als die andere idioot die hier vroeger werkte. Fritz Muller.'

Krempel haalde zijn schouders op. 'Maar ik kan je ook meteen nu neerknallen, bemoeial. Met een kussen rond de loop van deze kleine .32 kan het geluid gemakkelijk doorgaan voor de knallende uitlaat van een auto. Dan duw ik je het raam uit. Dat geeft niet al te veel rotzooi daar beneden. Het is maar één verdieping. Tegen de tijd dat iemand je opmerkt in de regen en het duister, zit je al veilig opgevouwen in de kofferbak van mijn auto. Met als volgende halte de rivier.'

Zijn stem klonk kalm en zeker, alsof hij geen slapeloze nachten zou hebben als hij mij moest vermoorden. Hij vouwde het kussen met een nadrukkelijk gebaar over zijn pistool.

'Ik zou maar doordrinken,' zei hij. 'Ik heb gezegd wat ik wou.'

Ik schonk een glas in en leegde het in één teug.

Krempel schudde zijn hoofd. 'Laten we even vergeten dat we in het Adlon zijn, goed? Rechtstreeks uit de fles, als je het niet erg vindt. Ik heb niet de hele avond.'

'Wil je ook een slok?'

Hij deed een korte pas naar voren en sloeg me hard in mijn gezicht. De klap was niet hard genoeg om me tegen de grond te slaan, maar bracht me wel tot zwijgen.

'Hou op met dat gelul en drink door.'

Ik zette de hals van de hoge stenen fles tegen mijn lippen en dronk alsof het water was. Een deel probeerde weer omhoog te komen maar ik klemde mijn kaken op elkaar en liet het niet gebeuren. Krempel had zo te zien niet het geduld om mij te zien kotsen. Ik ging op de rand van het bad zitten, ademde diep in en dronk nog wat. En nog wat. Toen ik de fles voor de derde keer ophief, viel mijn hoed in het lege bad, maar het had net zo goed mijn hoofd kunnen zijn. Hij rolde onder de druppelende kraan en bleef omgekeerd liggen, als een grote kever op zijn rug. Ik stak mijn arm uit om hem te pakken, schatte de diepte van het bad verkeerd in en kukelde in de badkuip, maar zonder de fles schnaps te laten vallen. Als ik hem had gebroken, had Krempel me waarschijnlijk ter plekke neergeschoten. Ik nam nog een teug uit de fles om hem ervan te verzekeren dat er nog genoeg drank in zat, graaide naar mijn hoed en plette hem op mijn al tollende hoofd.

Krempel bekeek me met even weinig gevoel als wanneer ik een gedroogde vrucht van de luffaplant was geweest. Hij ging op de wc-bril zitten. Zijn ogen waren twee spleetjes met dikke wallen eronder, alsof hij door een slang was gebeten. Hij stak een sigaret op, sloeg zijn lange benen over elkaar en slaakte een diepe, naar tabak geurende zucht.

Verschillende minuten verstreken. Hij hoefde niets te doen, maar voor mij werd de toestand steeds gevaarlijker en dronkener. De drank veranderde me in een slappe vaatdoek.

'Gerhard? Wil je graag veel geld verdienen? En dan bedoel ik écht veel geld. Duizenden marken.'

'Duizenden?' Zijn lijf schokte terwijl hij een minachtend lachje uitstootte. 'En dat zeg jij, Gunther. Een man met een gat in zijn schoen die met de bus naar huis gaat. Als je geld genoeg hebt voor een kaartje.'

'Daar heb je gelijk in, vriend.' Met mijn kont in het canyondiepe bad en mijn Salamanders in de lucht voelde ik me als Bobby Leach die de Niagara-waterval overstak in een ton. Af en toe leek mijn maag onder me weg te vallen. Ik draaide aan de kraan en spetterde wat koud water over mijn bezwete gezicht. 'Maar. Er valt geld te krijgen. Mijn vriend. Veel geld. Achter je zit een paneel dat boven de stortbak van de wc is geschroefd. Daarachter ligt een tas verborgen. Een tas met bankbiljetten. In verschillende valuta. En een Thompson halfautomatisch machinepistool. En genoeg Zwitserse gouden munten om een chocoladewinkel te beginnen.'

'Het is nog wat vroeg voor Kerstmis,' zei Krempel. Hij maakte een afkeurend 'ts-ts' geluid. 'En ik ben ook vergeten mijn schoen te zetten.'

'Vorig jaar zat er een roe in de mijne. Maar het ligt er wel. Het geld, bedoel ik. Ik denk dat Reles het daar heeft verborgen. Een Thompson laat je niet zomaar achter in de kluis van een hotel. Zelfs niet in dit hotel.'

'Laat me je er niet van weerhouden door te drinken,' gromde Krempel. Hij boog zich naar voren vanaf de wc-bril en tikte met de loop van zijn pistool tegen de zool van mijn schoen – de zool met dat gat erin.

Ik vulde mijn wangen met het schadelijke goedje, slikte ongemakkelijk en zuchtte diep en misselijk. 'Ik heb dat ontdekt toen ik zijn suite doorzocht. Een tijdje geleden.'

'En je hebt alles gewoon laten liggen?'

'Ik heb vele eigenschappen, Gerhard. Maar ik ben geen dief. Wat dat betreft ben je ten opzichte van mij in het voordeel. De oude Max heeft een schroevendraaier in zijn suite. Ergens. Om dat paneel te verwijderen. Ik weet het zeker. Ik zocht er net nog naar. Zodat ik je ermee kon begroeten als jij opdook met een wapen in je klauwen. Niet persoonlijk bedoeld, begrijp me goed. Maar met een Thompson word je door iedereen beleefd begroet.'

Ik sloot mijn ogen even, hief de worstachtige fles in een stille toost en dronk nog wat meer. Toen ik mijn ogen weer open had, zag ik dat Krempel de schroeven van het paneel met interesse bekeek.

'Er ligt daar genoeg geld om verschillende bedrijven te kopen, of om wie dan ook om te kopen. Ja, er zit heel wat poen in die zak. Heel wat meer dan hij jou betaalt, Gerhard.'

'Hou je bek, Gunther.'

'Dat gaat niet. Ik ben altijd al een babbelzieke dronkenlap geweest. De laatste keer dat ik zo in de olie was, was toen mijn vrouw stierf. Spaanse griep. Heb je je ooit afgevraagd waarom ze het Spaanse griep noemen, Gerhard? Het is in Kansas begonnen, weet je. Maar de Amerikanen hebben die informatie tegengehouden. Dat konden ze doen omdat er nog censuur gold vanwege de oorlog. Heb je ooit de griep gehad, Gerhard? Zo voel ik me nu. Net alsof ik een epidemie heb die maar één persoon treft. Ik geloof zelfs dat ik in mijn broek heb geplast.'

'Je hebt de kraan opengedraaid, weet je nog, uilskuiken?'

Ik gaapte. 'Is dat zo?'

'Doordrinken.'

'Ik proost op haar. Ze was een goede vrouw. Te goed voor mij. Heb jij een vrouw?'

Hij schudde zijn hoofd.

'Met het geld in die tas kun je je verscheidene vrouwen veroorloven. En geen van hen zou het erg vinden dat je zo'n lelijke vent bent. Een vrouw kan bijna elk gebrek in een man verdragen als er een grote zak met geld op tafel staat. Ik wed dat die teef hiernaast, Dora, ook niks van die zak geld afweet. Anders had ze die al gepakt, die geldbeluste geit. Hoewel ik haar één ding moet nageven: ik heb haar naakt gezien en ze is echt schattig. Wat een perzikhuidje. Hoewel je natuurlijk niet moet vergeten dat elke perzik een pit heeft. Dora heeft bovendien een grotere pit dan de meeste andere vrouwen. Maar toch is het een schatje.'

Mijn hoofd voelde zwaar als een steen. Een gigantische steen. En toen mijn hoofd op mijn borst viel, leek het zo diep te vallen dat het in de leren mand onder de vallende bijl van de guillotine was gerold. En ik schreeuwde het uit en dacht dat ik dood was. Ik deed mijn ogen open, ademde diep en hortend in en deed verwoede pogingen rechtop te blijven staan, maar dat was een verloren gevecht.

'Goed,' zei Krempel. 'Je hebt genoeg gehad. Probeer op te staan.'

Hij stond op en pakte me met zijn knuisten als granaatappels bij de kraag van mijn jas en hees me ruw uit het bad. Hij was sterk – te sterk voor mij om iets te proberen. Maar ik haalde toch naar hem uit en miste voordat ik mijn evenwicht verloor en op de badkamervloer viel, waar Krempel me nog een trap tegen mijn ribben gaf voor de moeite.

'En het geld dan?' vroeg ik, nauwelijks pijn voelend. 'Je vergeet het geld.'

'Dat moet je dan maar later komen halen.' Hij trok me weer overeind en manoeuvreerde me de badkamer uit.

Dora zat op de bank en las in een tijdschrift. Ze droeg een bontmantel. Ik vroeg me af of Reles die voor haar had gekocht.

'O, ben jij het,' zei ik, terwijl ik mijn hoed afnam. 'Ik herkende je niet met kleren aan. Maar ja, dat zullen wel meer mensen zeggen, hè, schat.'

Ze stond op, sloeg me in mijn gezicht en wilde me nogmaals slaan, maar Krempel pakte haar bij de pols en draaide die om.

'Ga de auto halen,' zei hij tegen haar.

'Ja,' zei ik. 'Ga de auto halen. En schiet op. Ik wil bewusteloos neervallen.'

Krempel hield me vastgedrukt tegen de muur alsof ik een hutkoffer op een oceaanstomer was. Ik sloot even mijn ogen en toen ik ze weer opendeed, was ze verdwenen. Hij schoof me voor zich uit, door de suite heen en naar de trap.

'Het kan mij niet schelen hoe je die trap af gaat, Gunther. Ik kan je naar beneden helpen of ik kan je naar beneden duwen. Maar als je iets probeert, beloof ik je dat je in het luchtledige zult graaien.'

'Ben je heel dankbaar,' hoorde ik mezelf mompelen, met dikke stem.

We bereikten de benedenverdieping, maar ik weet niet hoe. Mijn benen waren als die van Charlie Chaplin. Ik herkende de deur die uitkwam op de Wilhelmstraße en bedacht dat het verstandig van hem was om op dit tijdstip deze uitgang van het hotel te kiezen. Die deur was altijd veel rustiger dan de deur die op Unter den Linden uitkwam. De lobby was ook kleiner. Maar als Krempel had gehoopt te vermijden dat ik een bekende tegenkwam, had hij zich vergist.

De meeste obers van het Adlon hadden een snor of waren gladgeschoren. Slechts een, Abd el-Krim, droeg een baard. Hij heette niet echt Abd el-Krim. Ik kende zijn echte naam niet, maar hij was Marokkaans en mensen noemden hem zo omdat hij eruitzag als de rebellenleider die zich in 1926 aan de Fransen had overgegeven en die nu was verbannen naar een of ander roteiland. Ik ken de talenten van die rebellenleider niet, maar Abd el-Krim was een uitstekende ober. Hij was mohammedaan en dronk niet. Hij keek me aan met een mengeling van geschoktheid en bezorgdheid terwijl ik, met een arm rond de lateibalkachtige schouders van Krempel naar de uitgang strompelde.

'Herr Gunther?' zei hij met een stem vol dienstbaarheid. 'Is alles in orde, meneer? U ziet er niet goed uit.'

Woorden lekten uit mijn mond als speeksel. Misschien was het ook niet meer dan speeksel. Wat het ook geweest mag zijn, ik begreep er niets van en Abd el-Krim dus waarschijnlijk ook niet.

'Ik vrees dat hij te veel heeft gedronken,' zei Krempel tegen de ober. 'Ik breng hem naar huis voordat Behlert of een van de Adlons hem zo ziet.'

Abd el-Krim, al op weg naar huis in zijn gewone kleren, knikte ernstig. 'Ja, dat lijkt me het beste. Hebt u hulp nodig, meneer?'

'Nee, bedankt. Er staat buiten een auto op ons te wachten. Het lukt wel.'

De ober boog ernstig en hield de deur open voor mijn ontvoerder terwijl hij me naar buiten walste.

Zodra de koude regenlucht mijn longen raakte, begon ik over te geven in de goot. Het spul dat ik overgaf had je kunnen bottelen en verkopen als pure Korn. Onmiddellijk daarna stopte er een auto voor me. De opspattende druppels van de banden maakten de omslagen van mijn broek nat. Mijn hoed viel weer af. Het portier ging open en Krempel trapte me met de zool van zijn schoen de auto in. Even later werd het portier dichtgeslagen en reden we weg – ik geloof naar voren, maar ik had het gevoel alsof we rondjes reden in het lunapark. Ik wist niet waar we heen gingen en het kon me ook niet veel meer schelen. Ik had me niet slechter kunnen voelen als ik naakt in de etalage van een begrafenisondernemer was neergelegd.

32

Het stormde op zee. Het dek ging op en neer als een liftcabine die vaart maakt. Opeens werd ik vol in het gezicht getroffen door een golf koud water. Ik schudde pijnlijk getroffen mijn hoofd en opende mijn ogen die aanvoelden als twee holle oesterschelpen die waren ondergedompeld in tabascosaus. Weer werd ik overspoeld door een golf water. Alleen was het geen golf, maar water uit een emmer in de handen van Gerhard Krempel. Maar we zaten op het dek van een schip, of in ieder geval een flinke boot. Achter hem stond Max Reles, gekleed als een rijk man die de rol van scheepskapitein speelt. Hij droeg een blauwe blazer, een witte broek, een wit overhemd met witte das en een witte pet met een soepele klep. Alles om ons heen was ook wit en het kostte me een tijdje voor ik besefte dat het overdag was en dat we waarschijnlijk waren omgeven door mist.

Reles' mond begon te bewegen en ook uit die mond kwam witte mist. Het was koud. Zeer koud. Even dacht ik dat hij Noors sprak. Iets kouds in ieder geval. Toen leek het een taal die iets dichter bij huis is – Deens wellicht. Pas toen een derde emmer water, die via een touw aan de zijkant van de boot was opgehesen, over mijn gezicht werd uitgestort, drong tot me door dat hij Duits sprak.

'Goedemorgen,' zei Reles. 'En welkom terug. We begonnen ons een beetje zorgen om je te maken, Gunther. Ik dacht dat moffen goed tegen drank konden. Maar je bent behoorlijk lang buiten westen geweest. Wat trouwens voor mij behoorlijk slecht uitkwam, kan ik wel stellen.'

Ik zat op een dek van glanzend hout en keek naar hem op. Ik probeerde op te staan en merkte dat mijn handen die in mijn schoot lagen, waren vastgebonden. Maar erger was, gezien het feit dat de boot op het water voer, dat mijn voeten ook waren vastgebonden, en wel aan een stapel grijze betonblokken die naast me op het dek lagen.

Ik boog me naar één kant en kotste bijna een minuut lang. En ik verbaasde me over het geluid dat uit mijn lichaam kwam. Het was het geluid van een levend wezen dat zichzelf binnenstebuiten keerde. Terwijl dit gaande was, liep Reles weg met een uitdrukking van walging op zijn gezicht. Toen hij terugkwam stond Dora naast hem. Ze droeg haar bontjas met bijpassende bontmuts en had een glas water in haar hand.

Ze zette het glas aan mijn lippen en hield mijn hoofd rechtop zodat ik kon slikken. Toen het glas leeg was, knikte ik oprecht dankbaar en probeerde mijn situatie in te schatten. De toestand beviel me niet erg. Mijn hoed, jas en colbertjes waren verdwenen en mijn hoofd voelde aan alsof het was gebruikt voor de finale van de Mitropa Cup. En de scherpe geur van de dikke sigaar van Reles sloeg me op de maag. Ik zat in de nesten. Ondanks de chaos in mijn hoofd had ik het duistere vermoeden dat Max Reles van plan was me een demonstratie te geven van hoe Erich Goerz zich van het lijk van Isaac Deutsch had ontdaan. Ik had niet meer in de nesten kunnen zitten als ik een uitgemergelde hond was geweest die zat vastgebonden aan een spoorweg voor hogesnelheidstreinen.

'Voel je je al wat beter?' Hij ging op de stapel betonblokken zitten. 'Het is daar nog een beetje vroeg voor, denk je misschien. Maar ik ben bang dat je je gedurende de rest van je leven niet beter zult gaan voelen dan nu. Dat garandeer ik je.'

Hij stak zijn sigaar opnieuw aan en grinnikte. Dora leunde op de reling van de boot en staarde naar iets dat op het voorgeborchte leek, waarin we als verloren zielen rondreven. Krempel had zijn vuisten op zijn heupen gezet en leek bereid me onmiddellijk te slaan als dat aan hem werd gevraagd.

'Je had naar graaf Von Helldorf moeten luisteren. Ik bedoel, hij is toch echt duidelijk genoeg geweest. Maar nee, jij moest weer zo nodig de Sam Spade uithangen en je neus steken in zaken die je niks aangaan. Ik snap dat gewoon niet. Echt niet. Je moet toch hebben ingezien dat het in deze zaak om te veel geld ging, en dat te veel belangrijke mensen een dik groot stuk Schwarzwalder kersentaart krijgen die ze de Olympische Spelen noemen, om dat door iets of iemand te laten bederven. En zeker niet door iemand die zo gemakkelijk gemist kan worden als jij, Gunther.'

Ik sloot even mijn ogen.

'Weet je, je bent geen slechte vent. Ik mag je bijna. Nee, echt. Ik heb zelfs overwogen je een baan aan te bieden. Een echte baan, niet zo'n nepbaantje als bij het Adlon. Maar je hebt iets wat me de overtuiging heeft gegeven dat ik je niet zou kunnen vertrouwen. Ik denk dat dat komt omdat je ooit bij de politie hebt gewerkt.' Hij schudde zijn hoofd. 'Nee, dat is het niet. Ik heb heel wat politiemensen omgekocht. Ik denk dat de reden was dat je een éérlijke politieman was. En een goede, heb ik gehoord. Ik bewonder integriteit. Maar ik kan het op dit moment niet gebruiken. Niemand, volgens mij. Niet in Duitsland. Niet dit jaar. Echt, je gelooft niet hoeveel varkens willen mee-eten uit deze trog. Ze hadden natuurlijk iemand als ik nodig om hun te laten zien hoe het wordt gedaan. Ik bedoel, wij – met wie ik de mensen bedoel die ik vertegenwoordig in de Verenigde Staten – hebben veel verdiend in 1932 bij de Olympische Spelen van Los Angeles. Maar de nazi's weten pas echt hoe ze zaken moeten doen. Brundage kon zijn ogen niet geloven toen hij hier voor het eerst opdook. Hij heeft ons in Chicago getipt hoeveel geld hier te verdienen was.'

'En die Oost-Aziatische kunstvoorwerpen zijn een vorm van genoegdoening daarvoor.'

'Precies. Een paar dingetjes die hij verzamelt en mooi vindt maar die niemand hier zal missen. Hij krijgt ook een fijn contract voor het bouwen van een nieuwe Duitse ambassade in Washington. En dat is de echte schat, volgens mij. Met Hitler is alles mogelijk. Het verheugt me om te kunnen zeggen dat die man absoluut geen flauw benul van economie heeft. Als hij iets wil, zal hij het krijgen en de kosten doen er niet toe. In het begin was het olympische budget ongeveer twintig miljoen mark. Nu is het waarschijnlijk vier of vijf keer zo veel. En ik denk dat er vijftien tot twintig procent van af te romen valt. Kun je je dat voorstellen?

Het gaat natuurlijk niet altijd van een leien dakje met Hitler. Die man is namelijk nogal grillig. Ik had al een bedrijf gekocht dat kant-en-klaar gemengd beton maakt, en een deal gesloten met de architect, Werner March, om er later achter te komen dat Hitler niet van beton houdt. Hij haat het zelfs. Hij haat alles wat modern is. Het kan hem geen donder schelen dat de helft van alle nieuwe gebouwen in Europa van beton is. Hij wil het niet en hij blijft bij zijn standpunt.

Toen Werner March hem de plannen en specificaties voor het nieuwe stadion liet zien, draaide Hitler helemaal door. Alleen kalksteen was goed genoeg. En niet zomaar kalksteen. Het moest Duitse kalksteen zijn. Dus moest ik snel een kalksteenbedrijf kopen en er vervolgens voor zorgen dat mijn nieuwe bedrijf – Würzburg Jura Kalksteen – het contract kreeg. Te snel, eerlijk gezegd. Als ik meer tijd had gehad, had ik het soepeler kunnen laten verlopen. Maar ja, daar weet jij alles van, klootzak. Ik ben met een hoop beton blijven zitten, maar jij gaat me van een deel ervan verlossen, Gunther. Deze drie blokken waar ik nu op zit gaan naar de bodem van het Tegel-meer, en jij gaat mee.'

'Net als Isaac Deutsch,' zei ik hees. 'Ik neem aan dat Erich Goerz voor je werkt.'

'Inderdaad. Een goeie vent, die Erich. Maar hij heeft geen ervaring met dit soort werk. Dus deze keer doe ik het zelf, zodat ik zeker weet dat het werk goed gedaan wordt. We willen niet dat je komt bovendrijven, net als Deutsch. Als je echt van iemand af wilt, kun je het maar beter zelf doen, dat is wat ik altijd zeg.' Hij zuchtte. 'Die dingen gebeuren nou eenmaal. Zelfs met de besten onder ons.'

Hij trok even aan de sigaar en blies een rookwolk uit die uit de schoorsteen boven mijn hoofd had kunnen komen. De boot was ongeveer tien meter lang en ik dacht dat ik hem wellicht eerder had gezien.

'Ik denk dat het fout was om die smeerlap Isaac in het kanaal te dumpen. Negen meter. Niet diep genoeg. Maar hier is het water zestien meter diep. Het is niet Lake Michigan of de Hudson River, maar het volstaat. Ja, dat telt en bovendien het feit dat ik vaker met dit bijltje heb gehakt. Dus wees gerust, je bent in goede handen. De enige vraag die ik nog voor je heb, Gunther, en het is een belangrijke vraag, vanuit jouw standpunt bezien, dus let goed op – is of we je dood of levend laten zakken. Ik heb beide methoden aanschouwd en ik ben van mening dat het beter is als je dood naar beneden gaat. Volgens mij gaat verdrinken niet snel. Ik zou liever van tevoren een kogel in mijn hoofd krijgen.'

'Dat zal ik proberen te onthouden.'

'Maar ik wil je niet overhalen. Het is jouw beslissing. Maar ik moet weten wat jij weet, Gunther. Alles. Wie je over mij hebt verteld, en wat. Denk er even over na. Ik moet pissen en een jas aantrekken. Het is een beetje kil hier op het water, vind je niet? Geef hem nog een glas water. Misschien helpt het om hem aan het praten te krijgen.'

Hij draaide zich om en liep weg. Krempel liep achter hem aan en bij gebrek aan een kwispedoor spuwde ik hen achterna.

Dora gaf me nog wat water. Ik dronk het gretig op. 'Ik denk dat ik dadelijk zo veel water kan drinken als ik wil,' zei ik.

'Dat is heus niet grappig.' Ze veegde mijn mond af met mijn das.

'Ik was vergeten hoe mooi je was.'

'Dank je.'

'Nee. Je lacht nog steeds niet. Dat was zeker ook niet grappig.'

Ze keek me aan met een woedende blik, alsof ik een huidontsteking had.

'Weet je, het was niet de bedoeling dat Joan Crawford op Wallace Beery viel in *Grand Hotel*,' zei ik.

'Max? Hij is niet zo kwaad.'

'Dat zal ik proberen te onthouden als ik op bodem van het meer lig.'

'Jij denkt zeker dat je op John Barrymore lijkt?'

'Niet met dit profiel. Maar ik zou wel graag een sigaret willen, als je die bij je hebt. Je zou het een laatste wens kunnen noemen, aangezien ik je toch al naakt heb gezien. Nu weet ik tenminste zeker wanneer je een pruik draagt.'

'Je bent een echte Kurt Valentin, niet dan?'

Onder de bontjas droeg ze een lavendelkleurige gebreide jurk die de vloeiende lijnen van haar figuur accentueerde en aan haar pols hing een buideltasje dat een gouden sigarettendoos en een aansteker bevatte.

'Zo te zien is het al Sinterklaas geweest,' zei ik terwijl ze een sigaret tussen mijn gebarsten lippen klemde en hem aanstak. 'Iemand vindt in ieder geval dat jij een brave meid bent geweest.'

'Je zou toch denken dat je nu wel had geleerd je neus niet in andermans zaken te steken,' zei ze.

'O, dat heb ik zeker geleerd. Misschien wil je hem dat vertellen. Misschien heeft een goed woordje van jou meer succes dan van mij. Nog beter, misschien heb jij dat pistool nog. Ik zou zeggen dat een Mauser nog beter is dan een hoop woorden als het om Max Reles gaat.'

Ze nam de sigaret uit mijn mond, nam een trek en stopte hem terug in mijn mond met koele vingers die bijna even zwaar geparfumeerd waren als zwaar geringd. 'Hoe kom je erbij dat ik ooit een man als Max zou verraden voor een hond als jij, Gunther?'

'Dezelfde reden als waarom een man als hij aantrekkelijk is voor een meisje als jij. Geld. Veel geld. Ik denk namelijk, Dora, dat als het maar om genoeg geld ging, jij zelfs het kindje Jezus zou verraden. Toevallig ligt er nog meer geld in de badkamer van Max Reles in het Adlon verborgen. Er ligt een zak vol geld achter een paneel dat voor het reservoir van de stortbak van de wc is geschroefd. Duizenden marken, dollars, Zwitserse franken, noem maar op, engel. Je hebt alleen maar een schroevendraaier nodig. Reles heeft er ergens een in een la liggen. Daar zocht ik naar toen jij en je poes me kwamen storen.'

Ze boog zich naar me toe. Zo dicht bij me dat ik haar naar koffie geurende adem kon ruiken. 'Je zul met iets beters moeten komen, poliep, als ik je moet helpen.'

'Nee. Zie je, schat, ik vertel je dit niet om je hulp te krijgen. Ik vertel je dit zodat je misschien jezelf kunt helpen en daarbij moet je hem neerschieten. Of misschien schiet hij jou neer. Voor mij zal het geen verschil uitmaken op de bodem van het Tegel-meer.'

Ze stond abrupt op. 'Smeerlap.'

'Dat is waar. Maar dan weet je in ieder geval dat ik eerlijk ben geweest over het geld. Want dat geld ligt er echt. Genoeg om een nieuw leven mee te beginnen in Parijs. Of een leuk appartement te kopen in een chique wijk van Londen. Wat zeg ik, er is zelfs genoeg om heel Bremerhaven op te kopen.'

Ze lachte en keek weg.

'Geloof me niet als je niet wilt. Het maakt voor mij niets uit. Maar vraag jezelf dit af, Dora, lief. Een vent als Max Reles, en het soort mensen dat hij moet afbetalen om zaken te kunnen blijven doen, die mensen zijn niet het soort dat genoegen neemt met een cheque. Bij omkoping gaat het om contant geld, Dora. Dat weet je. En om een corrupte zaak als deze gaande te houden is een hele flinke zak geld nodig.'

Ze bleef even stil, alsof ze ergens over nadacht. Waarschijnlijk zag ze zich op Bond Street lopen met een nieuwe hoed en een dik pak pondbiljetten onder haar jarretelgordel. Ik vond het niet erg om me dat beeld zelf ook voor de geest te halen. Het was beslist beter dan nadenken over mijn eigen situatie.

Max Reles kwam weer aan dek, op de voet gevolgd door Krempel. Reles droeg een dikke bontjas en hij had een grote automatische Colt .45 in zijn hand die zat bevestigd aan een sleutelkoord rond zijn nek, alsof hij bang was het wapen te verliezen.

'Ik zeg altijd: je kunt niet voorzichtig genoeg zijn met je vuurwapen als je van plan bent een ongewapend iemand neer te schieten,' zei ik.

'Dat zijn de enige mensen die ik neerschiet,' grinnikte hij. 'Je denkt toch niet dat ik zo gek ben om de strijd aan te gaan met iemand die is bewapend? Ik ben zakenman, Gunther. Ik ben Tom Mix niet.'

Hij liet de Colt aan het koord bungelen, legde zijn arm om Dora heen en drukte zijn vingers tussen haar benen. In de andere hand had hij nog steeds de sigaar.

Dora liet de hand van Reles waar hij was terwijl hij haar poes begon te strelen. Het leek alsof ze zelfs probeerde ervan te genieten. Maar ik kon zien dat haar gedachten elders waren. Waarschijnlijk achter de stortbak van suite 114.

'Het Little Rico-soort zakenman,' zei ik. 'Ja, dat zie ik.'

'Zo te horen hebben we hier een filmfan, Gerhard. Wat dacht je van *Twintigduizend mijlen onder zee?* Heb je die gezien? Geeft niet. Over een paar minuten kun je alles in het echt meemaken.'

'Jij bent degene die wordt gepakt, Reles. Niet ik. Ik heb namelijk een verzekeringspolis. Niet zo goed als bij een echt bedrijf, maar het kan er mee door. En hij wordt van kracht zodra ik dood ben. Jij bent niet de enige met connecties, Amerikaanse vriend. Ik heb connecties en ik kan je garanderen dat het niet dezelfde personen zijn als waar jij dikke maatjes mee bent.'

Reles schudde zijn hoofd en duwde Dora weg. 'Het is vreemd, maar niemand denkt ooit dat hij zal sterven. Maar toch, hoe druk het ook lijkt op de meeste kerkhoven, er is altijd ruimte voor nog iemand.'

'Ik zie geen kerkhoven, Reles. Nu ik hier op het water zit ben ik blij dat ik mijn begrafenis niet van tevoren heb betaald.'

'Ik mag je echt,' zei hij. 'Je doet me aan mezelf denken.'

Reles pakte de sigaret uit mijn mond en smeet hem overboord. Hij spande de haan van de Colt met zijn duim en richtte het wapen midden op mijn gezicht. Hij was dichtbij genoeg om het magazijn te zien, om de kracht te voelen en de wapenolie te ruiken. Met een automatische Colt .45 in zijn hand had Tom Mix de komst van de sprekende film tegen kunnen houden.

'Goed, Gunther. Laat je kaarten maar eens zien.'

'In de zak van mijn jas zit een envelop. Die bevat enkele concepten van een brief die is geadresseerd aan een vriend van me. Iemand die Otto Schuchardt heet. Hij werkt onder adjunct-commissaris Volk voor de Gestapo, in de Prinz-Albrecht-Straße. Die namen zijn eenvoudig te controleren. Als ik niet meer opduik bij het Adlon, zal een andere vriend van me bij het Alex, een Kommissar bij de recherche, de uiteindelijke versie van die brief naar Schuchardt sturen. En dan ben je de klos.'

'En waarom zou de Gestapo in mij zijn geïnteresseerd? Een Amerikaans staatsburger, zoals je al zei.'

'Een zekere kapitein Weinberger heeft me laten zien wat de FBI naar de Gestapo in Würzburg heeft gestuurd. Het stelde niet veel voor. Je wordt van dit verdacht. Je wordt van dat verdacht. Wat zou het, zul je zeggen. Maar over je moordzuchtige broer Abe weet de FBI een heleboel. Over hem en je vader Theodor. Hij is ook een interessant persoon. Hij werd kennelijk gezocht door de politie van Wenen toen hij naar Amerika emigreerde. Voor het vermoorden van mensen met een ijspriem. Het is natuurlijk altijd mogelijk dat ze hem erin hebben geluisd. De Oostenrijkers zijn nog erger dan wij hier in Berlijn wat betreft de manier waarop ze Joden behandelen. Maar dat wilde ik tegen mijn vriend Otto Schuchardt vertellen. Hij werkt namelijk op wat de Gestapo de afdeling Joodse Zaken noemt. Ik denk dat je je wel kunt voorstellen in welke mensen hij is geïnteresseerd.'

Reles draaide zich naar Krempel. 'Ga zijn jas halen,' zei hij. Toen keek hij me grimmig aan. 'Als ik erachter kom dat je dit gelogen hebt, Gunther' – hij drukte de Colt tegen mijn knieschijf – 'schiet ik een kogel in je beide benen voordat ik je overboord kieper.'

'Ik lieg niet. Dat weet je.'

'We zullen zien.'

'Ik vraag me af hoe al je slimme nazivrienden zullen reageren als ze merken wie en wat jij bent, Reles. Von Helldorf, bijvoorbeeld. Weet je nog wat er gebeurde toen hij de waarheid ontdekte over Erik Hanussen, die helderziende? Natuurlijk weet je dat. Dit is toch de boot van Hanussen?'

Ik knikte naar een van de reddingsboeien die vastgemaakt waren aan de reling. De naam van de boot stond erop: URSEL IV. Het was de boot die ik vanuit het kantoorraam van Von Helldorf in het politiebureau van Potsdam had zien liggen. Dat bracht een glimlach op mijn gezicht.

'Weet je, het is eigenlijk ironisch als je er over nadenkt, Reles. Dat uitgerekend jij de Ursel gebruikt. Heeft Von Helldorf je die badkuip verkocht of is het geleend van een aristocratisch vriendje dat zich vreselijk in de steek gelaten voelt als hij de waarheid over jou ontdekt, Max? Namelijk dat je Joods bent. Vreselijk in de steek gelaten. Verraden zelfs. Ik ken enkele politiemensen die het lijk van Erik Hanussen hebben gevonden, en ze hebben me verteld dat hij is gemarteld voor hij werd vermoord. Ik heb zelfs horen zeggen dat dat op deze boot is gebeurd. Zodat men zijn geschreeuw niet zou horen. Wist je dat? Maar misschien word je wel zijn lievelingsjood. Ze zeggen dat zelfs Göring er tegenwoordig een heeft.'

Krempel kwam terug met mijn gekreukte jas in een hand en in de andere de envelop met de kladversies van de brief die de beljongen in het Adlon de vorige avond voor me had gepost. Ik keek toe hoe Max Reles de brief las, met een mengeling van verwachting en schaamte.

'Het is verbazend waartoe iemand in staat is als het erop aankomt,' zei ik. 'Ik had nooit gedacht dat ik een brief zou kunnen schrijven om iemand aan te geven bij de Gestapo. Laat staan dat ik die aangifte zou baseren op iemands ras. Normaal gesproken zou ik een behoorlijke hekel aan mezelf hebben, Max. Maar in jouw geval was het een groot genoegen. Ik hoop bijna dat je me vermoordt. Het zou het waard zijn om de uitdrukking op hun gezicht te zien. Avery Brundage incluis.'

Reles verfrommelde de brieven met een boos gebaar en smeet ze over de reling.

'Dat geeft niet,' zei ik. 'Ik heb nog een kopie bewaard.'

De Colt .45 lag nog steeds in zijn andere hand. Hij leek zo groot als een metalen golfclub.

'Je bent een slimme vent, Gunther.' Hij grinnikte maar aan zijn bleke gezicht kon ik zien dat hij niet echt lachte. 'Je hebt je troeven goed uitgespeeld, dat moet ik toegeven. Maar… zelfs als ik je leven spaar zit ik met een groot probleem. Jazeker, een groot probleem.' Hij trok aan zijn sigaar en smeet die toen ook overboord. 'Maar ik geloof dat ik de oplossing heb. Ja, dat geloof ik echt. Maar jij, liefje…' Hij wendde zich tot Dora. Ze had haar tas geopend en haar poederdoos gepakt en inspecteerde nu haar lippenstift. 'Jij weet te veel.'

Dora liet de poederdoos vallen. Niemand leek verbaasd dat Max Reles de Colt nu niet meer op mij richtte, maar op haar.

'Max?' Ze glimlachte, zenuwachtig, misschien, een half ogenblik gelovend dat hij een grapje maakte. 'Wat bedoel je? Ik hou van je, schat. Ik zou je nooit verraden, Max. Dat weet je toch zeker.'

'We weten allebei dat dat niet waar is. En waar ik bij Gunther wel een manier weet om te garanderen dat hij me niet daadwerkelijk bij de Gestapo zal aangeven, heb ik zoiets bij jou niet. Ik wou dat ik iets anders kon verzinnen. Echt. Maar je bent wat je bent.'

'Max!' Deze keer schreeuwde Dora zijn naam. Toen draaide ze zich om en rende weg, alsof ze ergens anders heen kon.

Reles zuchtte zo diep dat ik bijna medelijden met hem kreeg. Ik zag dat hij het betreurde dat hij haar moest vermoorden. Maar ik had hem geen keus gelaten. Dat was nu wel duidelijk. Hij hief zijn revolver en schoot. Het klonk als een kanon op een piratenschip. Het schot velde haar als een gazelle die wordt besprongen door een luipaard en haar hoofd leek te uit elkaar te spatten in een rozig waas van bloed en hersenen.

Hij vuurde nogmaals, maar dit keer richtte hij niet meer op Dora Bauer. Ze lag voor me in een poel dik, donkerrood bloed die zich over het dek verspreidde. Ze trilde nog een beetje maar was waarschijnlijk al dood. Het tweede schot raakte Gerhard Krempel. Hij werd er compleet door verrast. De kogel tilde de bovenkant van zijn hoofd eraf als het topje van een hardgekookt ei. De impact was zodanig dat hij over de reling viel en in het water terechtkwam.

Een sterke geur van cordiet vulde de lucht, wat goed paste bij de bijtende lucht van mijn eigen doodsangst.

'Ach, verdomme,' jammerde Reles terwijl hij over de zijkant tuurde. 'Ik had ze samen willen laten zinken. Als iets uit een opera. Een van die verdomde Duitse opera's die altijd maar doorgaan.' Hij zette de revolver op veilig en liet hem aan zijn koord bungelen. 'Ik zal hem maar laten. Niets aan te doen. Dora aan de andere kant... Dora?'

Hij liep voorzichtig langs de poel bloed en schopte met de punt van zijn witte schoen zachtjes tegen haar hoofd, en daarna iets harder, alsof hij zeker wilde weten dat ze dood was. Haar ogen, nog steeds groot van angst, bewogen niet en staarden me beschuldigend aan, alsof ze me persoonlijk verantwoordelijk stelde voor hetgeen haar was overkomen. Ze had daar natuurlijk gelijk in; Reles had haar nooit kunnen vertrouwen.

Hij liep op me af, inspecteerde mijn enkels en maakte het touw los dat vastzat aan de drie betonblokken. Toen maakte hij het stevig vast aan haar fraai gevormde enkels.

'Ik weet niet waarom je zo kijkt, Gunther. Ik ga je niet vermoorden. Dat maakt het natuurlijk wel jouw schuld dat ze dood is.'

'Waarom denk je dat je je kunt veroorloven mij in leven te laten?' vroeg ik. Ik probeerde de zeer reële angst te bedwingen dat hij me, ondanks mijn dreigementen en zijn reactie daarop, toch zou vermoorden.

'Bedoel je wat je tegenhoudt om die brief naar de Gestapo toch te versturen, als je het redt om hier levend uit te komen?'

Ik knikte.

Hij gniffelde sadistisch en trok hard aan de knoop rond Dora's enkels. 'Dat is een heel goede vraag, Gunther. En ik zal je antwoord geven zodra ik dit dametje op haar laatste en belangrijkste reis heb gestuurd. Daar kun je op rekenen.'

De betonblokken zaten aan het touw vast als de gewichten van een visser. De een na de ander droeg hij luid kreunend naar de zijkant van de boot, waar hij een hekje in de reling opende. Toen duwde hij de blokken een voor een overboord met de zool van zijn schoen. Door het gewicht van de blokken draaide Dora's lichaam om en werd ze naar de zijkant getrokken.

Waarschijnlijk bracht het gevoel verplaatst te worden haar weer bij bewustzijn. Eerst kreunde ze, toen haalde ze luidruchtig adem, waarbij haar borsten omhoog bewogen als twee lavendelkleurige circustenten. Tegelijkertijd stak ze een arm uit, draaide op haar buik, tilde wat er resteerde van haar hoofd op, en sprak... tot mij.

'Gunther. Help me.'

Max Reles lachte verrast en graaide naar zijn pistool om nog een keer op Dora te schieten voor de drie gewichten haar door het poortje in de reling hadden getrokken, maar toen hij de veiligheidspal van de Colt had verschoven was het al te laat. Wat ze tegen me had willen zeggen, ging verloren in een kreet terwijl ze besefte wat er gebeurde. Het volgende moment werd ze overboord getrokken.

Ik sloot mijn ogen. Ik kon niets doen. Er klonk een luide plons, en toen nog een. De schreeuwende mond werd met water gevuld en toen was er een verschrikkelijke stilte.

'Mijn hemel,' zei Reles terwijl hij omlaag naar het water staarde. 'Zag je dat? Ik had gezworen dat dat wijf dood was. Ik bedoel, je zag toch dat ik haar schopte om dat te controleren. Ik had haar dood willen schieten om haar dit te besparen. Als ik tijd genoeg had gehad... Hemel...' Hij schudde zijn hoofd en haalde nerveus adem. 'Hoe is het mogelijk.'

Hij had de veiligheidspal van de revolver weer teruggeduwd en liet het aan het koord om zijn nek bungelen. Hij haalde een heupfles uit zijn jas en nam een flinke slok voor hij hem aan mij aanbod. 'Een slokje tegen de kater?'

Ik schudde mijn hoofd.

'Nee, dat verbaast me niet. Zo gaat dat met alcoholvergiftiging. Het zal nog wel een tijdje duren voordat je de geur van schnaps weer kunt verdragen, laat staan drinken.'

'Smeerlap.'

'Ik? Jij hebt haar vermoord, Gunther. Hem ook. Toen je eenmaal je zegje had gedaan was er geen keus meer. Ze moesten sterven. Ze wisten te veel over me; ze hadden me overdwars op een ton kunnen leggen met mijn broek omlaag en me kunnen neuken tot het Kerstmis was en daar had ik niets tegen kunnen doen.' Hij nam nog een slok. 'Maar jij bent een ander geval. Ik weet precies wat ik moet doen om te voorkomen dat jij zo'n streek uithaalt. Weet je wat dat is?'

Ik zuchtte. 'Eerlijk gezegd niet.'

Hij grinnikte en ik kon hem wel vermoorden. 'Dan is het maar goed dat ik het je nu kan vertellen, hufter. Noreen Charalambides. Daar gaat het om. Ze hield en houdt van je.' Hij fronste zijn wenkbrauwen en schudde zijn hoofd. 'God mag weten waarom. Ik bedoel, je bent een sukkel, Gunther. Een liberaal in een land vol nazi's. En of dat niet genoeg is om je tot een sukkel te maken, heb je ook nog een gat in je schoen. Hoe kan een dame als zij in godsnaam vallen voor een zakkenwasser met een gat in zijn verdomde schoen? Maar het is net zo goed van belang,' ging hij verder, 'dat jij van haar houdt. Probeer het maar niet te ontkennen. Je moet namelijk weten dat zij en ik hebben gepraat, voor ze Berlijn verliet en terugging naar de Verenigde Staten. En ze heeft me verteld wat jullie voor elkaar voelden. En ik moet zeggen dat dat een teleurstelling voor me was. We hebben namelijk zelf iets gehad, op de boot uit New York. Heeft ze je dat verteld?'

'Nee.'

'Dat doet er nu niet toe. Alles wat er toe doet is dat je genoeg om Noreen geeft om te willen voorkomen dat ze wordt vermoord. Want het volgende gaat namelijk gebeuren. Zodra ik van deze boot stap, ga ik een telegram sturen aan mijn jongere broertje in New York. Hij is mijn halfbroer, eerlijk gezegd. Maar bloedband is bloedband, toch? De Verdraaide Gek noemen ze hem, want je kunt wel zeggen dat hij een beetje getikt is. Bovendien hield hij ervan de nek om te draaien van mensen die hem niet aanstonden. Tot ze braken. Dat was voordat hij zijn echte vaardigheid had ontwikkeld. Met een ijspriem. Hoe dan ook, het is een feit dat hij ervan houdt mensen te vermoorden. Zelf doe ik het alleen als het niet anders kan. Zoals daarnet. Maar híj geniet van zijn werk.

Dus wat ga ik hem vertellen, in dat telegram dat ik ga versturen? Het volgende: dat als er iets met mij gebeurt terwijl ik in Duitsland ben, bijvoorbeeld dat ik word gearresteerd door de Gestapo, of wat dan ook, dat hij dan mevrouw Charalambides moet opsporen en haar vermoorden. Met een dergelijke naam is ze niet moeilijk te vinden, neem dat maar van me aan. Hij mag haar ook verkrachten, als hij zin heeft. En dat heeft hij meestal wel.'

Hij grijnsde.

'Je kunt het beschouwen als mijn eigen aangifte, alleen heeft die van mij, in tegenstelling tot die van jou, niets te maken met het feit dat ze Joods is. Hoe dan ook, ik weet zeker dat je in grote lijnen begrijpt waar ik het over heb. Dat ik jou met rust laat, wordt gegarandeerd door de brief die je aan de afdeling Joodse Zaken van de Gestapo hebt gestuurd. En dat jij mij met rust laat wordt gegarandeerd door het telegram dat ik stuur naar mijn broertje zodra ik terug ben in mijn hotel. We houden elkaar in bedwang. Zoiets als een patstelling in het schaakspel. Of wat de politiek wetenschappers een machtsevenwicht noemen. Jouw verzekering weggestreept tegen de mijne! Wat denk je ervan?'

Ik voelde plotseling een golf van misselijkheid. Ik boog me opzij en braakte opnieuw.

'Ik neem aan dat je daar "ja" mee bedoelt,' zei Reles. 'Bovendien heb je ook geen andere keus. Ik geloof dat ik mensen kan lezen als de krant, Gunther. Tijdens de drooglegging was het makkelijker. De kerels met wie ik omging waren recht-door-zee en je wist meestal wel met wie je van doen had door hen goed in de ogen te kijken. Toen, na de herroeping van de Volstead Act, de wet die het nuttigen van alcohol verbood, moest mijn organisatie zich verbreden. Ik ging op zoek naar nieuwe terreinen voor gangsterpraktijken. Gunther, ik ben zo'n beetje de initiator van alle omkopingschandalen in de vakbonden in de Verenigde Staten. Maar veel van die kerels waren moeilijker te peilen. Je weet wel, mensen in het zakenleven. Het was moeilijk om erachter te komen wat ze wilden, want in tegenstelling tot de kerels van de drank wisten ze zelf niet waar het om ging. De meeste mensen weten dat niet, en dat is juist hun probleem.

Jij, aan de andere kant, hebt een beetje van beide. Je denkt van jezelf dat je een recht-door-zee type bent. Je denkt dat je weet wat je wilt. Maar eigenlijk is dat helemaal niet zo. Toen ik je voor het eerst ontmoette, dacht ik dat je gewoon de zoveelste stomme ex-politieman was die snel geld wilde verdienen. Ik denk dat je op sommige momenten ook zo over jezelf denkt. Maar je hebt meer in je mars. Ik denk dat dat is wat Noreen zag. Iets anders. Iets gecompliceerds. Wat het ook was, ze was niet het type om voor iemand te vallen die niet op vergelijkbare wijze op haar viel.' Hij haalde zijn schouders op. 'Dat tussen haar en mij was gewoon omdat ze zich verveelde. Met jou was het geloof ik echt.'

Reles sprak kalm, zelfs redelijk, en terwijl ik naar hem luisterde, merkte ik dat het moeilijk te geloven was dat hij net twee mensen had vermoord. Als ik me beter had gevoeld, was ik misschien met hem in discussie gegaan, maar ik voelde me slecht en ik was al uitgeput van het gepraat tot nu toe. Ik wilde alleen maar slapen en heel lang in slaap blijven. En misschien nog een beetje kotsen als ik die drang voelde opkomen. Dan wist ik tenminste dat ik nog leefde.

'Zoals ik het zie,' zei hij, 'is er nog maar één probleem.'

'Waarschijnlijk niet een probleem dat je met die Colt kunt oplossen.'

'Niet direct, nee. Ik bedoel, jij zou het voor me kunnen doen, maar je lijkt me nogal kieskeurig. Nu tenminste. Ik zou wel eens willen zien hoe kieskeurig je nog bent over tien jaar.'

'Als je bedoelt dat ik kieskeurig ben over het vermoorden van mensen in koelen bloede, dan heb je gelijk. Hoewel ik voor jou een uitzondering wil maken. Tenminste, tot je dat telegram hebt verstuurd.'

'Dat is dan ook de reden dat ik je hier op de boot achterlaat tot dat ik genoeg tijd heb gehad om naar het slothotel in Potsdam te gaan en dat bericht naar Abe te sturen. Dat is trouwens een aardig hotel. Ik heb daar ook een suite, voor als ik in Potsdam ben.' Hij schudde zijn hoofd. 'Nee, mijn probleem is het volgende. Wat moet ik doen met die kapitein van de Gestapo in Würzburg? Hoe heette hij ook alweer? Weinberger?'

Ik knikte.

'Hij weet te veel over me.'

Ik knikte opnieuw.

'Zeg eens, Gunther. Is hij getrouwd? Heeft hij kinderen? Iemand van wie hij houdt en met wie ik hem kan chanteren als hij te ver gaat?'

Ik schudde mijn hoofd. 'Ik kan oprecht zeggen dat de enige om wie hij werkelijk geeft hijzelf is. Wat dat betreft is hij behoorlijk typerend voor iemand die bij de Gestapo werkt. Weinberger geeft alleen om zijn carrière en zijn vooruitzichten, tot welke prijs dan ook.'

Reles knikte en liep even wat rond over het dek. '"Wat dat betreft" zei je. In welke zin geldt dat dan niet?'

Ik schudde mijn hoofd en merkte dat ik een razende hoofdpijn had. Het soort hoofdpijn waarbij je het gevoel krijgt dat je er blind van kunt worden. 'Ik weet niet zeker of ik begrijp waar je heen wilt.'

'Is hij homo? Houdt hij van kleine meisjes? Is hij omkoopbaar? Wat is zijn achilleshiel? Heeft hij die?' Hij haalde zijn schouders op. 'Kijk, ik kan hem waarschijnlijk laten vermoorden, maar het geeft altijd zoveel ophef als een smeris koud wordt gemaakt. Zoals met die politieman die bij het Excelsior is vermoord, deze zomer. De Berlijnse politie heeft er heel wat herrie over geschopt, of niet soms?'

'Vertel mij wat.'

'Ik wil hem niet laten vermoorden. Maar iedereen heeft een zwakte.

Die van jou is Noreen Charalambides. De mijne is die verdomde brief die in de la van een of andere smeris ligt, nietwaar? Dus wat is de zwakte van kapitein Weinberger?'

'Nu je het zegt, er is wel iets.'

Hij knipte met zijn vingers. 'Mooi zo. Voor de dag ermee.'

Ik zei niets.

'Krijg de klere, Gunther. Dit gaat niet om jouw geweten. Dat gaat om Noreen. Dit gaat erover dat ze op een avond de deur opendoet en merkt dat mijn broertje Abe voor haar neus staat. In werkelijkheid is hij niet zo vaardig met een ijspriem als ik. Dat zijn maar weinig mensen, afgezien misschien van mijn oude heer, en de dokter die het hem heeft geleerd. Ik gebruik net zo lief een pistool. Goed genoeg. Maar die Abe...' Max Reles schudde zijn hoofd en glimlachte. 'Op een keer in Brooklyn, toen we bezig waren met de Shapiro-broers – plaatselijke onderwereldfiguren – vermoordde mijn broertje iemand in een autowasserette omdat hij zijn auto niet goed genoeg had schoongemaakt. Hij had vuil op de wielen laten zitten. Dat zei Abe tenminste tegen me. Klaarlichte dag en mijn broertje slaat hem neer en steekt hem daarna in zijn oor met een ijspriem. Er was niks van te zien. De politie dacht dat hij was overleden aan een hartaanval. En de Shapiro-broers? Die zijn ook dood. Abe en ik hebben Bill afgelopen mei levend begraven in een zandgroeve. Dat is een van de redenen dat ik naar Berlijn ben gekomen, Gunther. Om te wachten tot de consternatie over die moord een beetje is gezakt.' Hij zweeg even. 'Dus... ben ik duidelijk? Wil je dat ik mijn broertje opdraag dat hij dat wijf levend moet begraven, net als Bill Shapiro?'

Ik schudde mijn hoofd. 'Goed dan,' zei ik. 'Ik zal het vertellen.'

Deel Twee

Havana, februari 1954

1

Als de wind uit het noorden blaast, beukt de zee tegen de muur op Malecón alsof hij is losgelaten door een aanstormend leger dat een revolutie wil ontketenen in Havana. Duizenden liters water spatten op in de lucht en regenen neer op de brede weg langs de oceaan, waarbij het stof van de grote Amerikaanse auto's die naar het westen rijden wordt gespoeld, en waarbij voetgangers die zo moedig of onnozel zijn om in het winterweer langs de muur te lopen een nat pak krijgen.

Enkele minuten lang tuurde ik hoopvol naar de te pletter slaande, maanverlichte golven. Ze kwamen dichtbij, maar niet dichtbij genoeg om de opwindbare grammofoon te bereiken die eigendom was van de Cubaanse jongeren die het grootste deel van de nacht in een groepje voor mijn flat hadden gestaan en die mij en waarschijnlijk verschillende anderen wakker hadden gehouden met de rumbamuziek die overal op het eiland te horen is. Er waren tijden dat ik terugverlangde naar het dreunende ritme van de spijkerschoenen van een Duits muziekkorps; om maar niet te spreken van een grote mortiergranaat waarmee je in één klap een straat kon schoonvegen.

Ik kon niet slapen en dacht erover naar de Casa Marina te gaan, maar ik verwierp het idee. Op dit late uur zou de *chica* van mijn voorkeur niet langer beschikbaar zijn. Bovendien lag Yara in mijn bed te slapen en hoewel ze nooit gevraagd zou hebben waarom ik de flat verliet in de kleine uurtjes van de ochtend, zou de tien dollar die ik aan Doña Marina moest betalen waarschijnlijk weggegooid geld zijn, aangezien ik niet langer in staat was de liefde op twee achtereenvolgende dagen te bedrijven, laat staan op één avond. Dus ging ik zitten en las ik in plaats daarvan mijn boek uit.

Het was een boek in het Engels.

Ik was al een tijdje Engels aan het leren in een poging een Engelsman die Robert Freeman heette, over te halen me een baan te geven. Freeman werkte voor de Britse tabaksgigant Gallaher, dat een dochterbedrijf had dat J. Frankau heette, sinds 1790 de distributeur van alle Cubaanse sigaren in het Verenigd Koninkrijk. Ik had het contact met Freeman warm gehouden in de hoop dat ik hem kon overhalen me naar Duitsland te sturen – weliswaar op eigen kosten – om te zien of ik de West-Duitse markt kon openen. Met een introductiebrief als dekmantel en een paar dozen sigaren zou Carlos Hausner, een Argentijn van Duitse afkomst, hoopte ik, zich weer in Duitsland kunnen vertonen en zich weer onder de Duitsers kunnen mengen.

Het was niet zo dat ik een hekel had aan Cuba. Verre van dat. Ik had Argentinië verlaten met honderdduizend Amerikaanse dollars en ik leefde zeer comfortabel in Havana. Maar ik verlangde hevig naar een plek zonder bijtende insecten, waar mensen op een redelijk tijdstip naar bed gingen en waar de drankjes niet hoofdzakelijk uit ijs bestonden. Ik was het beu om elke keer als ik een bar in liep hoofdpijn te krijgen van de ijsblokjes. Een andere reden dat ik terugwilde naar Duitsland was dat mijn Argentijnse paspoort niet voor eeuwig geldig zou blijven. Maar als ik eenmaal veilig terug was in Duitsland, kon ik veilig verdwijnen. Opnieuw.

Teruggaan naar Berlijn kwam uiteraard niet in aanmerking. Dat lag nu ingesloten in de door communisten overheerste Duitse Democratische Republiek. Bovendien was de Berlijnse politie waarschijnlijk naar me op zoek in verband met de moord op twee vrouwen in Wenen, in 1949. Niet dat ik hen had vermoord. Ik heb veel dingen in mijn leven gedaan waar ik niet trots op ben, maar ik heb nooit een vrouw vermoord. Tenzij je de Russische vrouw meerekent die ik heb neergeschoten in de lange, hete zomer van 1941 – een lid van een doodseskader van de NKVD dat zojuist enkele duizenden ongewapende gevangenen in hun cel had vermoord. Ik neem aan dat de Russen dat als moord zouden rekenen, wat nóg een goede reden was om weg te blijven uit Berlijn. Hamburg leek een betere optie. Hamburg lag in de Federale Republiek, en ik kende niemand in Hamburg. En wat belangrijker was, niemand daar kende mij.

Ondertussen had ik een goed leven. Ik had wat de meeste *Habaneros* wilden: een groot appartement op Malecón, een grote Amerikaanse auto, een vrouw voor de seks en een vrouw voor mijn maaltijden. Soms was de vrouw die kookte ook de vrouw die voorzag in de seks. Maar mijn appartement in Vedado lag slechts enkele verwachtingsvolle straten verwijderd van de hoek van de Vijfentwintigste straat en lang voordat Yara mijn trouwe huishoudster werd had ik de gewoonte aangenomen om regelmatig op bezoek te gaan bij Havana's beroemdste en meest luxueuze *casa de putas.*

Ik mocht Yara, maar meer was het niet. Ze bleef als ze daar zin in had, niet omdat ik het vroeg maar omdat ze het zelf wilde. Ik geloof dat Yara een negerin was, maar het is vrij moeilijk om dat soort dingen zeker te weten in Cuba. Ze was lang, slank en ongeveer twintig jaar jonger dan ik met een gezicht als een teerbeminde pony. Ze was geen hoer want ze accepteerde geen geld. Maar ze zag er wel uit als een hoer. De meeste vrouwen in Havana zagen eruit als een hoer. De meeste hoeren zagen eruit als je kleine zusje. Yara was geen hoer omdat ze meer verdiende door van mij te stelen. Dat vond ik niet erg. Het voorkwam dat ik haar moest betalen. Bovendien stal ze alleen wat ze dacht dat ik me kon veroorloven te missen, en dat was veel minder dan ik haar uit schuldgevoel zou hebben betaald. Yara spuwde niet, rookte geen sigaren en was een fervent aanhanger van de Santeria-religie, die volgens mij een beetje op voodoo leek. Ik vond het prettig dat ze voor me bad bij enkele Afrikaanse goden. Die werkten vast beter dan de goden die ik zelf had aanbeden.

Zodra de rest van Havana wakker was, reed ik naar het Prado in mijn Chevrolet Styline. De Styline was waarschijnlijk de meest voorkomende auto in Cuba en zeer waarschijnlijk een van de grootste. Er was meer metaal nodig om een Styline te bouwen dan er op voorraad was bij Bethlehem Steel. Ik parkeerde de auto voor het Gran Teatro. Het was een neobarokgebouw met zo veel engelen op zijn weelderige exterieur dat het duidelijk was dat de architect vond dat een toneelspeler of acteur belangrijker was dan een apostel. Tegenwoordig is alles belangrijker dan een apostel. Vooral in Cuba.

Ik had afgesproken Freeman te ontmoeten in de rookzaal van de nabijgelegen Partagas-sigarenfabriek, maar ik was vroeg, dus ging ik naar het Hotel Inglaterra en bestelde een ontbijt op het terras. Daar trof ik de gebruikelijke Havana-types, afgezien van de prostituees – daar was het nog een tikje te vroeg voor. Er waren Amerikaanse marineofficieren, met verlof van het oorlogsschip dat in de haven lag, een paar matroneachtige toeristen, een paar Chinese zakenmannen uit de nabijgelegen Barrio Chino, een stel onderwereldtypes die het soort pakken en kleine Stetsonhoeden droegen waaraan je oplichters herkent en een drietal ambtenaren in krijtstreepjasjes, met gezichten die zo donker waren als tabaksbladeren en met nog donkerder brillenglazen. Ik nam een Engels ontbijt en stak het drukke, met palmen begroeide Parque Central over om mijn lievelingswinkel in Havana te bezoeken.

Het hobbycentrum, op de hoek van Obispo en Berniz, verkocht scheepsmodellen, speelgoedauto's en, voor mij het belangrijkste, elektrische modeltreinen. Mijn eigen modelspoorbaan was een Dublo op een tafel met drie spoorbanen. Het stelde niets voor vergeleken bij het modelspoor dat ik ooit in Hermann Görings huis had gezien, maar het bezorgde me veel plezier. In de winkel kocht ik een nieuwe locomotief met tender die ik in Engeland had laten bestellen. Ik kreeg veel modellen uit Engeland, maar ik had ook onderdelen zelf gemaakt in mijn knutselwerkplaats thuis. Yara had aan die werkplaats bijna een even grote hekel als aan de modeltreinen. Voor haar hadden ze iets duivels. Het had niets te maken met het feit dat de treintjes konden bewegen. Zó primitief was ze nu ook weer niet. Nee, het was de fascinatie die een volwassen man kon hebben voor speelgoedtreintjes die haar als hypnotisch en duivels voorkwam.

De winkel lag maar een paar meter verwijderd van La Moderna Poesia. Dit was Havana's grootste boekwinkel, maar hij had meer weg van een betonnen schuilkelder. Veilig binnen koos ik een boek met de essays van Montaigne in het Engels, niet omdat ik een dringende behoefte voelde Montaigne te lezen, van wie ik slechts vaag had gehoord, maar omdat ik dacht dat het goed was voor mijn geestelijke ontplooiing. En bijna iedereen in de Casa Marina had me kunnen vertellen dat ik behoefte had aan geestelijke ontplooiing. Het minste wat ik kon doen – was mijn overtuiging – was dat ik mijn bril vaker moest dragen. Even dacht ik dat ik dingen zag die er niet waren. Daar, in de boekwinkel, was iemand die ik voor het laatst in een ander leven had gezien, twintig jaar geleden.

Het was Noreen Charalambides.

Alleen heette ze niet Noreen Charalambides. Niet meer. Evenmin als ik Berhard Gunther heette. Ze had haar echtgenoot Nick lange tijd geleden verlaten en had haar meisjesnaam weer aangenomen, Noreen Eisner. Ze was de auteur van meer dan tien succesvolle romans en verschillende gevierde toneelstukken, en onder die nieuwe naam kende de boekenwereld haar. Onder de zoetsappige blikken van een flemende Amerikaanse toerist was Noreen bezig een boek te signeren bij de kassa waar ik mijn Montaigne wilde afrekenen, wat tot gevolg had dat we elkaar gelijktijdig in het oog kregen. Als dat niet het geval was geweest, was ik waarschijnlijk weggeslopen, want ik woonde onder een valse naam in Cuba en hoe minder mensen dat wisten hoe beter. Een andere reden was dat ik er niet bepaald op mijn best uitzag. Ik zag er niet meer op mijn best uit sinds de lente van 1945. Noreen zag er echter vrijwel onveranderd uit. Er zaten wat grijze plekjes in haar bruine haar en een paar rimpeltjes op haar voorhoofd, maar ze was nog steeds een schoonheid. Ze droeg een mooie saffieren broche en een gouden polshorloge. In haar hand lag een zilveren vulpen en aan haar arm hing een dure handtas van krokodillenleer.

Toen Noreen me zag sloeg ze een hand voor haar mond, alsof ze een spook had gezien. Misschien was dat ook wel zo. Hoe ouder ik word, hoe gemakkelijker ik kan geloven dat mijn eigen verleden het leven van iemand anders is en dat ik slechts een ziel ben die in het voorgeborchte leeft, of een of andere Vliegende Hollander die is gedoemd tot het einde der tijden over de zeeën rond te zwalken.

Ik tikte tegen de rand van mijn hoed om te controleren of mijn hoofd nog werkte en zei 'Hallo'. Ik sprak in het Engels, wat haar waarschijnlijk nog meer in verwarring bracht. Ik dacht dat ze misschien was vergeten hoe ik heette en stond op het punt mijn hoed af te nemen, maar ik bedacht me. Misschien was het toch beter als ze niet meer wist hoe ik heette. Niet totdat ik haar mijn nieuwe naam had gegeven.

'Ben je het echt?' fluisterde ze.

'Ja.' Ik had een brok in mijn keel zo groot als mijn vuist.

'Ik dacht dat je wel dood zou zijn. Eigenlijk wist ik het zeker. Ik kan niet geloven dat je het echt bent.'

'Ik heb hetzelfde probleem als ik 's morgens opsta en naar de badkamer strompel. Ik heb altijd het gevoel dat iemand 's nachts mijn echte lichaam heeft gestolen en het heeft vervangen door het lichaam van mijn vader.'

Noreen schudde haar hoofd. Er stonden tranen in haar ogen. Ze opende haar handtas en pakte er een zakdoekje uit waarmee je nog niet de ogen van een muis kon drogen. 'Misschien ben je het antwoord op mijn gebeden,' zei ze.

'Dan moet het een Santeria-gebed zijn geweest,' zei ik. 'Een gebed tot een katholieke heilige die eigenlijk een vermomming is voor een of andere vorm van voodoo. Of iets wat nog erger is.'

Even hield ik mijn mond. Ik vroeg me af welke oude demonen, welke duivelse krachten Bernie Gunther als een van hen geclaimd konden hebben en hem hadden genoemd als het duistere, boosaardige antwoord op iemands vergeefse smeekbeden.

Ik keek ongemakkelijk om me heen. De flemende Amerikaanse toerist was een dame met overgewicht van rond de zestig. Ze droeg dunne handschoenen en een zomerhoed met een voile die haar op een bijenhoudster deed lijken. Ze keek nauwlettend naar Noreen en mij, alsof we ons in een theater bevonden. En als ze niet naar de roerende herenigingsscène tussen Noreen en mij keek, tuurde ze naar de handtekening in haar boek, alsof ze niet helemaal kon bevatten dat de auteur het had gesigneerd.

'Luister,' zei ik, 'we kunnen hier niet praten. De bar op de hoek lijkt me beter.'

'De Floridita?'

'Laten we zeggen over vijf minuten.' Toen keek ik naar de boekverkoper en zei: 'Ik wil dit graag op mijn rekening zetten. De naam is Hausner. Carlos Hausner.' Ik sprak in het Spaans maar ik wist zeker dat Noreen het begreep. Ze was altijd snel van begrip geweest. Ik wierp haar een blik toe en knikte. Ze knikte terug, alsof ze me wilde verzekeren dat mijn geheim veilig was. Voorlopig.

'Ik ben hier al klaar,' zei Noreen. Ze keek naar de toerist en glimlachte. En de toerist glimlachte terug en bedankte Noreen uitvoerig, alsof ze een cheque van duizend dollar had ontvangen in plaats van een gesigneerd boek.

'Zal ik maar meteen met je meelopen?' zei Noreen, en ze stak haar arm door de mijne. Ze leidde me naar de deur van de boekwinkel. 'Ik zou immers niet willen dat je verdween nu ik je weer heb gevonden.'

'Waarom zou ik verdwijnen?'

'O, ik kan allerlei redenen bedenken,' zei ze. '*Señor Hausner*. Ik ben tenslotte schrijfster.'

We kwamen de winkel uit en liepen via een flauwe helling naar de Floridita Bar.

'Dat weet ik. Ik heb zelfs een van je boeken gelezen. Dat boek over de Spaanse burgeroorlog: *Het ergste maakt de besten tot dapperen.*'

'En wat vond je ervan?'

'Eerlijk?'

'Je kunt het in ieder geval proberen, Cárlos.'

'Ik heb het met plezier gelezen.'

'Aha, dus je hebt niet alleen een valse naam.'

'Nee, echt. Ik meen het.'

We stonden buiten bij de bar. Een man gleed van de motorkap van een

Oldsmobile en ging met een buiging voor ons staan.

'Taxi, señor? Taxi?'

Ik wuifde de man weg en liet Noreen als eerste de bar in gaan.

'Ik heb tijd voor een snel drankje en dan moet ik weg. Ik heb over vijftien minuten een afspraak. Bij de sigarenfabriek. Zakelijk. Het zou een baan kunnen opleveren, dus ik kan het niet afzeggen.'

'Zoals je wilt. Het is tenslotte maar een half leven geleden.'

2

Er stond een mahoniehouten bar ter grootte van een velodroom. Erachter was een smoezelige muurschildering te zien van een oud zeilschip dat de haven van Havana binnenvoer. Het had een slavenschip kunnen zijn, maar een volgende lading toeristen of Amerikaanse zeelieden leek waarschijnlijker. De Floridita zat vol met Amerikanen, de meesten net van het cruiseschip dat naast de torpedojager in de haven van Havana lag. Binnen maakte een trio muzikanten zich op om te gaan spelen. We vonden een tafeltje en ik bestelde snel iets te drinken, nu de ober me nog kon horen.

Noreen keek naar wat ik had gekocht. 'Montaigne, hè? Ik ben onder de indruk.' Ze sprak nu Duits. Waarschijnlijk ging ze me een paar lastige vragen stellen en wilde ze niet dat anderen konden meeluisteren.

'Dat hoeft niet. Ik heb het nog niet gelezen.'

'Wat is dat? Iets van het hobbycentrum? Heb je kinderen?'

'Nee, dat is voor mezelf.' Ik zag haar glimlachen en haalde mijn schouders op. 'Ik hou van modeltreinen. De manier waarop ze maar blijven rondgaan, als een enkele, eenvoudige, onschuldige gedachte in mijn hoofd. Op die manier kan ik de andere zaken in mijn hoofd negeren.'

'Ik weet het. Je bent net die gouvernante in *The Turn of the Screw*.'

'Is dat zo?'

'Dat is een boek van Henry James.'

'Zegt me niets. Maar goed. Heb je zelf kinderen?'

'Ik heb een dochter. Dinah. Ze is net van de middelbare school af.'

De ober kwam en zette de drankjes netjes voor ons neer, als een schaakgrootmeester die rokeert. Toen hij weg was, zei Noreen: 'Wat is er aan de hand, Carlos? Word je gezocht of zo?'

'Het is een lang verhaal.' We toostten in stilte.

'Dat geloof ik graag.'

Ik keek op mijn horloge. 'Te lang om nu te vertellen. Een andere keer. En jij? Wat doe jij in Cuba? Het laatste wat ik heb gehoord was dat je voor dat stomme tribunaal moest verschijnen. De onderzoekscommissie voor on-Amerikaanse activiteiten. De HUAC. Wanneer was dat?'

'Mei 1952. Ik werd ervan beschuldigd communist te zijn. En ik werd op de zwarte lijst gezet door verschillende filmstudio's in Hollywood.' Ze roerde met een cocktailstaafje in haar drankje. 'Daarom ben ik hier. Een goede vriend van me die in Cuba woont, las over de hoorzittingen van de HUAC en heeft me uitgenodigd om een tijdje in zijn huis te wonen.'

'Dat is een fijne vriend.'

'Hij heet Ernest Hemingway.'

'Nou, dat is nog eens een vriend over wie ik heb gehoord.'

'Dit is toevallig een van zijn favoriete bars.'

'Zijn jij en hij…?'

'Nee. Ernest is getrouwd. Hij is nu weg. In Afrika. Bezig met doden. Vooral zichzelf.'

'Is hij ook een communist?'

'Hemel, nee. Ernest is totaal niet politiek geïnteresseerd. Hij is geïnteresseerd in mensen. Niet in ideologieën.'

'Wijze man.'

'Dat zou je niet zeggen.'

De band begon te spelen en ik kreunde. Het was het soort band dat je zeeziek maakt terwijl ze heen en weer deinden. Een van de mannen speelde op een soort toverfluit, een ander tikte monotoon tegen een soort koebel op zo'n manier dat je medelijden kreeg met koeien. Hun gezongen harmonieën klonken als de toeter van een vrachtlocomotief. Het meisje gilde solo's en speelde gitaar. Ik had nog geen gitaar gezien die ik niet wilde gebruiken om een spijker mee in een stuk hout te slaan. Of in het hoofd van de idioot die het bespeelde.

'Maar nu moet ik echt weg,' zei ik.

'Wat is er aan de hand. Hou je niet van muziek?'

'Sinds ik op Cuba woon niet meer.' Ik dronk mijn glas leeg en keek weer op mijn horloge. 'Luister,' zei ik, 'mijn afspraak duurt maar een uurtje. Waarom spreken we niet af voor de lunch?'

'Dat lukt niet. Ik moet terug. Ik krijg vanavond mensen op bezoek die komen eten en ik moet nog boodschappen doen voor de kok. Ik zou het fijn vinden als je ook kwam.'

'Goed, dat zal ik doen.'

'Het is de Finca Vigía in San Francisco de Paula.' Noreen opende haar tas, pakte een blocnote en schreef een adres en telefoonnummer op.

'Waarom kom je niet wat eerder? Zeg rond een uur of vijf, voordat de rest van mijn gasten arriveren. Dan kunnen we bijpraten.'

'Dat lijkt me leuk.' Ik nam de blocnote en schreef mijn adres en telefoonnummer op. 'Hier,' zei ik. 'Voor het geval je mocht denken dat ik wil weglopen.'

'Fijn om je weer te zien, Gunther.'

'Ik ben ook blij jou weer te zien, Noreen.'

Ik liep naar de deur en keek achterom naar de mensen in de Floridita Bar. Niemand luisterde naar de band of was zelfs maar van plan te luisteren. Niet zolang er gedronken werd. De barman maakte de daiquiri's alsof ze in de aanbieding waren, ongeveer een dozijn per keer. Van wat ik had gehoord en gelezen over Ernest Hemingway, dronk hij ook in die hoeveelheden.

3

Ik kocht enkele *petit robustos* in de winkel van de sigarenfabriek en nam ze mee naar de rookruimte, waar een aantal mannen, onder wie Robert Freeman, vertoefden in een bijna helse ruimte vol kringelende rook, oplichtende lucifers en gloeiende tabakskegels. Elke keer dat ik die kamer in ging, deed de geur me denken aan de bibliotheek van hotel Adlon en even zag ik bijna die arme Louis Adlon voor me met zijn geliefde Upmann tussen wit gehandschoende vingers.

Freeman was een grote, plompe man die er eerder als een Zuid-Amerikaan dan als een Brit uitzag. Hij sprak goed Spaans voor een Engelsman – ongeveer even goed als ik – en dat was nauwelijks verrassend voor iemand met zijn familieachtergrond: zijn overgrootvader, James Freeman, was al in 1839 begonnen met de verkoop van Cubaanse sigaren. Hij luisterde beleefd naar de details van mijn voorstel en vertelde me toen van zijn eigen plannen om zijn familiebedrijf uit te breiden.

'Tot voor kort bezat ik een sigarenfabriek in Jamaica. Maar net als de Jamaicanen zelf is de kwaliteit van hun product wisselvallig, dus ik heb die fabriek verkocht en besloten me te concentreren op de verkoop van Cubaanse sigaren in Engeland. Ik heb plannen om een paar andere bedrijven te kopen zodat ik ongeveer twintig procent van de Britse markt in handen krijg. Maar de Duitse markt? Ik weet het niet, bestaat er zoiets? Vertel het me maar, ouwe jongen.'

Ik vertelde hem over het Duitse lidmaatschap van de Europese Gemeenschap voor Kolen en Staal en dat het land, na de valutahervorming van 1948, een snellere economische groei had doorgemaakt dan welk land dan ook in de Europese geschiedenis. Ik vertelde hem dat de industriële productie was gestegen met vijfendertig procent en dat de agrarische productie al hoger was dan het niveau van voor de oorlog. Het is verbazingwekkend hoeveel feitelijke informatie je tegenwoordig uit een Duitse krant kunt halen.

'De vraag is niet,' zei ik, 'of u zich kunt veroorloven een deel van de Duitse markt in handen te krijgen, maar of u zich dat níet kunt veroorloven.'

Freeman leek onder de indruk. Ik was zelf ook onder de indruk. Het was weer eens wat anders om de exportmarkt te bespreken in plaats van het rapport van een patholoog.

Toch kon ik alleen maar denken aan Noreen Eisner en het weerzien na zo'n lange tijd. Twintig jaar! Het leek bijna een wonder na alles wat we hadden meegemaakt – zij was chauffeur op een ambulance geweest tijdens de Spaanse burgeroorlog, ik had in nazi-Duitsland en Sovjet-Rusland gezeten. Ik had in alle eerlijkheid geen romantische bedoelingen met haar. Twintig jaar was te lang om gevoelens vast te houden. Bovendien had onze verhouding maar enkele weken geduurd. Maar ik hoopte wel dat zij en ik weer vrienden konden worden. Ik had niet veel vrienden in Havana en ik verheugde me erop herinneringen op te halen met iemand bij wie ik misschien weer mezelf kon zijn. Mijn echte zelf, in plaats van de persoon die ik voorgaf te zijn. Het was vier jaar geleden sinds ik dat had meegemaakt. En ik vroeg me af wat een man als Robert Freeman gezegd zou hebben als ik hem over het leven van Bernie Gunther had verteld. Waarschijnlijk zou hij zijn sigaar hebben ingeslikt. Hoe dan ook, we namen vriendschappelijk afscheid en hij zei dat we opnieuw moesten afspreken zodra hij de twee concurrerende bedrijven had gekocht, wat hem de rechten zou geven om de merken Montecristo en Raoman Allones te verkopen.

'Weet je, Carlos?' zei hij terwijl we de rookkamer verlieten. 'Jij bent de eerste Duitser die ik heb gesproken sinds voor de oorlog.'

'Argentijns-Duits,' corrigeerde ik hem.

'Ja, natuurlijk. Niet dat ik iets tegen Duitsers heb hoor. We staan nu toch allemaal aan dezelfde kant? Tegen de communisten en zo. Weet je, soms vraag ik me af hoe ik het allemaal moet opvatten. Wat er tussen onze landen is gebeurd. De oorlog, bedoel ik. De nazi's en Hitler. Wat denk jij ervan?'

'Ik probeer er helemaal niet aan te denken,' zei ik. 'Maar als ik het doe, denk ik dit: dat gedurende een korte tijd de Duitse taal een reeks heel grote Duitse woorden gebruikte, gevormd door heel kleine Duitse gedachten.'

Freeman grinnikte en trok tegelijkertijd aan zijn sigaar. 'Absoluut,' zei hij. 'O, absoluut.'

'Elk ras denkt van zichzelf dat het is uitverkoren door God,' vulde ik aan. 'Maar slechts enkele rassen zijn zo stom om dat ook in praktijk te willen brengen.'

In de verkoophal liep ik langs een foto van de Britse premier met een sigaar in zijn mond en ik begroette hem met een hoofdknikje. 'Ik zal je één ding zeggen. Hitler dronk niet en rookte niet en hij was gezond tot aan de dag dat hij zichzelf de kogel gaf.'

'Absoluut,' zei Freeman. 'O, absoluut.'

4

Finca Vigía lag ongeveer twaalf kilometer ten zuidoosten van Havana. Het was een Spaans koloniaal huis met één woonlaag en het lag op een landgoed van acht hectare, met in noordelijke richting een mooi uitzicht op de baai. Ik parkeerde mijn auto naast een citroengele Pontiac Chieftain met vouwdak, het type met een indianenkop op de motorkap die gaat gloeien als de koplampen branden. Het witte huis en haar ligging deden op een onbestemde manier aan Afrika denken. Toen ik uit de auto stapte en om me heen keek naar de mangobomen en de enorme jacaranda's, leek het alsof ik een bezoek bracht aan het huis van een of andere districtscommissaris in Kenia.

Die indruk werd sterk verhevigd door het interieur. Het huis was een museum gewijd aan Hemingways liefde voor de jacht. Elk van de vele grote, frisse kamers, inclusief de grote slaapkamer – maar niet de badkamer – bevatten de trofeeën van koedoe, waterbuffel en steenbok. Alles wat hoorns had, eigenlijk. Het had me niet verbaasd als ik de kop van de laatste eenhoorn in dat huis had aangetroffen. Of wellicht een paar ex-vrouwen. Behalve die jachttrofeeën stonden er enorm veel boeken, zelfs in de badkamer. De meeste waren zo te zien ook gelezen, in tegenstelling tot de boeken in mijn huis. De betegelde vloeren hadden grotendeels geen tapijt, wat vervelend geweest moet zijn voor de vele katten die de indruk wekten dat het huis hun eigendom was. Er hingen erg weinig illustraties aan de wit geschilderde muren, alleen een paar posters van stierengevechten. Het meubilair was eerder comfortabel dan elegant. In de woonkamer waren de bank en de fauteuils bedekt met materiaal dat was bedrukt met bloemmotieven; een afwijkend, vrouwelijk trekje te midden van al die mannelijke doodsliefde. Precies in het midden van de woonkamer, net als de vierentwintigkaraats diamant in de vloer van de hal van Havana's *Capitolio*, het beginpunt van alle afstandsmetingen in Cuba, stond een dranktafel die meer flessen bevatte dan een bierwagen.

Noreen schonk ons een paar grote glazen bourbon in en we liepen ermee naar een lang terras, waar ze me vertelde over haar leven sinds de laatste keer dat ik haar had gezien. Ik op mijn beurt gaf een relaas van mijn eigen leven, waarbij ik zorgvuldig wegliet dat ik lid was geweest van de ss, laat staan dat ik vertelde over mijn actieve dienst bij een politiebataljon in de Oekraïne. Ik vertelde dat ik privédetective was geweest, en daarna weer een echte politieman. Ik vertelde over Erich Gruen en hoe hij en de cia erin waren geslaagd me in de val te lokken en de schijn te wekken dat ik een nazi en oorlogsmisdadiger was, en hoe ik was gedwongen de hulp van de Oude Kameraden te zoeken om uit Europa te ontsnappen om een nieuw leven in Argentinië te beginnen.

'Zodoende zit ik nu hier met een valse naam en een Argentijns paspoort,' zei ik gladjes. 'Ik zou er waarschijnlijk nog steeds wonen als de Perónisten niet hadden ontdekt dat ik helemaal geen echte nazi was.'

'Maar waarom Cuba?'

'Ach, ik weet het niet. Dezelfde redenen die iedereen heeft, denk ik: het klimaat, de sigaren, de vrouwen, de casino's. Ik speel backgammon in sommige van de casino's.' Ik nipte van de bourbon en genoot van de zoetzure smaak van de drank van de beroemde schrijver.

'Ernest kwam hier vanwege de sportvisserij.'

Ik keek om me heen maar zag geen opgezette vissen.

'Als hij hier is, brengt hij bijna al zijn tijd in Cojimar door. Dat is een armoedig vissersdorpje. Daar aan de oever ligt zijn boot. Ernest is dol op vissen. Maar Cojimar heeft ook een aardige bar, en ik heb stiekem het vermoeden dat hij de bar leuker vindt dan de boot. Of het vissen. Eigenlijk vermoed ik dat Ernest bars het leukst van alles vindt.'

'Cojimar. Ik kwam daar vaak, totdat ik hoorde dat de militie het gebruikte voor schietoefeningen. Op levende doelwitten.'

Noreen knikte. 'Ik ken dat verhaal. En ik weet zeker dat het waar is. Ik geloof haast alles wat ze vertellen over Fulgencio Batista. Iets verderop aan dat strand heeft hij een dorp gebouwd met exclusieve villa's achter prikkeldraad, voor zijn topgeneraals. Ik ben er pas nog voorbijgereden. Ze zijn allemaal roze. Niet die generaals – dat zou te veel van het goede zijn – maar de villa's.'

'Roze?'

'Ja. Het ziet eruit als een vakantiekamp in een droom die is beschreven door Samuel Taylor Coleridge.'

'Nog iemand die ik niet heb gelezen. Een dezer dagen moet ik dat toch eens doen. Het is vreemd. Ik koop heel veel boeken. Maar aan lezen kom ik nauwelijks toe.'

Ik hoorde voetstappen op het terras en zag een knappe jonge vrouw op ons toe lopen. Ik stond op en probeerde een aardige glimlach op mijn gezicht te toveren.

'Carlos, dit is mijn dochter, Dinah.'

Ze was langer dan haar moeder, en dat kwam niet alleen door haar hoge hakken. Ze droeg een gestippelde halterjurk die haar knieën net bedekte en die haar rug en een klein stukje daaronder bloot liet, wat haar tulen handschoenen iets overbodigs gaf. Aan haar gespierde, zongebruine onderarm hing een mohairen handtas die de vorm, grootte en kleur van de baard van Karl Marx had. Haar eigen haar was bijna blond, maar net niet helemaal, wat haar beter stond, en hing omlaag in vele laagjes en golven. Het parelsnoer om haar slanke jonge hals moest daar als huldeblijk zijn aangebracht door een of andere bewonderende zeegod. Haar figuur was beslist een mand vol gouden appels waard. Haar mond was zo vol als een zeil op een oceaanschoener en haar knalrode lippenstift leek aangebracht door iemand met een vaste hand uit de school van Rubens. Haar ogen waren groot en blauw en straalden een intelligentie uit die nog werd versterkt door haar vierkante kin waar een klein kuiltje in zat. Er zijn mooie meisjes en mooie meisjes die weten dat ze mooi zijn: Dinah Charalambides was een mooi meisje dat wist hoe ze een vierkantsvergelijking moest oplossen.

'Hallo,' zei ze koeltjes.

Ik knikte terug, maar haar aandacht was al niet meer op mij gericht.

'Mag ik de auto lenen, mam?'

'Je gaat toch niet uit?'

'Ik maak het niet laat.'

'Ik heb niet graag dat je 's avonds uitgaat,' zei Noreen. 'Stel dat je wordt aanhouden bij een controlepost van het leger?'

'Zie ik eruit als een revolutionair?' vroeg Dinah.

'Helaas niet.'

'Nou dan.'

'Mijn dochter is negentien, Carlos,' zei Noreen. 'Maar ze gedraagt zich alsof ze dertig is.'

'Alles wat ik weet heb ik van jou geleerd, moederlief.'

'Waar ga je dan heen?'

'Naar de Barracuda Club.'

'Ik wou dat je daar niet heen ging.'

'Daar hebben we het al zo vaak over gehad.' Dinah zuchtte. 'Al mijn vrienden gaan erheen.'

'Dat bedoel ik. Waarom ga je niet om met vrienden van je eigen leeftijd?'

'Dat zou ik misschien doen,' zei Dinah scherp, 'als we niet uit ons huis in Los Angeles waren verbannen.'

'We zijn niet verbannen,' hield Noreen vol. 'Ik moest gewoon een tijdje weg uit de States.'

'Dat begrijp ik. Vanzelfsprekend. Maar probeer alsjeblieft te begrijpen wat dat voor mij betekent. Ik wil uitgaan en plezier maken. Niet rond de tafel zitten en over politiek praten met een stel saaie mensen.' Dinah wierp een blik op mij en gaf me een snel, verontschuldigend lachje. 'O, ik bedoel u niet, señor Gunther. U bent vast heel interessant, als ik de verhalen van mijn moeder mag geloven. Maar de meeste vrienden van Noreen zijn linkse schrijvers en juristen. Intellectuelen. En vrienden van Ernest die te veel drinken.'

Ik kromp een beetje ineen toen ze me Gunther noemde. Het betekende dat Noreen mijn geheim aan haar dochter had onthuld. Dat ergerde me.

Dinah stopte een sigaret tussen haar lippen en stak hem aan alsof het een rotje was.

'En ik wou dat je niet rookte,' zei Noreen.

Dinah rolde met haar ogen en hield één gehandschoende hand op. 'Sleuteltjes.'

'Op het tafeltje bij de telefoon.'

Dinah liep weg in een wolk van parfum, sigarettenrook en wrevel, als de meedogenloze schoonheid in een van de Amerikaanse griezeltoneelstukken van haar moeder. Ik had er geen toneeluitvoeringen van gezien, alleen verfilmingen. Het waren verhalen vol gewetenloze moeders, gestoorde vaders, wispelturige vrouwen, onoprechte en sadistische zonen en beschonken, homoseksuele echtgenoten – het soort verhalen dat me bijna blij maakte dat ik geen familie had. Ik stak een sigaar op en probeerde niet al te geamuseerd toe te kijken.

Noreen schonk nog een bourbon in uit de fles Old Forester die ze uit de woonkamer had gehaald en deed er een paar ijsklontjes in uit een emmer die was vervaardigd van de voet van een olifant.

'Kleine feeks,' zei ze toonloos. 'Ze is toegelaten tot de Brown University en toch houdt ze vol dat ze bij mij in Havana moet wonen. Ik heb haar niet gevraagd te komen. Sinds zij hier is, heb ik niets meer geschreven. Ze hangt rond en draait de hele dag plaatjes. Ik kan niet werken als iemand platen speelt. Vooral niet het soort platen waar zij naar luistert. "The Rat Pack: Live at the Sands." Nou vraag ik je. God, wat heb ik toch een hekel aan die zelfingenomen rotzangers. En ik kan niet 's avonds werken als ze uitgaat, omdat ik me dan zorgen maak dat haar iets overkomt.'

Een paar tellen later werd de Pontiac Chieftain gestart en reed hij de oprit af. De indianenkop op de motorkap leek de weg te verkennen in de snel invallende duisternis.

'Stel je haar gezelschap niet op prijs?'

Noreen staarde me met samengeknepen ogen aan over de rand van haar glas. 'Vroeger was je sneller van begrip, Gunther. Wat is er gebeurd? Heb je in de oorlog iets op je hoofd gekregen?'

'Alleen wat granaatscherven, af en toe. Ik kan je de littekens laten zien, maar dan moet ik eerst mijn pruik afzetten.'

Maar ze had nog geen zin in lolbroekerij. Nog niet. Ze stak een sigaret op en smeet de lucifer in het struikgewas. 'Als jij een dochter van negentien had, zou je dan willen dat ze in Havana woonde?'

'Dat ligt eraan of ze knappe vriendinnen had.'

Noreen trok een gezicht. 'Het zijn precies dat soort opmerkingen waardoor ik denk dat ze beter in Rhode Island kan blijven. Er zijn te veel slechte invloeden in Havana. Te veel gemakkelijke seks. Te veel goedkope drank.'

'Daarom woon ik hier.'

'En ze gaat om met de verkeerde mensen,' zei Noreen, mijn opmerking negerend. 'Dat is trouwens een van de redenen waarom ik je vanavond hier heb uitgenodigd.'

'En ik maar denken dat je me puur om sentimentele redenen had uitgenodigd. Wat naïef van me. Je kunt nog steeds scherp uit de hoek komen, Noreen.'

'Zo bedoelde ik het niet.'

'O, nee?' Ik liet het er verder bij zitten. Ik rook even aan mijn drankje en genoot van het rokerige aroma. Het rook als een kop koffie van de duivel. 'Neem van mij aan, engel, dat er heel wat slechtere plekken zijn om te wonen dan Cuba. Ik kan het weten, ik heb geprobeerd er te wonen. Berlijn vlak na de oorlog was niet bepaald een plek voor de elite, en Wenen evenmin. Vooral niet als je een meisje was. Russische soldaten zijn heel wat erger dan pooiers en gigolo's op het strand, Noreen. En dat is geen anticommunistische, rechtse propaganda, dat is de waarheid. En nu we het toch over dat gevoelige onderwerp hebben: hoeveel heb je haar over mij verteld?'

'Niet veel. Tot een paar minuten geleden wist ik niet hoeveel er te vertellen was. Alles wat je vanochtend tegen me hebt gezegd – en trouwens, je sprak niet rechtstreeks tegen mij maar tegen de boekverkoper van La Moderna Poesia – was dat je naam Carlos Hausner was. En waarom heb je in godsnaam Carlos als nom de plume gekozen? Carlos is een naam voor een dikke Mexicaanse boer in een film met John Wayne. Nee, ik zie je helemaal niet als Carlos. Ik neem aan dat dat de reden is waarom ik je echte naam heb laten vallen, Bernie. Nou ja, het glipte er per ongeluk uit toen ik haar vertelde over Berlijn in 1934.'

'Dat is vervelend. Ik heb heel wat moeite moeten doen om een nieuwe naam te krijgen. Om helemaal eerlijk te zijn, Noreen: als de autoriteiten achter mijn ware identiteit komen, kan ik gedeporteerd worden naar Duitsland, en dat zou op zijn minst lastig zijn. Zoals ik al zei: er zijn mensen – Russen – die graag een strop om mijn hals zouden leggen.'

Ze keek me aan met een blik vol achterdocht. 'Misschien verdien je dat ook wel.'

'Misschien wel.' Ik zette mijn bourbon op een glazen tafel en dacht even na over haar opmerking. 'Hoewel, meestal gebeurt het alleen in boeken dat mensen hun verdiende loon krijgen. Maar als je echt denkt dat ik dat verdien, kan ik misschien maar beter gaan.'

Ik liep het huis in en daarna er weer uit via de voordeur. Ze stond bij de reling op het terras boven het bordes waarvan ik de treden moest aflopen om bij mijn auto te komen.

'Het spijt me,' zei ze. 'Ik vind helemaal niet dat je dat verdient, oké? Ik plaagde je maar. Kom alsjeblieft terug.'

Ik stond daar en keek zonder veel plezier naar haar omhoog. Ik was kwaad en ze mocht het best weten ook. Niet alleen vanwege de opmerking dat ik de strop verdiende. Ik was kwaad op haar, en op mezelf omdat ik het niet duidelijker had gemaakt dat Bernie Gunther niet langer bestond en dat hij was vervangen door Carlos Hausner.

'Ik was zo opgetogen je weer te zien, na al die jaren...' Het leek of haar stem bleef haken, als een trui van kasjmier aan een spijker. 'Het spijt me dat ik je geheim heb verklapt. Ik zal met Dinah praten als ze thuiskomt en haar vertellen dat wat ik heb gezegd vertrouwelijk was, oké? Ik ben bang dat ik niet heb nagedacht over de mogelijke implicaties. Maar je moet weten dat zij en ik heel hecht zijn sinds de dood van haar vader Nick. We vertellen elkaar alles.'

De meeste vrouwen hebben een kwetsbaarheidsfactor. Ze kunnen die factor verhogen als ze willen, en op mannen werkt het als kattenkruid. Noreen begon die factor nu te gebruiken. Eerst die trilling in haar stem en toen een diepe, onvaste zucht. Het werkte ook nog en ze was pas bij factor drie of vier. Er was nog voldoende spul die het zwakke geslacht tot het zwakke geslacht maakt, voorradig. Een moment later zakten haar schouders omlaag en wendde ze zich af. 'Toe,' zei ze. 'Ga alsjeblieft niet weg.' Factor vijf.

Ik stond op de treden van het bordes naar mijn sigaar te kijken en toen over de lange, kronkelende oprit die uitkwam op de hoofdweg naar San Francisco de Paula. Finca Vigía. Het betekende boerderij-uitkijk-post en die naam was goed gekozen. Links van het hoofdgebouw stond een soort toren waar iemand in een kamer bovenin kon zitten om een boek te schrijven, naar de wereld onder zich kon kijken, en zich een god wanen. Dat was waarschijnlijk de reden waarom mensen schrijver werden. Er kwam een kat langs die zijn grijze lichaam langs mijn schenen wreef, alsof hij me ook probeerde over te halen te blijven. Aan de andere kant was hij misschien slechts bezig met het afwrijven van ongewenst haar op mijn beste pantalon. Een andere kat zat als een beddenveer rechtop naast mijn auto, klaar om mijn vertrek te storen als de poging van zijn collega mislukte. Finca Vigía. Iets zei me dat ik op mezelf moest passen en dat ik moest vertrekken. Dat als ik bleef ik zou kunnen eindigen als een personage in een of andere stomme roman, zonder eigen wil. Dat een van hen – Noreen of Hemingway – me iets zou laten doen wat ik niet wilde.

'Goed dan.' Mijn stem klonk als die van een dier in het duister. Of misschien een bovennatuurlijk wezen uit het bos uit de wereld van Santeria.

Ik gooide de sigaar weg en ging weer naar binnen. Noreen kwam me halverwege tegemoet, wat aardig was, en we omhelsden elkaar innig. Haar lichaam voelde nog steeds goed in mijn armen en herinnerde me aan alles waaraan het me moest herinneren. Factor zes. Ze wist nog steeds hoe ze indruk op me moest maken, dat stond wel vast. Ze legde haar hoofd op mijn schouder maar met haar gezicht afgewend, en liet me haar schoonheid een tijdje inhaleren. We kusten elkaar niet. Dat was nog niet vereist. Niet zolang we nog bij factor zes waren. Niet zolang ze haar gezicht afgewend hield. Na een paar tellen maakte ze zich los en ging zitten.

'Je zei iets over Dinah en dat ze met de verkeerde mensen omging,' zei ik. 'Dat dat een van de redenen was waarom je haar hebt gevraagd hier te komen.'

'Het spijt me dat ik dat zo slordig heb verwoord. Dat is niets voor mij. Ik word tenslotte geacht goed te zijn met woorden. Maar ik heb inderdaad hulp nodig. Met Dinah.'

'De tijd dat ik iets wist over negentienjarige meisjes ligt ver achter me, Noreen. En zelfs toen was hetgeen ik wist waarschijnlijk hopeloos fout. Afgezien van een pak voor haar broek zou ik niet weten wat ik kan doen.'

'Ik vraag me af of dat zou werken,' zei ze.

'Ik denk niet dat het veel zou helpen. Er is natuurlijk altijd de mogelijkheid dat ik ervan zou genieten, wat een extra reden is om haar terug te sturen naar Rhode Island. Maar ik ben het met je eens. De Barracuda Club is geen plek voor een meisje van negentien. Hoewel er veel ergere plekken in Havana zijn.'

'O, maar daar is ze allemaal al geweest, dat kan ik je verzekeren. Het Shanghai-theater. Het Cabaret Kursaal. Hotel Chic. En dat zijn nog maar de luciferboekjes die ik in haar slaapkamer heb gevonden. Misschien is het allemaal nog veel erger.'

Ik schudde mijn hoofd. 'Nee, erger dan dat is er niet. Zelfs niet in Havana.' Ik pakte mijn bourbon van de glazen tafel en goot de drank veilig in mijn mond. 'Goed, ze is wild. Als de films kloppen zijn de meeste jongeren zo tegenwoordig. Maar ze slaan tenminste geen Joden in elkaar. En ik zie nog steeds niet wat ik zou kunnen doen.'

Noreen vond de Old Forester en vulde mijn glas opnieuw. 'Nou, misschien kunnen we iets bedenken. Samen. Net als vroeger, in Berlijn. Weet je nog? Als het anders was gelopen, hadden we wellicht grote invloed kunnen hebben. Als ik dat artikel had geschreven hadden we misschien Hitlers olympiade tegen kunnen houden.'

'Ik ben blij dat je het niet hebt geschreven. Anders was ik waarschijnlijk dood geweest.'

Ze knikte. 'We waren een tijdje een prima onderzoeksteam, Gunther. Jij was mijn Galahad. Mijn ridder uit de hemel.'

'Zeker. Ik herinner me je brief. Ik zou graag zeggen dat ik hem nog had, maar de Amerikanen hebben mijn archief gereorganiseerd toen ze Berlijn bombardeerden. Wil je mijn advies over Dinah? Ik denk dat je een slot op haar deur moet bevestigen en dat je een avondklok van negen uur moet instellen. Dat werkte vroeger in Wenen ook. Toen de vier geallieerde machten de leiding hadden over de stad. Je zou ook kunnen overwegen of het wel verstandig is om haar je auto te lenen elke keer als ze daarom vraagt. Als ik dergelijke hoge hakken droeg, zou ik me wel twee keer bedenken voor ik die twaalf kilometer naar het centrum van Havana liep.'

'Dat zou ik graag willen zien.'

'Ik met hoge hakken. Zeker, ik ben vaste gast in de Palette Club, hoewel ze me beter kennen als Rita. Weet je, het is niet erg dat kinderen vaak niet naar hun ouders luisteren. Vooral als je de fouten in aanmerking neemt die die ouders hebben gemaakt. Vooral als ze zo volwassen zijn zoals Dinah duidelijk is.'

'Als ik je alle feiten vertelde,' zei ze, 'zou je het probleem misschien begrijpen.'

'Je kunt het proberen. Maar ik ben geen detective meer, Noreen.'

'Maar dat ben je wel geweest, toch?' Ze glimlachte listig. 'Door mij ben je ooit aan de slag gekomen. Als privédetective. Of moet ik je herinnering opfrissen?'

'Dus dat is je addertje onder het gras.'

Ze krulde haar lip van ongenoegen. 'Ik heb helemaal geen addertje onder het gras, zoals jij dat noemt. In het geheel niet. Maar ik ben een moeder die zich geen raad meer weet.'

'Ik zal je een cheque sturen. Met rente.'

'Ach, hou toch op. Ik hoef je geld niet. Ik heb geld genoeg. Maar je kunt in ieder geval een minuutje je mond houden en mij laten uitpraten voordat je me overlaadt met stekeligheden. Die gunst kun je me toch wel doen? Dat lijkt me alleen maar redelijk.'

'Goed dan. Ik kan niet beloven dat ik iets hoor. Maar ik zal luisteren.'

Noreen schudde haar hoofd. 'Weet je Gunther, ik snap niet hoe jij erin bent geslaagd de oorlog te overleven. Ik heb je pas net ontmoet en ik wil je nu al neerknallen.' Ze lachte geringschattend. 'Je moet wel oppassen, hoor. Er zijn meer geweren in dit huis dan er bij de Cubaanse militie zijn. Er zijn nachten dat ik hier met Ernest zat te drinken en dat hij een jachtgeweer op schoot had om in het wilde weg op de vogels in de bomen te schieten.'

'Klinkt gevaarlijk voor de katten.'

'Niet alleen die vervloekte katten.' Ze lachte nog steeds en schudde haar hoofd. 'Ook voor mensen.'

'Mijn hoofd zou goed staan in jouw badkamer.'

'Wat een gruwelijke gedachte. Jouw ogen op me gericht elke keer als ik in bad ga.'

'Ik dacht meer aan je dochter.'

'En nu is het genoeg.' Noreen stond abrupt op. 'Verdomme, donder op,' zei ze. 'Maak dat je wegkomt.'

Ik liep het huis weer in. 'Wacht even,' snauwde ze. 'Toe, wacht even.'

Ik bleef staan.

'Waarom gedraag je je als een ongelikte beer?'

'Ik denk dat ik niet gewend ben aan andere mensen,' zei ik.

'Luister. Jij zou haar kunnen helpen. Jij bent ongeveer de enige die dat kan, geloof ik. Meer dan je zelf beseft. Ik zou niet weten wie ik anders zou moeten vragen.'

'Zit ze in moeilijkheden?'

'Nee, dat niet. Tenminste, nog niet. Ze heeft iets met een man. Hij is veel ouder dan zij. Ik ben bang dat ze eindigt als... als Gloria Grahame in die film. *The Big Heat*. Je weet wel, die film waarin die gestoorde klootzak gloeiend hete koffie in haar gezicht smijt.'

'Niet gezien. De laatste film die ik heb gezien was *Peter Pan*.'

We draaiden ons allebei om toen een witte Oldsmobile de oprit opreed. Hij had een zonneklep, banden met witte zijvlakken en hij klonk als de motorbus naar Santiago.

'Verdomme,' zei Noreen. 'Dat is Alfredo.'

De witte auto werd gevolgd door een tweedeurs rode Buick.

'En zo te zien ook de rest van mijn gasten.'

5

We zaten met acht man aan het diner. Het eten was bereid door Ramón, Hemingways Chinese kok, en René, zijn negerbutler, maar ik was de enige die dat vermakelijk leek te vinden. Beslist niet omdat ik iets tegen Chinezen of negers had. Maar ik vond het ironisch dat Noreen en haar gasten allemaal plechtig hun voorliefde voor het communisme beleden terwijl anderen het werk opknapten.

Het viel niet te ontkennen dat Cuba en zijn inwoners hadden geleden, eerst onder de Spanjaarden, toen de Amerikanen en toen opnieuw de Spanjaarden. Maar waarschijnlijk even slecht waren de Cubaanse regimes van Ramón Grau San Martin en nu Fulgencio Batista. F.B., zoals hij door de meeste Europeanen en Amerikanen in Cuba werd genoemd, een voormalig sergeant in het Cubaanse leger, was niet veel meer dan een marionet van de Amerikanen. Zo lang hij naar de pijpen van Washington danste, leek steun van Amerikaanse zijde verzekerd, hoe wreed zijn regime zich ook gedroeg. Toch kon ik niet geloven dat een totalitair systeem waarin één autoritaire partij de productiemiddelen beheert die eigendom zijn van de staat, de oplossing was of ooit kon zijn. Zoals ik zei tegen Noreens linkse gasten: 'Ik geloof dat communisme een veel groter kwaad betekent voor dit land dan alles wat een relatief onbelangrijke despoot als F.B. kan aanrichten. Een onbetekenende schurk als hij kan misschien een paar individuele tragedies veroorzaken. Een aantal, mogelijk. Maar dat is geen vergelijk met onvervalste tirannen als Stalin of Mao Zedong. Die hebben nationale tragedies veroorzaakt. Ik kan niet spreken voor alle landen achter het IJzeren Gordijn. Maar ik ken Duitsland vrij goed en jullie kunnen van mij aannemen dat de arbeidersklasse van de DDR dolgraag zou willen ruilen met het onderdrukte volk van Cuba.'

Guillermo Infante was een jonge student die net van de journalistieke opleiding van de universiteit van Havana was getrapt. Hij had ook korte tijd in de gevangenis gezeten omdat hij iets in een populair oppositietijdschrift dat *Bohemia* heette, had geschreven. Dit was voor mij aanleiding om erop te wijzen dat er geen oppositietijdschriften waren in de Sovjet-Unie en dat zelfs de geringste kritiek op de regering hem was komen te staan op een zeer lange veroordeling in een uithoek van Siberië. Met een Montecristo-sigaar in de hand noemde Infante mij vervolgens een 'reactionaire bourgeois' en hij gebruikte nog verscheidene andere bij de Ivans en hun acolieten geliefkoosde termen die ik lange tijd niet had gehoord. Namen die me bijna heimwee gaven naar Rusland, als een of andere sentimenteel personage van Tsjechov.

Ik verdedigde me een tijdje zo goed als mogelijk, maar toen twee serieuze, onaantrekkelijke vrouwen me een 'apologeet voor het fascisme' begonnen te noemen, begon ik me zwaar belaagd te voelen. Het kan leuk zijn om te worden beledigd door een knappe vrouw als je in aanmerking neemt dat ze je in ieder geval heeft opgemerkt. Maar het is helemaal niet leuk om te worden beledigd door twee lelijke zusters. Ik merkte dat ik bij mijn conversatie weinig steun kreeg van Noreen, die misschien iets te veel had gedronken om me te hulp te kunnen schieten, en ging naar de wc. Eenmaal daar besloot ik het zinkende schip te verlaten en te vertrekken.

Toen ik bij mijn auto kwam, merkte ik dat een van de andere gasten daar ook was. Hij kwam min of meer zijn excuus aanbieden. Hij heette Alfredo Lopez en was advocaat – een van de tweeëntwintig advocaten die de overlevende rebellen hadden verdedigd die verantwoordelijk waren voor de aanval op de Moncadakazerne in juli 1953. Na de onvermijdelijke schuldigverklaring had de rechter in het Paleis van Justitie in Santiago de rebellen veroordeeld tot in mijn ogen tamelijk bescheiden gevangenisstraffen. Zelfs de leider van de rebellen, Fidel Castro Ruiz, was maar tot vijftien jaar veroordeeld. Het was waar, vijftien jaar was niet bepaald een lichte straf, maar voor een man die een gewapende opstand tegen een machtige dictator had geleid, was het een stuk beter dan een korte wandeling naar de guillotine in Plötzensee.

Lopez was midden dertig, en knap met zijn grijnzende, getaande uiterlijk, zijn doordringende blauwe ogen, een dun snorretje en een badmuts van glanzend zwart haar. Hij droeg een witte linnen broek en een donkerblauw *guayabera*-overhemd met open kraag dat hielp een beginnend buikje te camoufleren. Hij rookte lange, dunne sigaartjes die de kleur en vorm hadden van zijn vrouwelijke vingers. Hij zag eruit als een zeer grote kat die de roomkleurige sleutels van de grootste zuivelfabriek in het Caraïbisch gebied in handen had gekregen.

'Het spijt me zeer, mijn vriend,' zei hij. 'Lola en Carmen hadden niet zo onbeleefd mogen zijn. Politiek belangrijker vinden dan eenvoudige beleefdheid is onvergeeflijk. Vooral aan de eettafel. Als men zich niet beschaafd weet te gedragen tijdens het eten, hoe kunnen we dan nog hopen op een fatsoenlijk debat elders?'

'Vergeet het. Ik heb een dikke huid; het kan me niet veel schelen. Bovendien ben ik nooit zo geïnteresseerd geweest in politiek. Vooral niet om erover te praten. Ik heb altijd het idee dat we door anderen te koeioneren, hopen onszelf te overtuigen.'

'Ja, daar zit geloof ik wel iets in,' gaf hij toe. 'Maar u moet niet vergeten dat Cubanen erg gepassioneerde mensen zijn. Sommigen van ons zijn al overtuigd.'

'Is dat zo? Ik vraag het me af.'

'Neem het maar van me aan. Er zijn genoeg mensen die bereid zijn alles op te offeren voor vrijheid in Cuba. Dictatuur is dictatuur, hoe de dictator ook mag heten.'

'Misschien kan ik u daar op een dag aan herinneren, als jullie man de dictator is.'

'Fidel? O, hij is helemaal geen slechte kerel. Als u meer van hem wist, zou u misschien iets meer sympathie hebben voor onze zaak.'

'Ik betwijfel het. De dictators van morgen zijn meestal de vrijheidsstrijders van vandaag.'

'Nee, echt. Castro is heel anders. Hij is niet uit op eigen gewin.'

'Heeft hij u dat verteld? Of hebt u zijn bankafschriften gezien?'

'Nee, maar wel dit.'

Lopez opende het portier van zijn auto en pakte een aktetas waar hij een klein, pamfletachtig boekje uithaalde. In de aktetas zaten nog tientallen andere exemplaren. En ook een automatisch pistool. Ik neem aan dat hij het bij de hand hield voor gevallen waarin een beschaafde politieke discussie niet werkte. Hij hield het boekje vast met beide handen, alsof het iets kostbaars was, als een veilingassistent die een zeldzaam voorwerp aan een zaal vol potentiële kopers toont. Op de voorkant van het pamflet stond een foto van een nogal vastberaden uitziende jongeman, die wel iets van Lopez weghad, met een dunne snor en halfdichte, donkere ogen. De man op het pamflet zag er meer uit als een bandleider dan de revolutionair over wie ik in de kranten had gelezen.

'Dit is een exemplaar van de verklaring die Fidel Castro tijdens zijn proces van afgelopen november heeft afgelegd,' zei Lopez.

'De dictatuur heeft hem dus de gelegenheid gegeven te spreken,' zei ik bits. 'Voor zover ik me herinner, deed rechter Roland Freisler – Raaskallende Roland noemden ze hem – niets anders dan schreeuwen tegen de mannen die hadden geprobeerd Hitler op te blazen. Alvorens hen naar de galg te sturen. Vreemd genoeg herinner ik me ook niet dat ze een pamflet hadden geschreven.'

Lopez lette niet op mijn woorden. 'Het heet *De geschiedenis zal me vergeven*. En we hebben het net gedrukt. Dus u hebt de eer de eerste te zijn die het mag lezen. In de komende maanden gaan we dit pamflet in de hele stad verspreiden. Alstublieft, señor. Lees het in ieder geval, hè? Al was het alleen maar omdat de man die het heeft geschreven op dit moment wegkwijnt in de modelgevangenis op het eiland Pines.'

'Hitler schreef een iets dikker boek in de gevangenis van Landsberg, in 1928. Dat heb ik ook niet gelezen.'

'Maak hier alstublieft geen grapjes over. Fidel is een vriend van het volk.'

'Dat ben ik ook. Katten en honden schijnen me ook leuk te vinden. Maar daarom verwacht ik nog niet dat ze me aan het hoofd van de regering zetten.'

'Beloof me dat u er in ieder geval naar kijkt.'

'Goed dan,' zei ik, om van hem af te zijn. 'Als het zoveel voor u betekent. Ik zal het lezen. Maar stel me er achteraf geen vragen over. Ik zou niet graag iets vergeten waardoor ik geen kans meer maak om een deel van de collectieve boerderij te verkrijgen. Of de mogelijkheid iemand aan te geven voor het saboteren van een vijfjarenplan.'

Ik klom in mijn auto en reed snel weg, nauwelijks tevreden over hoe de avond was verlopen. Aan het einde van de oprit draaide ik het raampje naar beneden en smeet dat stomme pamflet van Castro in het struikgewas voordat ik de hoofdweg naar het noorden nam, naar San Miguel del Padrón. Ik had iets anders in gedachten dan de Cubaanse rebellenleider, hoewel het wel te maken had met de meisjes van de Casa Marina; alles naar gelang mogelijkheden en verlangens. Dat was het soort Cubaanse marxistische dialectiek waarmee ik het volledig eens was.

Het was maar goed dat ik het pamflet van Castro had weggegooid, want voor het tankstation om de eerstvolgende hoek lag een militaire wegblokkade. Een gewapende militair seinde dat ik moest stoppen en beval dat ik uit moest stappen. Met mijn handen omhoog stond ik ge-

313

dwee terzijde van de weg, terwijl twee andere soldaten mij fouilleerden en de auto doorzochten. Dit alles onder de onverstoorbare blikken van de rest van het peloton en hun jongensachtige officier. Ik keek niet eens naar hem. Mijn ogen waren gericht op de twee lichamen die met hun gezicht omlaag in de grasberm van de weg lagen, met het grootste deel van hun hersens over hun haargrens druipende.

Even was het weer juni 1941 en was ik weer bij mijn reservepolitiebataljon, het 316de, op de weg naar Smolensk, bij een plaats die Goloby heette, in de Oekraïne en stak mijn pistool in de holster. Ik was de officier die de leiding had over een vuurpeloton dat zojuist een veiligheidseenheid van de NKVD had geëxecuteerd. Deze eenheid had net drieduizend blanke Oekraïense gevangenen vermoord in de cellen van de NKVD-gevangenis in Lutsk toen onze pantserwagens op hen stuitten. We hebben al die lieden doodgeschoten. Alle dertig. Gedurende de jaren daarna had ik geprobeerd die executie voor mezelf te rechtvaardigen, maar zonder veel succes. En vaak werd ik wakker terwijl ik dacht aan die achtentwintig man en die twee vrouwen. De meerderheid van hen bleek Joods te zijn. Twee van hen had ik eigenhandig doodgeschoten toen ik het zogenoemde genadeschot gaf. Maar het was een daad zonder deugd. Je kon jezelf voorhouden dat het oorlog was. Je kon je zelfs voorhouden dat de mensen van Lutz ons gesmeekt hadden achter die eenheid die hun familieleden had vermoord aan te gaan. Je kon jezelf voorhouden dat een kogel in het hoofd een snelle, genadige dood was vergeleken met hetgeen die mensen met hun gevangenen hadden gedaan. De meesten van hen waren levend verbrand toen de NKVD met opzet de gevangenis in brand stak. Maar toch voelde het als moord…

En als ik niet naar de twee lijken keek die aan de zijkant van de weg lagen, keek ik naar het politiebusje dat enkele meters verderop stond geparkeerd en de verschillende, angstig kijkende inzittenden in het fel verlichte interieur. Hun gezichten waren gewond en bebloed en vol angst. Het was alsof je in een tank met kreeften keek. Je had de indruk dat elk moment een van hen uit de wagen gehaald kon worden om te worden vermoord, zoals die twee op het gras in de berm. Toen controleerde de officier mijn identiteitskaart en stelde me verschillende vragen. Hij sprak met een nasale, cartoonachtige stem waar ik mogelijk om had moeten lachen als de situatie niet zo dodelijk ernstig was. Enkele minuten later was ik vrij om mijn reis naar Vedado voort te zetten.

Ik reed ongeveer een halve kilometer door en stopte toen bij een aan de weg gelegen klein café van roze steen waar ik de eigenaar vroeg of ik de telefoon mocht gebruiken. Ik wilde Finca Vigía bellen en Noreen waarschuwen – en vooral Alfredo Lopez – over de blokkade. Niet dat ik die advocaat erg mocht. Ik heb nog nooit een advocaat ontmoet die ik niet wilde slaan. Maar ik vond niet dat hij een kogel in zijn hoofd verdiende. En dat zou bijna met zekerheid gebeuren als de militie die pamfletten en een pistool bij hem aantrof. Niemand verdiende een dergelijk smadelijk lot. Zelfs de NKVD niet.

De café-eigenaar was kaal en glad geschoren, en hij had dikke lippen en een gebroken neus. De man vertelde me dat de telefoon al dagen defect was en gaf de schuld daarvan aan de *pequeños rebeldes* die als blijk van hun toewijding aan de revolutie met hun *catapultas* schoten op de keramische geleiders op de telefoonpalen. Als ik Lopez wilde waarschuwen, kon dat niet per telefoon.

Ik wist uit ervaring dat de militie zelden iemand doorliet die dezelfde weg terug wilde rijden. Ze zouden terecht aannemen dat ik van plan was iemand te waarschuwen. Ik zou een andere route moeten vinden naar Finca Vigía – een die me door de kleine zijstraatjes en avenues van San Francisco de Paula voerde. Maar ik kende het gebied niet goed, vooral niet in het donker.

'Kent u Finca Vigía, het huis van die Amerikaanse schrijver?' vroeg ik de café-eigenaar.

'Uiteraard. Iedereen kent het huis van Ernesto Hemingway.'

'Hoe kun je daar komen als je niet over de hoofdweg wilt rijden, in zuidelijke richting naar Cotorro?' Ik hield een briefje van vijf peso op om hem te helpen nadenken.

De café-eigenaar grijnsde. 'Bedoelt u misschien iemand die niet langs de blokkade bij het tankstation wil rijden?'

Ik knikte.

'Hou uw geld maar, señor. Ik wil geen geld aannemen van iemand die onze geliefde militie wil vermijden.' Hij liep met me mee naar buiten. 'Iemand als u zou dan naar het noorden rijden, langs het tankstation in Diezmero en dan linksaf naar Varona. Dan steek je bij Mantilla de rivier over. Bij de kruising gaat u naar het zuiden, over Managua en volgt u de weg totdat u op de grote hoofdweg komt die in westelijke richting naar Santa Maria del Rosario loopt. Op dat punt komt u weer uit op de hoofdweg naar het noorden en van daaruit kunt u dan naar Finca Vigía rijden.'

Zijn aanwijzingen gingen vergezeld van veel gebaren en zoals bijna altijd het geval is in Cuba hadden we al snel een kleine menigte van cafébazen, kleine jongens en straathonden om ons heen.

'Het kost u misschien vijftien minuten,' zei de man. 'Aangenomen dat u niet in de Rio Hondo belandt of wordt doodgeschoten door de militie.'

Enkele minuten later stuiterde ik door de slecht verlichte, lommerrijke achterafstraatjes van Mantilla en El Calvario als de piloot van een aangeschoten vliegtuigje en had ik spijt van de consumptie van te veel bourbon, rode wijn en een paar cognacjes. Ik reed de Chevrolet naar het westen, zuiden en daarna weer naar het oosten. Buiten de tweebaans asfaltwegen reed je op niet veel meer dan zandpaden en de achterkant van de Chevy had minder grip op de weg dan iemand die voor het eerst op schaatsen stond. Ik was van mijn stuk gebracht door de aanblik van de twee lijken en reed waarschijnlijk te hard. Plotseling liep er een kudde geiten op de weg. Ik draaide het wiel hard naar links zodat de auto in een wolk van stof rond zijn as draaide, ternauwernood een boom en daarna het hek om een tennisbaan miste. Terwijl ik remde en de auto tot stilstand bracht, brak er iets onder de auto. Ik dacht dat ik misschien een lekke band had, of nog erger, een gebroken as. Ik zwaaide het portier open en probeerde vooroverhangend uit de auto de schade op te nemen.

'Dat krijg je ervan als je iemand een dienst wilt bewijzen,' foeterde ik op mezelf.

Ik zag dat de auto onbeschadigd was en dat de linkervoorband door een aantal planken was gezakt die in de grond waren begraven.

Ik ging weer rechtop zitten en reed voorzichtig terug de weg op. Toen stapte ik uit om nog eens beter te kijken naar wat daar begraven lag. Maar omdat het donker was, kon ik niet goed zien, zelfs niet in het licht van de koplampen en ik moest een zaklamp uit de kofferbak halen om door de gebroken planken te schijnen. Ik tilde een van de planken op, scheen met de lamp het gat in en tuurde naar iets wat leek op een begraven krat. De omvang viel moeilijk vast te stellen, maar in de krat zaten weer verschillende kleinere dozen. Op de deksel van een die dozen stond gestencild MARK 2 FHGS; en op een andere BROWNING M19.

Ik had per ongeluk een verborgen wapenbergplaats ontdekt.

Onmiddellijk deed ik de zaklamp en daarna de koplampen uit. Ik keek om me heen of iemand me had gezien. De tennisbaan was van zand en in een slechte staat van onderhoud. Een deel van de witte plastic strippen op de grond ontbrak of was gebroken en het net hing slap als de nylonkous van een oude vrouw. Achter de tennisbaan lag een vervallen villa met een veranda en een hoog en zwaar hek dat erg verroest was. Pleisterwerk bladderde af van de voorgevel van de villa en er brandde nergens licht. Er woonde daar al een tijdje niemand meer.

Nadat ik even had gewacht, tilde ik een van de gebroken planken op en gebruikte hem als een sneeuwschuiver om de bovenkant van de opslagplaats met zand te bedekken. Genoeg om hem aan het oog te onttrekken. Toen markeerde ik de plek snel met drie stenen die ik van de overkant van de weg haalde. Dit alles kostte me minder dan vijf minuten. Het was geen plek waar ik wilde blijven rondhangen. Niet met milities in de buurt. Ze zouden me nooit geloven als ik uitlegde hoe het kwam dat ik wapens verborg in het midden van de nacht op een eenzame weg in El Calvario. Net zo goed als de mensen die die wapens hadden verborgen niet zouden geloven dat ik niet naar de politie zou gaan. Ik moest daar zo snel mogelijk weg. Dus sprong ik in mijn auto en reed ervandoor.

Ik kwam weer bij Finca Vigía toen Alfredo Lopez op het punt stond in de witte Oldsmobile te stappen om naar huis te rijden. Ik reed achteruit tot ik naast hem stond. Toen draaide ik mijn raampje omlaag. Lopez deed hetzelfde.

'Is er iets?' vroeg hij.

'Zou kunnen. Als je een .38 en een aktetas vol rebelse pamfletten bij je hebt.'

'Je weet dat ik die dingen in mijn auto heb liggen.'

'Lopez jongen, je moet er eens over denken om de pamfletbusiness een tijdje te verlaten. Er is een militaire wegblokkade op de hoofdweg naar het noorden, pal naast het tankstation in Diezmero.'

'Bedankt voor de waarschuwing. Ik zal een andere weg naar huis moeten zoeken.'

Ik schudde mijn hoofd. 'Ik ben hierheen gereden via Mantiall en El Calvario. Er stond nog een vrachtwagen klaar om zich ook daar op te stellen.' Ik zei niets over de wapenbergplaats die ik had gevonden. Het leek me beter dat ik dat maar helemaal vergat. Voorlopig.

'Kennelijk willen ze vanavond een paar vissen vangen,' merkte hij op.

'Het leefnet was vol, inderdaad,' zei ik. 'Maar het leek me alsof ze iets meer van plan waren dan alleen vis te vangen. Ze doodschieten in een ton, wellicht. Ik zag er twee langs de berm van de weg liggen. Ze zagen er zo dood uit als een stel gerookte makrelen.'

'Dat waren individuele tragedies, neem ik aan,' zei hij. 'Uiteraard zijn een paar doden nauwelijks vergelijkbaar met de regimes van echte tirannen als Stalin en Mao Zedong.'

'Denk wat je wilt. Ik ben hier niet gekomen om je te bekeren. Alleen maar om je stomme nek te redden.'

'Ja, natuurlijk. Het spijt me.' Lopez tuitte even zijn lippen en beet toen zo hard op een ervan dat het pijn deed. 'Meestal komen ze niet zo ver ten zuiden van Havana.'

Noreen kwam het huis uit en liep de treden van het bordes bij de voordeur af. Ze had een glas in haar hand en het was niet leeg. Ze zag er niet dronken uit. Ze klonk niet eens dronken. Maar aangezien ik waarschijnlijk zelf dronken was, zei dat niet veel.

'Wat is er aan de hand?' vroeg ze me. 'Heb je toch besloten niet weg te gaan?' Er klonk sarcasme door in haar stem.

'Dat klopt,' zei ik. 'Ik ben teruggekomen om te zien of iemand nog een ongewenst exemplaar had van *Het Communistisch Manifest*.'

'Je had iets kunnen zeggen toen je wegging,' zei ze stijfjes.

'Het klinkt misschien raar, maar ik geloof niet dat iemand dat iets kon schelen.'

'Waarom ben je dan teruggekomen?'

'De milities zetten wegblokkades op in dit gebied,' legde Lopez uit. 'Je vriend was zo vriendelijk om terug te komen om me te waarschuwen voor het gevaar.'

'Waarom zouden ze dat doen?' vroeg ze hem. 'Er zijn hier geen doelen die de rebbelen zouden willen aanvallen. Of wel soms?'

Lopez zei niets.

'Wat hij wil zeggen,' zei ik, 'is dat het er maar van afhangt wat je als doel beschouwt. Op de terugweg hierheen zag ik een bord dat de weg wees naar een elektriciteitscentrale. Dat is precies zo'n doelwit dat de rebellen zouden kunnen kiezen. Er komt immers heel wat meer bij een revolutie kijken dan het vermoorden van overheidsfunctionarissen en het verbergen van wapens. Het afsnijden van de elektriciteit helpt bij het demoraliseren van de bevolking. Verspreidt de opvatting dat de regering de controle aan het verliezen is. Het is ook een stuk veiliger dan een aanval op een legerkazerne. Of niet, Lopez?'

Lopez keek verward. 'Ik snap het niet. Je hebt totaal geen sympathie voor onze zaak en toch nam je het risico hier terug te komen om mij te waarschuwen. Waarom?'

'De telefoonlijnen liggen plat,' zei ik. 'Anders had ik gebeld.'

Lopez grijnsde en schudde zijn hoofd. 'Nee, ik begrijp het nog steeds niet.'

Ik haalde mijn schouders op. 'Het is waar, ik hou niet van communisme. Maar soms loont het om de *underdog* te steunen. Net zoals bij Braddock tegen Baer in 1935. Bovendien dacht ik dat het jullie allemaal in verlegenheid zou brengen – ik, een bourgeois reactionair, en wegbereider van het fascisme die hier terugkomt om jullie bolsjewistische kastanjes uit het vuur te halen.'

Noreen schudde haar hoofd en lachte. 'Dat soort koppigheid past wel bij jou, dus je verhaal zal wel kloppen.'

Ik grijnsde en boog lichtjes in haar richting. 'Ik wist dat je de grappige kant ervan zou inzien.'

'Smeerlap.'

'Misschien is het niet veilig om terug te gaan via die wegblokkade,' zei Lopez. 'Ze zullen je allicht herkennen en concluderen hoe het zit. Zelfs de militie is niet helemaal achterlijk.'

'Fredo heeft gelijk,' zei Noreen. 'Het is niet veilig om vanavond nog naar Havana terug te keren, Gunther. Het is beter dat je vannacht hier blijft.'

'Doe vooral niet te veel moeite voor mij,' zei ik.

'Het is geen moeite,' zei ze. 'Ik zal tegen Ramón zeggen dat hij een bed voor je moet opmaken.'

Ze draaide zich om en liep weg, zachtjes neuriënd in zichzelf. Onder het lopen tilde ze een kat op en liet ze haar lege glas op het terras achter.

Lopez keek langer naar haar achterste dan ik. Ik had nog tijd over om te observeren dat hij haar nakeek. Hij keek naar haar met de ogen van een bewonderaar en mogelijk ook de mond; hij likte over zijn lippen terwijl hij stond te kijken, zodat ik me afvroeg of ze behalve een politieke ook een seksuele band hadden. In een poging hem ertoe te verleiden iets van zijn gevoelens voor haar te laten blijken, zei ik: 'Wat een vrouw, hè?'

'Ja,' zei hij afwezig. 'Dat is ze zeker.' Glimlachend voegde hij daar snel aan toe: 'Een geweldig schrijfster.'

'Ik had het niet over haar fondslijst.'

Lopez grinnikte. 'Ik geloof niet dat u echt zo kwaad bent als ze zeggen. Ondanks wat Noreen heeft gezegd.'

'Heeft ze iets gezegd?' Ik haalde mijn schouders op. 'Ik heb niet geluisterd toen ze me beledigde.'

'Wat ik bedoel is dat ik u wil bedanken, beste kerel. Heel erg bedankt.

Deze avond hebt u ongetwijfeld mijn leven gered.' Hij pakte de aktetas van de zitting van de Oldsmobile. 'Als ik hiermee was gesnapt hadden ze me beslist vermoord.'

'Is het wel veilig om nu naar huis te rijden?'

'Zonder die spullen? Ja. Ik ben tenslotte advocaat. En nog wel een gerespecteerd advocaat, ondanks wat u wellicht van me denkt. Ik heb heel wat beroemde en rijke klanten hier in Havana. Noreen incluis. Ik heb haar testament opgesteld. En ook dat van Ernest Hemingway. Hij heeft ons aan elkaar voorgesteld. Als u ooit een goede advocaat nodig hebt, werk ik graag voor u, señor.'

'Bedankt, dat zal ik onthouden.'

'Maar vertelt u me eens. Ik ben nieuwsgierig…'

'In Cuba? Dat is misschien niet gezond.'

'Heeft de militie dat pamflet dat ik u heb gegeven niet gevonden?'

'Ik heb het in de struiken gesmeten aan het eind van de oprijlaan,' zei ik. 'Wat ik al eerder zei: ik ben niet geïnteresseerd in plaatselijke politiek.'

'Noreen had gelijk over u, señor Hausner. U hebt een groot overlevingsinstinct.'

'Heeft ze het weer over mij gehad?'

'Even maar. Ondanks de schijn van het tegendeel heeft ze een hoge dunk van u.'

Ik lachte. 'Dat was twintig jaar geleden misschien zo. Toen wilde ze iets van me.'

'U onderschat uzelf,' zei hij. 'Aanzienlijk.'

'Het is een tijdje geleden dat iemand dat tegen mij heeft gezegd.'

Hij keek omlaag naar de aktetas in zijn armen. 'Misschien… misschien mag ik nog een keer van uw vriendelijkheid en moed gebruikmaken.'

'U kunt het proberen.'

'Misschien zou u zo goed willen zijn om deze aktetas naar mijn kantoor te brengen. In het Bacardi-gebouw.'

'Dat ken ik. Er is daar een café waar ik soms heen ga.'

'Bevalt u het ook zo goed?'

'De beste koffie van Havana.'

'Ik geloof niet dat u daarmee een groot risico loopt, als buitenlander. Maar enig risico misschien toch wel.'

'Dat is in ieder geval eerlijk. Goed dan. Ik zal het voor u doen, señor Lopez.'

'Toe, noem me Fredo.'

'Oké, Fredo.'

'Zullen we zeggen, elf uur morgenochtend?'

'Mij best.'

'Misschien kan ik ooit ook iets voor jou doen.'

'Je mag me trakteren op een kop koffie. Ik hoef net zomin een testament als een pamflet.'

'Maar je komt het wel brengen.'

'Dat heb ik beloofd. En ik zal er zijn.'

'Goed.' Lopez knikte geduldig. 'Zeg, heb je Noreens dochter Dinah al ontmoet?'

Ik knikte.

'Wat vind je van haar?'

'Daar ben ik nog steeds niet over uit.'

'Wat een meid, hè?' Hij trok suggestief zijn wenkbrauwen op.

'Als jij het zegt. Het enige wat ik van jonge vrouwen in Havana weet, is dat de meesten efficiëntere marxisten zijn dan jij en je vriendjes. Ze weten meer over de herverdeling van rijkdom dan wie dan ook. Dinah lijkt me het soort meisje dat precies weet wat ze wil.'

'Dinah wil actrice worden. In Hollywood. Ondanks alles wat Noreen is overkomen met die commissie voor on-Amerikaanse activiteiten. De zwarte lijst. De scheldbrieven. Ik bedoel, je snapt dat zoiets haar van slag zou kunnen brengen.'

'Ik geloof niet dat ze zich dáár druk om maakte.'

'Er zijn veel dingen om je druk over te maken als je dochter zo halsstarrig is als Dinah, neem dat van me aan.'

'Volgens mij had ze maar één klacht. Ze zei iets over verkeerde mensen waar Dinah mee omging. Zit daar iets in?'

'Beste kerel, dit is Cuba.' Lopez grijnsde. 'We hebben verkeerde mensen zoals andere landen verkeerde godsdiensten hebben.' Hij schudde zijn hoofd. 'Morgen. Dan praten we verder. Onder ons.'

'Vooruit, vertel op. Ik heb je net gered van een avondje stappen met de militie.'

'De militie is niet het enige gevaar in de stad.'

'Wat bedoel je daarmee?'

Aan het uiteinde van de oprijlaan waren piepende banden te horen. Ik keek om en zag alweer een auto naar het huis glijden. Ik zeg auto, maar de Cadillac met zijn halfronde voorruit leek meer op een voorwerp van

Mars – een rode cabrio van de rode planeet. Het soort auto waarvan de ingebouwde mistlampen net zo goed hittestralen hadden kunnen zijn voor de methodische uitroeiing van de mensheid. Hij was zo lang als een brandweerwagen en waarschijnlijk even goed uitgerust.

'Dat zul je nu merken,' zei Lopez.

De grote vijflitermotor van de Cadillac nam een laatste teug uit de carburateur met vier kleppen en spoot toen luidkeels rook uit de twee uitlaatpijpen die in de bumpers waren ingebouwd. Een van de zwierig lage portieren zwaaide open en Dinah stapte uit. Ze zag er geweldig uit. De rit had haar haar een beetje in de war gemaakt, waardoor ze er iets natuurlijker uitzag dan eerder. Sexyer ook, voor zover mogelijk. Ze had een stola over haar schouders die van nertsbont kon zijn, maar ik keek al niet meer. Ik had het te druk met het bekijken van de chauffeur die aan de andere kant van de rode Eldorado uitstapte. Hij droeg een goed gesneden, lichtgewicht grijs pak met een wit overhemd en manchetknopen met fonkelende edelstenen in dezelfde kleur als de auto. Hij keek me recht aan met een mengeling van vermaak en bedaardheid, alsof hij de veranderingen in mijn gezicht in zich opnam en zich afvroeg hoe dat kwam. Dinah kwam naast hem lopen na een lange voettocht achter om de auto heen en haakte veelzeggend een arm door de zijne.

'Hallo, Gunther,' zei de man in het Duits.

Hij had inmiddels een snor, maar hij had nog steeds de uitstraling van een pitbull.

Het was Max Reles.

6

'Verbaasd me te zien?' Hij grinnikte op de voor hem kenmerkende wijze.

'Ik denk dat we allebei verbaasd zijn, Max.'

'Zodra Dinah me over jou had verteld, begon ik te denken: het zal toch niet waar zijn dat híj het is. En toen beschreef ze je, en goed ook. God allemachtig. Noreen zal het niet leuk vinden dat ik hier ben, maar ik moest even met eigen ogen zien of het echt diezelfde etterbak was.'

Ik haalde mijn schouders op. 'Wie gelooft er tegenwoordig nog in wonderen?'

'Jezus, Gunther, ik ging er beslist vanuit dat je dood zou zijn, met al die nazi's en Russen en die grote mond van je.'

'Tegenwoordig ben ik iets geslotener.'

'Alleen minkukels kletsen te veel,' zei Reles. 'Wat een man echt beweegt, uit hij niet. Jezus, hoe lang is het geleden?'

'Duizend jaar of zo. Zo lang zou zijn rijk duren, zei Hitler.'

'Zo lang, hè?' Reles schudde zijn hoofd. 'Wat heb jij in hemelsnaam in Cuba te zoeken?'

'Ach, je kent dat wel. Weg van alles.' Ik haalde mijn schouders op. 'En trouwens, ik heet Hausner. Carlos Hausner. Dat staat tenminste in mijn Argentijnse paspoort.'

'Aha, zit het zo?'

'Mooie auto. De zaken gaan zeker goed? Hoeveel kost zo'n gevaarte?'

'O, ongeveer zevenduizend dollar.'

'De zwendelpraktijken met arbeiders lopen zeker goed in Cuba?'

'Ik bemoei me niet meer met dat gedoe. Ik zit tegenwoordig in de hotel- en entertainmentbusiness.'

'Voor zevenduizend dollar zijn een hoop overnachtingen en ontbijtjes nodig.'

'Dat is typisch de opmerking van een smeris.'

'Soms overkomt me dat. Maar let niet op mij, ik ben tegenwoordig gewoon een burger.'

Reles grijnsde. 'Daar valt van alles onder, in Cuba. Vooral in dit huis. Er zijn hier burgers die Josef Stalin op Theodore Roosevelt doen lijken.' Terwijl hij sprak keek Reles met een kille blik naar Alfredo Lopez, die me een afscheidsknikje gaf en langzaam wegreed.

'Kennen jullie elkaar?' vroeg ik.

'Dat zou je kunnen zeggen.'

Dinah onderbrak ons in het Engels. 'Ik wist niet dat je Duits sprak, Max.'

'Er is veel over mij dat je niet weet, liefje.'

'Ik zal haar in ieder geval niet wijzer maken,' zei ik in het Duits tegen hem. 'Niet dat dat moet. Ik neem aan dat Noreen dat al heeft gedaan. Jij moet dat slechte gezelschap zijn over wie ze het had, dat gezelschap met wie Dinah omgaat. Ik kan het haar niet kwalijk nemen, Max. Als ze mijn dochter was, zou ik me ook zorgen maken.'

Reles glimlachte wrang. 'Zo ben ik niet meer,' zei hij. 'Ik ben veranderd.'

'Klein wereldje.'

Weer reed een auto de oprit op. Het begon te lijken op de voordeur van hotel National. Iemand bestuurde Noreens Pontiac.

'Nee echt,' hield Reles vol. 'Ik ben tegenwoordig een eerzaam zakenman.'

De man die de Pontiac bestuurde stapte uit de auto en ging zwijgend op de bestuurdersstoel zitten van de auto waarin Reles was gearriveerd. Plotseling leek de Cadillac heel erg klein. De ogen van de man waren donker en zijn gezicht was bleek en pafferig. Hij droeg een ruimzittend wit pak met grote zwarte knopen. Hij had krulhaar, zwart, grijs en weelderig, alsof de staalwol in de uitverkoop was geweest bij de dollarwinkel op Obispo. Hij had een droevige uitstraling, waarschijnlijk omdat hij al verscheidene minuten niets meer had gegeten. Zo te zien at hij erg veel. Waarschijnlijk overreden dieren. Hij rookte een sigaar die de grootte en vorm had van een pantsergranaat, maar in zijn mond leek het niet meer dan een strontje op een ooglid. Als je naar hem keek dacht je aan de opera *Pagliacci*, maar dan met twee tenoren in plaats van één; een tenor in elke broekspijp. Hij zag er ongeveer even fatsoenlijk uit als boksbeugel in een bokshandschoen.

'Fatsoenlijk, ja.' Ik staarde naar de grote man in de Cadillac. Ik liet Reles zien dat ik dat deed en zei: 'Ik neem aan dat die bullebak in werkelijkheid je boekhouder is.'

'Waxey? Hij is een *babke*. Een echte lieverd. Bovendien heb ik hele grote boeken.'

Dinah zuchtte en zette een zuur gezicht op als een nukkig schoolmeisje. 'Max,' klaagde ze, 'het is onbeleefd om een gesprek in het Duits te voeren als je weet dat ik die taal niet spreek.'

'Dat begrijp ik niet.' Reles sprak nu Engels. 'Echt niet. Je moeder spreekt immers uitstekend Duits.'

Dinah trok een gezicht. 'Wie wil er nou Duits leren? De Duitsers hebben negentig procent van de Joden in Europa vermoord. Niemand wil tegenwoordig nog Duits leren.' Ze keek me aan en haalde meesmuilend haar schouders op. 'Sorry, maar het is niet anders.'

'Dat is oké. Het spijt mij ook. Het was mijn fout. Dat Duits spreken met Max, bedoel ik. Dat andere niet. Hoewel het duidelijk mag zijn dat dat me ook spijt.'

'Jullie rotmoffen zullen nog lange tijd spijt hebben.' Max lachte. 'Daar zullen wij Joden wel voor zorgen.'

'Het spijt me zeer. Geloof me, ik volgde alleen bevelen op.'

Dinah luisterde niet. Ze luisterde niet omdat ze daar niet goed in was. Hoewel, om eerlijk te zijn, had Max zijn neus in haar oor en zijn lippen op haar wang en dat was genoeg om iedereen af te leiden.

'Neem me niet kwalijk, *honik*,' mompelde hij tegen haar. 'Maar het is twintig jaar geleden sinds ik deze *fershtinkiner* heb gezien.' Hij liet haar gezicht even met rust en keek me opnieuw aan. 'Is ze niet prachtig?'

'Dat is ze zeker, Max. Bovendien heeft ze haar hele leven nog voor zich. In tegenstelling tot jij en ik.'

Reles beet op zijn lip. Ik stelde me zo voor dat hij liever had gehad dat het mijn nek was geweest. Toen glimlachte hij en stak een waarschuwende vinger naar me op. Ik glimlachte terug, alsof we een partijtje tennis speelden. Ik sloeg de bal hard naar hem terug. Harder dan hij was gewend, denk ik.

'Nog steeds dezelfde klootzak,' zei hij hoofdschuddend. Zijn grote gezicht was altijd al vierkant en vechtlustig geweest, maar nu was het zongebruind en gelooid, en er zat een litteken op zijn wang zo groot als een bagagelabel. Ik vroeg me af wat Dinah in een man als hij zag.

'Nog steeds dezelfde oude Gunther.'

'Nou, wat dat betreft lijken jij en Noreen er hetzelfde over te denken,' zei ik. 'Je hebt natuurlijk gelijk. Ik ben een vervelende oude rotzak. En het wordt steeds erger. Maar ik baal vooral van het ouder worden. De fascinatie die ik ooit voelde voor mijn eigen fysieke prestaties wordt nu weerspiegeld door de afschuw die ik voel bij de aanblik van mijn eigen ouder wordende lijf. Een buikje, kromme benen, dunner wordend haar, bijziendheid en terugtrekkend tandvlees. Hoe je het ook bekijkt, met mij gaat het bergafwaarts. Maar toch heb ik nog één troost: ik ben niet zo oud als jij, Max.'

Reles bleef grijnzen, maar deze keer moest hij ademhalen om zijn grijns vol te kunnen houden. Toen schudde hij zijn hoofd, keek naar Dinah en zei: 'God allemachtig, hoor je wat die vent zegt? Hij beledigt me waar jij bij staat.' Hij lachte van verbazing. 'Is hij niet geweldig? Dat is waarom ik die schooier zo mag. Niemand heeft ooit tegen me gepraat zoals deze vent. Dat waardeer ik zo aan hem.'

'Ik weet het niet, Max,' zei ze. 'Soms ben je een hele rare kerel.'

'Je moet naar haar luisteren, Max,' zei ik. 'Ze is niet alleen mooi. Ze is ook heel slim.'

'Al slim genoeg,' zei Reles. 'Weet je, jij en ik moeten nog eens praten. Kom morgen bij me langs.'

Ik staarde hem beleefd aan.

'Kom maar naar mijn hotel.' Hij vouwde zijn handen samen alsof hij bad. 'Alsjeblieft.'

'Waar logeer je?'

'In het Saratoga-hotel in oud-Havana, tegenover het Capitolio. Dat hotel is mijn eigendom.'

'Juist. Ik snap het. De hotel en entertainmentbusiness. Het Saratogahotel. Ja, ik weet waar dat is.'

'Kom je? Als herinnering aan vroeger.'

'Bedoel je onze herinneringen aan vroeger, Max?'

'Natuurlijk, waarom niet? Al dat gedoe van toen is al twintig jaar verleden tijd. Twintig jaar. Maar het voelt als duizend. Wat je al zei. Kom lunchen.'

Ik dacht even na. Ik ging om elf uur naar het kantoor van Alfredo Lopez in het Barcardi-gebouw en het Bacardi lag maar een paar straten van hotel Saratoga vandaan. Plotseling was ik iemand met twee afspraken op één dag. Misschien moest ik binnenkort een agenda kopen. Misschien moest ik mijn haar en nagels laten verzorgen. Ik voelde me bijna weer belangrijk, alhoewel ik niet helemaal zeker wist in welke zin ik ooit belangrijk kon zijn. Nog niet, in ieder geval.

Ik nam aan dat het nauwelijks tijd zou kosten om de aktetas met het pistool en de pamfletten aan Alfredo Lopez terug te geven. Een lunch in het Saratoga klonk goed. Zelfs als het met Max Reles was. Het Saratoga was een goed hotel. Met een uitstekend restaurant. En je moet tevreden zijn met wat je hebt in Havana. Vooral als je zo'n schooier bent als ik.

'Goed,' zei ik. 'Ik ben er rond een uur of twaalf.'

7

Het Saratoga-hotel lag aan het zuidelijke uiteinde van de Prado, aan de overkant van de straat tegenover het Capitolio. Het was een mooi, in witte koloniale stijl opgetrokken gebouw van acht verdiepingen dat me deed denken aan een hotel dat ik ooit in Genua had gezien. Ik liep naar binnen. Het was iets na enen. Het meisje achter de receptie in de lobby wees me de liften en zei dat ik naar de achtste verdieping moest gaan. Ik kwam op een binnenhof met een zuilengalerij die iets weg had van een klooster en wachtte op de lift. In het midden van de binnenhof stond een fontein met een marmeren beeld van een paard. Het was gemaakt door de Cubaanse beeldhouwster Rita Longa. Dat wist ik omdat ik nog-al lang op de lift moest wachten en omdat er een bord naast het paard stond met enige 'nuttige informatie' over de kunstenaar. Erg nuttig was die informatie niet, want ik had zelf al gezien dat Rita geen verstand van paarden had en zeer weinig van beeldhouwen. En ik was meer geïnteresseerd in een kijkje door de rookglazen deuren die toegang gaven tot de zalen van het hotel waar werd gegokt. De ruimte riep de sfeer op van de Belle Époque in Parijs, met schitterende kroonkande-laars, hoge vergulde spiegels en marmeren vloeren. In ieder geval iets wat meer klasse had dan Havana. Er stonden geen speelautomaten, al-leen tafels voor roulette, blackjack, craps, poker, baccarat en punto ban-co. Het was duidelijk dat er niet op kosten was bezuinigd. Op een ander bordje achter de glazen deuren omschreef het Saratoga zichzelf dan ook, wellicht niet helemaal onterecht, als 'het Monte Carlo van Latijns-Ameri-ka'.

Aangezien de beperkende maatregelen op het betalen met dollars pas net waren opgeheven, leek het niet erg waarschijnlijk dat er nu veel Ame-rikanen met hun vrouw in Havana kwamen gokken. Zelf had ik een he-kel aan bijna alle vormen van gokken sinds ik in de winter van 1947 een klein fortuin had verloren in een casino in Wenen. Gelukkig was het klei-ne fortuin niet van mij, maar er was iets met geld verliezen – zelfs als het geld aan andere mensen toebehoorde – waar ik niet van hield. Het was een van de redenen dat ik, áls ik al ging gokken, de voorkeur gaf aan backgammon. Het is een spel dat slechts door zeer weinig mensen wordt gespeeld, wat betekent dat je nooit erg veel kunt verliezen. En bovendien was ik er goed in.

Ik ging met de lift naar de achtste verdieping met het zwembad op het dak, het enige in heel Havana.

Ik zeg dak, maar boven het terras bij het zwembad lag nog een verdieping. Volgens mijn nieuwe vriend Alfredo Lopez was dit het exclusieve penthouse waar Max Reles in grote luxe woonde. Je kon er alleen komen als je een speciale sleutel van de lift had – weer volgens de informatie van Lopez. Maar toen ik om me heen keek en het verlaten zwembadterras zag – het was te winderig om te zonnebaden – stelde ik me voor hoe iemand zonder hoogtevrees via de buitenkant naar het penthouse zou kunnen klimmen. Zo iemand zou op de balustrade moeten klimmen die rond het zwembad liep, behoedzaam de hoek om gaan en dan omhoog klimmen via steigers die werden gebruikt om de neonreclame te repareren die de ronde gevel van het hotel versierde. Er waren mensen die op een dak klommen om te genieten van het uitzicht. Anderen, zoals ik, dachten terug aan misdaden en scherpschutters en vooral aan de oorlog aan het oostfront. In Minsk had een scherpschutter van het Rode Leger drie hele dagen op het dak van het enige hotel van de stad gezeten om Duitse legerofficieren neer te knallen voordat hij zelf werd getroffen door antitankgeschut. Zo'n man zou het dakterras van het Saratoga-hotel hebben gewaardeerd.

Maar Max Reles had waarschijnlijk wel maatregelen getroffen om iets dergelijks te voorkomen. Volgens Alfredo Lopez was Reles niet het type dat risico's nam als het ging om zijn persoonlijke veiligheid. Daar had hij te veel vrienden voor. Vrienden in Havana, wel te verstaan, die nauwelijks minder erg zijn dan dodelijke vijanden.

'Ik dacht dat je van gedachten was veranderd,' zei Max die uit een gang kwam die naar de liften voerde. 'Dat je niet meer zou komen opdagen.' Zijn toon had iets verwijtend en hij klonk ook een beetje verbaasd, alsof het hem stoorde dat hij geen goede reden kon bedenken waarom ik te laat kwam voor de lunch.

'Het spijt me, ik werd een beetje opgehouden. Gisteravond heb ik Lopez verteld over die wegblokkade op de weg die in noordelijke richting uit San Francisco de Paula loopt.'

'Waarom heb je dat in hemelsnaam gedaan?'

'Hij had een aktetas vol pamfletten en ik weet niet waarom, maar ik heb beloofd ze van hem over te nemen en ze vanochtend weer bij hem te bezorgen. Er stond een vrachtwagen van de politie bij het Bacardi-gebouw toen ik aankwam en ik moest wachten tot die was verdwenen.'

'Je moet je niet met een dergelijk iemand bemoeien,' zei Reles. 'Echt niet. Dat gedoe is gevaarlijk. Je moet je verre houden van de politiek op dit eiland.'

'Daar heb je natuurlijk gelijk in. Ik weet ook niet waarom ik dat heb gedaan. Waarschijnlijk had ik te veel gedronken. Dat gebeurt vaak. Er is in Cuba niks anders te doen dan veel drinken.'

'Dat verbaast me niks. Iedereen in dat verdomde huis drinkt te veel.'

'Maar ik had het beloofd, en als ik iets beloof dan doe ik het meestal. Ik ben altijd nogal stom geweest.'

'Dat is waar.' Max Reles grijnsde. 'Heel waar. Zei hij nog iets over mij? Lopez?'

'Alleen dat jij en hij vroeger zakenpartners zijn geweest.'

'Dat is bijna waar. Laat ik je iets vertellen over onze vriend Fredo. F.B. heeft een zwager die Roberto Miranda heet. Miranda is eigenaar van alle *traganiqueles* in Havana. Je weet wel, die speelautomaten. Als je er een paar wilt hebben, moet je ze van hem huren. Bovendien eist hij vijftig procent van de opbrengst. En dat kan aardig oplopen in een casino in Havana. Hoe dan ook, Fredo Lopez haalde altijd de opbrengst van de speelautomaten voor me op in het Saratoga-hotel. Het leek me dat zoiets laten doen door een advocaat de beste garantie was om oneerlijkheid te voorkomen. Maar al heel snel ontdekte ik dat slechts een kwart van het geld naar Miranda ging. De rest werd afgeroomd door Lopez om de gezinnen te ondersteunen van de mannen die vorig jaar de legerkazerne Moncada hebben belegerd. Een tijdlang heb ik gedaan of ik niets merkte. En hij wist dat ik dat deed. Het leek me handig om ook de rebellen te vriend te houden. Maar toen ontdekte Miranda dat hij werd bedrogen en hij gaf ondergetekende er de schuld van. Nu moest ik kiezen. De gokautomaten houden maar Lopez kwijtraken, waarmee ik zou riskeren dat ik een doelwit voor de rebellen werd. Of de gokautomaten wegdoen en het ongenoegen van Mirada op de koop toe nemen. Ik besloot de automaten de deur uit te doen. Als gevolg daarvan moet ik nu een keer per week de boekhouding doornemen met F.B. omdat hij een aanzienlijk deel van dit hotel bezit. Dat hele gedoe heeft me een hoop geld gekost en me veel ongemak bezorgd. En volgens mij heeft die vuile Fredo Lopez verdomd veel geluk gehad. Dat hij nog leeft, bedoel ik.'

'Je hebt gelijk, Max. Je bent veranderd. De oude Max Reles zou een ijspriem in zijn oor hebben gestoken.'

Hij grijnsde bij de herinnering aan zijn vroegere zelf. 'Ja hè, dat zou ik zeker gedaan hebben. Echt iets voor mij! De dingen waren toen minder ingewikkeld. Ik zou hem zonder verder nadenken hebben vermoord.' Hij haalde zijn schouders op. 'Maar dit is Cuba en hier doen we het een beetje anders. Ik dacht dat hij het misschien ook zou beseffen. En zou doen of hij een beetje dankbaar was. Maar nee, hoor, helemaal niet. Hij vertelt achter mijn rug om slechte dingen over mij tegen Noreen terwijl ik probeer een band met haar te krijgen vanwege mijn relatie met Dinah.'

'Dus je gaf zowel geld aan Batista als aan de rebellen,' zei ik.

'Indirect,' zei hij. 'Eerlijk gezegd geef ik ze geen schijn van kans, maar je weet het maar nooit met die klootzakken.'

'Je geeft hen dus toch een kans.'

'Vóór het incident met die gokautomaten heb ik iets interessants gezien. Op een dag keek ik beneden uit het raam van het hotel. Ik dacht aan niets speciaals, zoals je soms hebt. Ik zag een jonge Habanero die buiten op straat liep – gewoon een kind nog, snap je. En toen hij langs mijn Cadillac kwam, zag ik dat hij tegen de bumper schopte.'

'Dat leuke cabrioletje? Waar was je uitsmijter?'

'Waxey? Die is lang niet snel genoeg om zo'n jochie bij zijn kladden te grijpen. Hoe dan ook, ik maakte me er zorgen om. Niet om de beschadiging van de auto. Dat stelde niets voor. Nee, het was iets anders. Ik heb er veel over nagedacht. Eerst dacht ik dat het ventje dat had gedaan om indruk te maken op zijn vriendinnetje. Daarna dacht ik dat hij misschien iets tegen Cadillacs had. Uiteindelijk daagde het me, Bernie. Het drong tot me door dat het niet ging om die verdomde Cadillacs. Hij had een hekel aan Amerikanen. En dat bracht me op die revolutie. Ik bedoel, net als de meeste mensen dacht ik dat het voorbij was na afgelopen juli. Na dat incident bij de kazerne van Moncada. Maar toen ik had gezien hoe dat kloterige jochie tegen mijn auto schopte, besefte ik dat het misschien helemaal nog niet voorbij is. En misschien haten ze Amerikanen wel net zo veel als Batista. En als ze hem ooit aan de kant schuiven, doen ze dat misschien ook wel met ons.'

Ik had op het moment geen wijze opmerkingen voorradig, dus hield ik mijn mond. Bovendien koesterde ik zelf ook niet bepaald warme gevoelens voor Amerikanen. Ze waren niet zo erg als de Russen of de Fransen, maar zíj verwachtten dan ook niet dat ze aardig werden gevonden en zíj vonden dat ook helemaal niet zo erg. Amerikanen waren anders: zelfs nadat ze een paar atoombommen op de Jappen hadden laten vallen, wilden ze nog aardig gevonden worden. Dat leek me toch ietwat naïef. Dus hield ik mijn mond. Bijna als twee oude vrienden genoten we een tijdje van het uitzicht vanaf het dak. Het was een prachtig uitzicht. Beneden ons zagen we de boomtoppen van Campo de Marte en rechts, als een gigantische bruidstaart, lag het Capitolio. Daarachter kon je de sigarenfabriek Partagas zien liggen en de Barrio Chino. Ik kon zo ver naar het zuiden kijken dat ik het Amerikaanse oorlogsschip zag liggen in de haven en in westelijke richting zag ik de daken van Miramar, maar alleen als ik mijn bril op had. Ik leek wel ouder door die bril. Ouder dan Max Reles. Hij had waarschijnlijk ook ergens een bril, maar die mocht ik hem natuurlijk niet zien dragen.

Hij probeerde zonder succes een grote sigaar op te steken in de krachtige bries die over het dak woei. Een van de parasols, die allemaal gesloten waren, werd omvergeblazen. Dat leek hem te irriteren.

'Ik zeg altijd,' zei hij, 'dat de beste manier om Havana te zien vanaf het dak van een goed hotel is.' Hij gaf zijn pogingen om de sigaar aan te steken op. 'Het National heeft een uitzicht, maar dat is alleen over die stomme zee of de daken van Vedado en volgens mijn bescheiden mening is dat uitzicht in de verste verte niet te vergelijken met het onze.'

'Inderdaad.' Ik had er even genoeg van om hem te jennen. Ik had daar zo mijn redenen voor, die ik net had bedacht.

'Het waait hier natuurlijk wel af en toe, en als ik die eikel te pakken krijgt die me heeft overgehaald al die parasols te kopen zal ik hem leren hoe het is als je door de wind over de rand wordt geblazen.' Hij grijnsde op zo'n manier dat hij me ervan overtuigde dat hij het nog meende ook.

'Het is een geweldig uitzicht,' zei ik.

'Ja hè? Weet je, ik denk dat Hedda Adlon er alles voor over gehad zou hebben om een uitzicht als dit te hebben.'

Ik knikte. Ik had geen zin om hem te vertellen dat je vanaf het dakterras van het Adlon een van de beste uitzichten over Berlijn had. Ik had de Reichstag zien branden vanaf dat hoteldak. Veel beter dan dat kan een uitzicht niet zijn.

'Wat is er eigenlijk van haar geworden?'

'Hedda zei altijd dat een goede hotelier altijd hoopt op het beste, maar het ergste verwacht. Het ergste is gebeurd. Zij en Louis hebben het hotel gedurende de hele oorlog opengehouden. Op de een of andere manier werd het niet door bommen getroffen. Misschien had iemand van de RAF er een keer gelogeerd. Maar tijdens de strijd om Berlijn hebben de Ivans de stad op zo'n manier bestookt dat alles wat nog niet kapot was gemaakt door de RAF nu alsnog werd vernietigd. Het hotel vatte vlam en werd zo goed als verwoest. Hedda en Louis trokken zich terug op hun landgoed bij Potsdam en wachtten af. Toen de Ivans opdoken plunderden ze het huis. Ze zagen Louis ten onrechte aan voor een vluchtende Duitse generaal en zetten hem voor het vuurpeloton. Hedda werd vele malen verkracht, zoals de meeste vrouwen van Berlijn. Ik weet niet wat er daarna met haar is gebeurd.'

'Allemachtig,' zei Reles. 'Wat een verhaal. Jammer. Ik mocht hen beiden zeer. Jezus, dat wist ik niet.'

Hij zuchtte en deed nogmaals een poging om zijn sigaar aan te steken. Deze keer lukte het. 'Weet je, het is grappig dat je zo opeens bent opgedoken, Gunther.'

'Wat ik al eerder zei, Max. Ik heet nu Hausner. Carlos Hausner.'

'Hé, maak je niet druk. Jij en ik hoeven ons geen zorgen te maken over die onzin. Er zijn meer valse namen op dit eiland dan in de dossiers van de FBI. Als je ooit problemen krijgt met de militie over je paspoort, je visum of iets dergelijks, kom je maar naar mij. Ik kan het regelen.'

'Fijn, bedankt.'

'Nogmaals, het is grappig dat je weer bent opgedoken. Weet je, het Adlon is een van de redenen dat ik in de hotelbusiness hier in Havana ben gegaan. Ik was dol op dat hotel. Ik wilde hier in het oude deel van Havana ook iets met een dergelijk klasse hebben. Niet in Vedado zoals Lansky en al die andere lui met connecties. Ik heb altijd het idee gehad dat dit het soort oord is dat Hedda zelf uitgekozen zou hebben, denk je niet?'

'Misschien wel. Waarom niet? Ik was slechts de huisdetective, wat weet ik ervan? Maar ze zei altijd dat een goed hotel als een auto is. Hoe hij eruitziet is maar half zo belangrijk als hoe hij rijdt; hoe snel hij gaat en of de remmen goed werken en of hij comfortabel is zijn de zaken die er echt toe doen. De rest is onzin.'

'Daar had ze natuurlijk gelijk in,' zei Reles. 'God, ik zou nu iets van haar oude Europese ervaring kunnen gebruiken. Ik probeer hier dezelfde elitaire gasten te krijgen, weet je; de senatoren en de diplomaten. Ik probeer een hotel van hoge kwaliteit en een eerlijk casino te runnen. De waarheid is dat je nauwelijks moeite hoeft te doen voor een oneerlijke tent. Het huis heeft altijd meer geluk en het geld stroomt binnen. Zo eenvoudig is het – bijna. Het is waar, in een stad als Havana moet je uitkijken voor afzetters en bedriegers. Om nog maar niet te spreken van de nichten en de travestieten. Man, ik laat niet eens hoeren toe in mijn zaak. Behalve als ze aan de arm hangen van iemand die belangrijk is. Ik laat dat soort verdorvenheid aan de Cubanen over. Wat een gedegenereerd volk. Die lui zouden hun eigen grootmoeder voor vijf dollar de hoer laten spelen. En geloof me, ik kan het weten. Ik heb meer dan genoeg mokkakleurig vlees gehad in deze stad. Tegelijkertijd,' ging hij verder, 'moet je deze mensen nooit onderschatten. Ze schieten met het grootste gemak een kogel in je hoofd, als ze connecties hebben. Of ze smijten een granaat in je plee als ze politiek actief zijn. Een man in mijn positie moet ogen in zijn rug hebben of anders ligt voor je het weet zijn kop eraf. Vandaar dat ik jou kan gebruiken, Gunther.'

'Mij? Ik zou niet weten hoe ik jou zou kunnen helpen, Max.'

'Laten we gaan lunchen. Dan zal ik het je vertellen.'

We namen de lift naar het penthouse, waar we werden begroet door Waxey. Van dichtbij zag zijn gezicht eruit alsof hij een Mexicaanse worstelaar was. De rest van hem zag er eigenlijk ook uit als een Mexicaanse worstelaar. Elk van zijn schouders leek op het schiereiland Yucatan. Hij zei niets. Hij fouilleerde me alleen met handen zo groot als de oom van Esau.

Het penthouse was modern en ongeveer even comfortabel als een ruimteschip. We zaten aan een glazen tafel en keken naar elkaars schoenen terwijl we aten. De mijne had ik ergens in de buurt gekocht en ze waren niet al te schoon. De schoenen van mijn gastheer glommen meer dan een koperen bel en ze kraakten nogal. Tot mijn verrassing was het eten koosjer, of in ieder geval Joods, wat verrassend was aangezien de lange, knappe en verzorgde vrouw die serveerde zwart was. Maar misschien was ze bekeerd tot het judaïsme, net als Sammy Davis jr. Ze kon goed koken.

'Hoe ouder ik word, hoe meer ik de Joodse kookkunst ga waarderen,' zette Max uiteen. 'Ik denk dat het me aan mijn kindertijd doet denken. Al het eten dat de andere kinderen hadden, maar ik niet, omdat die rotmoeder van mij ervandoor ging met een kleermaker. Abe en ik hebben haar nooit meer teruggezien.'

Toen we aan de koffie toe waren stak hij zijn half opgerookte sigaar weer aan, terwijl ik er een pakte uit zijn humidor die zo groot was als een kerkhof.

'Ik zal je vertellen hoe je mij kunt helpen, Gunther. Ten eerste ben je niet Joods.'

Ik reageerde niet. Een kwart Joods bloed leek tegenwoordig nauwelijks meer het vermelden waard.

'Je bent geen Italiaan. Je bent geen Cubaan. Je bent niet eens Amerikaan en je bent me niets schuldig. Verdomd, Gunther, je vindt me niet eens bijzonder aardig.'

Ik sprak hem niet tegen. We waren nu volwassen kerels. Maar ik onderstreepte het evenmin. Twintig jaar was een lange tijd waarin je veel kon vergeten, maar ik had meer reden om een hekel aan hem te hebben dan hij ooit zou weten of zich herinneren.

'Al die dingen maken je onafhankelijk. En dat is een zeer waardevolle eigenschap in Havana, omdat je niemand iets verschuldigd bent. Het zou allemaal niet uitmaken als je een *potchka* was, maar je bent geen potchka, je bent een *mensch*, en het is nou eenmaal zo dat ik een mensch zou kunnen gebruiken die ervaring heeft met een grand hotel – om nog maar te zwijgen van je jaren bij de Berlijnse politie. Waarom? Om te zorgen dat de zaken hier soepel verlopen, daarom. Ik wil dat je de taak van algemeen manager op je neemt; in het hotel, in het casino. Iemand die ik kan vertrouwen; iemand die me niet belazert. Iemand die recht uit de heup schiet. Wie kan dat beter dan jij?'

'Luister, Max. Ik voel me gevleid, denk niet dat dat niet zo is. Maar ik heb op dit moment geen baan nodig.'

'Beschouw het niet als een baan. Het is geen baan. In dit vak bestaan geen negen-tot-vijf-banen. Het is een beroep. Elke man heeft een beroep nodig, toch? Een plek waar hij elke dag heen kan. Op sommige dagen zul je meer hier zijn dan op andere. En dat is goed, want dat houdt het spannend voor die ellendelingen die voor mij werken. Kijk, ik wil niet klinken als een *noodge*, maar je zou me een dienst bewijzen. Een grote dienst. Daarom ben ik ook bereid je heel goed te betalen. Hoe klinkt twintigduizend dollar per jaar? Ik wil wedden dat je in het Adlon lang niet zo veel verdiende; een auto, een kantoor, een secretaresse die haar benen vaak over elkaar slaat en geen slipje draagt. Noem maar op.'

'Ik weet het niet, Max. Als ik het zou doen, zou het op mijn manier moeten. Eerlijk of anders helemaal niet.'

'Heb je niet gehoord dat dat is wat ik wil? Eerlijk is de enige manier in een vak als dit.'

'Ik meen het. Geen bemoeienissen van buitenaf. Ik rapporteer aan jou en aan niemand anders.'

'Precies.'

'Wat zou ik moeten doen? Geef me eens een voorbeeld.'

'Een van de dingen waar je meteen mee moet beginnen is het aannemen en ontslaan van personeel. Er is een voorman die je moet ontslaan. Hij is een flikker, en ik hou niet van flikkers in mijn hotel. En ik wil ook dat je alle sollicitatiegesprekken voert voor baantjes die zich voordoen in het hotel en het casino. Jij hebt een neus voor die zaken, Gunther. Een cynische smeerlap als jij zorgt er wel voor dat we eerlijke, betrouwbare mensen inhuren. Dat is niet altijd even gemakkelijk. Je wordt algauw belazerd. Bijvoorbeeld: ik betaal hier uitstekend. Beter dan enig ander hotel in Havana. Dat betekent dat de meeste meisjes die hier werken – en ik neem vooral meisjes aan, omdat de klanten dat willen – nou, die doen alles voor een baan. En dan bedoel ik ook alles. Maar dat is niet altijd goed voor de zaken, snap je? En ook niet altijd goed voor mij. Ik ben ook maar een mens, en in deze fase van mijn leven wil ik niet steeds geconfronteerd worden met de verleiding om te neuken. Daar heb ik het nu even mee gehad. Weet je waarom? Omdat ik met Dinah ga trouwen.'

'Gefeliciteerd.'

'Dank je.'

'Weet zij dat ook?'

'Natuurlijk weet zij dat ook, vervelende klier. Die meid is helemaal mesjogge van me en ik voel hetzelfde voor haar. Ja ja, ik weet wat je gaat zeggen: dat ik oud genoeg ben om haar vader te zijn. Begin niet weer over dat grijze haar en dat kunstgebit, zoals je gisteravond deed, want met Dinah is het ware liefde. Ik ga met haar trouwen en daarna zal ik al mijn connecties in de wereld van de showbusiness gebruiken om een filmster van haar te maken.'

'En Brown dan?'

'Brown? Wat is Brown?'

'Dat is de universiteit waar Noreen haar heen wil sturen.'

Reles trok een gezicht. 'Dat is wat Noreen zelf wil. Dat is niet de wens van Dinah. Dinah wil werken in de filmindustrie. Ik heb haar al voorgesteld aan Sinatra. George Raft. Nat King Cole. Heeft Noreen al tegen je gezegd dat haar dochter kan zingen?'

'Nee.'

'Met haar talent en mijn connecties kan Dinah zo'n beetje alles worden wat ze wil.'

'Hoort gelukkig zijn daar ook bij?'

Reles vertrok zijn gezicht. 'Ja, inclusief gelukkig zijn, ja. Verdomme, Gunther, je bent een harde klootzak. Hoe komt dat?'

'Ik heb veel geoefend. Meer dan jij misschien. En dat zegt wel iets, denk ik. Ik ga je niet mijn hele levensloop schetsen, Max. Maar toen de oorlog was afgelopen had ik al een paar dingen gezien en gedaan die Japie Krekel een hartaanval bezorgd zouden hebben. Het geweten waarmee ik ben begonnen in mijn leven heeft een paar extra eeltlagen gekregen, net als de huid op mijn voeten. Daarna was ik twee jaar te gast bij de Russen in een van hun rusthuizen voor uitgeputte Duitse krijgsgevangenen. Ik heb van de Ivans veel geleerd over gastvrijheid. Maar vooral wat het niet is. Toen ik daar ontsnapte heb ik twee mensen vermoord. Dat deed me plezier. Als nooit tevoren. En dat kun je opvatten zoals je wilt. Daarna heb ik een tijdje een hotel gehad, totdat mijn vrouw stierf in een gekkenhuis. Dat werk lag me niet. Ik had net zo goed een instituut voor jonge Engelse dames in Zwitserland kunnen leiden. Had ik dat maar gedaan. Ik had ze heel wat zaken kunnen afleren: goede manieren, Duitse hoffelijkheid, charme, gastvrijheid – allemaal eigenschappen die ik niet heb, Max. Doorgewinterde klootzakken die mij hebben ontmoet, voelen zich daarna een beter mens. Ze gaan opgelucht naar huis, lezen de Bijbel en danken God dat ze mij niet zijn. Dus waarom denk je dat ik geschikt ben voor dat baantje?'

'Wil je dat echt weten?' Hij haalde zijn schouders op. 'Al die jaren geleden. Op die boot op het Tegel-meer. Weet je dat nog?'

'Hoe zou ik dat kunnen vergeten?'

'Ik heb je toen al verteld dat ik je mocht, Gunther. Ik heb toen al gezegd dat ik erover dacht je een baantje aan te bieden, alleen kon ik op dat moment geen integer iemand gebruiken.'

'Ik weet het nog. Die hele avond staat op mijn netvlies geëtst.'

'Nou, ik kan nu wél een integer persoon gebruiken. Zo eenvoudig zit het, kerel. Ik heb iemand nodig met karakter. Meer niet.'

Iemand met karakter, zei hij. Een mens, zei hij. Ik had mijn twijfels.

Zou een mensch Max Reles hebben geholpen om Othman Weinberger het zwijgen op te leggen door de Amerikanen de middelen toe te spelen om Weinbergers carrière te vernietigen, en mogelijk ook zijn hele leven? Tenslotte was ik het geweest die Reles had verteld wat de achilleshiel van Weinberger was: dat die kleine Gestapoman uit Würzburg er ten onrechte van werd verdacht dat hij een Jood was. En ik had Max Reles verteld over Emil Linthe, de vervalser, en hoe iemand als Linthe door middel van omkoping het rijksarchief kon binnenkomen en iemand als Weinberger een Joodse transfusie kon bezorgen, net zoals hij mij een arische had bezorgd. Ter verdediging kon ik aanvoeren dat ik dat allemaal had gedaan om te voorkomen dat Noreen Charalambides vermoord zou worden door de broer van Max. Maar wat had een man die dergelijke dingen op zijn kerfstok had nog voor karakter? Kon je hem nog een mensch noemen? Nee, allesbehalve dat.

'Goed dan,' zei ik. 'Ik neem die baan.'

'Echt waar?' Max Reles klonk verrast. Hij staarde me een tijdje aan met samengeknepen ogen. 'Nou ben ik nieuwsgierig. Wat heeft je overgehaald?'

'Misschien lijken we meer op elkaar dan ik wil toegeven. Misschien was het de gedachte aan die broer van jou en wat hij me zou kunnen aandoen met een ijspriem als ik zou weigeren. Hoe is het met je broer?'

'Hij is dood.'

'Wat erg.'

'Helemaal niet. Hij heeft enkele vrienden van me verraden om zijn eigen huid te redden. Hij heeft zes kerels naar de elektrische stoel gestuurd. Onder wie iemand met wie ik nog op school heb gezeten. Maar hij was een kanarie die niet kon vliegen. Abe stond op het punt een hoge piet te verlinken toen hij in november 1951 uit een hoog raam van het Half Moon Hotel op Coney Island werd geduwd.'

'Weet je wie het heeft gedaan?'

'Ja, ik weet het. Iemand die toentertijd voorwaardelijk vrij rondliep. En op een dag zal ik wraak nemen op die lieden. Het hemd blijft tenslotte nader dan de rok; er is nooit toestemming gevraagd of gegeven voor die moord. Maar op dit moment zou het niet goed zijn voor de zaken.'

'Sorry dat ik erover begon.'

Reles knikte grimmig. 'En ik zou het op prijs stellen als je me er nooit meer naar vroeg.'

'Ik ben al vergeten wat ik vroeg. Wij Duitsers zijn goed in het vergeten van veel dingen. We hebben de afgelopen negen jaar geprobeerd te vergeten dat er ooit iemand is geweest die Adolf Hitler heette. Geloof me, als je hém kunt vergeten kun je alles vergeten.'

Reles gromde.

'Eén naam herinner ik me nog,' zei ik. 'Avery Brundage. Wat is er van hem geworden?'

'Avery? We zijn min of meer gebrouilleerd geraakt nadat hij lid is geworden van het America First Committee om de vs buiten de oorlog te houden. Dat was weer eens iets anders dan Joden uit de countryclubs van Chicago proberen te weren. Maar die louche schoft heeft goed geboerd. Hij heeft miljoenen dollars verdiend. Zijn bouwbedrijf heeft een groot deel van de goudkust van Chicago gebouwd: Lake Shore Drive. Op zeker moment wilde hij zich verkiesbaar stellen als gouverneur van Illinois, maar toen kreeg hij van bepaalde mensen te horen dat hij zich beter bij sportzaken kon houden. Je zou kunnen zeggen dat we tegenwoordig concurrenten zijn. Hij is eigenaar van het La Salle Hotel in Chicago, en van The Cosmopolitan in Denver, the Hollywood Plaza in Californië en allerlei hotels in Nevada.' Reles knikte. 'Het leven is goed geweest voor Avery. Onlangs is hij nog gekozen tot voorzitter van het Internationaal Olympisch Comité.'

'Ik neem aan dat jij ook een fortuin hebt verdiend in 1936.'

'Zeker. Maar Avery ook. Nadat de Olympische Spelen voorbij waren, heeft hij van de nazi's een contract gekregen voor het bouwen van de nieuwe Duitse ambassade in Washington. Dat was een cadeautje van de Führer, die dankbaar was dat hij had geholpen een boycot van de Amerikanen te voorkomen. Hij moet miljoenen hebben verdiend. En ik heb er geen cent van gezien.' Reles grijnsde. 'Maar dat is allemaal lang geleden. Sindsdien is Dinah het beste wat me is overkomen. Werkelijk een prachtmeid.'

'Net als haar moeder.'

'Ze is overal voor in.'

'Was jij soms degene die haar heeft meegenomen naar het Sjanghaitheater?'

'Dat was niet mijn idee,' zei Reles. 'Om daarheen te gaan. Maar ze stond erop. En dat meisje weet altijd haar zin te krijgen. Dinah kan behoorlijk lastig zijn.'

'En hoe was de voorstelling?'

'Wat denk je?' Hij haalde zijn schouders op. 'Eerlijk gezegd geloof ik niet dat het haar veel kon schelen. Dat meisje was bereid alles te proberen. Nu wil ze weer dat ik haar meeneem naar een opiumnest.'

'Opium?'

'Je zou het eens moeten proberen. Opium is een fantastisch hulpmiddel om slank te blijven.'

Hij petste met zijn vlakke hand op zijn buik en hij leek inderdaad slanker dan toentertijd in Berlijn. 'Er zit een tentje op Cuchillo waar je een paar pijpjes kunt roken en alles kunt vergeten. Zelfs Hitler.'

'Dan moest ik dat ook maar eens proberen.'

'Ik ben blij dat je meedoet, Gunther. Luister. Kom morgenavond terug, dan zal ik je voorstellen aan mijn jongens. Ze zijn er allemaal. Woensdagavond is mijn kaartavondje. Kaart je?'

'Nee, ik speel alleen backgammon.'

'Backgammon? Dat is toch een gokspel voor flikkers?'

'Niet echt.'

'Grapje. Ik heb ooit een vriend gehad die het speelde. Ben je er goed in?'

'Hangt van de dobbelstenen af.'

'Nu je het zegt, Garcia speelt backgammon, José Orozco Garcia. Die viespeuk die eigenaar is van het Shanghai. Hij is altijd in voor een spelletje.' Reles grijnsde. 'Jezus, ik zou graag zien dat je die dikzak zou verslaan. Wil je dat ik een spelletje tussen jullie regel? Morgenavond, misschien? Het moet vroeg, want na elven houdt hij graag een oogje in het zeil op het theater. Dat zou een idee zijn. Speel met hem om acht uur. Kom hierheen rond kwart voor elf. Ontmoet mijn jongens. Misschien met wat extra geld in je zak.'

'Klinkt goed. Ik kan altijd wat extra geld gebruiken.'

'Daar zeg je zoiets.'

Hij nam me mee naar zijn kantoor. Er stond een modern teakhouten bureau met een gebroken wit fineerblad en een paar leren stoelen die eruitzagen alsof ze van een sportvisboot waren geplukt.

Hij trok een la open en haalde er een envelop uit die hij mij overhandigde. 'Duizend peso's,' zei hij. 'Om te tonen dat mijn aanbod serieus is.'

'Ik neem je altijd serieus, Max,' zei ik. 'Sinds die avond op het meer.'

Aan de wanden hingen verschillende grote schilderijen zonder lijst die ofwel bijzonder goede imitaties waren van plassen kots, ofwel moderne abstracte kunst vertegenwoordigden. Ik wist het niet precies. Eén wand werd volledig in beslag genomen door boekenplanken van donker hout, volgestouwd met platen en tijdschriften, kunstvoorwerpen en zelfs enkele boeken. De wand er tegenover had een grote glazen schuifdeur. Daarachter ontwaarde ik een privézwembad, een kleinere versie van het zwembad op de verdieping onder ons. Er stond een leren ligstoel met een rond tafeltje met een felrode telefoon erop. Reles wees op de telefoon.

'Zie je die telefoon? Dat is een speciale lijn met het presidentiële paleis. En hij rinkelt maar een keer per week. Heb ik dat niet verteld? Elke woensdag, om kwart voor twaalf 's nachts gebruik ik die telefoon om F.B. te bellen en de cijfers met hem door te nemen. Soms spreken we elkaar wel een half uur lang. Dat is een van de redenen dat woensdag mijn kaartavondje is. Ik speel een paar rondjes met de jongens, en om precies half twaalf gooi ik ze eruit. Geen wijven. Ik handel het telefoongesprek af en ga meteen naar bed. Als je voor mij werkt, kun je maar beter meteen weten dat je ook voor F.B. werkt. Hij bezit dertig procent van dit hotel. Maar die latino kun je aan mij overlaten. Voorlopig.'

Reles liep naar de boekenkast, trok een la open en nam er een duur uitziend leren attachékoffertje uit, dat hij aan mij gaf.

'Ik wil je dit geven, Gunther. Om onze nieuwe samenwerking te vieren.'

Ik zwaaide met de envelop met peso's. 'Ik dacht dat je me daarvoor al iets gegeven had.'

'Dit is iets extra's.'

Ik tuurde naar het cijferslot.

'Ga je gang,' zei hij. 'Hij zit niet op slot. De combinatie is trouwens zes-zes-zes aan beide kanten. Maar als je wilt, kun je dat veranderen met een sleuteltje dat in het handvat verborgen zit.'

Ik klikte het koffertje open en zag dat het een mooi, op maat gemaakt backgammonspel was. De stenen waren van ivoor en ebbenhout en de ogen op de dobbelstenen en de cijfers op de verdubbeldobbelsteen waren van diamant.

'Dit kan ik niet aannemen,' zei ik.

'Natuurlijk wel. Dat spel is ooit van een vriend van mij geweest, Ben Siegel.'

'Ben Siegel, die gangster?'

'Mwah. Ben was een gokker en een zakenman. Net als ik. Zijn vriendin Virginia heeft dat backgammonspel speciaal voor zijn eenenveertigste verjaardag laten maken, door Asprey in Londen. Drie maanden later was hij dood.'

'Hij is toch neergeschoten?'

'Hmm.'

'Wilde zij het spel niet hebben?'

'Ze heeft het aan mij gegeven, als aandenken. En nu wil ik graag dat jij er de eigenaar van wordt. Laten we hopen dat het jou meer geluk brengt dan het hem heeft gebracht.'

'Laten we het hopen.'

8

Van het Saratoga reed ik naar Finca Vigía. De Pontiac Chieftain stond nog precies op de plek waar Waxey hem had neergezet, alleen zat er nu een kat op het dak. Ik stapte uit mijn auto, liep naar de voordeur en luidde de scheepsbel die bij de veranda hing. Vanaf de tak van een reusachtige ceibaboom zat een andere kat naar me te kijken. Een derde kat op het terras stak zijn kop door de witte reling alsof hij wachtte tot de brandweer hem kwam verlossen. Ik streelde de kop van de kat toen ik voetstappen langzaam naar de deur hoorde sloffen. De deur ging open en de tengere gestalte van René, Hemingways negerbediende, verscheen in de deuropening. Hij droeg een wit oberjasje. Het zonlicht dat achter hem in het huis viel gaf hem het voorkomen van een Santeria-priester. 'Goedemiddag señor,' zei hij.

'Is señora Eisner thuis?'

'Ja, maar ze slaapt.'

'En de señorita?'

'Juffrouw Dinah? Ik geloof dat ze in het zwembad ligt, señor.'

'Zou ze het vervelend vinden als ik haar even ging opzoeken?'

'Ik denk dat iedereen haar mag zien,' zei René.

Ik negeerde die opmerking en liep via het pad naar het zwembad, dat werd omgeven door koningspalmen, flamboyanbomen en verschillende amandelbomen en bloembedden met ixora – een altijdgroene heester met vuurrode bloemen uit Oost-Indië die ook wel junglevlam wordt genoemd. Het was een aardig zwembad en zelfs met al dat water viel gemakkelijk te begrijpen hoe een jungle zou kunnen ontvlammen. Mijn eigen ogen werden haast al verschroeid door de aanblik. Dinah zwom met een soepele, ontspannen rugslag heen en weer door het stomende water. Ik neem aan dat het stoomde om dezelfde reden dat mijn oogbollen verschroeid aanvoelden en waarom de jungle in vuur en vlam stond. Haar badpak had een keurig luipaardmotiefje, alleen stond het op dit moment iets minder keurig, want ze droeg het niet. Het badpak lag op het pad naar het zwembad, naast mijn open mond.

Ze had een schitterend lichaam: lang, atletisch, goedgevormd. In het water had haar naakte lichaam de kleur van honing. Als Duitser was ik niet echt geschokt door haar naaktheid. Al voor de Eerste Wereldoorlog bestonden er verenigingen voor naaktcultuur in Berlijn, en tot de komst van de nazi's was het onmogelijk om Berlijnse parken en zwembaden te bezoeken zonder nudisten te zien. Bovendien leek Dinah het zelf ook niet erg te vinden. Ze maakte zelfs een paar duikelingen bij het omkeerpunt die weinig te raden overlieten.

'Kom er ook in,' zei ze. 'Het water is heerlijk.'

'Nee bedankt,' zei ik. 'Bovendien denk ik niet dat je moeder dat goed zou vinden.'

'Misschien niet, maar ze is dronken. Ze slaapt in ieder geval haar roes uit. Ze heeft gisteren de hele avond gedronken. Noreen drinkt altijd te veel als we ruzie hebben gehad.'

'Waar ging die ruzie over?'

'Wat denkt u?'

'Over Max, neem ik aan.'

'Precies. Hoe konden jullie met elkaar opschieten?'

'Hij en ik konden het prima samen vinden.'

Dinah voerde nogmaals een volmaakte duikeling uit bij het keerpunt. Ik kende haar onderhand beter dan haar dokter. Ik had mogelijk zelfs van de show genoten, als ik niet had beseft wie zij was en waarom ik hier was. Ik draaide mijn rug naar het zwembad en zei: 'Misschien kan ik beter in het huis wachten.'

'Breng ik u in verlegenheid, señor Gunther? O, pardon. Ik bedoel señor Hausner.' Ze hield op met zwemmen en ik hoorde achter me dat ze uit het zwemblad klom.

'Je ziet er mooi uit, maar ik ben een vriend van je moeder, weet je nog? En er zijn bepaalde dingen die mannen niet doen met dochters van hun vriendinnen. Ik neem aan dat ze erop vertrouwt dat ik mijn neus niet tegen jouw vensterruit druk.'

'Dat is origineel uitgedrukt.'

Ik hoorde het water van haar naakte lichaam druipen. Als ik haar van top tot teen had afgelikt zou ze niet anders hebben geklonken.

'Wees nou eens een brave meid en trek je badpak aan, dan kunnen we praten.'

'Goed.' Een paar tellen gingen voorbij. Toen zei ze: 'Je kunt nu weer gewoon doen.'

Ik draaide me om en knikte even met mijn hoofd als bedankje. Ze gaf me een verdraaid ongemakkelijk gevoel, zelfs nu ze haar badpak weer aan had. De aanblik van mooie jonge vrouwen die naakt zijn vermijden; dat was nieuw voor me.

'Ik ben eerlijk gezegd blij dat u hier bent,' zei ze. 'Vanochtend gedroeg ze zich nogal suïcidaal.'

'Nogal?'

'Nogal, ja. Ik bedoel dat ze dreigde zichzelf neer te schieten als ik haar niet wilde beloven Max niet meer te ontmoeten.'

'En?'

'En wat?'

'Heb je beloofd hem niet meer te ontmoeten?'

'Nee, natuurlijk niet. Dat is toch gewoon emotionele chantage?'

'Hmm. Heeft ze een wapen?'

'Rare vraag, in dit huis. In de toren staat een geweerkast met genoeg wapens om een nieuwe revolutie te beginnnen. Maar ze heeft ook een eigen revolver. Dat heeft ze van Ernest gekregen. Ik denk dat hij er wel een kon missen.'

'Denk je dat ze ooit echt zoiets zou doen?'

'Dat weet ik niet. Daarom zei ik het ook, denk ik. Ik weet het echt niet. Ze heeft wel met Ernest over zelfmoord gesproken. Vaak. En ze vraagt zich af waarom ik uitga met Max in plaats van hier rond te hangen.'

'Wanneer komt Hemingway hier weer terug?'

'In juli, geloof ik. Hij had hier al moeten zijn, maar hij ligt nu in een ziekenhuis in Nairobi.'

'Misschien heeft een van die beesten weerstand geboden.'

'Nee, het was een vliegtuigongeluk. Of een bosbrand. Mogelijk allebei. Ik weet het niet. Maar hij was er een tijdje slecht aan toe.'

'Wat gebeurt er als hij terugkomt? Hebben hij en je moeder een relatie?'

'Welnee. Ernest heeft een vrouw, Mary. Hoewel ik niet geloof dat hij zich door zoiets zou laten tegenhouden. Bovendien geloof ik dat ze iemand anders heeft. Noreen bedoel ik. Hoe dan ook, ze heeft een huis gekocht in Marianao en over een maand of twee verhuizen we daarheen.'

Dinah vond een pakje sigaretten, stak er een op en blies rook uit in de richting van de grond, weg van mij. 'Ik ga met hem trouwen en daar kan zij of wie dan ook niets aan veranderen.'

'Behalve dan dat ze zichzelf kan doodschieten. Mensen hebben dat gedaan voor minder.'

Dinah trok een gezicht. Misschien leek het wel op het gezicht dat ik had getrokken toen ze me vertelde dat Noreen een relatie had.

'En wat vindt u ervan?' vroeg ze. 'Van mij en Max.'

'Zou het enig verschil maken als ik je dat vertelde?'

Ze schudde haar hoofd. 'Waar hebt u met hem over gepraat?'

'Hij heeft me een baan aangeboden.'

'Neemt u hem?'

'Dat weet ik niet. Ik heb gezegd dat ik dat zou doen. Maar ik heb een klein hartje, ik werk niet graag voor een gangster.'

'Denkt u dat hij een gangster is?'

'Wat ik al zei. Het doet er niet toe wat ik denk. En hij heeft me alleen maar een baan aangeboden, schat. Hij heeft me niet ten huwelijk gevraagd. Als het werken voor hem me niet bevalt, kan ik ontslag nemen. Hij zal er niet wakker van liggen. Maar ergens heb ik het romantische idee dat hij voor jou andere gevoelens heeft. Zoals elke man zou hebben.'

'U probeert me toch niet te versieren?'

'Als ik dat van plan was zou ik in het zwembad liggen.'

'Max gaat me helpen filmactrice te worden.'

'Dat heb ik gehoord. Is dat de reden dat je met hem wilt trouwen?'

'Toevallig niet.' Ze bloosde een beetje en haar stem werd iets humeuriger. 'Het is nou eenmaal zo dat we van elkaar houden.'

Het was mijn beurt om een gezicht te trekken.

'Wat is er aan de hand, Gunther? Hebt u nooit van iemand gehouden?'

'O, zeker. Van je moeder, bijvoorbeeld. Maar dat is twintig jaar geleden. In die tijd kon ik nog tegen iemand zeggen dat ik van haar hield en het menen met elke vezel van mijn lichaam. Tegenwoordig zijn het alleen nog maar woorden. Op mijn leeftijd gaat het een man niet meer om liefde. Hij kan zichzelf ervan proberen te overtuigen dat het liefde is. Maar dat is het helemaal niet. Het gaat altijd over iets anders.'

'U denkt zeker dat hij alleen met me wil trouwen voor de seks?'

'Nee. Het zit ingewikkelder in elkaar. Het gaat om je weer jong te willen voelen. Daarom trouwen veel oudere mannen met jongere vrouwen. Omdat ze denken dat jeugd besmettelijk is. En dat is natuurlijk niet zo. Ouderdom, aan de andere kant, is wel besmettelijk. Ik bedoel, ik kan je garanderen dat jij het op een bepaald moment ook zult krijgen.' Ik haalde mijn schouders op. 'Maar zoals ik blijf herhalen, lieverd, het doet er niet toe wat ik denk. Ik ben gewoon een vent van niks die ooit van je moeder heeft gehouden.'

'Dat is bepaald geen exclusieve club.'

'Daar twijfel ik niet aan. Je moeder is een mooie vrouw. Alles wat jij hebt, heb je van haar geërfd, denk ik.' Ik knikte. 'Je zei dat ze zelfmoordneigingen had. Ik zal even bij haar langsgaan voor ik ga.'

Ik liep snel weg van haar en ging terug naar het huis, voor ik iets gemeens zou zeggen. Want dat lag op mijn lippen.

Aan de achterkant van het huis stonden de tuindeuren open. Er stond alleen een antilope op wacht, dus ik liep naar binnen en gluurde in Noreens slaapkamer. Ze sliep. Ze lag naakt op bed. Ik bleef een volle minuut staan kijken. Twee naakte vrouwen op één middag. Het was net zoiets als naar het Casa Marina gaan, alleen besefte ik nu dat ik opnieuw verliefd was geworden op Noreen. Of misschien waren het dezelfde gevoelens die ik altijd had gehad en was ik vergeten waar ik ze had begraven. Ik weet het niet, maar ondanks de dingen die ik tegen Dinah had gezegd waren er heel wat gevoelens die ik op Noreen had kunnen loslaten, als ze wakker was geweest. En waarschijnlijk had ik enkele van die gevoelens nog gemeend ook.

Ze deed haar dijen uit elkaar en ik keek discreet een andere kant op. Op dat moment zag ik de revolver op de boekenplanken, naast enkele foto's en een glazen pot met een kikker in formaldehyde. Hij zag eruit als elke ander kikker – maar het was niet zomaar een revolver. Het was ontworpen en gemaakt door een Belg die er zijn naam aan had gegeven, maar de Nagant was het standaard handvuurwapen voor alle Russische officieren van het Rode Leger en de NKVD. Het was vreemd om een dergelijk zwaar wapen in dit huis tegen te komen. Ik pakte het nieuwsgierig op. Het was vreemd om zo'n wapen weer in handen te hebben. Dit exemplaar had het reliëf van een rode ster op het handvat, zodat er geen twijfel leek te bestaan over zijn herkomst.

'Dat is haar revolver,' zei Dinah.

Ik keek om toen ze de slaapkamer in liep en trok het laken over haar moeder. 'Niet bepaald een damesrevolver,' zei ik.

'Wat u zegt.'

Toen ging ze naar de badkamer.

'Ik laat mijn nummer achter op het bureau, naast de telefoon,' riep ik haar na. 'Je kunt me bellen als je denkt dat ze serieus van plan is zichzelf iets aan te doen. Het maakt niet uit hoe laat je belt.'

Ik knoopte mijn jasje dicht en liep de slaapkamer uit. Ik ving een glimp op van Dinah die op de wc zat en toen ik haar hoorde plassen, haastte ik me naar de studeerkamer.

'Ik geloof niet dat ze het meende,' zei Dinah. 'Ze zegt vaak dingen die ze niet meent.'

'Dat doet iedereen.'

Er stond een houten bureau met drie laatjes, vol met dieren van houtsnijwerk en verschillende soorten en maten jachtpatronen en kogels die iemand rechtop had gezet, als evenzovele dodelijke lippenstiften. Ik vond een stuk papier en een pen en liet mijn telefoonnummer achter in groot geschreven cijfers zodat het wel móést opvallen. Anders dan ikzelf. En toen vertrok ik.

Ik reed naar huis en bracht de rest van de dag en de halve nacht door in mijn werkplaatsje. Onder het werken dacht ik aan Noreen, Max Reles en Dinah. Niemand belde me op. Maar dat was niet ongewoon.

9

De Chinese wijk van Havana, de Barrio Chino, was de grootste van Latijns-Amerika. Het was Chinees nieuwjaar en dus waren de zijstraten van Zanja en Cuchillo versierd met lampionnen en bezaaid met openluchtmarkten en gezelschappen met leeuwendansers. Op de kruising van Amistad en Dragones stond een poort zo groot als de Verboden Stad. Later die avond zou dit het middelpunt zijn van een reusachtig vuurwerk, het hoogtepunt van de festiviteiten.

Yara was dol op elke lawaaierige parade en daarom had ik haar die middag mee uit genomen. De straten van Chinatown waren vol wasserijen, eethuisjes, winkels met gedroogde etenswaren, herbaristen, acupuncturisten, seksclubs, opiumhollen en bordelen. Maar bovenal waren de straten vol mensen. Grotendeels Chinezen. Zo veel dat je je afvroeg waar ze zich al die tijd verborgen hadden gehouden.

Ik kocht wat kleine aardigheidjes voor Yara – fruit en snoep – en daar was ze heel blij mee. Op haar beurt wilde ze per se een medicinaal drankje voor me kopen van een of ander geweekt goedje op een traditionele medicijnmarkt. Ze verzekerde me dat die drank me erg viriel zou maken. Pas nadat ik het had gedronken, ontdekte ik dat het boksdoorn, leguaan en ginseng bevatte. Verschillende minuten nadat ik dit afgrijselijke bocht had gedronken was ik ervan overtuigd dat ik was vergiftigd. Zozeer dat ik zeker wist dat ik hallucineerde toen ik, aan de rand van Chinatown, op de hoek van Maurique en Simon Bolivar, een winkel zag die ik nog nooit eerder had gezien. Zelfs niet in Buenos Aires, waar een dergelijke winkel misschien eerder te verwachten was geweest. Het was een winkel die nazisouvenirs verkocht.

Het duurde niet lang voordat ik besefte dat Yara de winkel ook had gezien. Ik liet haar op straat achter en ging naar binnen, niet alleen omdat ik nieuwsgierig was naar wie dergelijke spullen verkocht maar ook naar wie de klanten waren.

In de winkel stonden vitrines met Luger-pistolen, Walther P-38's,

IJzeren Kruisen, armbanden van de nazipartij, identiteitsplaatjes van de Gestapo en ss-dolken. Verschillende exemplaren van *Der Stürmer* lagen verpakt in cellofaan, als overhemden die net waren afgeleverd door de wasserette. Een etalagepop droeg het ceremoniële uniform van een ss-kapitein, wat op de een of andere manier toepasselijk leek. Achter een toonbank tussen twee nazivlaggen in, stond een vrij jonge man met een zwarte baard die er allesbehalve Duits uitzag. Hij was lang, mager en had ingevallen gelaatstrekken, als iemand op een schilderij van El Greco.

'Zoekt u iets speciaals?' vroeg hij me.

'Een IJzeren Kruis misschien,' antwoordde ik. Ik vroeg of ik een IJzeren Kruis kon zien, niet omdat dat me interesseerde, maar omdat ik in hem was geïnteresseerd.

Hij opende een van de vitrines en legde het metaal op de toonbank alsof het een diamanten broche was, of een kostbaar horloge.

Ik keek er een tijdje naar en draaide het een paar keer om tussen mijn vingers.

'Wat denkt u ervan?' vroeg hij.

'Het is namaak,' zei ik. 'En niet eens goede namaak. En nog iets: de schouderriem van die ss-kapitein zit over de verkeerde schouder. Namaak is één ding. Maar een dergelijke elementaire fout is iets heel anders.'

'Hebt u er verstand van?'

'Ik dacht dat dit soort spul illegaal was in Cuba,' antwoordde ik, zijn opmerking min of meer negerend.

'Alleen de promotie van de nazi-ideologie is bij wet verboden,' zei hij. 'De verkoop van historische voorwerpen is toegestaan.'

'Wie koopt dat spul?'

'Vooral Amerikanen. Zeelui met name. En ook toeristen die als militair in Europa hebben gediend en die een souvenir willen dat ze daar in die tijd nooit hebben kunnen krijgen. Ze willen vooral ss-spullen. Volgens mij bestaat er een soort gruwelijke fascinatie voor de ss, om duidelijke redenen. Ik zou zo veel ss-spul kunnen verkopen als ik wou. ss-dolken zijn bijvoorbeeld heel populair als briefopener. Natuurlijk wil het verzamelen van dit soort souvenirs niet zeggen dat je sympathiseert met de nazi's of dat je wilt vergoelijken wat er is gebeurd. Het is gebeurd en het is een deel van de geschiedenis en ik zie niet in wat er verkeerd aan is om daar in geïnteresseerd te zijn, in die zin dat je iets wilt bezitten dat echt deel heeft uitgemaakt van die geschiedenis. Hoe zou ik dat verkeerd kunnen vinden? Ik bedoel, ik ben Pools. Ik heet Szymon Woytak.'

Hij stak me zijn hand toe die ik slap en zonder veel enthousiasme voor hem of zijn handel, schudde. Door het raam van de etalage zag ik een troep Chinese dansers. Ze hadden hun leeuwenkop afgezet voor een rookpauze, alsof ze niet beseften welke duivelse geesten er in de winkel huisden, anders waren ze misschien binnengekomen. Woytak pakte het IJzeren Kruis op dat ik had bekeken. 'Hoe weet je dat het namaak is?' vroeg hij terwijl hij het ding nauwkeurig bekeek.

'Dat is eenvoudig. Het namaakspul is uit één stuk metaal gemaakt. De originelen bestonden uit ten minste drie stukken, die aan elkaar gesoldeerd waren. Je kunt ook een magneet pakken en kijken of het kruis echt van ijzer is. Namaak is meestal gemaakt van een goedkoop metaalmengsel.'

'Hoe weet u dat?'

'Hoe ik dat weet?' Ik grijnsde naar hem. 'Ik heb zelf een van die ijzeren pruldingen gehad, tijdens de Eerste Wereldoorlog,' zei ik. 'Maar weet je, alles hier is namaak. Alles wat hier in de winkel ligt.' Ik maakte een allesomvattend handgebaar. 'En de overtuiging die ervoor heeft gezorgd dat al deze belachelijke dingen zijn gemaakt? Dat was ook niet meer dan een goedkoop mengsel om mensen voor de gek te houden. Stomme namaak waar niemand in had moeten trappen, maar helaas: mensen wilden erin geloven. Iedereen wist dat het een leugen was. Natuurlijk. Maar ze wilden wanhopig geloven dat dat niet zo was. En ze vergaten dat het feit dat Adolf Hitler graag kleine kinderen kuste, niet betekende dat hij géén grote boze wolf was. Dat was hij, en nog veel, veel meer. Dat is pas echt geschiedenis, señor Woytak. Echte Duitse geschiedenis, niet dit hier – deze belachelijke souvenirwinkel.'

Ik nam Yara mee naar huis en bracht de rest van de dag een tikje gedeprimeerd in mijn werkplaats door. Niet vanwege de dingen die ik in de winkel van Szymon Woytak had gezien. Dat hoorde nou eenmaal bij Havana. Je kon alles kopen in Havana, als je maar genoeg geld had. Alles, wat dan ook. Het was iets anders dat me deprimeerde. Iets wat dichter bij huis was. Of in ieder geval het huis van Ernest Hemingway.

Noreens dochter, Dinah.

Ik wilde haar aardig vinden, maar ik merkte dat ik dat niet kon. In de verste verte niet. Dinah maakte een halsstarrige, verwende indruk op me. Dat halsstarrige was niet erg. Daar groeide ze waarschijnlijk wel overheen. Dat gebeurde bij de meeste mensen. Maar ze had een paar flinke tikken nodig om af te leren zich als een verwend kreng te gedragen. Het was jammer dat Nick en Noreen Charalambides waren gescheiden toen Dinah nog een kind was. Waarschijnlijk had ze in haar jeugd de discipline van een vader gemist. Misschien was dat de echte reden dat Dinah wilde trouwen met een man die meer dan twee keer zo oud was als zijzelf. Veel meisjes trouwden met een plaatsvervangende vader. Of misschien probeerde ze wraak te nemen op haar moeder omdat ze bij haar vader was weggegaan. Dat kwam ook bij veel meisjes voor. Misschien speelden beide zaken een rol. Of misschien wist ik niet waarover ik het had, aangezien ik zelf nooit een kind had opgevoed.

Het kwam goed uit dat ik in de werkplaats zat. 'Misschien' is niet een woord dat je daar gebruikt. Als je aan een draaibank werkt om een stuk metaal af te snijden is 'precies' een beter woord. Voor metaalbewerking had ik het geduld. Dat was gemakkelijk. De ouderrol leek mij heel wat moeilijker.

Later nam ik een bad en trok ik een mooi pak aan. Voor ik het huis uit ging, boog ik enkele malen mijn hoofd voor het Santeria-altaar dat Yara in haar kamer had gebouwd. Het was eigenlijk niet meer dan een poppenhuis dat was bedekt met witte kant en kaarsen. Maar op elke vloer van het poppenhuis lagen kleine dieren, kruisen, noten, schelpen, en figuurtjes met een zwart gezicht en een witte jurk. Er hingen ook verschillende schilderijen van de Maagd Maria en een afbeelding van een vrouw met een mes door haar tong. Yara zei dat dat was om het geroddel over haar en mij te doen ophouden, maar ik had geen idee wat al dat andere spul betekende. Met de mogelijke uitzondering van de Maagd Maria. Ik weet niet waarom ik mijn hoofd voor haar altaar boog. Ik zou kunnen zeggen dat ik ergens in wilde geloven, maar diep in mijn hart wist ik dat Yara's souvenirwinkeltje ook een domme leugen was. Net als het nazisme.

Op weg naar de deur pakte ik Ben Siegels backgammonspel. Toen pakte Yara me bij de schouders en ze keek in mijn ogen alsof ze wilde zien of haar altaar enige invloed op mijn ziel had gehad. Ervan uitgaande dat ik zoiets als een ziel had. Kennelijk zag ze iets, want ze deed een stap achteruit en sloeg verschillende malen een kruis.

'Je ziet eruit als Lord Eleggua,' zei ze. 'Hij is eigenaar van de kruisingen. En degene die het huis beschermt tegen alle gevaren. Hij is altijd rechtvaardig, in alles wat hij doet. En hij is ook degene die weet wat niemand anders weet en die altijd handelt volgens zijn volmaakte oordeel.' Ze maakte haar halsketting los en propte die in het borstzakje van mijn colbertje. 'Om je geluk te brengen bij het spel,' zei ze.

'Dank je,' zei ik. 'Maar het is maar een spel.'

'Deze keer niet,' zei ze. 'Niet voor jou. Niet voor jou, meester.'

10

Ik parkeerde mijn auto op Zulueta, met uitzicht op het plaatselijke politiebureau en liep terug naar hotel Saratoga, waar veel taxi's en auto's stonden, waaronder een paar zwarte Cadillac Seventy-Fives, die geliefd waren bij hogere regeringsfunctionarissen.

Ik liep het hotel door en kwam in de kloosterachtige binnenhof, waar een aantal lichten het water in de fontein kleurden in verschillende pasteltinten, waardoor het marmeren paard ietwat verbijsterd leek – alsof hij niet van het gekleurde water durfde te drinken uit angst voor vergiftiging. Het was, dacht ik, een volmaakte metafoor voor de ervaring in een casino in Havana te zijn.

Een portier die was gekleed als een rijke Franse impressionist opende de deur voor me en ik betrad het casino. Het was nog vroeg maar het was er al druk, als een busstation tijdens het spitsuur, maar dan met kroonluchters, en het getik van de chips en de dobbelstenen, het druppende-kraan-in-stalen-gootsteen-geluid van metalen balletjes die rondtollen in de houten draaischijven, de juichkreten van winnaars, het gejammer van verliezers, het klinken van glazen en altijd de heldere, koele, stellige stemmen van de croupiers die in het gewoel bijhielden wat er werd gewed en die de kaarten en de punten opsomden.

Ik keek om me heen en zag dat er al enige lokale beroemdheden waren: de muzikant Desi Arnaz, de zangeres Celia Cruz, de filmacteur George Raft en kolonel Esteban Ventura – een van de meest gevreesde politiemensen van Havana. Gokkers in witte smokings zwalkten rond, schudden hun plaques en spraken versluierend over waar hun geluk die avond zou kunnen liggen: aan de roulette of op de crapstafel. Betoverende vrouwen met hoge kapsels en diepe decolletés patrouilleerden langs de randen van de zaal als jachtluipaarden die probeerden uit te zoeken wie de zwakste man was die ze als prooi konden verschalken. Een vrouw schreed op mij toe, maar ik wimpelde haar af met een hoofdbeweging.

Ik ontwaarde iemand die de casinomanager zou kunnen zijn. Volgens mij was het de man met de armen over elkaar en de ogen van een tennis-umpire; bovendien rookte hij niet en hield hij geen fiches in zijn hand. Zoals de meeste Habaneros had hij een dun snorretje en meer vet op zijn hoofd dan er in een Cubaanse hamburger zit. Hij ving mijn blik en zag me knikken, deed zijn armen van elkaar en liep naar me toe.

'Kan ik u van dienst zijn, señor?'

'Ik ben Carlos Hausner,' zei ik. 'Ik heb boven een ontmoeting met señor Reles, vanavond net iets voor elven. Maar daarvoor heb ik een afspraak met señor Garcia om backgammon te spelen.'

Een deel van het vet in het haar van de manager moet op zijn vinger-toppen hebben gezeten, want hij begon zijn handen te wringen als Pontius Pilatus. 'Señor Garcia is al hier,' zei hij, terwijl hij me voorging. 'Señor Reles heeft me gevraagd een rustig plekje te zoeken in onze lounge voor u beiden, gelegen tussen de privésalon en de hoofdspeelzaal. Ik zal mijn uiterste best doen om ervoor te zorgen dat u niet wordt gestoord.'

We liepen naar een plek naast een palmboom. Garcia zat met zijn ge-zicht naar de zaal op een chique Franse eetstoel. Er stond een vergulde ta-fel voor hem met een marmeren blad waar al een backgammonspel was klaargezet. Achter hem, op de kanariegele wand stond een in Fragonard-stijl geschilderde muurschildering van een naakte oosterse slavin die haar hand in de schoot legde van een tamelijk verveeld uitziende man die een rode tulband droeg. Je zou verwachten dat hij iets geïnteresseer-der keek, in beschouwing genomen waar haar hand lag. Dat Garcia eigenaar was van het Shanghai maakte dit een volkomen logische plek voor ons spel.

Het Shangai op Zanja was Havana's obsceenste, en bijgevolg beruchtste en populairste striptease-tent. Ondanks de zevenhonderdvijftig zitplaat-sen stond er altijd een lange rij opgewonden mannen, grotendeels jonge Amerikaanse zeemannen, buiten te wachten om eenkommavijfentwintig dollar te betalen om binnen te komen en een show te zien die alles wat ik in het Berlijn gedurende de Weimarrepubliek had gezien in de schaduw stel-de. In vergelijking hiermee was dat tam en, in verhouding, ook tamelijk smaakvol. De show in het Shanghai had in het geheel niets smaakvols. Dit was grotendeels te danken aan de aanwezigheid van een lange mulat die Superman heette, wiens erectie zo groot was als een veeprikstok. En zo te zien was het effect ervan ook vergelijkbaar. De climax van de show was het moment waarop de mulat zich vergreep aan een aantal onschuldig uit-ziende blondines, dit alles onder luidruchtige toejuichingen van de Amerikanen. Het was geen plek om een vrijzinnige sater mee naartoe te nemen, laat staan een negentien jaar oud meisje.

Garcia stond beleefd op, maar ik had op het eerste gezicht al een hekel aan hem, op dezelfde manier als ik een hekel gehad zou hebben aan een pooier of een gorilla in een smoking, want zo zag hij eruit. Hij bewoog zich even efficiënt als een robot, met zijn dikke armen stijf langs zijn zij totdat hij een van die armen, nog steeds stijf, mijn kant uitstak. Zijn hand had de omvang en kleur van de handschoen van een valkenier. Zijn kale hoofd, met de reusachtige oren en dikke lippen, zou gestolen kunnen zijn uit een of andere Egyptische archeologische vindplaats – zo niet de vallei der Koningen dan misschien toch de geul van de slijmerige satrapen. Ik voelde de kracht in zijn hand voor hij hem terugtrok en hem in de zak van zijn smoking liet glijden. De hand kwam weer tevoorschijn met een pakje bankbiljetten die hij op tafel naast het bord smeet.

'Spelen om contant geld lijkt me het beste, vindt u niet?' zei hij.

'Mij best,' zei ik en ik legde de envelop met geld die Reles me had gegeven naast die van Garcia. 'Maar we kunnen ook aan het eind van de avond afrekenen. Of wilt u dat doen na elk spel?'

'Aan het eind van de avond is prima,' zei hij.

'In dat geval,' zei ik terwijl ik de envelop in mijn zak stak, 'hoeft dit niet op tafel te liggen, nu we beiden weten dat de ander een aanzienlijke hoeveelheid contanten bij zich heeft.'

Hij knikte en pakte zijn geld. 'Ik moet rond elf uur even weg,' zei hij. 'Ik moet helpen bij het toezicht bij de ingang van het Shanghai voor de voorstelling van half twaalf.'

'En de voorstelling van half tien dan?' vroeg ik. 'Of loopt dat vanzelf goed?'

'U kent mijn theater?'

Hij zei het alsof het ging om het Abbey Theatre in Dublin. Zijn stem was zoals ik had verwacht: te veel sigaren en niet genoeg lichamelijke oefening. De stem van een in het slijk rollend nijlpaard; modderig en een en al gele tanden en gassigheid. En waarschijnlijk nog gevaarlijk ook.

'Ik ken het, ja,' zei ik.

'Maar ik kan altijd later terugkomen,' zei hij. 'Om u de kans te geven uw geld terug te winnen.'

'En ik kan u altijd hetzelfde plezier doen.'

'In antwoord op uw eerdere vraag.' De dikke lippen rekten uit elkaar als goedkoop, roze elastiek. 'De voorstelling van half twaalf is altijd wat moeilijker beheersbaar. Rond die tijd hebben de mensen meer gedronken. En soms veroorzaken ze moeilijkheden als ze merken dat ze er niet meer in kunnen. Het politiebureau op Zanja ligt handig dichtbij, maar het komt voor dat ze pas opduiken na enige geldelijke aansporing.'

'Geld regeert alles.'

'In deze stad wel.'

Ik keek naar het backgammonbord, al was het maar om niet naar zijn lelijke gezicht te hoeven kijken en de stank van zijn adem niet te hoeven opsnuiven, die ik van een meter afstand kon ruiken. Tot mijn verbazing staarde ik naar een backgammonspel van een ontwerp dat opmerkelijk was in al zijn obsceniteit. De witte en zwarte driehoeken op het bord, die bij een gewoon spel speervormig waren, hadden alle de vorm van een erecte fallus. Tussen elke fallus, of misschien eroverheen gedrapeerd als schildersmodel, lag het naakte figuur van een meisje. De schijven waren beschilderd in de vorm van het achterwerk van zwarte en witte vrouwen en de twee bekers waarmee elke speler zijn dobbelstenen moest werpen hadden de vorm van een vrouwenborst. Tegen elkaar aan geschoven vormden ze een boezem die menig serveerster van het Oktoberfest jaloers zou maken. Alleen de vier dobbelstenen en de verdubbeldobbelsteen zagen er redelijk normaal uit.

'Vindt u mijn spel mooi?' vroeg hij, borrelend als een stinkend modderbad.

'Ik vind mijn eigen spel mooier,' zei ik. 'Maar mijn spel zit achter slot en grendel en ik weet de combinatie niet meer. Dus als het u amuseert om met dit spel te spelen, vind ik dat best. Ik ben heel ruimdenkend.'

'Dat moet wel als je in Havana woont, nietwaar?' Spelen we met verdubbeling of alleen met de dobbelstenen?'

'Ik ben een beetje lui. Al dat rekenwerk. Laten we het houden bij de dobbelstenen. Zullen we zeggen tien peso's per spel?'

Ik stak een sigaar op en maakte het me gemakkelijk in mijn stoel. Toen het spel zich ontwikkelde, vergat ik het pornografisch ontwerp en de adem van mijn tegenstander. We stonden min of meer gelijk toen Garcia twee keer achter elkaar dubbel gooide. Hij draaide de vier naar de acht en duwde de verdubbeldobbelsteen mijn kant op. Ik aarzelde. Zijn twee dubbele worpen achter elkaar maakten me huiverig de nieuwe inzet te accepteren. Ik was nooit het soort percentagespeler geweest die aan de positie van alle stenen op het bord kon aflezen wat het verschil in punten was tussen hemzelf en de andere speler. Ik speelde liever al naar gelang het verloop van het spel en door het onthouden van de worpen. Ik besloot dat ik spoedig een dubbele worp zou gooien, aangezien hij er al drie had gehad, pakte ik de verdubbeldobbelsteen op. Onmiddellijk daarna gooide ik dubbelvijf, wat op dat moment precies was wat ik nodig had, zodat we beiden stenen konden gaan uithalen.

We speelden ieder om de laatste stenen in ons thuisvak te krijgen – hij had er twaalf in en ik tien – toen hij me de verdubbeldobbelsteen weer aanbood. Ik had de kansen aan mijn zijde, zo lang hij niet een vierde keer dubbel gooide en aangezien dat onwaarschijnlijk leek, accepteerde ik hem. Met een andere beslissing zou ik zoals de Cubanen dat noemen gebrek aan *cojones* getoond hebben en dat zou beslist een desastreus effect hebben op het spel van de rest van de avond. De inzet bedroeg nu honderdzestig peso's.

Hij gooide dubbelvier, zodat hij nu gelijk kwam met mij. Hij zou waarschijnlijk winnen tenzij ik zelf een dubbel gooide. Zijn ogen flikkerden nauwelijks terwijl ik een één en een twee gooide toen ik dat het minst kon gebruiken, zodat ik er slechts in slaagde één steen binnen te brengen. Hij gooide een zes en een vijf en bracht twee stenen binnen. Ik gooide een vijf en een drie, wat twee stenen opleverde. Toen gooide hij weer een dubbel en bracht vier stenen binnen. Hij moest er nu nog twee en ik vijf. Zelfs een dubbelworp kon me nu niet meer redden.

Garcia glimlachte niet. Hij pakte alleen zijn beker en wierp de dobbelstenen met even weinig gevoel als bij de eerste worp van het spel. Betekenisloos. Alles stond nog op het spel. Afgezien van het feit dat het eerste spel nu voorbij was en dat ik had verloren.

Hij pakte zijn laatste twee schijven op en liet zijn grote klauw weer in de zak van zijn smoking glijden. Deze keer viste hij er een klein zwartleren notitieboekje uit en een zilveren vulpotlood, waarmee hij het getal honderdzestig op de eerste pagina schreef.

Het was half negen. Het spel had twintig minuten geduurd. Twintig dure minuten. Garcia was dan wellicht een pornograaf en een varken, maar met zijn geluk of kundigheid in het spel was niets mis. Ik besefte dat dit moeilijker zou gaan worden dan ik had verwacht.

11

Met het spelen van backgammon was ik in Uruguay begonnen. In het café van hotel Alhambra in Montevideo had ik het spel geleerd van een voormalig kampioen. Maar Uruguay was duur – veel duurder dan Cuba – wat de hoofdreden was dat ik naar dit eiland was gereisd. Meestal speelde ik met een stel tweedehandsboekenverkopers in een café op het Plaza de Armas in Havana, en slechts voor een paar centavo's. Ik speelde graag backgammon. Ik hield van de puurheid ervan – de rangschikking van de schijven op punten en het opruimen van alle stenen dat noodzakelijk was om het spel te beëindigen. De properheid en ordelijkheid van het spel vond ik altijd erg Duits aandoen. Ik hield ook van de mengeling van vaardigheid en geluk; meer geluk dan nodig was voor bridge en meer vaardigheid dan je nodig had voor een spelletje blackjack. Boven alles hield ik van het idee risico's te nemen tegen de hemelse bank, het vechten tegen het lot zelf. Ik hield van het gevoel van kosmische rechtvaardigheid dat opgeroepen kon worden met elke worp van de dobbelstenen. In zekere zin was mijn hele leven zo verlopen. Tegen de draad in.

Het was niet Garcia tegen wie ik speelde – hij was slechts het lelijke gezicht van het toeval – het was het leven zelf.

Dus ik stak mijn sigaar opnieuw aan, rolde hem rond in mijn mond en wenkte een ober. 'Een karafje schnaps met perziksmaak, gekoeld maar zonder ijs,' zei ik tegen de man. Ik vroeg niet of Garcia iets wilde drinken. Dat kon me niet veel schelen. Ik wilde hem alleen maar slaan.

'Is dat geen vrouwendrankje?' vroeg hij.

'Dat lijkt me niet,' zei ik. 'Het bevat veertig procent alcohol. Maar u mag geloven wat u wilt.' Ik pakte mijn dobbelbeker op.

'En u, señor?' De ober stond er nog.

'Een daiquiri met limoen.'

We speelden door. Garcia verloor het volgende spel op punten, en ook het spel daarna toen hij mijn aanbod tot verdubbelen weigerde. En geleidelijk aan werd hij iets roekelozer. Hij sloeg stenen die hij met rust had moeten laten en accepteerde verdubbelingen die hij had moeten weigeren. Rond kwart over tien stond ik meer dan duizend peso's voor. Ik had een buitengewoon tevreden gevoel.

Er was nog steeds geen spoor van emotie op het gezicht van mijn tegenstander te lezen – een gezicht dat de juistheid van de theorie van Darwin onderstreepte – maar ik wist dat hij van slag was door de manier waarop hij zijn dobbelstenen wierp. Bij backgammon is het gebruikelijk om je dobbelstenen in je eigen thuisvak te gooien, en beide dobbelstenen moeten daar uitrollen en tot stilstand komen. Maar tijdens het laatste spel wierp Garcia iets te opgewonden en zijn dobbelstenen hadden de bar overschreden of kwamen niet vlak te liggen. In dergelijke gevallen moest hij volgens de regels opnieuw werpen, en in een geval kostte hem dat een nuttige dubbelworp.

Er was nog een reden waarom ik wist dat hij van slag was. Hij stelde voor dat we onze inzet van tien peso zouden verhogen. Als iemand dat doet, kun je er zeker van zijn dat hij vindt dat hij al te veel heeft verloren en dat hij het zo snel mogelijk terug wil verdienen. Maar dit betekent het negeren van het belangrijkste principe van backgammon, en die is dat het de dobbelstenen zijn die dicteren hoe je het spel speelt, niet de verdubbeldobbelsteen of het geld.

Ik leunde achterover en nipte van mijn schnaps. 'Aan hoeveel dacht je?'

'Laten we zeggen honderd peso's per spel.'

'Goed. Maar op een voorwaarde. Dat we ook de Beaver-regel toepassen.'

Hij grijnsde, bijna alsof hij dat zelf ook al van plan was geweest.

'Afgesproken.' Hij pakte de werpbeker en hoewel het niet zijn beurt was om als eerste te werpen, gooide hij een zes.

Ik gooide een één. Garcia mocht dus beginnen en hij maakte gelijktijdig een zeven. Hij leunde dicht tegen de tafel, gretig om zijn geld terug te winnen. Een dun laagje zweet verscheen op zijn olifantachtige hoofd en toen ik dat zag verdubbelde ik onmiddellijk. Garcia nam de dubbel en probeerde op zijn beurt te verdubbelen totdat ik hem eraan herinnerde dat ik mijn beurt nog niet had gespeeld. Ik wierp twee vieren zodat mijn beide stenen in zijn thuisveld voorbij zijn punt naast de balk kwamen, zodat dat voorlopig geen rol meer speelde.

Garcia kromp hier een beetje van in elkaar, maar verdubbelde toch. Daarna wierp hij een twee en een één, wat hem teleurstelde. Ik was nu eigenaar van de verdubbeldobbelsteen en voelde dat ik het psychologisch voordeel had en zei 'Beaver' waarmee ik verdubbelde zonder dat zijn toestemming was vereist. Toen pauzeerde ik en bood hem een dubbel aan boven op mijn Beaver. Hij beet op zijn lip en omdat hij al aankeek tegen een mogelijk verlies van achthonderd peso's – naast alles wat hij al verloren had – had hij mijn dubbel moeten weigeren. In plaats daarvan accepteerde hij. Nu wierp ik een dubbelzes zodat ik mijn barpunt en het tienpunt kon maken. Het spel was al mijn kant opgegaan, met een inzet van zestienhonderd peso's.

Zijn worpen werden steeds geagiteerder. Eerst gooide hij zijn stenen niet goed. Daarna gooide hij een dubbelvier, wat hem uit de put had kunnen helpen, ware het niet dat een van de vieren in zijn buitenveld lag en dus niet telde. Kwaad pakte hij beide dobbelstenen op, liet ze in de beker vallen en wierp opnieuw, met aanzienlijk minder succes: een twee en een drie. Hierna gingen de zaken snel voor hem achteruit en het duurde niet lang voor mijn thuisveld voor hem was geblokkeerd, terwijl er nog twee stenen van hem op de bar stonden.

Ik begon mijn stenen uit te halen, terwijl hij nog steeds geblokkeerd stond. Nu bestond het gevaar dat hij zijn stenen niet in zijn eigen thuisveld kon laten opkomen voordat ik was uitgespeeld. Dit heette een 'gammon' en dat zou hem tweemaal de inzet kosten.

Garcia wierp nu als een krankzinnige en van zijn eerdere koelbloedigheid was niets meer over. Bij elke worp van de dobbelstenen bleef hij geblokkeerd. Het spel was verloren, hij kon alleen nog proberen de gammon te vermijden. Uiteindelijk kwam hij weer op het bord en zette een race naar zijn thuisveld in terwijl ik nog slechts zes stenen hoefde uit te halen. Maar zijn voortgang bleef gehinderd door lage worpen. Een paar tellen later had ik het spel en de gammon gewonnen.

'Dat is gammon,' zei ik kalm. 'Dat verdubbelt de inzet die de verdubbeldobbelsteen aangeeft. Dat wordt dus tweeëndertighonderd peso's. Plus de elfhonderd die u me al schuldig was, dus dat wordt...'

'Ik kan zelf ook optellen,' zei hij bits. 'Ik weet heus wel wat rekenen is.'

Ik weerstond de neiging hem erop te wijzen dat zijn manier van backgammonspelen niet deugde, en dat het niet ging om zijn rekenkunde.

Garcia keek op zijn horloge. Ik ook. Het was twintig voor elf.

'Ik moet gaan,' zei hij terwijl hij het bord abrupt dichtsloeg.

'Komt u nog terug?' vroeg ik. 'Als u bij de club bent geweest?'

'Dat weet ik niet.'

'Nou, ik blijf nog een tijdje. Om u de kans te geven het terug te winnen.'

Maar we wisten allebei dat hij niet terug zou keren. Hij telde drieënveertighonderd peso's uit van een stapeltje met biljetten van vijftig en overhandigde ze aan mij.

Ik knikte en zei: 'Plus tien procent voor het huis, dat is tweehonderd ieder.' Ik wiebelde met mijn vingers in de richting van het geld dat hij nog had. 'De drankjes betaal ik zelf.'

Nors pelde hij nog een paar bankbiljetten af. Toen maakte hij de sloten van het lelijke backgammonspel dicht, stopte het onder zijn arm en liep snel weg. Hij baande zich, met zijn schouder vooruit, een weg door de andere gokkers en deed me denken aan een personage in een griezelfilm.

Ik stak mijn winst in mijn zak en ging weer op zoek naar de casinomanager. Hij maakte de indruk dat hij nauwelijks had bewogen sinds onze laatste ontmoeting.

'Is het spel voorbij?' vroeg hij.

'Voorlopig wel. Señor Garcia moet zijn club bezoeken. En ik heb boven een afspraak met señor Reles. Daarna spelen we misschien verder. Ik heb gezegd dat ik hier zou wachten om hem de kans te geven zijn geld terug te winnen. Dus we zullen zien.'

'Ik zal de tafel vrijhouden,' zei de manager.

'Dank u. En misschien wilt u zo vriendelijk zijn señor Reles te laten weten dat ik eraan kom.'

'Ja, vanzelfsprekend.'

Ik gaf hem vierhonderd peso's. 'Tien procent van de tafelinzet. Dat is dacht ik gebruikelijk.'

De manager schudde zijn hoofd. 'Dat is niet nodig. Bedankt dat u hem hebt verslagen. Ik heb heel lang gehoopt dat iemand dat zwijn zou vernederen. En zo te zien hebt u hem grondig verslagen.'

Ik knikte.

'Misschien kunt u na uw bespreking met señor Reles naar mijn kantoor komen. Ik zou u graag op een drankje trakteren om uw overwinning te vieren.'

12

Met nog steeds het koffertje van Ben Siegel onder mijn arm nam ik de lift naar de achtste verdieping en het zwembadterras van het hotel, waar ik Waxey trof en een andere lift die al voor me klaarstond. De lijfwacht van Max was deze keer iets vriendelijker, maar dat merkte je alleen als je kon liplezen. Voor zo'n grote kerel had hij een opmerkelijk zachte stem, en pas later kwam ik erachter dat zijn stembanden waren beschadigd als gevolg van een kogelwond in zijn keel. 'Sorry,' fluisterde hij. 'Maar ik moet u fouilleren voordat u naar boven gaat.'

Ik zette het koffertje neer, hief mijn armen zijwaarts en keek langs hem heen terwijl hij zijn werk deed. In de verte was de Barrio Chino verlicht als een kerstboom.

'Wat zit er in dat koffertje?' vroeg hij.

'Het backgammonspel van Ben Siegel. Dat heb ik cadeau gekregen van Max. Alleen heeft hij me niet de juiste combinatie van de sloten gegeven. Hij zei dat het zes-zes-zes was. Een heel toepasselijke code. Maar hij klopt niet.'

Waxey knikte en deed een stapje terug. Hij droeg een ruimzittende zwarte broek en een grijs guayabera-overhemd in dezelfde kleur als zijn haar. Zonder jasje kon ik zijn blote armen zien, en kon ik beter inschatten hoe sterk hij moest zijn. Zijn onderarmen hadden de vorm van bowlingkegels. Zijn loshangende overhemd moest waarschijnlijk het geholsterde wapen achter zijn heup bedekken, maar de zoom was achter de glanzend houten handgreep blijven haken van een .38 Colt Detective Special – vermoedelijk de mooiste revolver met korte loop die ooit is gemaakt.

Hij stak zijn hand in zijn broekzak en haalde een sleuteltje aan een zilveren ketting tevoorschijn, stak dat in het liftpaneel en draaide het om. Hij hoefde niet op een andere knop te drukken. De liftcabine ging onmiddellijk omhoog. De deuren gingen nogmaals open. 'Ze zijn op het terras,' zei Waxey.

Het eerste wat me opviel was de geur. De krachtige geur van een kleine bosbrand: verscheidene grote havannasigaren. Toen hoorde ik hen pas: luide Amerikaanse stemmen, bulderend gelach van mannen, niet-aflatend gevloek, af en toe een enkel Jiddisch en Italiaans woord of zinnetje, meer bulderend gelach. Ik liep langs de restanten van een kaartspel in de salon; een grote tafel die was bedekt met fiches en lege glazen. Nu het kaartspel voorbij was, stond iedereen op het terras naast het zwembad: mannen in strak gesneden pakken met botte koppen, maar inmiddels misschien al iets minder stoer. Sommigen van hen droegen brillen en sportjasjes met keurige pochets in hun borstzak. Ze zagen er allemaal precies zo uit als wat ze pretendeerden te zijn: zakenmensen, hoteliers, clubeigenaars, restauranthouders. En wellicht had alleen een politieman of FBI-agent de ware aard van deze mannen herkend – allen hadden hun reputatie verdiend in de straten van Chicago, Boston, Miami en New York tijdens de jaren van de drooglegging. Op het moment dat ik dat terras op liep wist ik dat ik me tussen de grote jongens van de onderwereld in Havana begaf – de beruchte maffiabazen met wie senator Estes Kefauver zo graag wilde spreken. Ik had sommige getuigenverhoren van de senaatscommissie op het nieuws gezien. Door die hoorzittingen waren de namen van veel van de maffiabazen heel gewoon voor me geworden, en dat gold ook voor de kleine man met de grote neus en het keurige, donkere haar. Hij droeg een bruin sportjasje en een overhemd met open hals. Het was Meyer Lansky.

'O, daar is hij,' zei Reles. Zijn stem klonk iets luider dan gewoonlijk, maar verder gedroeg hij zich uitermate correct en beleefd. Hij droeg een broek van grijs flanel, nette bruine Oxford-schoenen, een blauw button-down overhemd, een stropdas van blauwe zijde en een marineblauwe blazer van kasjmier. Hij zag eruit als de secretaris van de zeiljachtclub van Havana.

'Heren,' zei hij. 'Dit is die vent over wie ik het had. Bernie Gunther. Hij wordt mijn nieuwe algemeen manager.'

Zoals altijd kromp ik ineen bij het horen van mijn echte naam. Ik zette het koffertje neer en schudde Max de hand.

'Rustig maar,' zei hij. 'Er is hier niemand die niet minstens evenveel op zijn kerfstok heeft als jij, Bernie. Misschien nog wel meer. Bijna al die kerels hier hebben ooit de binnenkant van een gevangeniscel gezien. En daar hoor ik zelf ook bij.' Hij grinnikte op de voor hem typerende wijze. 'Dat wist je niet, hè?'

Ik schudde mijn hoofd.

'Zoals ik al zei, we hebben hier allemaal een besmet verleden. Bernie, dit is Meyer Lansky, zijn broer Jake, Moe Dalitz, Norman Rothman, Morris Kleinman, en Eddie Levinson. Je wist vast niet dat er zoveel Joden op dit eiland zaten. Wij zijn natuurlijk het brein van de organisatie. Voor het eenvoudiger werk hebben we vechtjassen en kleerkasten. Dit zijn Santo Trafficante, Vincent Alo, Tom McGinty, Sam Tucker, de gebroeders Cellini en Wilbur Clark.'

'Hallo,' zei ik.

De onderwereld van Havana staarde me tamelijk onverschillig aan.

'Dat moet er tijdens het kaarten flink aan toe zijn gegaan,' merkte ik op.

'Waxey, haal iets te drinken voor Bernie. Wat neem je, Bernie?'

'Een biertje is prima.'

'Sommigen hier spelen gin, anderen poker,' zei Max. 'Sommigen hier weten het verschil niet tussen een potje kaarten en de sorteerafdeling in een postkantoor, maar het belangrijkste is dat we elkaar ontmoeten en elkaar spreken, in de geest van gezonde onderlinge concurrentie. Zoals Jezus met zijn stomme discipelen. Heb je ooit de *Wealth of Nations* van Adam Smith gelezen, Bernie?'

'Niet dat ik weet.'

'Smith heeft het over iets wat hij de "onzichtbare hand" noemt. Hij zei dat een individu dat handelt uit eigenbelang in een vrije markt ook het welzijn van de gemeenschap als geheel bevordert. Dat principe noemde hij de onzichtbare hand.' Hij haalde zijn schouders op. 'Wij doen eigenlijk hetzelfde. Een onzichtbare hand. En we doen het al jaren.'

'Dat is zo,' gromde Lansky.

Reles grinnikte. 'Meyer denkt dat hij hier de intellectueel is, omdat hij veel leest.' Hij stak een vermanende vinger op naar Lansky. 'Maar ik lees ook, Meyer. Ik lees ook.'

'Lezen. Dat is typisch Joods,' zei Alo. Hij was een lange man met een lange, scherpe neus waardoor je zou kunnen denken dat hij zelf een Jood was, maar hij hoorde bij de Italianen.

'En dan vragen ze zich nog af waarom de Joden het zo goed doen,' zei een man met een ontspannen grijns en een neus als een boksbal. Dat was Moe Dalitz.

'Ik heb in mijn leven twee boeken gelezen,' zei een van de kleerkasten. 'Een boek van Hoyle over gokken en een handleiding voor Cadillacs.'

Waxey kwam aanzetten met mijn bier. Het was koud en donker, net als zijn ogen.

'F.B. denkt erover om zijn oude scholingsprogramma op het platteland nieuw leven in te blazen,' zei Lansky. 'Zo te horen zou dat wel iets zijn voor sommigen hier. Een beetje scholing kan geen kwaad voor jullie.'

'Is dat hetzelfde programma als in '36?' zei zijn broer Jake.

Meyer Lansky knikte. 'Alleen maakt hij zich zorgen dat sommigen van die kinderen die nu leren lezen de rebellen van morgen zullen zijn. Zoals die bende van onlangs die nu gevangenzit op het eiland Pines.'

'Hij maakt zich terecht zorgen,' zei Alo. 'Sommigen van die smeerlappen krijgen communistische sympathieën.'

'Van de andere kant,' zei Lansky, 'als de economie van dit land tot bloei komt, echt tot bloei komt, zullen we geschoold personeel nodig hebben voor onze hotels. Voor de croupiers van morgen. Je moet slim zijn om croupier te worden. Slim met rekenen. Lees jij veel, Bernie?'

'Meer en meer,' gaf ik toe. 'Voor mij werkt het als het vreemdelingenlegioen. Ik doe het om te vergeten. Mezelf, geloof ik.'

Max Reles keek op zijn horloge. 'Over boeken gesproken, het wordt tijd dat ik jullie eruit gooi. Ik heb een afspraak met F. B. Om de boeken te bekijken.'

'Hoe werkt dat, per telefoon?' vroeg iemand.

Reles haalde zijn schouders op. 'Ik lees de cijfers voor en hij schrijft ze op. We weten allebei dat hij ze op een dag zal controleren, dus waarom zou ik hem in godsnaam bedriegen?'

Lansky knikte. 'Dat is beslist *verboten*.'

We liepen van het terras naar de liften. Terwijl ik in een van de cabines stapte, pakte Reles mijn arm en zei: 'Begin morgen met werken. Kom rond een tien uur langs, dan zal ik je alles laten zien.'

'Goed.'

Ik ging terug naar het casino. Ik voelde een zekere vrees voor het gezelschap waarin ik tegenwoordig verkeerde. Ik had het gevoel dat ik net terugkwam van een bezoekje aan de Berghof voor een audiëntie bij Hitler en de andere nazileiders.

13

Toen ik de volgende ochtend zoals afgesproken om tien uur naar het Saratoga terugkeerde, zag alles er heel anders uit. Er was overal politie – buiten bij de ingang en in de lobby. Toen ik de receptioniste vroeg me aan te kondigen bij Max Reles, vertelde ze me dat niemand tot het penthouse werd toegelaten, afgezien van de hoteleigenaar en de politie.

'Wat is er gebeurd?' vroeg ik.

'Dat weet ik niet,' zei de receptioniste. 'Ze willen niets zeggen. Maar het gerucht gaat dat een van de hotelgasten is vermoord door de rebellen.'

Ik draaide me om en liep terug naar de voordeur, waar ik de nietige gestalte van Meyer Lansky ontmoette.

'Ga je weg?' vroeg hij. 'Waarom?'

'Ik mag niet naar boven,' zei ik.

'Kom met mij mee.'

Ik liep achter Lansky aan naar de lift, waar een politieman ons al tegen wilde houden tot zijn baas de gangster herkende en salueerde. In de liftcabine haalde Lansky een sleutel uit zijn zak – net zo'n sleutel als die van Waxey – en gebruikte hem om naar het penthouse te gaan. Ik zag dat zijn hand trilde.

'Wat is er gebeurd?' vroeg ik.

Lansky schudde zijn hoofd.

Toen de liftdeuren opengingen zag ik nog meer politie en in de woonkamer troffen we een inspecteur van de militie, Waxey, Jake Lansky en Moe Dalitz.

'Is het waar?' vroeg Meyer Lanski aan zijn broer.

Jake Lansky was iets groter dan zijn broer en hij had grovere gelaatstrekken. Hij had dikke jampotglazen in zijn bril en wenkbrauwen die zo dik waren dat ze aan twee parende dassen deden denken. Hij droeg een crèmekleurig pak, een wit overhemd en een vlinderstrikje. Zijn gezicht had lachrimpeltjes maar die waren nu niet in gebruik. Hij knikte ernstig. 'Het is echt gebeurd.'

'Waar?'

'In zijn kantoor.'

Ik liep achter de Lansky's aan naar het kantoor van Max Reles. Een politiekapitein in uniform sloot de rij.

Iemand had de muren opnieuw geverfd. Ze zagen eruit alsof Jackson Pollock zich had uitgeleefd met een plafondroller en een grote pot rode verf. Alleen was het geen rode verf die het hele kantoor besmeurde; het was bloed, en veel ook. Max Reles had ook een nieuw chinchillakleedje nodig, alleen zou hij het niet zijn die naar de winkel zou gaan voor een nieuwe exemplaar. Hij zou nooit meer iets kopen – nog niet eens een lijkkist, waar hij nu het meest behoefte aan had. Hij lag op de vloer en droeg zo te zien nog steeds dezelfde kleren als de vorige avond, maar op het blauwe overhemd zaten nu donkerbruine vlekken. Hij staarde met slechts een oog naar het met kurktegels bedekte plafond. Het andere oog ontbrak. Zo te zien was hij door twee kogels in zijn hoofd geraakt, maar het was ook goed mogelijk dat hij door nog twee of drie kogels in zijn rug of borst was geraakt. Het leek me een echte gangstermoord, want de schutter had ervoor gezorgd dat hij zeker wist dat hij dood was. En toch, afgezien van de politiekapitein die met ons mee was gelopen naar het kantoor – meer uit nieuwsgierigheid dan om een andere reden, zo leek het – was er verder geen politie, niemand die foto's nam van het lijk, niemand met een meetlint, niets wat je normaal zou verwachten. Nou ja, dit was tenslotte Cuba, hield ik mezelf voor, waar alles gewoon langer duurde, en dat gold natuurlijk ook voor het sturen van forensisch onderzoekers naar de plaats delict van een moord. Max Reles was immers al dood, dus waarom zou je je haasten?

Waxey dook achter ons op in de deuropening van het kantoor van zijn baas. Er stonden tranen in zijn ogen en in zijn hand die zo groot was als een encyclopedie hield hij een witte zakdoek die eruitzag alsof hij hem van een van de tweepersoonsbedden had getrokken. Hij snoof even en snoot toen luidruchtig zijn neus. Het klonk alsof een passagiersschip de haven binnenliep.

Meyer Lansky bekeek hem met ergernis. 'En waar was jij toen hij door zijn kop werd geschoten?' zei hij. 'Waar was je, Waxey?'

'Ik was hier,' fluisterde Waxey. 'Zoals altijd. Ik dacht dat de baas al naar bed was. Na zijn telefoontje met F.B. Hij ging daarna altijd vroeg slapen. Met de regelmaat van de klok. Ik merkte er pas iets van toen ik hier vanochtend om zeven uur kwam en hem zo aantrof. Dood.'

Hij voegde het woord 'dood' toe alsof daar enige twijfel over zou kunnen bestaan.

'Hij is niet neergeschoten met een luchtbuks, Waxey,' zei Lansky. 'Heb je niks gehoord?'

Waxey schudde verdrietig zijn hoofd. 'Niets. Zoals ik al zei.'

De politie-inspecteur, die net een kleine cigarillo had opgestoken, zei: 'Het is mogelijk dat señor Reles is neergeschoten tijdens het vuurwerk van afgelopen nacht. Vanwege het Chinese Nieuwjaar. Dat zou het geluid van geweerschoten zeker hebben overstemd.'

Hij was een kleine, knappe, gladgeschoren man. Zijn nette, olijfgroene uniform leek de lichtbruine kleur van zijn gladde gezicht te completeren. Hij sprak Engels met slechts een licht Spaans accent. Terwijl hij sprak leunde hij voortdurend tegen de deurpost, alsof hij niets dringenders te doen had dan het geven van een halfslachtige oplossing voor het repareren van een kapotte auto. Bijna alsof het hem niet echt kon schelen wie Max Reles had vermoord. En misschien was dat ook zo. Zelfs binnen het militaire apparaat van Batista waren er genoeg mensen die de aanwezigheid van Amerikaanse gangsters in Cuba niet erg waardeerden.

'Het vuurwerk begon om middernacht,' ging de inspecteur verder. 'Het duurde ongeveer twintig minuten.' Hij liep via de glazen schuifpui het terras op. 'Ik vermoed dat Reles tijdens de herrie, die aanzienlijk was, is doodgeschoten door iemand die zich op het terras bevond.'

We liepen achter de inspecteur aan naar buiten.

'Mogelijk is hij vanaf de achtste verdieping geklommen via de steigers rond de lichtreclame van het hotel.'

Meyer Lansky tuurde over de rand. 'Dat is me nogal een klim,' mompelde hij. 'Wat denk jij, Jake?'

Jake Lansky knikte. 'De inspecteur heeft gelijk. De moordenaar is hier naar boven geklommen. Tenzij hij een sleutel had, maar in dat geval moest hij langs Waxey zien te komen. Wat me niet waarschijnlijk lijkt.'

'Niet waarschijnlijk,' zei zijn broer. 'Maar wel mogelijk.'

Waxey schudde zijn hoofd. 'Geen sprake van,' zei hij. Plotseling klonk zijn normaal zo zachte stem, boos.

'Misschien sliep je,' zei de politie-inspecteur.

Waxey reageerde zeer verontwaardigd op deze suggestie, en dat was genoeg om ervoor te zorgen dat Jake Lansky tussen hem en de politie-inspecteur in ging staan in een poging een mogelijk ontvlambare situatie te sussen. Waxey had nou eenmaal een kort lontje.

Met een hand stevig op de borst van Waxey zei Jake Lansky: 'Ik moet je nog aan hem voorstellen, Meyer. Dit is inspecteur Sanchez. Hij is van het politiebureau hier om de hoek, op Zulueta. Inspecteur Sanchez, dit is mijn broer Meyer. En dit is…' – hij keek mij aan – 'dit is…' Hij aarzelde een moment, alsof hij probeerde niet mijn echte, maar mijn valse naam te noemen. Ik kon aan hem zien dat hij wist hoe ik werkelijk heette.

'Carlos Hausner,' zei ik.

Inspecteur Sanchez knikte en richtte zijn verdere opmerkingen tot Meyer Lansky. 'Ik heb vijf mintuten geleden met zijne excellentie de president gesproken,' zei hij. 'Ten eerste wil hij zijn deelneming betuigen met u, señor Lansky. Vanwege het vreselijke verlies van uw vriend. Hij wil ook dat ik u verzeker dat de politie van Havana al het mogelijke zal doen om de dader van deze gruwelijke misdaad op te pakken.'

'Dank u,' zei Lansky.

'Zijne excellentie liet me weten dat hij gisteravond met señor Reles heeft gebeld, zoals altijd op woensdagavond. Het telefoontje begon precies om kwart voor twaalf 's avonds en werd om vijf voor twaalf beëindigd. Wat erop lijkt te duiden dat het tijdstip van overlijden tijdens het vuurwerk was, tussen twaalf uur 's nachts en half een. Daar ben ik zelfs van overtuigd. Ik zal u laten zien waarom.'

Hij toonde een gehavende kogel op zijn handpalm.

'Deze kogel heb ik uit de muur in de studeerkamer gepeuterd. Zo te zien een patroon met kaliber 38. Een .38 lijkt me een iets te zwaar wapen om niet gehoord te worden. Maar tijdens het vuurwerk kunnen gemakkelijk zes schoten zijn afgevuurd zonder dat iemand het heeft gehoord.'

Meyer Lansky keek naar mij. 'Wat vind jij van dat idee?' vroeg hij.

'Ik?'

'Ja, jij. Max zei dat je vroeger bij de politie hebt gewerkt. Wat voor politieman was je trouwens?'

'Een eerlijke.'

'Kan me geen ruk schelen. Bij welke afdeling, bedoel ik.'

'Moordzaken.'

'Nou, wat vind je van de opmerkingen van de inspecteur?'

Ik haalde mijn schouders op. 'Ik denk dat we van het ene vermoeden naar het andere springen. Het lijkt me een goed idee om een dokter het lijk te laten onderzoeken. Misschien dat we het tijdstip van overlijden dan nauwkeuriger kunnen vaststellen. Misschien valt het samen met het vuurwerk, ik weet het niet. Maar dat lijkt me wel logisch.' Ik keek naar de vloer van het terras. 'Ik zie geen lege hulzen, dus de moordenaar had ofwel een automatisch pistool en heeft de hulzen opgeraapt in het donker, wat onwaarschijnlijk is, of het wapen was een revolver. Hoe dan ook lijkt het me van het grootste belang om naar het moordwapen te zoeken.'

Lansky keek naar inspecteur Sanchez.

'We hebben er al naar gezocht,' zei de inspecteur.

'Gezocht?' zei ik. 'Waar gezocht?'

'Op het terras. In het penthouse. Op de achtste verdieping.'

'Misschien heeft hij hem in dat parkje weggegooid,' zei ik terwijl ik wees op het Campo de Marte. 'Een wapen kan daar in het donker landen zonder dat iemand het ziet.'

'Maar hij kan het ook gewoon meegenomen hebben,' zei de inspecteur.

'Dat zou kunnen. Aan de andere kant was kolonel Ventura gisteravond in het casino, wat betekende dat er heel wat politie in en rond het hotel aanwezig was. Het lijkt me niet dat iemand die net zijn slachtoffer heeft doodgeschoten het risico neemt een politieman tegen het lijf te lopen met een wapen dat hij net zes of zeven keer heeft afgevuurd. Vooral niet als dit een professionele moordenaar was. Eerlijk gezegd lijkt het daar wel op. Je hebt stalen zenuwen nodig om zo vaak raak te schieten en er dan nog op te vertrouwen dat je ermee wegkomt. Een amateur zou waarschijnlijk in paniek zijn geraakt en enkele keren mis hebben geschoten. Mogelijk had hij het wapen zelfs uit zijn handen laten vallen. Ik vermoed dat hij het wapen op zijn weg naar buiten ergens heeft weggesmeten. Het is mijn ervaring dat je allerlei spullen in en uit een hotel kunt smokkelen. Obers lopen rond met bedekte dienbladen. Kruiers dragen tassen. Misschien heeft de moordenaar het wapen wel in een wasmand laten vallen.'

Inspecteur Sanchez riep een van zijn mannen en beval dat het Campo de Marte en de wasmanden van het hotel grondig onderzocht moest worden.

Ik liep terug naar de werkkamer en terwijl ik op mijn tenen rond de bloedvlekken liep, staarde ik naar Max Reles. Er was iets bedekt met een zakdoek: iets bebloeds dat door de katoenen stof was gesijpeld. 'Wat is dat?' vroeg ik aan de inspecteur toen hij zijn orders had gegeven.

'Zijn oogbal. Hij moet eruit zijn gesprongen toen de kogel het hoofd van het slachtoffer verliet.'

Ik knikte. 'Dat is een het kanjer van een .38. Je zou zoiets verwachten van een .45, maar niet van een .38. Mag ik de kogel die u hebt gevonden even zien, inspecteur?'

Sanchez gaf me de kogel.

Ik inspecteerde hem en knikte. 'Nee, ik denk dat u gelijk hebt, het is een kogel van kaliber 38. Maar iets moet die kogel extra snelheid hebben gegeven.'

'Zoals?'

'Ik heb geen idee.'

'U bent rechercheur geweest, señor?'

'Dat is lang geleden. En ik wilde niet suggereren dat u uw werk niet goed doet, inspecteur. Ik weet zeker dat u uw eigen aanpak hebt voor een onderzoek als dit. Maar de heer Lansky vroeg mijn mening en die heb ik hem gegeven.'

Inspecteur Sanchez zoog aan zijn cigarillo en liet hem toen op de vloer van de plaats delict vallen. Hij zei: 'U zei dat kolonel Ventura gisteravond in het casino was. Betekent dat dat u ook hier was?'

'Ja. Ik heb gisteravond tot kwart voor elf backgammon gespeeld in het casino. Daarna ben ik hierheen gekomen om iets te drinken met señor Reles en zijn gasten. De heer Lansky en zijn broer maakten deel uit van de andere gasten. En ook die heer in de woonkamer, meneer Dalitz. Waxey was er ook. Ik ben gebleven tot ongeveer half twaalf. Toen is iedereen vertrokken zodat Reles zich kon voorbereiden op zijn telefoongesprek met de president. Ik was erop voorbereid dat mijn backgammontegenstander – señor Garcia, de eigenaar van het Shanghai-theater – zou terugkeren naar het casino om het spel voort te zetten. Ik heb gewacht, maar hij kwam niet. Ondertussen heb ik iets gedronken met señor Nunez, de casinomanager. Daarna ben ik naar huis gegaan.'

'Hoe laat was dat?'

'Net na half een. Dat weet ik nog omdat ik zeker weet dat het vuurwerk net een paar minuten voorbij was toen ik in mijn auto stapte.'

'Juist.' De inspecteur stak nog een cigarillo open liet een deel van de rook ontsnappen tussen zijn extreem witte tanden. 'Dus u zou señor Reles vermoord kunnen hebben, nietwaar?'

'Ja, dat had gekund. Net zoals het had gekund dat ik de leider was van die aanval op de Moncadakazerne. Maar dat was niet zo. Max Reles had me net een uiterst goed betaalde baan gegeven. En die baan heb ik nu niet meer. Dus mijn motief om hem te vermoorden is niet erg overtuigend.'

'Dat klopt helemaal, inspecteur,' zei Meyer Lansky. 'Max had señor Hausner benoemd tot zijn algemeen manager.'

Inspecteur Sanchez knikte alsof hij Lansky's bevestiging van mijn verhaal accepteerde, maar hij was nog niet helemaal klaar met me. Ik vervloekte mezelf dat ik zo onbezonnen antwoord had gegeven op Lansky's vraag over de moord op Max Reles.

'Hoelang hebt u de overledene gekend?' vroeg de inspecteur.

'We hebben elkaar voor het eerst in Berlijn ontmoet, twintig jaar geleden. Tot enkele avonden terug had ik hem sinds die tijd niet meer gezien.'

'En toch bood hij u meteen een baan aan? Hij moet een hoge dunk van u hebben gehad, señor Hausner.'

'Ik neem aan dat hij daarvoor zijn redenen had.'

'Misschien wist u iets van hem. Iets uit het verleden.'

'Doelt u op chantage, inspecteur?'

'Nou en of.'

'Twintig jaar geleden had dat gekund. In feite wisten we beiden iets over elkaar. Maar het was beslist niet genoeg om nu nog macht over hem te kunnen uitoefenen. Die tijd is voorbij.'

'En hij? Had hij macht over u?'

'Zeker. Zo zou je het kunnen stellen, waarom niet? Hij bood me geld aan in ruil voor werk. Geld is zo'n beetje het machtigste middel dat ik op dit eiland ken.'

De inspecteur schoof zijn kleppet iets naar achter en krabde op zijn voorhoofd. 'Maar ik snap het nog steeds niet. Waarom? Waarom heeft hij u die baan aangeboden?'

'Wat ik al zei, hij zal zijn redenen hebben gehad. Maar als u wilt speculeren, inspecteur: ik neem aan dat hij het op prijs stelde dat ik twintig jaar lang mijn mond heb gehouden. Dat ik mijn belofte aan hem heb gehouden. En dat ik niet bang was om hem de waarheid te zeggen.'

'En misschien was u ook niet bang om hem te vermoorden.'

Ik glimlachte en schudde mijn hoofd.

'Nee, laat me uitpraten,' zei de inspecteur. 'Max Reles woont al jaren in Havana. Hij is een oppassende, oprechte burger die keurig op tijd zijn belasting betaalt. Hij is bevriend met de president. Dan, op een dag, komt hij u tegen, iemand die hij twintig jaar niet heeft gezien. Twee of drie dagen later wordt hij vermoord. Dat is toch wel erg toevallig, of niet soms?'

'Als u het zo stelt, vraag ik me werkelijk af waarom u me niet arresteert. Dat zou u in ieder geval de tijd en de moeite schelen die het kost om een fatsoenlijk moordonderzoek uit te voeren met forensisch bewijs en getuigen die mij hebben zien schieten. Het gebruikelijke gedoe. Waarom neemt u me niet mee naar het bureau? Misschien kunt u me met geweld tot een bekentenis dwingen voordat uw dienst erop zit. Dat zou vast niet de eerste keer zijn.'

'U moet niet alles geloven wat u leest in *Bohemia*, señor.'

'O, nee?'

'Gelooft u werkelijk dat wij verdachten martelen?'

'Eigenlijk denk ik daar zelden over na, inspecteur. Maar misschien zal ik eens op bezoek gaan bij gevangenen op het eiland Pines om te horen wat zij te zeggen hebben. Dan neem ik daarna weer contact met u op. Weer eens wat anders dan thuis aan mijn voeten zitten peuteren.'

Maar Sanchez luisterde niet meer naar me. Hij keek naar de revolver die een van zijn mannen aan hem toonde op een handdoek, alsof het een lauwerkrans was. De man zei dat het wapen was gevonden in een wasmand op de achtste verdieping. Op de handgreep stond een rode ster. En het leek beslist om het moordwapen te gaan. Al was het maar omdat er een geluidsdemper op zat.

'Zo te zien had señor Hausner gelijk, denkt u niet, inspecteur?' zei Meyer Lansky.

Sanchez en de politieman draaiden zich om en liepen de woonkamer in.

'En geen moment te vroeg,' zei ik tegen Lansky. 'Die stomme smeris wilde me erbij lappen.'

'Ja, hè? Maar ik vond het heel aardig, zoals u hem toesprak. Deed me aan mezelf denken. Ik neem aan dat die revolver inderdaad het moordwapen is.'

'Daar durf ik op te wedden. Dat is een Nagant met zeven kogels. Ik vermoed dat ze in totaal zeven kogels zullen vinden, in het lijk van Max en in de muur.'

'Een Nagant? Nooit van gehoord.'

'Ontworpen door een Belg. Maar die rode ster op de handgreep betekent dat dit exemplaar in Rusland is gemaakt,' zei ik.

'Russisch, hè? Wilt u zeggen dat Max is vermoord door communisten?'

'Nee, meneer Lansky, ik had het over het wapen. Met dat type wapen hebben moordcommando's van de Sovjets in 1940 Poolse officieren vermoord. Ze schoten hen in het achterhoofd, begroeven de lijken in het bos van Katyn en gaven er later de Duitsers de schuld van. Aan het eind van de oorlog waren er heel veel van die wapens in Europa. Maar vreemd genoeg niet aan deze zijde van de oceaan. En zeker niet met een Bramit-geluidsdemper. Dat alleen al zorgt ervoor dat deze moord een professionele indruk maakt. U moet weten, meneer, dat wapens altijd geluid maken, zelfs met een geluidsdemper erop. Mogelijk genoeg herrie om Waxey te alarmeren. Maar een Nagant is de enige revolver waarvan je het geluid volledig kunt dempen. Er zit namelijk geen ruimte tussen de cilinder en de loop. Dat noemen ze een gesloten vuursysteem, wat betekent dat je het geluid dat uit de loop komt volledig kunt dempen, mits je beschikt over een Bramit-demper. Echt, het is het perfecte wapen voor een stiekeme moord. De Nagant verklaart ook de hoge snelheid van de .38 kogel. Genoeg om een oogbol naar buiten te drukken. Wat ik bedoel is het volgende. Degene die Max Reles heeft neergeschoten, hoefde dat niet te doen tijdens het vuurwerk. Hij kan elk moment tussen middernacht en toen Waxey hem vanochtend heeft aangetroffen vermoord zijn en niemand zal er iets van hebben gehoord. O, en trouwens, dit is niet zomaar een wapen dat je in de plaatselijke wapenwinkel kunt aanschaffen. Zeker niet met een geluidsdemper. Tegenwoordig geven de Ivans de voorkeur aan de veel lichtere Tokarev TT. Dat is een automatisch wapen, als u dat nog niet wist.'

'Dat wist ik niet,' zei Lansky. 'Maar ik ben toevallig niet zo onwetend over de Russen als u misschien denkt, Gunther. Mijn familie komt uit Grodno, aan de Russisch-Poolse grens. Mijn broer Jake en ik zijn daar vertrokken toen we nog kind waren. Om te ontsnappen aan de Russen. Jake kende een van die Poolse officieren die is vermoord. De mensen praten tegenwoordig nog vaak over het Duitse antisemitisme, maar voor mijn familie waren de Russen even erg. Misschien nog wel erger.'

Jake Lansky knikte. 'Dat geloof ik ook,' zei hij. 'En onze pa ook.'

'Hoe komt het dat je zo veel weet van al die dingen?'

'In de oorlog werkte ik voor de Duitse militaire inlichtingendienst,' zei ik. 'En later heb ik een tijdje in een Russisch kamp voor krijgsgevangenen gezeten. Ik ben terughoudend om mijn echte naam te gebruiken omdat ik een paar Ivans heb gedood tijdens mijn ontsnapping van een trein die op weg was naar een uraniummijn in de Oeral. Ik betwijfel of ik daar ooit levend van zou zijn teruggekeerd. Zeer weinig Duitse krijgsgevangenen zijn teruggekomen uit de Sovjet-Unie. Als ze me ooit te pakken krijgen, is het met me gedaan, meneer Lansky.'

'Ik dacht al dat het zoiets was.' Lansky schudde zijn hoofd en staarde naar het lijk aan zijn voeten. 'Ze zouden iets over hem heen moeten leggen.'

'Dat zou ik niet doen, meneer Lansky,' zei ik. 'Nog niet. Het is mogelijk dat inspecteur Sanchez de juiste procedures in acht wil nemen.'

'Maakt u zich maar geen zorgen om hem,' zei Lansky. 'Als hij moeilijk gaat doen, bel ik zijn baas en laat ik hem ontslaan. Misschien doe ik dat sowieso wel. Kom, laten we hier weggaan. Ik kan hier niet langer blijven. Max was als een tweede broer voor me. Ik ken hem al vanaf mijn vijftiende, toen we samen in Brownsville woonden. Hij was de slimste jongen die ik ooit heb gekend. Als hij de juiste opleiding had gehad, had Max alles kunnen worden wat hij wilde. Misschien zelfs president van de Verenigde Staten.'

We gingen de woonkamer in. Sanchez was daar met Waxey en Dalitz. De revolver zat in een plastic zak en lag op de tafel waaraan Max en ik minder dan veertig uur geleden hadden geluncht.

'En wat gebeurt er nu verder?' vroeg Waxey.

'We gaan hem begraven,' zei Meyer Lansky. 'Als een goede Jood. Zo zou Max het hebben gewild. Als de politie klaar is met het lijk hebben we nog drie dagen om alles te regelen.'

'Dat doe ik wel,' zei Jake. 'Ik beschouw het als een eer.'

'Iemand moet het tegen dat vriendinnetje van hem vertellen,' zei Dalitz.

'Dinah,' fluisterde Waxey. 'Ze heet Dinah. Ze waren van plan te trouwen. Met een rabbi en een gebroken wijnglas en de hele rataplan. Ze is namelijk ook Joods.'

'Dat wist ik niet,' zei Dalitz.

'Ze redt zich wel,' zei Meyer Lansky. 'Natuurlijk, iemand moet het haar vertellen, maar ze redt zich wel. Zo is de jeugd nou eenmaal. Negentien jaar, ze heeft nog een heel leven voor zich. God hebbe Max' ziel, ik vond dat ze te jong was voor hem, maar wie ben ik om dat te bepalen? Je kunt iemand niet kwalijk nemen dat hij een beetje geluk zoekt. Voor iemand als Max was Dinah de hoofdprijs. Maar je hebt gelijk, Moe, iemand moet het haar vertellen.'

'Wat vertellen? Is er iets gebeurd? Waar is Max? Wat doet al die politie hier?'

Het was Dinah.

'Nou, zegt iemand nog iets? Is alles in orde met Max? Is hij ziek? Verdomme, wat is hier aan de hand?'

Toen zag ze de revolver op tafel. Ik neem aan dat ze de rest kon raden, want ze begon hard te gillen. Het was een geluid dat de doden had kunnen doen herrijzen.

Maar deze keer niet.

14

Waxey reed Dinah in de rode Calillac Eldorado terug naar Finca Vigía. Misschien had ík dat onder deze omstandigheden moeten doen. Ik had Noreen mogelijk enige steun kunnen bieden bij het omgaan met het verdriet van haar dochter. Maar Waxey wilde niet langer in de buurt zijn van Meyer Lansky's sluwe, onderzoekende blik, alsof hij voelde dat de Joodse gangster hem verdacht van een of andere vorm van betrokkenheid bij de moord op Max Reles. Bovendien was het veel waarschijnlijker dat ik alleen maar in de weg zou lopen. Ik was niet iemand om bij uit te huilen. Niet meer. Niet meer sinds de oorlog, toen zo veel Duitse vrouwen uit pure noodzaak hadden geleerd in hun eentje te huilen.

Verdriet: ik had er niet langer het geduld voor. Wat maakte het uit als je verdriet had om mensen die doodgingen? Je kon ze er in ieder geval niet mee terugkrijgen. En ze waren je niet eens bijzonder dankbaar voor je verdriet. De levenden slagen er altijd in de dood van anderen te verwerken. Dat beseffen de doden niet. Als de doden ooit herrijzen, zullen ze je het nog kwalijk nemen ook dat je ooit over hun dood bent heen gekomen.

Het was rond vier uur in de middag toen ik me in staat voelde naar het huis van Hemingway te rijden om mijn medeleven te betuigen. Ondanks het feit dat de dood van Max mij een salaris van twintigduizend dollar door de neus had geboord, vond ik het niet erg dat hij dood was. Maar voor Dinah wilde ik wel doen alsof.

De Pontiac stond er niet, alleen een witte Oldsmobile met een zonneklep die me bekend voorkwam.

Ramón liet me binnen en ik trof Dinah aan in haar kamer. Ze zat in een fauteuil een sigaret te roken onder toezicht van een somber ogende waterbuffel. Die buffel deed me aan mezelf denken, en misschien was het wel duidelijk waarom hij somber was: Dinahs koffer lag geopend op haar bed. Hij was netjes ingepakt met haar kleren, alsof ze van plan was het land te verlaten. Op een tafel naast de leuning van haar stoel stond een glas drank en een asbak van hardhout. Haar ogen waren rood maar zo ze zien had ze al genoeg gehuild.

'Ik kwam even kijken hoe het met je ging,' zei ik.

'Zoals u ziet,' zei ze kalm.

'Ga je ergens heen?'

'Je bent dus écht rechercheur geweest.'

Ik glimlachte. 'Dat zei Max ook altijd. Als hij me wilde treiteren.'

'En lukte hem dat?'

'In die tijd, ja. Maar nu trek ik me bijna nergens meer iets van aan. Tegenwoordig ben ik wat robuuster.'

'Nou, dat kan Max niet zeggen.'

Die opmerking liet ik maar schieten.

'Wat zou u ervan zeggen als ik u vertelde dat mijn moeder hem heeft vermoord?' zei ze.

'Ik zou zeggen dat je dergelijke wilde speculaties beter voor je kunt houden. Niet al Max' vrienden zijn zo vergeetachtig als ik.'

'Maar ik heb het wapen gezien,' zei ze. 'Het moordwapen. In het penthouse van het Saratoga. Het was de revolver van mijn moeder. Dat ding dat ze van Ernest had gekregen.'

'Het is een vrij algemeen verspreid wapen,' zei ik. 'Tijdens de oorlog heb ik ze heel vaak gezien.'

'Haar wapen is weg,' zei Dinah. 'Ik heb er al naar gezocht.'

Ik schudde mijn hoofd. 'Weet je nog, onlangs? Toen je zei dat je dacht dat ze zelfmoordneigingen had? Ik heb het wapen weggenomen om haar tegen zichzelf te beschermen. Dat had ik toen moeten zeggen. Het spijt me.'

'U liegt,' zei ze.

Ze had gelijk, maar dat wilde ik niet toegeven. 'Nee, ik lieg niet,' zei ik.

'Het wapen is weg en zij zelf ook.'

'Daar is vast een heel eenvoudige verklaring voor te geven.'

'Namelijk dat ze hem heeft vermoord. Zij heeft het gedaan. Of Alfredo Lopez. Dat is zijn auto daarbuiten. Geen van tweeën mocht Max. Ooit heeft Noreen me zo goed als verteld dat ze hem wilde vermoorden. Om te voorkomen dat hij met mij zou trouwen.'

'Hoeveel weet je eigenlijk precies over je ex-vriendje?'

'Ik weet dat hij niet bepaald een heilige was, als u dat bedoelt. Die pretentie heeft hij ook nooit gehad.' Ze bloosde. 'Waar wilt u heen?'

'Alleen dit: Max was in de verste verte geen heilige. Je zult dit niet leuk vinden, maar ik ga het je toch vertellen. Max Reles was een gangster. Tijdens de drooglegging was hij een meedogenloze handelaar in illegale drank. Max' broer Abe was huurmoordenaar voor de maffia totdat hij door iemand uit een hotelraam is geduwd.'

'Ik ga hier niet naar luisteren.'

Dinah schudde haar hoofd en stond op maar ik duwde haar weer in de stoel.

'Dat doe je wel,' zei ik. 'Je moet er naar luisteren want op de een of andere manier heb je het nooit eerder gehoord. En als dat wel het geval is, heb je je hoofd in het zand gestopt, als een domme struisvogel. Je zult er naar luisteren omdat het de waarheid is. Woord voor woord. Max Reles zat in alle vuile zaakjes die je maar kunt verzinnen. Later maakte hij deel uit van een misdaadsyndicaat dat in de jaren dertig is opgericht door Charlie Luciano en Meyer Lansky. Hij bleef overeind omdat hij het geen bezwaar vond zijn rivalen te vermoorden.'

'Hou op,' zei ze. 'Het is niet waar.'

'Hij heeft me zelf verteld dat hij en zijn broer in 1933 twee mannen hebben vermoord, de gebroeders Shapiro. Een van hen is levend begraven. Toen de drooglegging werd beëindigd ging hij zich bezighouden met gangsterpraktijken met illegale werknemers. Een deel daarvan vond plaats in Berlijn, waar ik hem voor het eerst heb ontmoet. In die tijd heeft hij een Duitse zakenman die Rubusch heette, vermoord die weigerde zich door hem te laten intimideren. Ik ben er zelf getuige van geweest dat hij twee andere mensen vermoordde. Een van hen was een prostituee die Dora heette. Met haar had hij een tijdje een relatie gehad. Hij heeft haar door haar hoofd geschoten en haar lichaam in een meer gedumpt. Ze ademde nog toen ze in het water terechtkwam.'

'Donder op,' snauwde ze. 'Ik wil u hier niet meer zien.'

'En wellicht heeft je moeder je al verteld over de man die hij heeft vermoord op een passagiersschip tussen New York en Hamburg.'

'Dat geloofde ik niet en wat u allemaal zegt geloof ik evenmin.'

'Nou en of. Je gelooft het allemaal. Want je bent niet dom, Dinah. Je hebt altijd geweten wat voor iemand hij was. Misschien vond je dat juist leuk. Misschien hield je van de sensatie om met zo iemand om te gaan. Die dingen gebeuren soms. We voelen allemaal een soort fascinatie voor mensen die de schaduwkant van het leven opzoeken. Misschien is dat het, ik weet het niet, en het kan me ook eigenlijk niet schelen. Maar als je niet wist dat Max Reles een gangster was, dan had je daar in ieder geval een vermoeden van. Een sterk vermoeden, vanwege de mensen met wie hij omging. Meyer en Jake Lansky. Santo Trafficante. Norman Rothman. Vincent Alo. Allemaal gangsters. En Lansky is de beruchtste gangster van allemaal. Vier jaren geleden nog stond Lansky voor een onderzoekscomité van het congres dat een onderzoek deed naar de georganiseerde misdaad in de Verenigde Staten. En Max ook. Dat is de reden dat hij naar Cuba is gevlucht.

Ik ken zes mensen die door Max zijn vermoord, maar ik weet zeker dat er nog veel meer zijn. Mensen die hem boos maakten. Mensen die hem geld schuldig waren. Mensen die hem gewoon ongemakkelijk voor de voeten liepen. Hij had mij ook bijna vermoord, maar ik wist iets van hem. Iets waarvan hij niet wilde dat het bekend zou worden. Max is neergeschoten. Maar zijn eigen lievelingswapen was een ijspriem, waarmee hij mensen in het oor stak. Zo'n soort man was hij, Dinah. Een verdorven, moordzuchtige gangster. Een van de vele verdorven, moordzuchtige gangsters die de hotels en casino's hier in Havana runnen. Ieder van hen had waarschijnlijk zijn eigen goede redenen om Max Reles uit de weg te ruimen.

Dus praat niet zo dom over je moeder. Ik zeg je dat ze er niets mee te maken had. Hou je mond dicht of het wordt nog haar dood, door jouw schuld. Jouw dood ook, als je te veel in de weg loopt. Je zegt tegen niemand wat je mij hebt verteld. Begrepen?'

Dinah knikte stuurs.

Ik wees op het glas dat naast haar arm stond. 'Drink jij dat?'

Ze keek ernaar en schudde haar hoofd. 'Nee, ik hou niet van whisky.'

Ik stak mijn hand uit en pakte het glas. 'Mag ik?'

'Voor mijn part.'

Ik goot de inhoud in mijn mond en liet de whisky een tijdje door mijn mond rollen voordat ik de hem door mijn keel liet glijden. 'Ik praat te veel,' zei ik. 'Maar dit helpt enorm.'

Ze schudde haar hoofd. 'Goed. U hebt gelijk. Ik vermoedde inderdaad wat voor iemand hij was. Maar ik was bang om hem te verlaten. Bang voor wat hij zou kunnen doen. In het begin was het gewoon lollig. Ik verveelde me hier. Max stelde me voor aan mensen over wie ik tot dan toe alleen maar had gelezen. Frank Sinatra. Nat King Cole. Kunt u zich dat voorstellen?' Ze knikte. 'U hebt gelijk. Wat u al zei. Ik heb het zien aankomen.'

'We maken allemaal fouten. God weet dat ik zelf de nodige heb gemaakt.' Er lag een pakje sigaretten boven op haar kleren in de koffer. Ik pakte het op. 'Mag ik? Ik ben gestopt. Maar ik heb trek in een sigaret.'

'Pak maar.'

Ik stak er snel een op en mengde de rook met de whiskysmaak.

'Waar ga je heen?'

'Naar de Verenigde Staten. Naar Rhode Island en Brown University. Mijn moeder had dat zo al bedacht.'

'En het zingen dan?'

'Heeft Max u dat verteld?'

'Inderdaad, ja. Hij had kennelijk een hoge dunk van je talent.'

Dinah glimlachte droevig. 'Ik kan niet zingen,' zei ze. 'Hoewel Max leek te denken dat ik dat wel kon. Ik weet niet waarom. Ik denk dat hij in alle opzichten het beste van me dacht. Maar ik kan niet zingen en ik kan niet acteren. Het was een tijdje leuk om te doen alsof dat allemaal mogelijk was. Maar diep in mijn hart wist ik dat het allemaal luchtkastelen waren.'

Een auto kwam de oprit op. Ik keek uit het open raam en zag de Pontiac tot stilstand komen naast de Oldsmobile. De portieren werden geopend en een man en een vrouw stapten uit. Ze waren niet gekleed voor het strand, maar daar kwamen ze wel vandaan, daar hoefde je geen detective voor te zijn. Bij Alfredo Lopez zat het zand vooral op zijn knieën en ellebogen, bij Noreen zat het zo'n beetje overal. Ze zagen me niet. Ze hadden het te druk met grijnzen tegen elkaar en met zichzelf afkloppen terwijl ze de treden bij de voordeur op drentelden. Haar glimlach verflauwde een beetje toen ze me bij het raam ontwaarde. Misschien bloosde ze zelfs. Het is mogelijk.

Ik liep naar de hal en trof hen terwijl ze door de voordeur binnenkwamen. De grijns op hun gezicht was nu veranderd in een schuldbewuste uitdrukking, maar dat had niets te maken met de dood van Max Reles. Daar was ik zeker van.

'Bernie,' zei ze opgelaten. 'Wat een leuke verrassing.'

'Als jij het zegt.'

Noreen liep naar het dranktafeltje en schonk zich een flink glas in. Lopez rookte een sigaret en zat er schaapachtig bij terwijl hij deed alsof hij een tijdschrift las uit een rek dat zo groot was als een krantenkiosk.

'Wat brengt jou hier?' vroeg ze.

Tot nu toe was ze erin geslaagd mijn blik te ontwijken. Niet dat ik haar blik zocht. We wisten beiden dat ik wist wat zij en Lopez hadden gedaan.

Je kon het als het ware nog ruiken. Als gebraden eten. Ik besloot een snelle verklaring te geven en me dan uit de voeten te maken.

'Ik kwam even kijken of het goed ging met Dinah,' zei ik.

'Waarom zou het niet goed met haar gaan?' Noreen keek me aan. Haar opgelatenheid was tijdelijk verdwenen om plaats te maken voor bezorgdheid voor haar dochter. 'Waar is ze? Is alles in orde met Dinah?'

'Ze maakt het prima,' zei ik. 'Maar Max Reles is op dit moment niet op zijn best, omdat iemand gisteravond zeven kogels in hem heeft gepompt. Om eerlijk te zijn: hij is dood.'

Noreen hield even op met het mixen van haar drankje. 'Juist,' zei ze. 'Arme Max.' Toen trok ze een gezicht. 'Moet je me horen. Wat ben ik toch schijnheilig. Alsof het me iets kan schelen dat hij dood is. En het verrast me totaal niet, gelet op wie en wat hij was.' Ze schudde haar hoofd. 'Sorry als ik ongevoelig klink. Hoe heeft Dinah het opgenomen? O, god, ze was er toch niet bij, toen hij…?'

'Nee,' zei ik. 'Met Dinah is alles in orde. Ze is er al bijna overheen, hoe vind je dat?'

'Heeft de politie enig idee wie Max heeft vermoord?' vroeg Lopez.

'Tja, dat is de vraag, nietwaar?' zei ik. 'Ik heb de indruk dat dit een misdaad is waarvan de politie hoopt dat hij zichzelf oplost. Of anders zal iemand anders het voor hen oplossen.'

Lopez knikte. 'Ja, je hebt natuurlijk gelijk. De militie van Havana kan moeilijk allerlei vervelende vragen gaan stellen zonder het risico te lopen dat de hele kar met rotte appels omdondert. Voor het geval zou blijken dat een van de ander gangsters in Havana verantwoordelijk is voor de dood van Max. Bendemoorden zijn in Cuba nooit voorgekomen. Tenminste niet als het om een hoge baas ging. Het laatste wat Batista kan gebruiken is een bendeoorlog voor zijn deur.' Hij glimlachte. 'Ja, ik geloof dat ik met enige vreugde kan stellen dat de politieke implicaties hiervan waanzinnig ingewikkeld zijn.'

Zoals later zou blijken was het allemaal nog iets ingewikkelder.

15

Ik kwam rond zeven uur thuis en at het koude avondeten dat Yara voor me had achtergelaten op een afgedekt bord. Onder het eten las ik de avondkrant. Er stond een aardige foto in van Marta, de vrouw van de president die een nieuwe school in Boyeros opende, en iets over het aanstaande bezoek aan Havana van de vs-senator uit Florida, George Smathers. Maar over Max Reles stond niets, zelfs in de overlijdensberichten. Na het eten maakte ik een drankje klaar voor mezelf. Dat kostte niet veel moeite. Ik goot wodka uit de ijskast in een schoon glas en dronk het op. Ik ging gemakkelijk zitten om Montaigne te lezen en zijn dode vriend te vervangen. Dat leek me een tamelijk goede definitie van zijn lezer. Toen ging de telefoon, wat me eraan herinnerde dat er momenten zijn waarop je beste vriend een dode vriend is.

Maar het was geen vriend: het was Meyer Lansky, en hij klonk geërgerd.

'Gunther?'

'Ja.'

'Waar heb je toch al die tijd gezeten? Ik heb je de hele middag gebeld.'

'Ik ben naar Dinah geweest, de vriendin van Max.'

'O. Hoe is het met haar?'

'Wat je al zei. Ze komt er wel overheen.'

'Luister, Gunther, ik moet je spreken, alleen niet via de telefoon. Ik hou niet van telefoons. Nooit gedaan. Dat nummer van jou, 7-8075, dat is toch een nummer in Vedado?'

'Ja. Ik woon op Malecón.'

'Dan zijn we praktisch buren. Ik heb een suite in hotel National. Kun je hier om negen uur zijn?'

Ik probeerde een paar beleefde weigeringen te verzinnen, maar geen van alle klonk beleefd genoeg voor een gangster als Meyer Lansky. Dus ik zei: 'Natuurlijk, waarom niet? Een wandelingetje over de strandboulevard zal me goed doen.'

'Wil je iets voor me doen?'

'Ik dacht dat ik dat al deed.'

'Wil je op weg hierheen een paar pakjes Parliament voor me meenemen? Het hotel heeft ze niet meer.'

Ik liep in westelijke richting, kocht de sigaretten waar Lansky om had gevraagd en liep Havana's grootste hotel binnen. Het leek meer op een kathedraal dan de echte kathedraal van Havana op Empedrado. De lobby was groter dan het schip van de San Cristobal, met een mooi beschilderd houten plafond waar menig middeleeuws *palacio* jaloers op zou zijn. Het rook er ook een stuk beter dan in de kathedraal, want de lobby van het hotel wemelde van de goed gewassen en zelfs geparfumeerde mensen hoewel ik, met mijn geschoolde blik, meteen zag dat het hotel te onpersoonlijk was. Overal stonden lange rijen gasten: voor de receptiebalie, bij de kassa en bij de conciërge. Het leek wel of de mensen in de rij stonden bij een treinstation. Ergens speelde iemand op een blikkerig klinkende piano. Het geluid deed denken aan een dansles in een balletschool voor meisjes. Langs de wanden van de lobby stonden vier grote staartklokken. Geen van die klokken liep synchroon en ze sloegen achter elkaar het hele uur, alsof tijd een elastisch begrip was in Havana. Naast de liftdeuren stond een muur met een mansgroot portret van de president en zijn vrouw, beiden in het wit gekleed – zij in een tweedelig gedistingeerd pakje en hij in een tropisch militair uniform. Ze zagen eruit als een goedkope versie van de Peróns.

Ik ging met de lift naar de hoogste verdieping van het gebouw. In tegenstelling tot de treinstationsfeer in de lobby was het op de executive verdieping zo stil als in een grafgewelf. Misschien nog wel rustiger, aangezien de meeste grafgewelven geen tapijt hebben van tien dollar per strekkende meter. Alle chique suites hadden louvredeuren, wat misschien bedoeld was voor de frisse lucht of om de sigarenrook te laten ontsnappen. De hele verdieping rook als de humidor van een tabaksplanter.

De suite van Lansky was de enige met een eigen portier. Hij was een lange man en hij droeg een overhemd met recht aangezette mouwen. Zijn borstkas was zo breed als een huishoudtrolley. Hij draaide zich naar me toe terwijl ik geruisloos als Hiawatha door de gang op hem toe liep. Hij fouilleerde me alsof hij zijn lucifers in mijn zakken was kwijtgeraakt. Hij vond ze niet. Toen opende hij de deur en liet me binnen in een suite die de grootte had van een lege biljartzaal. Er hing ook een vergelijkbare rust en stilte. Maar in plaats van de zoveelste Jood met een overactieve hypofyse werd ik ontvangen door een tengere vrouw van in de veertig met rood haar en groene ogen. Ze zag eruit en klonk als een kapster uit New York. Ze glimlachte vriendelijk, liet weten dat ze Teddy heette en dat ze echtgenote was van Meyer Lansky. Via een woonkamer en een stel glazen schuiframen nam ze me mee naar een rondlopend balkon.

Lansky zat op een rieten stoel en staarde als koning Canute naar de duisternis boven de zee.

'Je kunt de zee niet zien,' zei hij. 'Maar je ruikt hem wel. En je hoort hem ook. Luister… luister naar dat geluid.' Hij stak zijn wijsvinger op alsof hij mijn aandacht wilde vestigen op het gezang van een nachtegaal op Berkeley Square.

Ik luisterde zorgvuldig. Ik met mijn slechte oren vond dat het erg naar zee klonk.

'De wijze waarop de zee af en aan naar het strand rolt en dan weer opnieuw begint. Alles in deze rottige wereld verandert, maar dat geluid niet. Al duizenden jaren is dat geluid precies hetzelfde. Dat is een geluid waar ik nooit moe van word.' Hij zuchtte. 'En er zijn momenten dat ik bijna overal moe van word. Heb jij dat ook wel eens, Gunther? Word jij wel eens ergens moe van?'

'Moe? Meneer Lansky, er zijn momenten dat ik zo moe ben van alles dat ik geloof dat ik dood ben of zoiets. Als ik niet zo goed slaap, zou ik het leven welhaast ondraaglijk vinden.'

Ik gaf hem zijn sigaretten. Hij wilde al zijn portemonnee pakken maar ik hield hem tegen. 'Laat maar zitten,' zei ik. 'Ik vind het wel een prettig idee dat u me geld schuldig bent. Dat voelt veiliger aan dan andersom.'

Lansky lachte. 'Iets drinken?'

'Nee, dank u. Ik hou mijn hoofd graag helder als ik een zakelijk gesprek voer met Lucifer.'

'Zie je mij zo?'

Ik haalde mijn schouders op. 'Ons kent ons.' Ik keek hoe hij een van de sigaretten opstak en vulde aan: 'Ik bedoel, dat is toch de reden waarom ik hier ben? Zaken? Ik kan me niet voorstellen dat u mooie herinneringen aan Max wilt ophalen.'

Lansky keek me scherp aan.

'Voor zijn dood heeft Max me alles over jou verteld. Of in ieder geval zoveel hij wist, Gunther. Ik zal meteen ter zake komen. Er waren drie redenen waarom Max wilde dat je voor hem werkte. Je bent een ex-politieman, je hebt verstand van hotels en je hebt geen banden met de families die hier in Havana zakendoen. Twee van die redenen heb ik ook, en dan nog een van mezelf. Zodoende denk ik dat jij de man bent die uit moet zoeken wie Max heeft vermoord. Nee, laat me uitpraten. Waar we in Havana beslist niet op zitten te wachten, is een bendeoorlog. Het is al erg genoeg dat we die rebellen hebben. Meer problemen hebben we niet nodig. We kunnen er niet op rekenen dat de politie dit goed onderzoekt. Die conclusie zul je zelf ook wel getrokken hebben na je gesprek met inspecteur Sanchez vanmorgen. Hij is trouwens helemaal geen slechte politieman. Maar de manier waarop je tegen hem sprak beviel me. En ik heb de indruk dat jij je niet snel laat intimideren. Niet door politiemensen. Niet door mij. Niet door mijn medewerkers.

Hoe dan ook, ik heb met enkele heren gesproken die je gisteravond hebt ontmoet en we zijn het er allemaal over eens dat we niet willen dat je manager wordt in het Saratoga, zoals je met Max had afgesproken. In plaats daarvan willen we dat je de moord op Max onderzoekt. Inspecteur Sanchez zal je alle assistentie verlenen, maar je hebt als het ware carte blanche. Wat we vooral willen vermijden is onderlinge onenigheid. Ga jij die moord nou maar onderzoeken, Gunther, dan ben ik je meer verschuldigd dan de prijs van twee pakjes sigaretten. Ten eerste zal ik je hetzelfde betalen als Max van plan was. En ten tweede zal ik je vriend zijn. Denk daarover na voor je nee zegt. Ik kan een goede vriend zijn voor iemand die me een dienst heeft bewezen. Enfin, mijn medewerkers en ik zijn het erover eens. Je kunt overal heen. Je kunt met iedereen spreken: de bazen, de soldaten. Waar het bewijsmateriaal je ook heen mag voeren. Sanchez zal niet tussenbeide komen. Als jij zegt dat hij moet springen, zal hij vragen hoe hoog.'

'Het is lang geleden dat ik een moord heb onderzocht, meneer Lansky.'

'Dat geloof ik graag.'

'En ik ben ook niet meer zo diplomatiek als vroeger. Ik ben geen Dag Hammarskjöld. En stel dat ik er inderdaad achter kom wie Max heeft vermoord. Wat dan? Hebt u daar over nagedacht?'

'Laat dat maar aan mij over, Gunther. Zorg ervoor dat je iedereen spreekt. En dat al die mensen je een alibi kunnen geven: Norman Rothman en Lefty Clark van de Sans Souci. Santo Trafficante bij de Tropicana, mijn eigen mensen, de gebroeders Cellini van het Montmartre, Joe Stassi, Tom McGinty, Charlie White, Joe Rivers, Eddie Levison, Moe

Dalitz, Sam Tucker, Vincent Alo, en uiteraard de Cubanen: Amedeo Barletta en Amleto Battisti – geen familie – bij het Hotel Sevilla. Rustig maar. Ik zal je een lijst geven. Een lijst met verdachten als je wilt. Waar ik zelf als eerste opsta.'

'Dat onderzoek kan even duren.'

'Uiteraard. Je wilt het natuurlijk grondig aanpakken. En je moet iedereen ondervragen, zodat iedereen weet dat het een eerlijk onderzoek is. Rechtvaardigheid voor alles, zullen we maar zeggen.' Hij smeet de sigaret over de rand van het balkon. 'Dus je doet het?'

Ik knikte. Ik had nog geen redenen om te weigeren bedacht die beleefd genoeg zouden klinken voor deze kleine man, vooral niet na het aanbod dat hij mijn vriend zou worden. Bovendien had dat ook een andere kant.

'Je kunt meteen beginnen.'

'Dat is waarschijnlijk het beste.'

'Waar begin je?'

Ik haalde mijn schouders op. 'Ik keer terug naar hotel Saratoga. Om uit te zoeken of iemand iets heeft gezien. Nog eens goed kijken naar de plaats delict. Met Waxey spreken, dat soort dingen.'

'Hem zul je dan toch eerst moeten vinden,' zei Lansky. 'Waxey wordt vermist. Hij heeft die griet vanmorgen naar huis gebracht en daarna heeft niemand hem meer gezien.' Hij haalde zijn schouders op. 'Misschien duikt hij op bij de begrafenis.'

'Wanneer is dat?'

'Overmorgen. Op het joodse kerkhof in Guanabacoa.'

'Ik weet waar dat is.'

Op de terugweg van hotel National reed ik weer langs de Casa Marina. Deze keer ging ik naar binnen.

16

De volgende ochtend was helder maar winderig, en de zee beukte met bulderend geraas tegen het Malecón, als een zondvloed gezonden door een God die bedroefd was over de slechtheid van de mens. Ik werd vroeg wakker. Ik had graag langer geslapen en zou dat ook wel gedaan hebben, maar de telefoon ging. Plotseling leek iedereen in Havana met me te willen spreken.

Het was inspecteur Sanchez.

'Hoe gaat het vanochtend met de grote detective?'

Hij klonk alsof hij niet blij was dat ik als speurder optrad voor Lansky. Ik was er zelf ook niet al te blij mee.

'Ik lig nog in bed,' zei ik. 'Het is laat geworden.'

'Met het ondervragen van verdachten?'

Ik dacht aan de meisjes in de Casa Marina en de hoe Doña Marina, die ook een keten van lingeriewinkels in Havana had, ervan genoot als je haar meisjes allerlei vragen stelde voordat je besloot met wie je naar de derde verdieping zou vertrekken. 'Zo zou je het kunnen zeggen.'

'Denk je dat je vandaag de moordenaar zult vinden?'

'Waarschijnlijk niet vandaag,' zei ik. 'Het is er niet het juiste weer voor.'

'Je hebt gelijk,' zei Sanchez. 'Het is een dag om lijken te vinden in plaats van de daders. Plotseling treffen we overal in Havana lijken aan. Er ligt er een in de haven bij de petrochemische fabriek in Regla.'

'Ik ben geen begrafenisondernemer. Waarom zeg je dat tegen mij?'

'Omdat hij in een auto reed toen hij het water in ging. Niet zo maar een auto. Het ging om een rode Cadillac Eldorado. Een cabrio.'

Ik sloot even mijn ogen. Toen zei ik: 'Waxey.'

'We zouden hem niet gevonden hebben als het anker van een vissersboot niet achter de bumper was blijven haken en hem boven water had getrokken. Ik ga nu naar Regla. Ik dacht dat je misschien mee zou willen gaan.'

'Waarom niet? Het is een tijdje geleden dat ik heb gevist.'

'Sta over een kwartier buiten op de stoep bij je woning. We kunnen er samen heen rijden. Onderweg kan ik misschien een paar tips van je krijgen over hoe je recherchewerk moet doen.'

'Het zou niet de eerste keer zijn dat ik zoiets deed.'

'Ik maakte een grapje,' zei hij stijfjes.

'Dat begint dan al goed, inspecteur. Als u een goede rechercheur wilt zijn, zult u gevoel voor humor moeten ontwikkelen. Dat is mijn eerste tip.'

Twintig minuten later reden we naar het zuiden, naar het oosten en toen naar het noorden rond de haven, Regla in. Het was een kleine industriële stad die van een afstand duidelijk was te herkennen aan de rookwolken uit de petrochemische fabriek, hoewel het historisch beter bekend stond als het centrum van Santeria en als een plek waar de *corrida's* van Havana waren gehouden tot Spanje de macht over het eiland verloor.

Sanchez reed met de grote zwarte politiewagen alsof het een vechtstier was: hij negeerde rode verkeerlichten, remde op het laatste moment en sloeg abrupt en zonder waarschuwing rechts of links af. Tegen de tijd dat we tot stilstand kwamen aan het eind van een lange pier was ik in staat om een zwaard in zijn gespierde nek te steken.

Een klein groepje politiemensen en havenwerkers keken samen naar de aankomst van een schuit die de auto had overgeladen van de vissersboot en bovenop een grote hoop steenkool had gehesen. De auto zelf zag eruit als een fantastische variant van een sportvis, een rode marlijn – als iets dergelijks bestond – of een reusachtig schaaldier.

Ik liep achter Sanchez aan over een stel stenen treden die nog glad waren van het vloedwater. Terwijl een van de mannen van de schuit een meerring vastgreep, sprongen we op het nog bewegende dek.

De kapitein van de schuit verscheen en sprak Sanchez aan, maar ik verstond zijn zwaar Cubaanse accent niet, iets wat me wel vaker overkwam buiten Havana. Hij was iemand met een slecht humeur en hij rookte een duur uitziende sigaar, en dat was nog het schoonste en fatsoenlijkste aspect van hem. De rest van de bemanning stond kauwgum te kauwen en op orders te wachten. Eindelijk werd er een order gegeven. Een van de bemanningsleden sprong op de berg kolen en trok er een geteerd stuk zeildoek overheen, zodat Sanchez en ik naar de auto konden klimmen zonder zo vuil te worden als hij. Sanchez en ik klommen over het zeildoek en kropen over de schuivende steenkolen naar de auto. De witte kap, die opengeklapt was, was smerig maar grotendeels nog intact. De voorbumper waar het anker van de visboot aan vast had gezeten, was zwaar vervormd. Het interieur had meer weg van een aquarium. Maar op de een of andere manier wist de rode Cadillac er nog steeds als de mooiste auto van Havana uit te zien.

Het bemanningslid, nog steeds met het keurig geperste uniform van Sanchez in gedachten, liep voor ons uit en opende het portier aan de chauffeurskant toen de inspecteur dat beval. Toen het portier werd opengetrokken stroomde het water uit de auto, waardoor het bemanningslid tot hilariteit van zijn kletsende collega's natte benen kreeg.

De chauffeur van de auto zeeg langzaam naar buiten, als iemand die in bad in slaap is gevallen. Even dacht ik dat het stuur zijn val zou tegenhouden, maar de schuit rolde omlaag op de ruwe, golvende zee en dook toen weer omhoog, waardoor de dode als een vuile vaatdoek op het zeil werd gekieperd. Het was inderdaad Waxey, hoewel zijn oren, of wat daar van over was, meer weg hadden van donkerrood koraal.

'Jammer,' zei Sanchez.

'Ik kende hem niet echt goed,' zei ik.

'Van de auto, bedoel ik,' zei Sanchez. 'De Cadillac Eldorado vind ik zo'n beetje de mooiste auto ter wereld.' Hij schudde bewonderend zijn hoofd. 'Prachtig. Ik hou van dat rood. Rood is mooi. Hoewel ik denk dat ik een zwarte zou nemen, met banden met witte zijvlakken en een witte kap. Zwart heeft meer klasse, vind ik.'

'Rood lijkt tegenwoordig meer in zwang,' zei ik.

'Je doelt op zijn oren?'

'Ik had het niet over zijn nagels.'

'Een kogel in elk oor, zo te zien. Dat is een duidelijke boodschap, niet dan?'

'Duidelijker kan haast niet, inspecteur.'

'Hij heeft iets gehoord wat niet voor zijn oren bestemd was.'

'Of andersom. Hij heeft iets wat voor zijn oren bestemd was niet gehoord.'

'U bedoelt dat iemand zeven keer op zijn werkgever in een aangrenzende kamer heeft geschoten?'

Ik knikte.

'Denkt u dat hij betrokken was bij die schietpartij?' vroeg hij.

'Vraag het hem zelf.'

'We zullen het wel nooit zeker weten.' Sanchez nam zijn kleppet af en krabde zich op het hoofd. 'Erg jammer,' zei hij.

'U doelt weer op die auto?'

'Nee, dat ik hem niet eerst heb kunnen ondervragen.'

17

Al sinds de tijd van Columbus kwamen er Joden naar Cuba. Veel Joden die in een recenter verleden geen toegang tot de Verenigde Staten van Amerika hadden gekregen, vonden een veilig onderkomen bij de Cubanen, die hen *polacos* noemden, naar het land waar de meeste Joden vandaan kwamen. Te oordelen aan het aantal graven op het Joodse kerkhof in Guanabacoa waren er heel wat meer *polacos* in Cuba dan je zou verwachten. Het kerkhof lag op de weg naar Santa Fé, achter een indrukwekkende toegangspoort. Het was niet bepaald de Olijfberg, maar de graven, alle van wit marmer, lagen op een aangename heuvel die uitkeek op een mangoplantage. Er stond zelfs een klein monument voor de Joodse slachtoffers van de Tweede Wereldoorlog waaronder, zo stond te lezen, verschillende stukken zeep lagen begraven als symbolische herinnering aan hun veronderstelde lot.

Ik had iedereen die wilde luisteren kunnen vertellen dat, hoewel algemeen werd aangenomen dat naziwetenschappers zeep hadden gemaakt van de lijken van vermoorde Joden, dit in werkelijkheid nooit was gebeurd. De gewoonte om Joden 'zeep' te noemen was een uiterst onplezierige grap onder leden van de ss geweest, en een van de manieren om hun vele slachtoffers te ontmenselijken en te bedreigen. Menselijk haar van gevangenen uit de concentratiekampen was echter wel op industriële schaal gebruikt, dus de omschrijving 'vilt' – vilt voor kleding, dakmateriaal, tapijten en in de Duitse autoindustrie – zou een nauwkeuriger bijnaam voor Joden zijn geweest.

Maar dat was niet iets waarover de mensen die naar de begrafenis van Max Reles kwamen wilden horen.

Ik was een beetje verbaasd toen me bij de poort van Guanabacoa een keppeltje werd aangeboden. Niet dat ik niet had verwacht dat ik mijn hoofd moest bedekken bij een Joodse begrafenis. Ik droeg al een hoed. Nee, wat me verbaasde was de persoon die mij dat keppeltje aanbood. Het was Szymon Woytak, de kadaverachtige Pool die de winkel met nazisouvenirs op Maurique had. Hij droeg zelf ook een keppeltje en dat leek me, naast zijn aanwezigheid bij deze begrafenis, een sterke aanwijzing dat hij zelf ook Joods was.

'Wie past er op de winkel?' vroeg ik hem.

Hij haalde zijn schouders op. 'Ik sluit de winkel altijd een paar uur als ik mijn broer help. Hij is de rabbi die het kaddisj leest voor uw vriend Max Reles.'

'En wat doet u? Programmaboekjes verkopen?'

'Ik ben de voorzanger. Ik zing de psalmen en eventuele andere gezangen die de familie wenst.'

'Wat dacht u van het Horst Wessellied?'

Woytak glimlachte geduldig en deelde een keppeltje uit aan de persoon achter me. 'Luister,' zei hij, 'Je moet nou eenmaal je brood verdienen, niet dan?'

Er was geen familie. Tenzij je de Joodse gangsters van Havana meetelde. De belangrijkste rouwenden leken de Lansky-broers te zijn, Meyers echtgenote Teddy, Moe Dalitz, Norman Rothmann, Eddie Levinson, Morris Kleinman, en Sam Tucker. Maar behalve ik waren er nog vele andere niet-Joden: Santo Trafficante, Vincent Alo, Tom McGinty en de gebroeders Cellini, om er enkelen te noemen. Wat ik interessant vond – en wat wellicht interessant was voor de raciale theoretici van het Derde Rijk, zoals Alfred Rosenberg – was hoe Joods iedereen er meteen uitzag zodra hij of zij een keppeltje op had.

Ook aanwezig waren verschillende regeringsfunctionarissen en politiemensen, onder wie inspecteur Sanchez. Batista was niet naar de begrafenis van zijn voormalige zakenpartner gekomen, uit angst dat hij vermoord zou worden. Dat was in ieder geval wat ik later van Sanchez hoorde.

Noreen en Dinah waren er ook niet. Niet dat ik hen had verwacht. Noreen kwam niet om de eenvoudige reden dat ze Max Reles evenzeer had gevreesd als verafschuwd. Dinah kwam niet omdat ze al naar de Verenigde Staten was teruggekeerd. Aangezien dit precies was wat Noreen altijd voor haar dochter had gewild, denk ik dat ze zich nu te gelukkig voelde om naar een begrafenis te komen. Ik wist niet beter, of ze was weer naar het strand met Lopez. En daar had ik niets mee te maken. Dat bleef ik mezelf in ieder geval voorhouden.

Terwijl de baardragers de kist stokkend naar de groeve tilden, dook inspecteur Sanchez aan mijn zijde op. We waren nog steeds geen vrienden, maar ik begon hem te mogen.

'Hoe heet die Duitse opera ook alweer waarin de moordenaar wordt aangewezen door het slachtoffer?' vroeg hij.

'*Götterdämmerung*,' zei ik. 'Godenschemering.'

'Misschien hebben we geluk. Misschien wijst Reles hem voor ons aan.'

'Ik vraag me af wat een rechter daarvan zou vinden.'

'Dit is Cuba, beste vriend,' zei Sanchez. 'In dit land geloven de mensen nog steeds in Baron Samedi.' Hij dempte zijn stem. 'En nu we het toch over de voodoomeester van de dood hebben, we hebben vandaag ons eigen schepsel van de onzichtbare wereld onder ons. Hij die de zielen van het land der levenden escorteert naar het kerkhof. Om nog maar niet te spreken van twee van zijn meest sinistere verschijningsvormen. Ziet u die man in dat beige uniform die eruitziet als een jonge generaal Franco? Dat is kolonel Antonio Blanco Rio, hoofd van de Cubaanse militaire inlichtingendienst. Neem van mij aan, señor, dat die man meer zielen heeft doen verdwijnen in Cuba dan enige voodoogeest. De man links van hem is kolonel Mariano Faget, van de militie. Tijdens de oorlog had Faget de leiding over een contraspionage-eenheid die verschillende nazi-agenten heeft opgespoord die de bewegingen van Cubaanse en Amerikaanse onderzeeërs aan Duitse heeft doorgegeven.'

'Wat is er met hen gebeurd?'

'Ze zijn doodgeschoten door een vuurpeloton.'

'Interessant. En die derde man daar?'

'Dat is Fagets verbindingsofficier met de CIA, luitenant José Castaño Quevedo. Een heel enge man.'

'En wat doen die hier precies?'

'Hun deelneming betuigen. Het is zeker dat de president uw vriend Max van tijd tot tijd vroeg om die mannen te betalen door ervoor te zorgen dat ze geld wonnen in zijn casino. Meestal hoefden ze er niet eens voor te gokken. Ze gingen gewoon naar zijn privésalon in het Saratoga of naar een van de andere casino's, haalden een handvol fiches op en wisselden die om voor geld. Señor Reles wist natuurlijk precies hoe hij voor dit soort mannen moest zorgen. En het is zeker dat ze zijn dood als een persoonlijk verlies ervaren. Daarom zijn ze zeer geïnteresseerd in de voortgang van uw onderzoek.'

'Is dat zo?'

'Zeker. U weet het misschien niet, maar u werkt niet alleen voor Meyer Lansky, maar ook voor hen.'

'Dat is een geruststellende gedachte.'

'U moet speciaal oppassen voor luitenant Quevedo. Hij is erg ambitieus, en dat is niet best als je politieman bent in Cuba.'

'Bent u niet ambitieus, inspecteur Sanchez?'

'Ik ben het wel van plan. Maar niet nu. Ik word pas ambitieus na de verkiezingen in oktober. Totdat ik heb gezien wie er wint, ben ik er tevreden mee om zeer weinig van mijn carrière te maken. Tussen twee haakjes, de luitenant heeft me gevraagd u te bespioneren.'

'Dat lijkt me nogal aanmatigend. U bent immers inspecteur.'

'In Cuba zegt een rang niets over je rol van betekenis. Het hoofd van de Nationale Politie is bijvoorbeeld generaal Canizares, maar iedereen weet dat de echte macht in handen is van Blanco Rio en kolonel Piedra, het hoofd van ons Onderzoeksbureau. Voor hij president werd was Batista de machtigste man in Cuba. Nu hij president is, is hij dat niet langer, als u me nog kunt volgen. Tegenwoordig ligt alle macht bij het leger en de politie. Daarom is Batista altijd bang voor een moordaanslag. In zekere zin is dat zijn werk. De aandacht afleiden van anderen. Soms is het beter om te doen alsof je iemand anders bent. Vindt u ook niet?'

'Inspecteur, dat is het verhaal van mijn leven.'

18

Een paar dagen later zat ik in het Tropicana naar de show te kijken terwijl ik wachtte tot ik de gebroeders Cellini kon spreken. Veel bloot was de voorgeschreven dracht voor de uitvoerenden. Ze probeerden het iets aanlokkelijker te maken door het dragen van zorgvuldig geplaatste lovertjes en driehoeken, maar het resultaat was grotendeels hetzelfde: bacon met kaas erop, hoe je het ook klaarmaakte. De meeste dansers zagen eruit alsof ze een stuk gelukkiger zouden zijn in een cocktailjurk. De meeste danseressen zagen er helemaal niet blij uit. Ze glimlachten allemaal, maar de glimlach op hun starre gezichtjes was erop geplakt in de poppenfabriek. Ondertussen dansten ze met de levensvreugde van jongeren die wisten dat een mislukte pirouette of verkeerd getimede lift hun een enkeltje terug naar Matanzas zou opleveren, of uit welk armoedig boerendorpje ze ook afkomstig mochten zijn.

Het Tropicana, gelegen op de Truffin-avenue in Marianao, een buitenwijk van Havana, lag in de weelderige tuinen van een gesloopt herenhuis dat vroeger van de Amerikaanse ambassadeur in Cuba was geweest. Het herenhuis was vervangen door een opvallend modern gebouw met vijf halfronde gewelven van gewapend beton die een aantal glazen plafonds met elkaar verbonden, wat de illusie creëerde van een wilde show die opgevoerd werd onder de sterren en tussen de bomen. Naast dit amfitheater, dat leek op iets uit een pornografische sciencefictionfilm, stond een casino onder een kleiner glazen dak. En hier was zelfs een privésalon met een gepantserde deur, waarachter regeringsfunctionarissen konden gokken zonder angst dat ze vermoord zouden worden.

Ik was daar even weinig in geïnteresseerd als in de show, of in het luisteren naar de band. Het grootste deel van de tijd keek ik naar de as van mijn sigaar of naar de gezichten van de zielenpoten aan de andere tafeltjes: vrouwen met blote schouders en te veel make-up en mannen met vaselinehaar, nepdasjes en Cricketeer-pakken. Af en toe paradeerden de showdanseressen tussen de tafeltjes door zodat je hun kostuum van dichterbij kon bekijken en je af kon vragen hoe een meisje welgevoeglijk wist te blijven met zulke kleine frutsels aan haar lijf. Ik zat me dat nog verbaasd af te vragen toen ik, tot mijn grote verbazing, Noreen Eisner mijn kant op zag lopen. Ze stapte opzij voor een meisje dat een en al borsten en veren was en ging tegenover me zitten.

Noreen was waarschijnlijk de enige vrouw in het Tropicana die noch een decolleté had, noch de hele bos hout toonde. Ze droeg een tweedelig lavendelkleurig pakje met opgenaaide zakken, hoge hakken en een parelcollier met enkele snoeren. De band speelde zo hard dat praten geen zin had, en tot het nummer was afgelopen zaten we stompzinnig naar elkaar te kijken en ongeduldig met onze vingers op tafel te trommelen. Daardoor had ik alle tijd om me af te vragen wat er zo dringend was dat ze helemaal van Finca Vigía naar hier was komen rijden. Ik geloofde beslist niet dat haar aanwezigheid hier toeval was. Ik nam aan dat ze eerst naar mijn appartement was geweest en dat Yara haar had verteld waar ik was. Misschien had Yara zich een beetje beklaagd omdat ik haar niet had meegenomen naar het Tropicana. De komst van Noreen had vast niet geholpen haar ervan te overtuigen dat ik puur om zakelijke redenen naar deze nachtclub was gegaan. Er zou waarschijnlijk wel een scène volgen als ik thuiskwam.

Ik hoopte dat Noreen hier was om te vertellen wat ik wilde horen. Ze keek in ieder geval ernstig genoeg. En ze was ook nuchter. Voor de verandering. Ze had een marineblauw avondtasje, bestikt met kralen en versierd met in petit point geborduurde bloemen. Ze knipte de zilveren beugel open, viste er een pakje Old Gold uit en stak een sigaret op met een parelgrijs verlakte aansteker die was voorzien van kunstdiamantjes, het enige aan haar dat paste bij de sfeer in het Tropicana.

Zoals de meeste bands in Havana speelde ook deze langer door dan dragelijk was. Ik had geen vuurwapen in Cuba, maar als ik er een had gehad, had ik graag geoefend op een stel sambaballen of een conga – het maakt niet uit welk Latijns-Amerikaans instrument, zolang het maar in gebruik was. Ten slotte kon ik het niet langer verdragen. Ik stond op, pakte Noreen bij de hand en liep de zaal met haar uit.

In de foyer zei ze: 'Dus hier breng je je vrije tijd door?' Uit gewoonte sprak ze me aan in het Duits. 'Aan Montaigne kwam je zeker niet meer toe?'

'Hij heeft toevallig een essay geschreven over dit oord en de gewoonte om kleren te dragen. Of om ze niet te dragen. Als we waren geboren met de behoefte om rokken en broeken te dragen, zou de natuur ons ongetwijfeld hebben uitgerust met een dikkere huid om de ontberingen van de seizoenen te kunnen weerstaan. Over het algemeen vind ik hem erg goed. Meestal heeft hij het wel bij het rechte eind. Het enige wat hij niet uitlegt is waarom jij hierheen bent gekomen om me op te zoeken. Ik heb daar zo mijn eigen ideeën over.'

'Laten we een stukje in de tuin gaan lopen,' zei ze kalm.

We liepen naar buiten. De tuin van het Tropicana was een jungleparadijs van koningspalmen en hoog oprijzende mamoncillobomen. Volgens Caraïbische overlevering leren meisjes kussen door te eten van het zoete vruchtvlees van mamoncillofruit. Op de een of andere manier had ik het gevoel dat mij kussen wel het laatste was waar Noreen aan dacht.

In het midden van de overweldigende oprit stond een grote marmeren fontein die ooit de ingang van hotel National had opgeluisterd. De fontein bestond uit een rond basin omgeven door acht levensgrote naakte nimfen. Het gerucht ging dat de eigenaars van het Tropicana dertigduizend peso's hadden betaald voor de fontein, maar mij deed hij denken aan een van die Berlijnse instituten die ooit door Alfred Koch bij de Motzensee werd gerund voor Duitse matrones met overgewicht, die niets liever deden dan in hun nakie medicijnballen naar elkaar overgooien. En ondanks wat Montaigne te zeggen had over dat onderwerp, was ik blij dat de mens naald en draad had uitgevonden.

'Nou,' zei ik, 'wat wilde je me vertellen?'

'Het valt me niet gemakkelijk om dit te zeggen.'

'Je bent schrijfster. Je bedenkt wel iets.'

Ze trok in stilte aan haar sigaret, dacht even over mijn woorden na en haalde toen haar schouders op, alsof ze toch iets had weten te bedenken. Haar stem klonk zacht. Ze zag er mooier uit dan ooit in het maanlicht. Haar aanblik vervulde me met een doffe pijn van verlangen, alsof de groenwitte bloemen van de mamoncillo een magisch sap bevatten dat idioten als ik verliefd maakte op een koningin als zij.

'Dinah is terug naar de Verenigde Staten,' zei ze, nog steeds niet helemaal ter zake komend. 'Maar dat wist je immers al?'

Ik knikte. 'Gaat dit over Dinah?'

'Ik maak me zorgen om haar, Bernie.'

Ik schudde mijn hoofd. 'Ze heeft het eiland verlaten. Ze gaat naar Brown. Ik snap niet waarom je je zorgen maakt. Dit is toch wat je wilde?'

'O, zeker. Nee, het is de wijze waarop ze opeens van gedachten is veranderd. Over alles.'

'Max Reles is vermoord. Ik denk dat dat iets met haar beslissingen te maken heeft gehad.'

'Die gangsters met wie hij omging. Daar ken jij toch sommigen van?'

'Ja.'

'Hebben ze al enig idee wie Max heeft vermoord?'

'Geen enkel.'

'Mooi zo.' Ze gooide haar sigaret weg en stak snel een nieuwe op. 'Je zult wel denken dat ik gek ben. Maar weet je, ik acht het mogelijk dat Dinah iets met die moord te maken heeft.'

'Hoe kom je daarbij?'

'Om te beginnen is mijn revolver – dat ding dat ik van Ernest heb gekregen – verdwenen. Het was een Russisch revolver. Hij slingerde ergens rond in huis en nu kan ik hem nergens meer vinden. Fredo – Alfredo Lopez – mijn vriend de advocaat heeft een kennis bij de politie die hem heeft verteld dat Reles is doodgeschoten met een Russisch revolver. Dat zette me aan het denken. Ik vraag me af of Dinah het gedaan zou kunnen hebben.'

Ik schudde mijn hoofd. Ik had niet zo'n behoefte om haar te vertellen dat Dinah had vermoed dat haar eigen moeder de moord had gepleegd.

'En daarnaast is er nog het feit dat ze er zo snel overheen is gekomen. Alsof ze helemaal niet echt van hem hield. Werden die maffiosi niet wantrouwend dat ze niet op de begrafenis was? Alsof het haar niets kon schelen?'

'Ik denk dat men waarschijnlijk heeft gedacht dat ze daar te overstuur voor was.'

'Dat bedoel ik nou juist, Bernie. Ze was niet overstuur. En daarom maak ik me zorgen: als de maffia het idee krijgt dat ze iets te maken had met de moord op Max, ondernemen ze misschien wel iets. Misschien sturen ze iemand achter haar aan.'

'Ik geloof niet dat het zo werkt, Noreen. Op dit moment maken ze er zich vooral zorgen om dat Max Reles is vermoord door iemand uit hun midden. Als blijkt dat een van de andere hotel- of casino-eigenaars achter de moord zit, kan dat het begin zijn van een bendeoorlog. Dat zou erg slecht zijn voor de zaken. En dat is wel het laatste dat ze willen. Bovendien hebben ze mij gevraagd te helpen uitzoeken wie Max heeft vermoord.'

'Heeft de maffia jou gevraagd de moord op Max te onderzoeken?'

'In mijn hoedanigheid als voormalig rechercheur bij de afdeling Moordzaken.'

Noreen schudde haar hoofd. 'Waarom jij?'

'Ik vermoed dat ze denken dat ik objectief en onafhankelijk ben. Objectiever dan de Cubaanse militie. Dinah is negentien, Noreen. Er vielen me veel dingen op aan haar. Bijvoorbeeld dat ze een egoïstisch kreng is. Maar ze is geen moordenaar. Bovendien moet je er de persoon voor zijn om op de achtste verdieping over een steiger te klimmen en in koelen bloede zeven kogels op iemand af te vuren. Vind je ook niet?'

Noreen knikte en staarde in de verte. Ze liet haar tweede sigaret half opgerookt op de grond vallen en stak toen een derde op. Iets zat haar nog steeds dwars.

'Dus je hoeft je geen zorgen te maken dat ik Dinah de schuld geef.'

'Bedankt, daar ben ik blij om. Ze is een kreng, daar heb je gelijk in. Maar het is mijn dochter en ik zou alles doen om haar veiligheid te garanderen.'

'Dat weet ik.' Ik smeet mijn sigaar in de fontein. Hij trof een van de nimfen op haar blote kont en viel in het water. 'Is dat echt wat je me wilde vertellen?'

'Ja,' zei ze. Ze dacht even na. 'Maar dat was inderdaad niet alles, daar heb je gelijk in, verdorie.' Ze beet op haar knokkels. 'Ik weet niet waarom ik nog zou proberen je te misleiden. Er zijn momenten waarop ik geloof dat je me beter kent dan ik mezelf ken.'

'Dat zou best kunnen.'

Ze gooide haar derde sigaret weg, opende haar tas, pakte er een zakdoekje in dezelfde kleur uit en snoot haar neus. 'Die keer laatst,' zei ze. 'Toen je in het huis was. Toen je Fredo en mij terug zag komen van het strand van Playa Mayor. Ik neem aan dat je wel kon raden dat hij en ik iets met elkaar hadden. Dat we een, hoe zeg je dat, intieme relatie hebben.'

'Ik probeer tegenwoordig zo weinig mogelijk te raden. Vooral als het gaat om dingen waar ik helemaal niets vanaf weet.'

'Fredo mag je, Bernie. Hij is je heel dankbaar vanwege die avond met die pamfletten.'

'Ja, dat weet ik. Hij heeft het me zelf verteld.'

'Je hebt zijn leven gered. Ik heb dat toen niet goed genoeg beseft, en je ook niet fatsoenlijk bedankt. Wat je hebt gedaan was heel moedig.' Ze sloot even haar ogen. 'Ik ben niet gekomen om over Dinah te praten.

O, misschien wilde ik wel even door je gerustgesteld worden dat zij het inderdaad niet gedaan kon hebben, maar dat zou ik toch geweten hebben. Een moeder weet dat soort dingen. Dat had ze niet voor me verborgen kunnen houden.'

'Waarom ben je dan naar me toe gekomen?'

'Het gaat om Fredo. Hij is gearresteerd door de SIM – de militaire geheime politie. Hij wordt ervan beschuldigd dat hij de voormalige minister van onderwijs in de Prió-regering, Aureliano Sanchez Arango, heeft geholpen illegaal het land in te komen.'

'En is dat zo?'

'Nee, natuurlijk niet. Maar toen hij is gearresteerd, was hij in gezelschap van iemand die lid is van de AAA. Dat is de Associatie van vrienden van Aureliano. Het is een van de toonaangevende oppositiegroeperingen in Cuba. Maar Fredo is loyaal aan Castro en de rebellen op het eiland Pines.'

'Nou, als hij dat heeft uitgelegd zullen ze hem toch wel naar huis sturen?'

Noreen vond het niet grappig. 'Dit is niet leuk,' zei ze. 'Ze kunnen hem nog steeds martelen in de hoop dat hij de schuilplaats van Aureliano verraadt. Dat zou extra ongelukkig zijn, want hij weet uiteraard niets.'

'Ik snap het. Maar ik zie echt niet in wat ik zou kunnen doen.'

'Je hebt zijn leven al een keer gered, Bernie. Misschien kun je het nog een keer doen.'

'Zodat Lopez jou kan hebben en ik niet?'

'Zou je dat willen, Bernie?'

'Wat denk je?' Ik haalde mijn schouders op. 'Waarom niet? Dat is toch niet zo vreemd, onder de gegeven omstandigheden? Of ben je alles vergeten?'

'Bernie, dat is twintig jaar geleden. Ik ben niet meer de vrouw die ik was. Dat zie je toch zeker wel?'

'Zo gaat dat soms in het leven.'

'Kun je niet iets voor hem doen?'

'Waarom denk je dat zoiets mogelijk is?'

'Omdat je inspecteur Sanchez kent. Men zegt dat jullie bevriend zijn.'

'Wie zegt dat?' Ik schudde geërgerd mijn hoofd. 'Luister, zelfs als hij mijn vriend was – en dat weet ik zo net nog niet – hoort Sanchez bij de militie. En je zei zelf dat Lopez is gearresteerd door de SIM. Dat staat dus helemaal los van de militie.'

'De man die Fredo heeft gearresteerd was bij de begrafenis van Max Reles,' zei Noreen. 'Luitenant Quevedo. Misschien, als je het hem vraagt, wil inspecteur Sanchez met luitenant Quevedo praten. Misschien kan hij een goed woordje doen.'

'En wat moet hij dan zeggen?'

'Dat weet ik niet. Maar misschien kun jij iets bedenken.'

'Noreen, dit is een hopeloze zaak.'

'Daar was jij toch juist zo goed in?'

Ik schudde mijn hoofd en wendde me van haar af.

'Weet je nog die brief die ik je heb geschreven, toen ik uit Berlijn vertrok?'

'Niet echt. Het is lang geleden, zoals je al zei.'

'Ja, je weet het nog best. Ik heb je mijn ridder uit de hemel genoemd.'

'Dat is iets uit het verhaal van Tannhäuser, Noreen. Zo ben ik niet.'

'Ik heb je gevraagd de waarheid bloot te leggen en mensen te helpen die je om hulp vragen. Omdat dat goed is, ondanks het feit dat het ook gevaarlijk is. Ik vraag dat nu.'

'Je hebt geen recht dat te vragen. Het kan niet. Ik ben ook veranderd, als je dat nog niet was opgevallen.'

'Dat geloof ik niet.'

'Meer dan je beseft. Ridder uit de hemel, zei je?' Ik lachte. 'Eerder eentje uit de hel. Tijdens de oorlog ben ik lid geweest van de ss, omdat ik bij de politie werkte. Heb ik je dat al verteld? Mijn harnas is nogal smerig, Noreen. Je weet niet half hoe smerig.'

'Ik neem aan dat je moest doen wat je moest doen. Maar vanbinnen ben je volgens mij nog altijd hetzelfde.'

'Vertel me dit: waarom zou ik me om Lopez bekommeren? Ik heb al genoeg op mijn bordje. Ik kan hem niet helpen, en dat is de waarheid, dus waarom zou ik het zelfs maar proberen?'

'Omdat het daar om gaat in het leven.' Noreen pakte mijn hand en keek me onderzoekend aan – wat ze hoopte te zien weet ik niet. 'Daar gaat het toch om in het leven? Zoeken naar de waarheid. Mensen helpen die we denken niet te kunnen helpen maar die we toch proberen te helpen.'

Ik voelde dat ik kwaad werd.

'Je verwart me met een of andere heilige, Noreen. Het soort dat het prima vindt gemarteld te worden als zijn stralenkrans maar op de foto komt. Als ik me voor de leeuwen werp, wil ik dat het meer betekent dat herinnerd te worden in de gebeden van een of andere melkmeid op zondagochtend. Ik ben niet het type voor nutteloze gebaren. Daarom heb ik ook zo lang kunnen overleven, engel. Maar er komt nog meer bij kijken. Je praat over de waarheid alsof dat iets betekent. Maar als je mij de waarheid in mijn gezicht gooit, is het niet meer dan een paar handen vol zand. Het is de waarheid helemaal niet. Niet de waarheid die ik wil horen, in ieder geval. Niet van jou. Dus laten we elkaar niet voor de gek houden, hè? Ik ga niet voor jou de pias uithangen, Noreen. Niet zolang je mij als zodanig blijft behandelen.'

Noreen deed een tropische vis na met uitpuilende ogen en een open mond en schudde toen haar hoofd. 'Ik heb echt geen idee waar je het over hebt.' Toen lachte ze me in mijn gezicht uit met een lach die vals klonk en voor ik nog een woord kon zeggen draaide zich om haar as en liep snel naar de parkeerplaats.

Ik liep het Tropicana weer in.

De Cellini's gaven me niet erg veel informatie. Geven was niet bepaald hun sterke kant. Antwoord geven op vragen ook niet. Oude gewoontes zijn moeilijk af te leren, denk ik. Ze bleven me maar vertellen hoe erg ze het vonden dat een groot iemand als Max was overleden en hoe graag ze bereid waren met het onderzoek van Lansky mee te werken. Tegelijkertijd konden ze op geen enkele vraag antwoord geven. Als ze waren gevraagd de voornaam van Capone te geven hadden ze waarschijnlijk hun schouders opgehaald en gezegd dat ze het niet wisten. Misschien hadden ze zelfs ontkend dat hij een voornaam had.

Het was laat toen ik thuiskwam. Inspecteur Sanchez zat op me te wachten. Hij had zich iets te drinken ingeschonken en een sigaar opgestoken en las een boek in mijn lievelingsstoel.

'Ik ben tegenwoordig erg populair bij allerlei mensen,' zei ik. 'Mensen vallen zo maar binnen, alsof het hier een of andere club is.'

'Niet vervelend doen,' zei Sanchez. 'U en ik zijn vrienden. Bovendien heeft die dame me binnengelaten. Yara heet ze toch?'

Ik keek zoekend rond, maar het was duidelijk dat ze was vertrokken.

Hij haalde verontschuldigend zijn schouders op. 'Ik geloof dat ik haar bang heb gemaakt.'

'Daar zult u wel aan gewend zijn, inspecteur.'

'Ik zou zelf thuis moeten zijn, maar u weet wat ze zeggen. De misdaad houdt zich niet aan kantooruren.'

'Zeggen ze dat?'

'Er is weer een lijk gevonden. Iemand die Irving Goldstein heet. In een appartement in Vedado.'

'Ik heb nooit van hem gehoord.'

'Hij was een werknemer in hotel Saratoga. Een toezichthouder in het casino.'

'Juist.'

'Ik hoopte dat je me zou willen vergezellen naar zijn appartement. Omdat jij een beroemde rechercheur bent. En ook zijn werkgever, in zekere zin.'

'Mij best. Waarom niet. Ik was alleen maar van plan naar bed te gaan om twaalf uur te slapen.'

'Uitstekend.'

'Geef me even een minuutje om me om te kleden, oké?'

'Ik wacht beneden op u, señor.'

19

De volgende ochtend werd ik gewekt door de telefoon.

Het was Robert Freeman. Hij belde om me een contract van zes maanden te geven om wilde havanna's te gaan verkopen in West-Duitsland voor J. Frankau.

'Maar ik denk niet dat Hamburg de juiste vestigingsplaats voor je is, Carlos,' zei hij tegen me. 'Volgens mij is Bonn beter. Ten eerste omdat het de hoofdstad van West-Duitsland is, uiteraard. Beide parlementen zijn daar gevestigd, nog afgezien van alle regeringsinstituten en ambassades. En dat is tenslotte precies de elitemarkt die we zoeken. En daarnaast is er het feit dat het in de Britse bezettingszone ligt. We zijn een Brits bedrijf, dus dat maakt het voor ons alleen maar gemakkelijker. Bovendien ligt Bonn maar dertig kilometer van Keulen, een van de grootste steden in Duitsland.'

Alles wat ik wist van Bonn was dat het de geboorteplaats was van Beethoven en dat Konrad Adenauer er voor de oorlog had gewoond, de eerste bondskanselier van de Bondsrepubliek Duitsland. Toen Berlijn alleen nog de hoofdstad van de koude oorlog was en West-Duitsland een nieuwe hoofdstad nodig had, had Adenauer deze rustige kleine stad gekozen. Dat kwam hem zelf goed uit, want hij had hier een rustige periode gehad tijdens de jaren van het Derde Rijk. Ik was toevallig een keer in Bonn geweest. Eén keer. Per ongeluk. Maar voor 1949 hadden maar weinig mensen ooit van Bonn gehoord, laat staan dat ze wisten waar het lag, en zelfs vandaag werd het spottend 'het bondsdorp' genoemd. Bonn was klein, Bonn was onbelangrijk, en Bonn was bovenal een achtergebleven gebied, en ik vroeg me af waarom ik er niet eerder aan had gedacht om daar te gaan wonen. Voor een man als ik die niets liever wilde dan een volkomen anoniem leven leiden, leek het volmaakt.

Ik zei snel tegen Freeman dat Bonn me prima leek en dat ik zo gauw mogelijk de nodige voorbereidingen voor de reis zou treffen. En Freeman zei dat hij mijn uiterst belangrijke zakelijke referenties in orde zou brengen.

Ik ging naar huis. Na bijna vijf jaar van verbanning keerde ik terug naar Duitsland. Met geld in mijn zak. Ik kon mijn geluk bijna niet op.

Er daarnaast waren er de gebeurtenissen van de vorige avond, in een appartement in Vedado.

Zodra ik me had gewassen en gekleed reed ik naar het National en liep omhoog naar de grote, ruime suite op de executive verdieping om de gebroeders Lansky te informeren dat ik de zaak Reles had 'opgelost'. Niet dat het ooit echt een zaak was geweest. Een oefening in public relations was een preciezere manier om mijn onderzoek te beschrijven, vooropgesteld dat je idee van publiek bestond uit de maffiacasino's en hotels in Havana.

'Wil je zeggen dat je weet wie het heeft gedaan?' De stem van Meyer had de diepe, zware klank van een indiaans opperhoofd in een western. Jeff Chandler, bijvoorbeeld. De kleine Meyer had ook hetzelfde soort ondoorgrondelijke gezicht. En precies dezelfde neus.

Zoals eerder gingen we op het balkon zitten, met hetzelfde uitzicht over de oceaan, alleen kon ik de oceaan nu zien, horen en ruiken. Ik zou het schurende geraas van die oceaan nog missen.

Meyer droeg een grijze gabardinebroek, een bijpassend vest, een effen wit sporthemd en een zonnebril met een dik montuur waardoor hij meer op een boekhouder leek dan op een gangster. Jake was eveneens informeel gekleed. Hij droeg een ruimvallend badstoffen hemd en een klein strohoedje met een band die even strak en smal was als zijn mond. En heen en weer drentelend op de achtergrond viel de lange, hoekige Vincent Alo te ontwaren, die ik nu beter kende als Jimmy Blue Eyes. Alo droeg een grijze flanellen broek, een wit mohairen vest met een brede kraag en een zijden sjaaltje met een motiefje. Het vest viel erg ruim, maar niet ruim genoeg om de reserverib te verbergen die hij onder zijn arm droeg. Hij zag eruit als een Italiaanse playboy, tenminste als het ging om een Romeinse tragedie die was geschreven door Seneca om keizer Nero te vermaken.

We dronken koffie uit kleine kopjes, in Italiaanse stijl met uitgestoken pink.

'Ik heb een naam,' zei ik tegen hen.

'Voor de dag ermee.'

'Irving Goldstein.'

'Die vent die zelfmoord heeft gepleegd?'

Goldstein was toezichthouder geweest in het Saratoga, gezeten in een hoge stoel boven de tafel waar craps werd gespeeld. Hij kwam oorspron-kelijk uit Miami en had een training als croupier achter de rug in ver-schillende illegale gokhuizen in Tampa voordat hij in april 1953 in Hava-na aankwam. Dit vond plaats na de deportatie van dertien kaartspelers van Amerikaanse origine uit Cuba die werknemers waren van de casi-no's Saratoga, Sans Souci, Montmartre en Tropicana.

'Met de hulp van inspecteur Sanchez heb ik gisteravond zijn apparte-ment in Vedado doorzocht. En we hebben dit gevonden.'

Ik gaf Lansky een technische tekening en liet hem er een tijdje naar staren.

'Goldstein had een relatie met een man, een acteur die zich als vrouw verkleedde in de Palette Club. Volgens mijn informatie had Max dat ont-dekt. Goldsteins homoseksualiteit zat hem helemaal niet lekker, en hij liet hem weten dat hij naar een baan in een ander casino moest uitkijken. De manager van het casino van het Saratoga, Nuñez, bevestigde dat de twee mannen ergens ruzie over hebben gemaakt, niet lang voordat Max stierf. Ik ben van mening dat dit het onderwerp van hun ruzie was. En dat Goldstein Max heeft vermoord als wraak voor zijn ontslag. Dus hij had waarschijnlijk een motief. Hij had zo goed als zeker de gelegenheid: Nuñez vertelde me dat Goldstein in de nacht van de moord rond twee uur pauze nam. En dat hij ongeveer een half uur weg was van de crapsta-fels.'

'En je bewijs is… dit?' Lansky zwaaide met het stuk papier dat ik hem had gegeven. 'Ik kijk ernaar en ik weet nog steeds niet wat het is. Jake?' Lansky gaf het stuk papier aan zijn broer, die er niet-begrijpend naar keek alsof het de blauwdruk was van een nieuw systeem voor geleide wa-pens.

'Dat is een zeer nauwkeurige en precieze ontwerptekening voor een Bramit-geluidsdemper,' zei ik. 'Een op maat gemaakte geluidsdemper voor een Nagant-revolver. Zoals ik al eerder heb gezegd, vanwege het ge-sloten vuursysteem van de Nagant…'

'Wat betekent dat?' vroeg Jake. 'Gesloten vuursysteem. Alles wat ik van wapens weet is hoe je ermee moet schieten. En zelfs dan maken ze me nog zenuwachtig.'

'Vooral dan,' zei Meyer. Hij schudde zijn hoofd. 'Ik hou niet van wa-pens.'

'Wat het betekent? Niet meer dan dit. De Nagant heeft een mechanis-me dat, als de hamer wordt gespannen, er eerst voor zorgt dat de cilinder draait. Daarna gaat het naar voren zodat de ruimte tussen de cilinder en de loop, die bij elk model revolver voorkomt, wordt gesloten. Doordat die ruimte is afgesloten, wordt de snelheid van de kogel verhoogd en wat belangrijker is: het maakt de Nagant tot het enige wapen waarvan je het geluid doelmatig kunt dempen. Tijdens de oorlog zat Goldstein in het leger en daarna was hij in Duitsland gelegerd. Ik kan me zo voorstellen dat hij zijn revolver heeft geruild met een soldaat van het Rode Leger. Dat kwam vaak voor.'

'Dus je denkt dat die *faygele* de geluidsdemper zelf heeft gemaakt? Bedoel je dat?'

'Hij was homoseksueel, meneer Lansky. Dat betekent niet dat hij niet met gereedschap voor fijnmetaal kon omgaan.'

'Dat is juist,' mompelde Alo.

Ik schudde mijn hoofd. 'De tekening was verstopt in zijn bureau. En eerlijk gezegd denk ik niet dat ik ooit een beter bewijs zal vinden.'

Meyer Lansky knikte. Hij nam een pakje Parliaments van de salontafel en stak een sigaret aan met een zilveren tafelaansteker. 'Wat denk jij ervan, Jake?'

Jake trok een gezicht. 'Bernie heeft gelijk. Bewijs is altijd moeilijk te vinden in dit soort situaties, maar die tekening lijkt me al heel wat. Zoals je zelf maar al te goed weet, Meyer, baseerde de FBI zich in zijn zaken vaak op veel minder bewijsmateriaal. Bovendien, als die Goldstein Max inderdaad heeft vermoord, is het een van de onzen en hoeven we de rekening niet te vereffenen met anderen. Hij is een Jood. Van het Saratogahotel. Het houdt alles keurig en netjes, zoals we altijd hebben gewild. Eerlijk gezegd zie ik niet hoe we een beter resultaat hadden kunnen krijgen. De zaken kunnen zonder enig oponthoud doorgaan.'

'Dat is het belangrijkste,' zei Meyer Lansky.

'Hoe heeft hij trouwens zelfmoord gepleegd?' vroeg Vincent Alo.

'Hij heeft zijn aderen opengesneden in een bad met warm water,' zei ik. 'Op z'n Romeins.'

'Dat is weer eens wat anders dan op z'n hondjes,' zei Alo.

Meyer Lansky huiverde. Het was duidelijk dat hij niet op dergelijke grapjes was gesteld. 'Ja, maar waarom?' vroeg hij. 'Waarom heeft hij zelfmoord gepleegd? Met alle respect Bernie, maar die moord was toch gelukt? Min of meer. Dus waarom zou hij zelfmoord plegen? Zijn geheim was veilig.'

Ik haalde mijn schouders op. 'Ik heb een paar mensen van de Palette

Club gesproken. De essentie van die club zit hem er juist in dat sommige meisjes echt zijn en andere niet. Het gaat er in die club om dat je het verschil niet kunt zien. In het begin schijnt Irving Goldstein hetzelfde probleem gehad te hebben. Dat het meisje waarop hij dacht verliefd te zijn in feite een man was. Toen hij de waarheid ontdekte probeerde hij ermee te leven, en toen ontdekte Max het. Sommige mensen bij de Palette denken dat hij overmand werd door schaamte. Volgens mij was hij al van plan om zelfmoord te plegen, maar wilde hij eerst nog wraak nemen op Max.'

'Wie weet wat er in het hoofd van zo iemand omgaat?' zei Alo. 'Misschien was hij in de war.'

Meyer Lansky knikte. 'Goed, daar kan ik mee leven. Je hebt goed werk geleverd, Gunther. Een mooi en snel resultaat zonder dat we iemand voor het hoofd stoten. In La Zaragozana had ik het niet beter kunnen bestellen.'

Dat was de naam van een beroemd restaurant in Oud-Havana.

'Jimmy? Geef die man zijn geld. Hij heeft het verdiend.'

Vincent Alo zei 'Oké, Meyer,' en liep de suite uit.

'Weet je, Gunther,' zei Lansky, 'volgend jaar gaan de zaken echt goed beginnen voor ons hier in Havana. Er komt een fijne nieuwe wet aan. De Hotelwet. Alle nieuwe hotels krijgen een speciale status voor de belastingen, wat betekent dat er meer geld op dit eiland te verdienen valt dan je ooit voor mogelijk hebt gehouden. Ik ben zelf van plan een nieuw casinohotel te bouwen. Het moet, op Las Vegas na, het grootste ter wereld worden: het Riviera. En ik zou iemand als jij in zo'n hotel kunnen gebruiken. Tot die tijd wil ik graag dat je naar het Montmartre komt om daar voor me te werken. Je kunt daar hetzelfde doen als je van plan was te gaan doen in het Saratoga.'

'Ik zal er zeker over nadenken, meneer Lansky.'

'Vincent neemt nu de leiding van het Saratoga over.'

Vincent Alo kwam weer op het balkon. Hij had een zak met fiches bij zich. Hij glimlachte, maar zijn blauwe ogen toonden geen enkele emotie. Het was goed te begrijpen hoe hij aan zijn bijnaam was gekomen, Jimmy Blue Eyes. Zijn ogen waren zo blauw als de zee aan de andere kant van het Malecón, en even koud.

'Dat ziet er niet uit als twintigduizend dollar,' zei ik.

'Schijn bedriegt,' zei Alo. Hij trok het koord van de zak los en haalde er een paarse plaque uit van duizend dollar. 'Hier zitten er nog negentien van in deze zak. Ga hiermee naar de kassa van het Montmartre en ze geven je je geld. Zo eenvoudig is het, beste mof.'

Het neoklassieke Montmartre op de hoek van de P-straat en de 23ste straat was niet ver lopen van het National. Het was vroeger een hondenrenbaan geweest en besloeg een heel huizenblok. Het was het enige casino in Havana dat vierentwintig uur per dag open was. Het was nog niet eens lunchtijd, maar in het Montmartre was het al behoorlijk druk. Op dit vroege uur waren de meeste gokkers Chinezen. Maar Chinezen zijn bij het gokken altijd in de meerderheid, ongeacht het tijdstip. En ze hadden totaal geen oog voor de reclame van de show 'Middernacht in Parijs' die later die avond zou worden opgevoerd.

Maar voor mij leek Europa al iets dichterbij en iets aantrekkelijker terwijl ik van het raampje van de kassa wegliep met veertig afbeeldingen van president William McKinley. En de enige reden waarom ik Lansky's aanbod van een volledige baan niet meteen had geweigerd, was omdat ik hem niet wilde laten weten dat ik het land zou verlaten. Dat zou zijn wantrouwen kunnen wekken. Ik hoopte dat ik mijn geld bij de rest van mijn spaargeld op de Royal Bank of Canada kon zetten. Daarna was ik, met mijn nieuwe zakelijke referenties, van plan Cuba zo snel mogelijk te verlaten.

Ik had iets veerkrachtigs in mijn tred terwijl ik opnieuw door het hek van hotel National liep om de auto op te halen die ik als afscheidscadeau aan Yara wilde geven. Ik had me niet meer zo optimistisch gevoeld over mijn vooruitzichten sinds mijn hereniging met wijlen mijn vrouw Kirsten in Wenen in september 1947. Zo optimistisch dat ik vond dat ik wel even naar inspecteur Sanchez kon gaan om te zien of er niet iets was wat ik voor Noreen Eisner en Alfredo Lopez kon doen.

Uiteindelijk is optimisme niets meer dan naïeve en slecht geïnformeerde hoop.

20

Het Capitolio was gebouwd in de stijl van het Capitool in Washington door de dictator Machado, maar het was te groot voor een eiland met de omvang van Cuba. Het zou nog te groot zijn geweest voor een eiland met de omvang van Australië. In de hal met koepel stond een zeventien meter hoog standbeeld van Jupiter. Het deed erg aan een Oscarbeeldje denken en de meeste toeristen die het Capitolio bezochten maakten er een foto van. Nu ik van plan was Cuba te verlaten wilde ik zelf ook een paar foto's maken. Zodat ik wist wat ik miste als ik in Bonn woonde en om negen uur 's avonds naar bed ging. Wat moet je anders doen in Bonn om negen uur 's avonds? Als Beethoven in Havana had gewoond – en vooral als hij om de hoek bij de Casa Marina had gezeten – had hij met een beetje geluk hoogstens één strijkkwartet geschreven in plaats van zestien. Maar je kon je hele leven in Bonn wonen en niet eens merken dat je doof was.

Het politiebureau op Zulueta lag op een paar minuten lopen van het Capitolio vandaan, maar ik vond het niet erg om te voet te gaan. Enkele maanden geleden nog was een professor van de universiteit van Havana gedood door een autobom. Dat was gebeurd bij het politiebureau in Vedado. De rebellen hadden zijn zwarte Hudson uit 1952 aangezien voor de auto van hetzelfde type die eigendom was van het adjunct-hoofd van de Cubaanse inlichtingendienst. Sinds die tijd paste ik er wel voor op mijn Chevrolet Styline bij een politiebureau te parkeren.

Het politiebureau was een oud koloniaal gebouw met een façade van afbladderend wit pleisterwerk en groene louvreluiken aan de ramen. Een Cubaanse vlag hing slap boven de vierkante portiek, als een fel gekleurd badlaken dat uit een van de ramen op een hogere verdieping was gevallen. Buiten het gebouw rook de riolering niet erg goed. Binnen merkte je er bijna niets van, zolang je niet inademde.

Sanchez zat op de tweede verdieping, in een kantoor dat uitkeek op een parkje. In een hoek stond een vlag aan een stok en aan de muur hing een foto van Batista tegenover een kast vol geweren voor het geval de vlag en de foto niet vaderlandslievend genoeg bleken. Er stond een klein, goedkoop houten bureau, met veel ruimte eromheen – als je een lintworm had. De wanden en het plafond hadden de beige kleur van een verdroogde landstreek en het bruine linoleum op de scheve vloer deed denken aan een dode schildpad. Een dure humidor van rozenhout die je op het bijzettafeltje van een president zou verwachten stond op zijn bureau en leek even misplaatst als een Fabergé-ei in een plastic picknickmandje.

'Het was behoorlijk gelukkig dat ik die tekening heb gevonden,' zei Sanchez.

'Het meeste politiewerk heeft een element van geluk in zich.'

'En dan nog het feit dat uw moordenaar al dood is.'

'Hebt u bezwaren?'

'Hoe zou dat kunnen? U hebt de zaak opgelost, alle losse eindjes samen geknoopt en een buiging gemaakt. Dat noem ik nog eens recherchewerk. Ja, ik snap nu waarom Lansky dacht dat u de geschikte man voor die zaak was. Een echte Nero Wolfe.'

'U zegt het alsof u denkt dat ik het allemaal op een lei heb kunnen uittekenen, als een kleermaker.'

'Dat is gemeen. Ik ben nog nooit in mijn leven naar een kleermaker geweest. Niet met mijn salaris. Ik heb een mooie linnen guayabaera, en dat is alles. Bij formelere gelegenheden draag ik mijn beste uniform.'

'Is dat het uniform zonder bloedvlekken?'

'Nu verwart u me met luitenant Quevedo.'

'Ik ben blij dat u die naam noemt, inspecteur.'

Sanchez schudde zijn hoofd. 'Dat is niet mogelijk. Niemand die oren heeft is ooit blij om de naam van luitenant Quevedo te horen.'

'Waar kan ik hem vinden?'

'Luitenant Quevedo wordt niet gevonden. Niet als u niet helemaal achterlijk bent. Hij vindt u.'

'Zo ongrijpbaar zal hij toch niet zijn. Ik heb hem bij de begrafenis gezien, weet u nog?'

'Dat is zijn natuurlijke omgeving.'

'Een lange man. Gemillimeterd haar en een glad gezicht, voor een Cubaan. Wat ik bedoel is dat zijn gezicht vagelijk iets Amerikaans had.'

'Het is maar goed dat we alleen het gezicht van mensen zien en niet hun hart, vindt u niet?'

'Hoe dan ook, u zei dat ik niet alleen voor Lansky werkte maar ook voor Quevedo. En dus…'

'Heb ik dat gezegd? Mogelijk. Hoe zullen we iemand als Meyer Lansky omschrijven? Die man is zo glad als gesneden ananas. Maar Quevedo is een ander geval. We hebben bij de militie een gezegde: "God heeft ons gemaakt en daar staan wij verbaasd over; maar vooral in het geval van luitenant Quevedo." Toen ik hem aanduidde tijdens de begrafenis wilde ik u alleen maar opmerkzaam maken op hem, zoals je iemand opmerkzaam maakt op een giftige slang. Zodat u hem kunt vermijden.'

'Ik heb uw waarschuwing begrepen.'

'Dat is een hele opluchting.'

'Maar ik wil hem toch spreken.'

'Waarover, vraag ik me af.' Hij haalde zijn schouders op, negeerde de dure humidor en stak een sigaret op.

'Dat is mijn zaak.'

'Nee, inderdaad.' Hij glimlachte. 'Het is beslist de zaak van señor Lopez. Misschien in deze omstandigheden ook de zaak van señora Eisner. Maar uw zaak, señor Hausner? Nee, dat denk ik niet.'

'Nu doet ú me denken aan gesneden ananas, inspecteur.'

'Misschien was dat te verwachten. Ik ben namelijk in september 1950 afgestudeerd als rechtenstudent. Twee van mijn studiegenoten aan de universiteit waren Fidel Castro Ruiz en Alfredo Lopez. In tegenstelling tot Fidel waren Alfredo en ik politiek ongeletterd. In die dagen was de universiteit nauw verbonden met de regering van Grau San Martin en ik was ervan overtuigd dat ik kon helpen democratische veranderingen door te voeren in onze politie door zelf politieman te worden. Fidel dacht daar uiteraard anders over. Maar na de coup van Batista in maart 1952 besloot ik dat ik waarschijnlijk mijn tijd verknoeide en besloot ik minder moeite te doen om het regime en zijn instituties te verdedigen. Ik wilde alleen maar proberen een goede politieman te zijn en niet het instrument van een dictator. Is dat enigszins begrijpelijk, señor?'

'Vreemd genoeg wel. Voor mij in ieder geval.'

'Natuurlijk is dit niet zo gemakkelijk als het klinkt.'

'Dat weet ik ook.'

'Ik heb bij meer dan één gelegenheid compromissen met mezelf moeten sluiten. Ik heb zelfs overwogen de militie te verlaten. Maar het was Alfredo die me ervan heeft overtuigd dat ik meer goed kon doen door politieman te blijven.'

Ik knikte.

'Ik was het,' ging hij verder, 'die Noreen Eisner heeft verteld dat Alfredo is gearresteerd en door wie. Ze vroeg me wat er gedaan moest worden, en ik zei dat ik niets kon bedenken. Maar zoals u ongetwijfeld weet is ze geen vrouw die gemakkelijk opgeeft en omdat ik wist dat zij en u oude vrienden waren, heb ik voorgesteld dat ze u om hulp vroeg.'

'Mij? Waarom zou u dat in hemelsnaam doen?'

'Het was niet helemaal serieus bedoeld. Ik was een beetje door haar geërgerd. Ik moet bekennen dat ik ook geërgerd was door u. Geïrriteerd en ja, ook een beetje jaloers op u.'

'Jaloers? Op mij? Waarom zou u jaloers op mij zijn?'

Inspecteur Sanchez verschoof in zijn stoel en glimlachte schaapachtig.

'Om een aantal redenen,' zei hij. 'De manier waarop u deze zaak hebt opgelost. Het vertrouwen dat Meyer Lansky in uw capaciteiten lijkt te hebben. Het mooie appartement op Malecón. Uw auto. Uw geld. Laten we dat niet vergeten. Ja, ik geef grif toe dat ik jaloers op u was. Maar niet zó jaloers dat ik u dit wat u nu overweegt zou laten doen. Want ik moet ook grif bekennen dat ik u mag, Hausner. En ik zou u niet met een rein geweten uw hoofd in de muil van de leeuw laten leggen.' Hij schudde zijn hoofd. 'Ik heb haar verteld dat ik dat voorstel niet echt meende, maar kennelijk geloofde ze me niet en heeft ze zelf contact met u opgenomen.'

'Misschien heb ik dat al eerder gedaan,' zei ik.

'Dat zou kunnen. Maar dit is niet dezelfde leeuw. Alle leeuwen zijn anders.'

'Wij zijn vrienden, toch?'

'Ja, dat geloof ik wel. Maar Fidel zei altijd dat je iemand niet moet vertrouwen omdat hij een vriend is. Het is goed advies. Dat zou u moeten onthouden.'

Ik knikte. 'O, zeker. En geloof me, dat weet ik. Ik denkt meestal alleen aan mezelf, daar ben ik het beste in. Ik ben een expert als het om overleven gaat. Maar van tijd tot tijd krijg ik de rare neiging om iemand een gunst te verlenen. Iemand zoals uw vriend Alfredo Lopez. Het is een tijdje geleden sinds ik iets onbaatzuchtigs heb gedaan.'

'Ik begrijp het. Althans, ik begin te geloven dat ik het begrijp. U denkt dat u door hem te helpen haar helpt. Is dat het?'

'Zoiets, misschien.'

'En wat wilt u een man als Quevedo vertellen dat hem ertoe zou kunnen overhalen Lopez vrij te laten?'

'Dat is tussen mij en hem en iets wat ik curieus genoeg mijn geweten noem.'

Sanchez zuchtte. 'Ik had niet gedacht dat u een romanticus was. Maar toch geloof ik dat u dat bent.'

'U vergat de toevoeging "dwaze", nietwaar? Maar het is meer: eerder iets wat de Fransen "existentieel" noemen. Na al die jaren ben ik nog steeds niet bereid mijn eigen onbelangrijkheid toe te geven. Ik geloof nog steeds dat wat ik doe verschil maakt. Absurd, vindt u niet?'

'Ik ken Alfredo Lopez al sinds 1945,' zei Sanchez. 'Hij is best een aardige vent. Maar ik snap niet dat Noreen Eisner aan hem de voorkeur geeft boven iemand als u.'

'Misschien probeer ik haar daar ook van te overtuigen.'

'Alles is mogelijk, neem ik aan.'

'Ik weet het niet. Misschien is hij een beter mens dan ik.'

'Nee, maar wel jonger.'

21

Het gebouw van de sim in het centrum van Marianao leek op iets uit Beau Geste – een wit fort van twee verdiepingen dat afkomstig leek uit een stripverhaal. Je zou haast verwachten er een compagnie dode legioensoldaten in aan te treffen, opgestapeld langs de blauwe muren met kantelen. Het was een vreemd gebouw in een gebied dat verder volstond met scholen, ziekenhuizen en comfortabel uitziende bungalows.

Ik parkeerde mijn auto een paar straten verderop en liep naar de ingang waar een hond in de grasberm lag. Honden die op de straten van Havana sliepen waren netter en schoner dan alle honden die ik eerder had gezien, alsof ze probeerden niemand te hinderen. Sommige waren zo keurig en netjes over hun slaapmanieren op straat dat ze er dood uitzagen. Maar je kon niet aaien zonder risico. In Cuba moest de uitdrukking zijn ontstaan dat je 'geen slapende honden moet wakker maken'. Dat was altijd en voor iedereen een goed advies. Had ik me er maar aan gehouden.

Achter de zware houten deur gaf ik mijn naam aan de ook al slaperig uitziende soldaat. Nadat ik mijn verzoek om luitenant Quevedo te spreken had overgebracht, wachtte ik voor het zoveelste portret van F.B., die foto waarop hij het uniform draagt met die epauletten ter grootte van een lampenkap en waarop hij een zoetsappige glimlach heeft. Omdat ik inmiddels wist dat hij een flink deel van de inkomsten uit het casino kreeg, leek het me dat hij genoeg reden tot lachen had.

Toen ik genoeg had van het zelfvoldane gezicht van de Cubaanse president liep ik naar een groot raam en staarde naar de exercitieplaats, waar verschillende pantserwagens stonden. Toen ik die wagens zag, begreep ik niet hoe Castro en zijn rebellen ooit hadden kunnen denken dat ze een kans maakten tegen het Cubaanse leger.

Na lang wachten werd ik begroet door een lange man in een beige uniform van wie alles glom: het leer, de knopen, zijn tanden en zijn zonnebril. Het leek alsof hij was uitgedost om ook op de foto te gaan.

'Señor Hausner? Ik ben luitenant Quevedo. Wilt u met me meelopen?'

Ik liep achter hem aan de trap op en ondertussen praatte luitenant Quevedo. Hij had een ontspannen manier van doen en leek anders dan het beeld dat inspecteur Sanchez van hem had geschilderd. We liepen door een gang die eruitzag als een geïllustreerde biografie van *Life* magazine van de kleine president: F.B. in het uniform van een sergeant; F.B. met president Grau; F.B. in een trenchcoat en vergezeld door een trio Afro-Cubaanse lijfwachten; F.B. en verscheidenen van zijn hoogste generaals; F.B. die een lachwekkend grote officierspet droeg tijdens een toespraak; F.B. in een auto samen met Franklin D. Roosevelt; F.B. op het omslag van *Time* magazine; F.B. met Harry Truman; en, ten slotte, F.B. met Dwight D. Eisenhower. Alsof die pantserwagens alleen al niet voldoende tegenstand waren voor de rebellen, waren er ook nog Amerikanen. En niet te vergeten drie Amerikaanse presidenten.

'Dit noemen we onze oorlogshelden,' zei Quevedo schertsend. 'Zoals u ziet hebben wij maar één held. Sommige mensen noemen hem een dictator. Maar als dat zo is, is hij wel een erg populaire dictator, lijkt me.'

Hij bleef even staan voor het omslag van *Time* magazine. Ik had een exemplaar van hetzelfde tijdschrift ergens in mijn appartement. Er stond een kritische opmerking over Batista op die ontbrak op dit omslag, maar ik wist niet meer wat de tekst was.

'U vraagt zich misschien af waar de kop is gebleven,' merkte Quevedo op. 'En wat de inhoud ervan was?'

'Is dat zo?'

'Natuurlijk.' Quevedo lachte beminnelijk. 'Er stond: "Cuba's Batista: Voorbij de Schildwachten van de Democratie." Wat enigszins overdreven is. In Cuba zijn er bijvoorbeeld geen beperkingen wat betref de vrijheid van meningsuiting of de persvrijheid en vrijheid van godsdienst. Het congres kan alle wetten afkeuren of weigeren in te stemmen met zijn wensen. Er zitten geen generaals in zijn regering. Kun je dat een dictator noemen? Kun je onze president werkelijk vergelijken met Stalin? Of Hitler? Ik denk het niet.'

Ik gaf geen antwoord. Wat hij zei deed me denken aan hetgeen ik zelf had gezegd bij het etentje van Noreen, maar uit de mond van Quevedo klonk het op de een of andere manier minder overtuigend. Hij opende de deur van een reusachtige kantoorruimte. Er stond een groot, mahoniehouten bureau, een radio met een vaas erbovenop, een ander, kleiner bureau met een typemachine erop en een televisie die aan stond maar met het geluid uitgeschakeld. Er was een honkbalwedstrijd aan de gang. Aan de muren hingen geen foto's van Batista maar honkbalspelers als Antonio Castaño en Guillermo 'Willie' Miranda. Er lag niet veel op het bureau: een pakje Trend, een bandrecorder, een paar longdrinkglazen versierd met de Amerikaanse vlag, een tijdschrift met een foto van mambodanseres Ana Gloria Varona op het omslag.

Quevedo gebaarde me te gaan zitten in een stoel voor het bureau. Hij sloeg zijn armen over elkaar en keek op me neer alsof ik een student was die hem een probleem had voorgelegd.

'Ik weet uiteraard wie u bent,' zei hij. 'En ik geloof dat ik wel kan zeggen dat de betreurenswaardige moord op señor Reles inmiddels aardig is opgelost.'

'Ja, dat klopt.'

'En bent u hier namens señor Lansky of op eigen initiatief?'

'Op eigen initiatief. Ik weet dat u het druk hebt, luitenant, dus ik zal meteen ter zake komen. U hebt hier een gevangene die Alfredo Lopez heet. Is dat juist?'

'Ja.'

'Ik hoop u te kunnen overhalen hem vrij te laten. Zijn vrienden verzekeren me dat hij niets te maken heeft met Arango.'

'En waarom is Lopez voor u precies van belang?'

'Hij is advocaat, zoals u weet. Als advocaat heeft hij me goed geholpen, dat is alles. Ik hoopte hem een wederdienst te kunnen bewijzen.'

'Zeer prijzenswaardig. Zelfs advocaten moeten vertegenwoordigd worden.'

'U sprak over democratie en vrijheid van meningsuiting. Ik heb daar grotendeels dezelfde ideeën als u over, luitenant. Ik ben hier alleen maar om een rechterlijke dwaling te helpen voorkomen. Ik ben beslist geen verdediger van doctor Castro en zijn rebellen.'

Quevedo knikte. 'Castro is een geboren crimineel. Sommige kranten vergelijken hem met Robin Hood, maar zo zie ik het niet. Hij is meedogenloos en gevaarlijk, zoals alle communisten. Hij is waarschijnlijk al communist sinds 1948, toen hij nog student was. Maar in zijn hart is hij erger dan een communist. Hij is een communist en een geboren autocraat. Hij is een stalinist.'

'Ik ben het volledig met u eens, luitenant. Ik heb beslist niet de behoefte om dit land tot het communisme te zien vervallen. Ik verfoei alle communisten.'

'Ik ben blij dat te horen.'

'Zoals gezegd hoopte ik Lopez een gunst te bewijzen, meer niet. En toevallig is het zo dat ik ook u een gunst kan bewijzen.'

'Een soort *quid pro quo*.'

'Mogelijk wel.'

Quevedo grijnsde. 'Nou, dat maakt me nieuwsgierig.' Hij nam het pakje Trend van het bureau en stak een sigaartje op. Het leek bijna onvaderlandslievend om zo'n nietig sigaartje te roken. 'Gaat u verder.'

'Ik heb in de kranten gelezen dat de rebellen van de Moncadakazerne slecht bewapend waren. Jachtgeweren, een paar M1-geweren, een Thompson, een Springield grendelgeweer.'

'Dat is volkomen juist. Onze meeste inspanningen zijn erop gericht te voorkomen dat ex-president Prio de rebellen van wapens voorziet. Tot dusver hebben we daar veel succes mee gehad. De laatste paar jaar hebben we voor miljoenen dollars aan wapens in beslag genomen.'

'Wat als ik u de plek zou verklappen van een geheime wapenbergplaats die van alles bevat, van granaten tot een machinegeweer met kogelband?'

'Ik zou zeggen dat het uw plicht was, als gast in mijn land, om mij te vertellen waar ik die wapens kan vinden.' Hij zoog even aan zijn sigaartje. 'En dan zou ik ook zeggen dat ik uw vriend zonder twijfel zou vrijlaten onmiddellijk nadat die geheime wapenbergplaats is gevonden. Maar mag ik vragen hoe u van die wapens op de hoogte bent?'

'Een tijdje geleden reed ik met mijn auto in El Calvario. Het was laat, de weg was donker, ik had waarschijnlijk iets te veel gedronken en ik reed in ieder geval te snel. Ik verloor de macht over het stuur en gleed van de weg af. Aanvankelijk dacht ik dat ik een lekke band had of een gebroken as. Ik stapte uit en ging met een zaklamp op inspectie uit. Mijn banden hadden een hoop zand omgewoeld en waren door een stel planken gezakt die daar lagen om iets te bedekken dat eronder begraven lag. Ik heb een plank opgetild, liet het licht van de zaklamp erop vallen en zag een doos Mark 2 FHGS en een Browning M19. Waarschijnlijk lagen er nog veel meer wapens, maar het leek me niet veilig daar al te lang te blijven. Dus heb ik de planken weer met zand bedekt en die plek met enkele stenen gemarkeerd zodat ik hem gemakkelijk terug kon vinden. Gisteravond ben ik er weer naartoe gegaan. De stenen lagen er nog, dus ik ga ervan uit dat de wapens er nog liggen.'

'Waarom hebt u dat toentertijd niet gemeld?'

'Dat was ik zeker van plan, luitenant. Maar toen ik thuis was, bedacht ik dat ik de autoriteiten in dat geval wel eens zouden kunnen denken dat er veel meer te vertellen viel dan ik u heb verteld, en toen durfde ik niet meer.'

Quevedo haalde zijn schouders op. 'Er lijkt nu niets mis met uw durf.'

'Daar zou ik maar niet te zeker van zijn. Mijn maag draait zich om als een wasmachine. Maar zoals gezegd, ik ben Lopez nog iets verschuldigd.'

'Hij is een gelukkig man om een vriend als u te hebben.'

'Dat moet hij zelf maar bepalen.'

'Dat is waar.'

'Nou? Kunnen we zakendoen?'

'Wilt u ons naar de plek brengen waar die wapens begraven liggen?'

Ik knikte.

'Goed dan. Afgesproken. Maar hoe zullen we het aanpakken?' Hij stond op en begon bedachtzaam heen en weer te lopen. 'Eens even denken. Ik weet het al. We nemen Lopez mee, en als de wapens op de plek liggen die u aanwijst, kunt u hem meenemen. Zo eenvoudig is het. Mee eens?'

'Ja.'

'Prima. Ik heb even tijd nodig om alles te organiseren. Waarom wacht u hier niet even. U kunt televisiekijken terwijl ik alles regel. Houdt u van honkbal?'

'Niet speciaal. Het zegt me niet veel. In het echte leven zijn er geen derde kansen.'

Quevedo schudde zijn hoofd. 'Het is een spel voor politiemensen. Geloof me, ik heb erover nagedacht. Het is namelijk zo: als je iets raakt met een stok, verandert dat alles.' Toen liep hij de deur uit.

Ik pakte het tijdschrift dat op het bureau lag en raakte iets beter bekend met Ana Gloria Varona. Ze was een kleine seksbom met een achterwerk waarmee je een walnoot kon kraken en een grote boezem die schreeuwde om een te klein truitje. Toen ik haar genoeg had bewonderd probeerde ik naar het honkbal te kijken. Maar volgens mij was het een van die eigenaardige sporten waarbij de geschiedenis kennelijk belangrijker is dan het spel zelf. Na een tijdje sloot ik mijn ogen, wat meestal niet zo gemakkelijk is in een politiebureau.

Quevedo kwam ongeveer twintig minuten later terug. Hij was alleen en droeg een aktetas. Hij trok zijn wenkbrauwen op en keek me verwachtingsvol aan. 'Zullen we gaan?'

Ik liep achter hem aan naar beneden.

Alfredo Lopez stond tussen twee soldaten in de gang bij de deur, maar echt staan kon je het niet noemen. Hij was smerig en ongeschoren en hij had twee blauwe ogen, maar dat was nog niet het ergste. Zijn beide handen waren onlangs verbonden, wat de handboeien om zijn polsen iets nutteloos gaf. Toen hij me zag, probeerde hij te glimlachen, maar de inspanning werd hem waarschijnlijk te veel en hij viel bijna flauw. De twee soldaten grepen hem bij de ellebogen en hielden hem overeind alsof hij een verdachte was in een of ander showproces.

Ik wilde Quevedo vragen wat er met de handen van Lopez aan de hand was, maar ik bedacht me. Ik wilde niets zeggen of doen dat mijn plannen zou kunnen dwarsbomen. Maar ik twijfelde er niet aan dat Lopez was gemarteld.

Quevedo deed nog steeds voorkomend. 'Hebt u een auto?'

'Een grijze Chevrolet Styline,' zei ik. 'Hij staat iets verderop in de straat. Ik zal hierheen rijden, dan kunt u achter me aan rijden.'

Quevedo maakte een tevreden indruk. 'Uitstekend. Naar El Calvario, zei u?'

Ik knikte.

'Het verkeer in Havana is nogal druk. Als we gescheiden worden, spreken we af bij het plaatselijke postkantoor.'

'Prima.'

'Nog één ding.' Zijn glimlach kreeg iets kils. 'Als dit een of andere valstrik is, een zorgvuldig voorbereide truc om mij naar het open veld te lokken om een aanslag op mc te plegen...'

'Het is geen valstrik,' zei ik.

'Dan is de eerste die wordt neergeschoten onze vriend hier.' Hij tikte veelbetekenend op de holster aan zijn riem. 'Hoe dan ook zal ik u beiden neerschieten als die wapenbergplaats niet op de plek ligt waar u zegt.'

'Die wapens liggen er heus nog wel,' zei ik. 'En er wordt geen aanslag op u gepleegd, luitenant. Mensen zoals u en ik komen niet om bij een aanslag. We worden vermoord, simpel en eenvoudig. Het zijn de Batista's, de Trumans en de King Abdullahs van deze wereld die sterven bij een aanslag. Dus maakt u zich niet druk. Ontspan u. Want dit is uw geluksdag. Wat u gaat doen zal u een bevordering tot inspecteur opleveren. Dus misschien moet u maar genieten van dat geluk en een loterijlot kopen of een nummer kiezen in de *bolita*. Misschien moeten we allebei op een nummer wedden.'

Het was waarschijnlijk maar goed dat ik dat niet deed.

22

Met één oog op mijn achteruitkijkspiegel en de legerauto achter me reed ik in oostelijke richting door de nieuwe tunnel onder de Almendares-rivier en daarna naar het zuiden via Santa Catalina en Vibora. Op de middenberm van de boulevard waren gemeentelijke plantsoenmede-werkers bomen aan het snoeien in de vorm van een klok, alleen klonken ze niet in mijn hoofd. Ik hield mezelf nog steeds voor dat ik kon wegko-men zonder een pact met de duivel te sluiten. Dat had ik tenslotte eerder gedaan, en met veel ergere duivels dan luitenant Quevedo. Heydrich, om maar iemand te noemen. Of Göring. Veel duivelser kon je ze niet krijgen. Maar hoe slim je ook denkt te zijn, je moet er altijd op bedacht zijn dat er iets onverwachts kan gebeuren. Ik dacht dat ik overal op was voorbereid. Behalve op het ene dat gebeurde.

Het werd iets warmer. Warmer dan aan de noordkust. En de meeste huizen hier waren eigendom van mensen met geld. Je kon zien dat het mensen met geld waren omdat ze allemaal hoge hekken om hun grote huizen hadden staan. Je kon uit de hoogte van de witte muren en de hoe-veelheid ijzer in de zwarte hekken afleiden hoeveel iemand verdiende. Een indrukwekkend hek gaf aan dat hier heel wat rijkdom geconfis-queerd en herverdeeld kon worden. Als de communisten Havana ooit bereikten hoefden ze niet lang te zoeken wie je het best kon bestelen. Je hoefde niet slim te zijn om communist te zijn. Niet als de rijken het je zo gemakkelijk maakten.

Toen ik Mantilla bereikte reed ik in zuidelijke richting verder naar Managua, een armere, haveloze wijk. Ik volgde de weg tot ik op de hoofd-weg uitkwam die in westelijke richting naar Santa Maria del Rosario liep. Je kon zien dat de buurten armer en havelozer werden omdat kinderen en geiten zonder begeleiding langs de kant van de weg liepen. Mannen met machetes liepen naar hun werk in de omliggende plantages.

Toen ik de ongebruikte tennisbaan zag en de vervallen villa met het roestige hek, hield ik het stuur stevig vast terwijl ik de Chevrolet van de weg stuurde en tussen de bomen verder reed. Toen ik hard op de rem trapte bokte de auto als een rodeostier. Hij wierp meer stof op dan tijdens de exodus uit Egypte. Ik schakelde de motor uit en zat daar te niksen met mijn handen achter mijn hoofd gevouwen, voor het geval de luitenant het zenuwachtige type was. Ik wilde niet neergeschoten worden terwijl ik op zoek was naar mijn zakmodel humidor.

De legerauto stopte achter me en de twee soldaten stapten uit, gevolgd door Quevedo. Lopez bleef achterin zitten. Hij kon toch nergens heen. Hoogstens naar het ziekenhuis. Ik leunde uit mijn raampje, sloot mijn ogen en stak mijn gezicht even in de zon. Ik hoorde hoe het motorblok tikte en afkoelde. Toen ik mijn ogen weer opende hadden de twee soldaten spaden uit de laadbak gehaald en ze wachtten op instructies. Ik wees naar een plek voor ons.

'Zien jullie die drie witte stenen?' zei ik. 'Daar moet je graven, in het midden.'

Ik sloot mijn ogen opnieuw even, maar deze keer bad ik dat alles zo zou lopen als ik hoopte.

Quevedo liep naar de Chevrolet. Hij droeg zijn aktetas. Hij opende het voorste portier aan de passagierskant en ging naast me zitten. Toen draaide hij het raampje omlaag, maar het was niet genoeg om me de doordringende geur van zijn parfum te besparen. Even keken we naar de gravende soldaten, zonder iets te zeggen.

'Enig bezwaar als ik de radio aanzet?' zei ik terwijl ik mijn hand naar de knop uitstak.

'Ik denk dat u zult merken dat ik meer dan voldoende gespreksstof heb om uw aandacht vast te houden,' zei hij onheilspellend. Hij zette zijn pet af en wreef over zijn gemillimeterde hoofd. Het klonk alsof iemand een schoen poetste. Toen grijnsde hij. Er zat humor in zijn grijns, maar het beviel me niet. 'Heb ik u verteld dat ik bij de CIA in Miami ben opgeleid?'

We wisten beiden dat dit niet echt een vraag was. Dat gold voor de meeste vragen die hij stelde. Meestal waren ze bedoeld om je onzeker te maken, en meestal wist hij zelf het antwoord al.

'Ja, ik ben er vorige zomer zes maanden geweest. Bent u ooit in Miami geweest? Het is waarschijnlijk de minst interessante plek ter wereld. Het is als Havana zonder ziel. Hoe dan ook, dat doet er niet toe. En nu ik hier ben is een van mijn functies om als verbindingspersoon te fungeren tussen het hoofd van de CIA hier in Havana. Zoals u zich waarschijnlijk kunt voorstellen, wordt de politiek van de vs gedreven door angst voor het communisme. Een terechte angst, zou ik zeggen, gegeven de politieke loyaliteiten van Lopez en zijn vrienden op het eiland Pines. Dus de CIA is van plan ons volgend jaar te helpen bij het opzetten van een nieuw anticommunistisch inlichtingenbureau.'

'Daar zit het eiland net op te wachten,' zei ik. 'Nog meer geheime politie. Legt u me eens uit, in welk opzicht zal dat nieuwe anticommunistische bureau verschillen van het huidige?'

'Goede vraag. Nou, we krijgen natuurlijk meer geld van de Amerikanen. Veel meer geld. Dat is altijd een goed begin. Het nieuwe bureau wordt ook opgeleid, uitgerust en direct aangestuurd door de CIA, alles specifiek gericht op het identificeren en onderdrukken van communistische activiteiten. Dit in tegenstelling tot de SIM, die alle vormen van politieke oppositie moet elimineren.'

'U had het toch over een democratie?'

'Nee, u hebt het helemaal bij het verkeerde eind om hier sarcastisch over te doen,' hield Quevedo vol. 'Het nieuwe bureau wordt direct aangestuurd door de grootste democratie ter wereld. Dat telt toch wel. En natuurlijk is het vanzelfsprekend dat het internationale communisme niet bepaald bekendstaat als tolerant jegens oppositie. Tot op bepaalde hoogte moet je kwaad met kwaad bestrijden. Ik had gedacht dat uitgerekend u dat wel zou snappen en waarderen, señor Hausner.'

'Luitenant, ik meende wat ik zei toen ik zei dat ik er geen behoefte aan heb om dit land rood te zien worden. Maar dat is alles. Ik ben senator Joseph McCarthy niet, ik ben Carlos Hausner.'

Quevedo's glimlach werd breder. Ik stel me zo voor dat hij op een kinderfeestje een hele goede imitatie van een slang kon geven, als je kinderen ooit in de buurt van een man als Quevedo zou laten komen.

'Ja, laten we het daar eens over hebben. Over uw naam, bedoel ik. U heet net zo min Carlos Hausner als dat u ooit Argentijns staatsburger bent geweest, nietwaar?'

Ik wilde iets zeggen, maar hij sloot zijn ogen alsof hij niet tegengesproken wilde worden. Hij klopte op de aktetas op zijn schoot. 'Nee, werkelijk. Ik weet heel wat over u. Al die informatie zit hierin. Ik heb een exemplaar van het CIA-dossier over u, Gunther. U moet weten dat er niet alleen in Cuba een opleving heerst om weer samen te werken met de Verenigde Staten. Ook in Argentinië. De CIA wil de groei van het communisme in dat land net zo graag voorkomen als hier in Cuba. Want in Argentinië hebben ze ook te maken met rebellen, net als wij. Vorig jaar hebben de communisten nog twee bommen laten ontploffen op het hoofdplein van Buenos Aires, waarbij zeven mensen zijn gedood. Maar ik dwaal af. Toen Meyer Lansky me vertelde over uw achtergrond bij de Duitse inlichtingendienst en hoe u streed tegen het Russische communisme tijdens de oorlog, moet ik bekennen dat ik gefascineerd was. Ik besloot dat ik meer wilde weten. Egoïstisch vroeg ik me af of we u zouden kunnen gebruiken in onze eigen strijd tegen het communisme. Dus nam ik contact op met de chef van de CIA hier. Ik vroeg of hij contact wilde opnemen met zijn collega in Buenos Aires om te zien welke informatie ze over u hadden. En ze hebben ons heel wat informatie gegeven. Kennelijk is uw werkelijke naam Bernhard Gunther, en bent u geboren in Berlijn. Daar was u eerst politieman, daarna iets bij de ss en ten slotte iets bij de Duitse militaire inlichtingendienst – de Abwehr. De CIA heeft uw gegevens gecontroleerd bij de Centrale Registratie van oorlogsmisdadigers en staatsgevaarlijke individuen – CROWCASS – en ook bij het Documentatiecentrum in Berlijn. En hoewel u niet wordt gezocht voor oorlogsmisdaden, schijnt er wel een aanhoudingsbevel voor u te zijn uitgegeven door de politie van Wenen. Voor de moord op die twee onfortuinlijke vrouwen.'

Het had weinig zin om te ontkennen wat hij zei, hoewel ik niemand in Wenen had vermoord. Maar het leek me wel mogelijk om hem een en ander uit te leggen, zodanig dat hij daar politiek tevreden mee was.

'Na de oorlog,' zei ik, 'en mede vanwege mijn ervaring met het bestrijden van de Russen, ben ik gerekruteerd door Amerikaanse contraspionage. Eerst door het 970ste CIC in Duitsland, en daarna het 430ste in Oostenrijk. Zoals u vast wel weet, was het CIC de voorloper van de CIA. Hoe dan ook, ik kon helpen bij het ontmaskeren van een verrader binnen hun organisatie. Een man die John Belinsky heette. Het bleek dat hij werkte voor de Russische MVD. Dat moet in september 1947 zijn geweest. Dat met die twee vrouwen was pas veel later. Dat was in 1949. Een van hen heb ik gedood omdat ze de vrouw was van een beruchte oorlogsmisdadiger. De ander was een Russische agente. De Amerikanen zullen het nu waarschijnlijk wel ontkennen, maar zij waren degenen die mij Oostenrijk uit hebben geholpen. Via de ontsnappingsroute die er bestond voor nazi's. Ze gaven me een paspoort van het rode kruis op naam van Carlos Hausner en zetten me op de boot naar Argentinië, waar ik een tijdje voor de geheime politie heb gewerkt. De SIDE. Tenminste, dat deed ik totdat die baan belastend begon te worden voor de regering en ik persona non grata werd. Ze gaven me een Argentijns paspoort en enkele visa, en zo kwam ik hier terecht. Sinds die tijd probeer ik moeilijkheden te vermijden.'

'U hebt zonder enige twijfel een interessant leven gehad.'

Ik knikte. 'Dat dacht Confucius ook,' zei ik.

'Pardon?'

'Laat maar. Ik woon hier al stilletjes sinds 1950. Maar onlangs kwam ik een oude kennis tegen, Max Reles, die me, aangezien hij wist van mijn achtergrond bij de Berlijnse recherche, een baan aanbood. Ik was van plan die baan aan te nemen, maar hij werd vermoord. Ondertussen was Lansky ook het een en ander over mij aan de weet gekomen, en toen Max werd vermoord, vroeg hij me over de schouder van de plaatselijke militie mee te kijken. Nou, je zegt geen nee tegen Meyer Lansky. Niet in deze stad. En nu zijn we hier beland. Maar ik zie echt niet in hoe ik u zou kunnen helpen, luitenant Quevedo.'

Een van de soldaten die aan het graven was, slaakte een kreet. De man smeet zijn spade weg, knielde neer, tuurde naar de grond en gaf een teken dat hij had gevonden waar ze naar zochten.

Ik wees naar hem. 'Afgezien van de hulp die ik u al heb gegeven met die geheime wapenbergplaats.'

'Waarvoor ik u zeer dankbaar ben, señor Gunther. Zo mag ik u toch wel noemen? Zo heet u tenslotte. Nee, ik wil iets anders. Iets heel anders. Begrijp me niet verkeerd. Dit is goed. Dit is heel goed. Maar ik wil iets duurzamers. Ik zal het uitleggen: ik heb begrepen dat Lansky u een baan heeft aangeboden. Nee, dat is niet helemaal waar. Het is meer dan iets wat ik heb begrepen. In werkelijkheid was dat idee van mij afkomstig – dat hij u een baan zou aanbieden.'

'Bedankt.'

'Graag gedaan. Ik stel me zo voor dat hij goed betaalt. Lansky is royaal. Voor hem is dit gewoon een goede zakelijke deal. Je krijgt waar je voor betaalt. Hij is uiteraard een gokker. En zoals de meeste intelligente gokkers houdt hij niet van onzekerheid. Als hij geen zekerheid heeft, doet hij het op één na beste en wedt hij op verschillende paarden. En daar komt u om de hoek kijken. Mijn werkgevers zouden graag weten of hij van plan is financiële steun te geven aan de communisten, voor het geval Batista de macht verliest.'

'Wilt u dat ik hem bespioneer?'

'Precies. Hoe moeilijk kan dat zijn voor een man als u? Lansky is tenslotte een Jood. Een Jood bespioneren moet een nazi erg gemakkelijk afgaan.'

Daar kon ik weinig tegen in brengen. 'En welk voordeel heb ik daarbij?'

'Als dank zullen we u niet naar Oostenrijk deporteren voor die aanklacht wegens moord. En u mag alles houden wat Lansky u betaalt.'

'Ik was van plan even naar Duitsland te gaan. Om wat familiezaken te regelen.'

'Ik vrees dat dat niet langer mogelijk is. We hebben immers geen enkele garantie dat u ooit terug zou keren? En dan zouden we een uitgelezen kans missen om Lansky te bespioneren. Trouwens, in uw eigen belang zou het beter zijn om niets over dit gesprek te vertellen tegen uw nieuwe werkgever. Mensen aan wier loyaliteit hij twijfelt hebben de nare gewoonte plotseling te verdwijnen. Señor Waxman bijvoorbeeld. Het staat zo goed als vast dat Lansky hem heeft laten vermoorden. Met u zou het niet anders gaan, denk ik. Hij is het soort man voor wie het zekere voor het onzekere nemen een manier van leven is. En wie zou het hem kwalijk kunnen nemen dat hij zo voorzichtig is? Hij heeft immers miljoenen in Havana geïnvesteerd. En het is zeker dat hij dat door niets en niemand zal laten verstoren. Niet door u. Niet door mij. Zelfs niet door de president zelf. Hij wil alleen maar doorgaan met geld verdienen, en het maakt hem of zijn vrienden weinig uit onder welk regime ze dat doen.'

'Dat zijn verzinsels,' hield ik vol. 'Ik kan me niet voorstellen dat Lansky de communisten zou helpen.'

'Waarom niet?' Quevedo haalde zijn schouders op. 'Nu doet u gewoon dom, Gunther. En u bent niet dom. Het interesseert u misschien dat volgens de CIA tijdens de afgelopen Amerikaanse presidentsverkiezingen een aanzienlijke donatie aan zowel de republikeinen, die wonnen, als de democraten, die verloren, heeft gegeven. Op die manier zou hij altijd te maken hebben met een dankbare winnaar. Dat bedoel ik. Snapt u? Politieke invloed is van onschatbare waarde. Lansky beseft dat maar al te goed. Zoals gezegd, het is gewoon een goede zakelijke deal. Als ik in zijn schoenen stond zou ik hetzelfde doen. Bovendien weet ik al dat Max Reles in het geheim geld betaalde aan de families van sommige Mancadarebellen. Hoe ik dat weet? Lopez heeft die me die informatie vrijwillig gegeven.'

'Vrijwillig. Denkt u dat ik dat geloof?'

'Uiteindelijk kon ik niet verhinderen dat hij dingen begon te vertellen. Nadat ik al zijn vingernagels had uitgetrokken.'

'Vuile smeerlap.'

'Kom, kom. Dat is mijn werk. En misschien wat dat lang geleden ook wel uw werk. Bij de ss. Wie zal het zeggen? U niet, denk ik. Ik weet zeker dat we met een beetje spitten wat smerige geheimpjes van u kunnen ontdekken, beste nazivriend. Maar dat interesseert me niet. Wat ik zou willen weten is of Reles dat geld heeft gegeven met medeweten van Lansky. En ik zou heel graag weten of hij het zelf ook doet.'

'U bent gek,' zei ik. 'Castro heeft vijftien jaar gekregen. De revolutie is een tandenloze leeuw zolang hij achter de tralies zit. En ik ook, als het ooit zover komt.'

'U hebt het twee keer mis. Over Castro bedoel ik. Hij heeft veel vrienden. Machtige vrienden. Bij de politie. Bij de rechterlijke macht. Zelfs in de regering. U twijfelt aan mijn woorden, dat zie ik. Maar wist u dat de legerofficieren die Castro gevangen namen na de aanval op de Moncadakazerne ook zijn leven hebben gered? Dat de rechtbank die hem veroordeelde in Santiago hem de gelegenheid gaf een twee uur durende toespraak te houden om zichzelf te verdedigen? Dat Ramón Hermida, onze huidige minister van Justitie ervoor heeft gezorgd dat hij niet gescheiden is gehouden van alle andere gevangenen, zoals de aanbeveling van het leger was, maar dat ze allemaal bij elkaar zijn gezet op het eiland Pines, waar ze de beschikking hebben over boeken en schrijfmateriaal? En Hermida is niet de enige in de regering die bevriend is met deze misdadiger. Er zijn al leden van de senaat en het huis van afgevaardigden die spreken over amnestie. Tellaheche. Rodriguez. Aguero. Amnestie, hoe is het mogelijk. In bijna elk ander land zou een dergelijk iemand zijn doodgeschoten. En verdiend. Ik spreek openhartig, beste vriend. Het zal me verbazen als dr. Castro meer dan vijf jaar in de gevangenis doorbrengt. Ja, hij heeft veel geluk gehad. Maar je hebt meer nodig dan geluk om zo'n geluksvogel als hij te zijn. Je hebt vrienden nodig. En deze vos verliest wel zijn haren maar niet zijn streken. Op de dag dat Castro wordt vrijgelaten uit de gevangenis begint de revolutie pas echt. Maar ik hoop dat het nooit zo ver zal komen.'

Hij stak een sigaartje op. 'Wat nu? Zegt u niets? Ik dacht dat u meer overreding nodig zou hebben. Ik dacht dat u bewijsmateriaal zou willen zien dat ik uw echte identiteit ken. Maar ik zie nu dat ik die aktetas helemaal niet mee had hoeven brengen.'

'Ik weet wie ik ben, luitenant. Ik heb niemand nodig om dat voor me te bewijzen. Zelfs u niet.'

'Kop op. U hoeft niet voor niets te spioneren. Er zijn ergere plaatsen dan Havana. Vooral voor iemand die zo goed in zijn slappe was zit als u. Maar u bent nu van mij. Is dat duidelijk? Lansky zal denken dat u bij hem hoort, maar u moet een keer per week aan mij rapporteren. We spreken ergens af waar het lekker rustig is. In de Casa Marina of zo. Ik geloof dat u daar graag komt. We kunnen een kamer nemen waar we niet gestoord worden. Iedereen zal denken dat we ons vermaken met een welwillend hoertje. Ja. U springt als ik zeg dat u moet springen en u piept als ik zeg dat u moet piepen. En als u oud en grijs bent – dat wil zeggen, ouder en grijzer dan nu, zal ik u misschien terug laten kruipen onder uw steen. U blijft tenslotte een akelig nazimannetje. Maar luister. U hoeft me maar een keer te bedriegen en u zit op het eerste vliegtuig naar Wenen met een touw om uw nek. Wat u waarschijnlijk ook verdient.'

Ik liet hem uitrazen zonder een woord te zeggen. Hij had me in zijn macht. Alsof ik een marlijn was die aan zijn staart bij de pier hing terwijl er een foto werd genomen. En niet zomaar een marlijn. Een marlijn die op weg was naar huis toen hij met een hengel en molen uit het water werd gevist. Ik had me niet eens echt kunnen verzetten. Hoewel ik dat wel wilde. Meer dan dat. Ik wilde Quevedo nu graag vermoorden, zelfs een aanslag op hem plegen – ja, ik was meer dan bereid om hem een tragische dood te bezorgen, als in een of andere opera. Zolang ik maar de trekker mocht overhalen om te schieten op die zelfingenomen smeerlap met zijn zelfingenomen grijns.

Ik keek naar de legerauto en zag dat Lopez zich een beetje had hersteld. Hij staarde naar mij. Hij vroeg zich kennelijk af wat voor armzalige overeenkomst ik had gesloten om zijn armzalige huid te redden. Maar misschien keek hij naar Quevedo. Misschien hoopte Lopez dat hij de kans zou krijgen de luitenant zelf neer te schieten. Zodra zijn vingernagels weer iets langer waren. Hij had daar trouwens meer recht op dan ik. Mijn haat jegens de jonge luitenant was nog vers. Lopez had wat dat betreft een forse voorsprong op mij.

Lopez sloot opnieuw zijn ogen en legde zijn hoofd tegen de rugleuning. De twee soldaten trokken een doos uit een gat in de grond. Het was tijd om te gaan. Als dat mocht. Quevedo was echt het type om een overeenkomst niet na te komen, gewoon omdat hij die macht had. En ik zou er niets aan kunnen doen. Ik had altijd geweten dat dat een mogelijkheid was, en ik had het risico bewust genomen. Het was tenslotte niet míjn geheime wapenvoorraad. Maar ik had er niet op gerekend dat Quevedo mij als informant wilde gebruiken. Ik haatte mezelf nu al. Meer dan ik al deed.

Ik beet even op mijn lip en zei toen: 'Goed dan. Ik heb me aan onze afspraak gehouden. Mijn kant van de afspraak. De geheime wapenbergplaats in ruil voor Lopez. Dus hoe zit het? Laat u hem gaan, zoals was afgesproken? Ik zal als spion voor u werken, Quevedo, maar alleen als u zich aan uw deel van de afspraak houdt. U houdt zich aan uw woord of u kunt me terugsturen naar Wenen en dan moge de duivel u halen.'

'Dat was een moedige toespraak,' zei hij. 'Daar bewonder ik u om. Nee, dat meen ik echt. Op een dag in de toekomst, als u wat minder emotioneel bent over dit alles moet u me eens vertellen hoe het was om politieman te zijn in het Duitsland van Hitler. Ik weet zeker dat het me zal fascineren om meer te weten te komen over die tijd en te begrijpen hoe het geweest is. Ik ben altijd geïnteresseerd geweest in geschiedenis. Wie weet? Misschien ontdekken we wel dat we iets gemeen hebben.'

Hij stak zijn wijsvinger op alsof hem zojuist iets te binnen was geschoten.

'Eén ding begrijp ik echt niet: waarom hebt u in godsnaam ooit uw nek uit willen steken voor een man als Alfredo Lopez?'

'Neem van mij aan dat ik mezelf diezelfde vraag stel.'

Quevedo glimlachte ongelovig. 'Daar trap ik niet in. Geen moment. Toen we net hierheen reden vanuit Mariano vroeg ik hem over u. En hij vertelde me dat hij u hiervoor pas drie keer had ontmoet in zijn leven. Twee keer in het huis van Ernest Hemingway, en een keer op zijn kantoor. En hij zei dat u hem een dienst hebt bewezen, niet andersom. Voor vandaag, bedoel ik. Dat u hem eerder uit een netelige situatie hebt gered. Hij heeft niet gezegd wat het precies was. En eerlijk gezegd heb ik hem al zoveel vragen gesteld dat ik geen zin had om er dieper op in te gaan. Bovendien heeft hij geen vingernagels meer over.' Hij schudde zijn hoofd. 'Dus de vraag blijft: waarom? Waarom hebt u hem opnieuw geholpen?'

'Niet dat het u een donder aangaat, maar Lopez gaf me een reden om weer in mezelf te geloven.'

'Wat voor reden?'

'Niet iets wat u zou begrijpen. Ik begrijp het zelf nauwelijks. Maar het was genoeg om door te gaan, in de hoop dat mijn leven iets zou betekenen.'

'Ik moet hem verkeerd beoordeeld hebben. Ik dacht dat hij een misleide dwaas was. Maar in uw woorden lijkt het alsof hij een of andere heilige is.'

'Iedereen vindt zijn verlossing waar en waneer hij kan. Op een dag, als u zich zo voelt als ik nu, zult u zich dat misschien herinneren.'

23

Ik reed Alfredo terug naar Finca Vigía. Hij was er slecht aan toe, maar ik wist niet waar het dichtstbijzijnde ziekenhuis was, en hij evenmin.

'Ik heb het aan jou te danken dat ik nog leef, Gunther,' zei hij. 'En ik sta zwaar bij je in het krijt.'

'Laat maar zitten. Je bent me niets verschuldigd. Maar vraag me alsjeblieft niet waarom. Ik heb mezelf vandaag al genoeg verantwoord. Die smeerlap van een Quevedo heeft de vervelende gewoonte vragen te stellen waarop je liever geen antwoord geeft.'

Lopez glimlachte. 'Alsof ik dat niet weet.'

'Uiteraard. Sorry. Het was niets vergeleken met wat jij doorstaan moet hebben.'

'Ik zou wel een sigaret kunnen gebruiken.'

Ik had een pakje Luckies in het handschoenenkastje. Op de kruising op de weg die vanuit noordelijke richting San Francisco de Paula in liep stopte ik en stak ik een sigaret tussen zijn lippen.

'Hier,' zei ik. Ik nam een lucifer en stak hem aan.

Hij trok even aan de sigaret en knikte als bedankje.

'Laat mij dat maar doen.' Ik nam de sigaret tussen zijn lippen vandaan. 'Als je maar niet verwacht dat ik met je meega naar de wc.'

Ik stak de sigaret weer tussen zijn lippen en reed verder.

We bereikten het huis. Het had de vorige avond stevig gewaaid en bladeren en takken van de ceibabomen lagen verspreid op de stoeptreden voor het huis. Een lange neger was bezig ze op te rapen en ze in een kruiwagen te leggen, maar hij had ze evengoed op de grond kunnen leggen, alsof iemand hem had bevolen de terugkeer van Lopez te eren met een tapijt van palmbladeren op de grond. Hoe dan ook, hij werkte erg traag. Alsof hij op twee winnende getallen van de bolita had gegokt.

'Wie is dat?' vroeg Lopez.

'De tuinman,' zei ik. Ik stopte naast de Pontiac en zette de motor af.

'Ja, natuurlijk. Ik dacht even...' Hij kreunde. 'De vorige tuinman heeft namelijk zelfmoord gepleegd. Heeft zichzelf verdronken in de put.'

'Dat verklaart dan waarom iedereen hier zo weinig water drinkt.'

'Noreen denkt dat het hier spookt.'

'Nee, dat ben ik.' Ik keek hem onderzoekend aan. 'Kun je zelf die treden op komen?'

'Misschien heb ik een beetje hulp nodig.'

'Je moet naar een ziekenhuis.'

'Dat zei ik ook voortdurend tegen Quevedo. Maar hij luisterde al niet meer naar me. Dat was nadat hij me die gratis manicure had gegeven.'

Ik stapte uit en sloeg het portier hard dicht. Dat werkte hier even goed als aanbellen. Ik liep om de auto heen naar de passagierskant en opende het portier voor hem. Hij zou de komende dagen veel hulp nodig hebben en ik stelde me al voor dat ik weer wegreed om hem aan haar over te laten. Als hij iemand nodig had om op zijn achterhoofd te krabben, kon Noreen dat doen.

Ze kwam de voordeur uit toen Lopez uit de auto stapte, wankelend als een dronkenman die nog wel een extra glaasje lustte. Voorzichtig steunde hij met de binnenkant van zijn pols tegen een raamstijl en forceerde een glimlach voor Noreen terwijl ze gehaast de treden bij de voordeur afliep. Zijn mond viel open en de sigaret die hij nog steeds rookte viel op zijn overhemd. Ik graaide de sigaret weg, alsof dat overhemd er nog toe deed. Hij zou het heus niet meer naar kantoor aantrekken. Bezweet wit katoen bezaaid met bloedvlekken was dit jaar niet echt in de mode.

'Fredo,' zei ze bezorgd. 'Hoe is het met je? Mijn god, wat er is met je handen gebeurd?'

'De politie had verwacht dat Horowitz zou komen bij hun jaarlijkse geldinzameling,' zei ik.

Lopez glimlachte maar Noreen kon er niet om lachen.

'Ik zie niet in wat hier zo grappig aan is, Bernie,' zei ze. 'Wekelijk niet.'

'Je moet erbij geweest zijn, denk ik. Luister, als je klaar bent met je koele houding tegen mij: je advocaat-vriendje hier moet nodig naar een ziekenhuis. Ik had hem best zelf willen brengen, maar Fredo wilde eerst hierheen om jou te laten weten dat hij het goed maakte. Ik denk dat hij jou belangrijker vindt dan weer de piano te bespelen. Dat is natuurlijk ook heel begrijpelijk. Ik denk er zelf ook zo over.'

Noreen luisterde nauwelijks naar me. Ze ving alleen het woord 'ziekenhuis' op. Ze zei: 'Er is een ziekenhuis in Cotorro. Ik zal hem daar zelf heen brengen.'

'Stap in, dan breng ik jullie.'

'Nee, jij hebt al genoeg gedaan. Was het moeilijk om hem vrij te krijgen?'

'Iets moeilijker dan een briefje in de ideeënbus stoppen, ja. En hij zat gevangen bij het leger, niet bij de politie.'

'Luister, waarom wacht je niet in het huis? Doe alsof je thuis bent. Neem iets te drinken. Of vraag Ramón of hij iets te eten voor je wil maken. Ik ben zo terug.'

'Ik moet echt verder. Na de gebeurtenissen van deze ochtend voel ik een dringende behoefte om al mijn verzekeringspolissen te vernieuwen.'

'Toe, ik wil je fatsoenlijk bedanken. En ergens met je over praten.'

'Nou, vooruit dan maar.'

Ik keek hoe ze met hem wegreed, liep naar binnen en flirtte met het dranktafeltje, maar ik was niet in de stemmig om spelletjes te spelen met Hemingways bourbon. Ik sloeg een glas Old Forester naar binnen in minder tijd dan het kostte om het in te schenken. Met een tweede dubbele whisky in mijn hand liep ik het huis rond en probeerde de voor de hand liggende vergelijking tussen mijn eigen situatie en die van een trofee aan de muur van Hemingway te negeren. Luitenant Quevedo had me totaal in zijn macht. Hij had me net zo goed dood kunnen schieten. En Duitsland leek me nu even ver weg als de sneeuw op de Kilimanjaro of de groene heuvels van Afrika.

Een van de kamers lag vol met dozen en koffers en even dacht ik wanhopig dat ze Cuba ging verlaten, maar toen schoot me te binnen dat ze waarschijnlijk op het punt stond naar haar nieuwe huis in Marianao te verhuizen.

Na een tijdje, en nog een drankje, liep ik naar buiten om de toren van vier verdiepingen hoog te beklimmen. Het was niet moeilijk. Een halfoverdekte trap aan de buitenkant liep tot de top. Er was een bad op de eerste verdieping en op de tweede speelden een paar katten. Op de derde verdieping werden alle geweren bewaard, in gesloten glazen vitrines, en misschien was het maar goed dat ik geen sleutels bij me had, gelet op hoe ik me voelde. Op de bovenste verdieping stond een klein bureau en een grote bibliotheek vol militaire boekwerken. Ik bleef daar lang hangen. Hemingsways boeken konden me niet veel schelen, maar het uitzicht was fantastisch. Max Reles zou er erg van genoten hebben. Uit elk van de ramen was er niets dan dat uitzicht. Kilometers in het rond. Tot het moment dat het licht begon te vervagen. En toen nog wat meer.

Toen er alleen nog een oranje streepje boven de bomen was te zien, hoorde ik een auto. Ik zag de koplampen van de Pontiac op de oprit en de oplichtende indianenkop op de motorkap. Noreen stapte alleen uit. Tegen de tijd dat ik de trap af was gelopen, was ze binnen en maakte ze een drankje klaar met een fles Cinzano vermouth en tonic. Ze hoorde mijn voetstappen en zei: 'Jij ook nog wat?'

'Ik doe het zelf wel,' zei ik terwijl ik naar het tafeltje liep. Ze draaide zich van me af toen ik naast haar kwam staan. Ik hoorde ijsblokjes rinkelen terwijl ze het hoge glas hief en de ijskoude inhoud naar binnen liet lopen.

'Ze houden hem daar voor observatie,' zei ze.

'Goed idee.'

'Die verdomde klootzakken hebben zijn vingernagels eruit getrokken.'

Zonder Lopez erbij had ik geen zin meer om er grapjes over te maken. Ik zat niet te wachten op weer een scherpe opmerking van Noreen. Ik had genoeg gehad voor één dag. Ik wilde alleen maar in een fauteuil zitten terwijl zij mij over de bol aaide zodat ik zeker wist dat mijn hoofd nog op mijn schouders zat en niet ergens aan een muur hing.

'Ik weet het. Ze hebben het me verteld.'

'Het leger?'

'Het Rode Kruis zal het zeker niet geweest zijn.'

Ze droeg een marineblauwe sportpantalon en een bijpassend bouclé vest. De sportpantalon zat niet bepaald losjes op de enige plek die telde en het vest leek een paar knopen van gevlochten leer te kort te komen aan de onderkant van haar boezem. Aan haar hand zat een saffier die de grotere zus was van de edelsteentjes in haar oorbellen. Haar schoenen waren van donkerbruin leer, net als de riem om haar middel en de handtas die ze op een stoel had gegooid. Noreen was altijd goed geweest in accessoires. Alleen ik leek niet bij haar te kloppen. Ze leek opgelaten en slecht op haar gemak.

'Bedankt voor wat je hebt gedaan,' zei ze.

'Ik heb het niet voor jou gedaan.'

'Nee. En ik geloof ook niet dat ik begrijp waarom je het hebt gedaan. Maar toch bedankt. Het is de moedigste daad die ik hier sinds mijn komst naar Cuba heb meegemaakt.'

'Zeg dat niet. Ik voel me al slecht genoeg.'

Ze schudde haar hoofd. 'Waarom? Ik begrijp je totaal niet.'

'Omdat het dan lijkt of ik iemand ben die ik niet ben. Ondanks wat je ooit hebt gedacht, schat, ben ik niet in de weg gelegd om de held te spelen. Als ik ook maar een beetje was zoals jij denkt, zou ik niet zo lang geleefd hebben als nu. Dan zou ik ergens dood liggen in een of ander veld in de Oekraïne, of voor altijd zijn vergeten in een of ander stinkend Russisch gevangenenkamp. Om maar niet te spreken van alles wat er daarvoor is gebeurd, in die relatief onschuldige tijden toen mensen dachten dat de nazi's het laatste echte kwaad waren geweest. Je houdt jezelf voor dat je je principes opzij kunt zetten en een pact met de duivel kunt sluiten, alleen maar om moeilijkheden te vermijden en in leven te blijven. Maar als je dat vaak genoeg doet, komt er een moment dat je die principes bent vergeten. Ik dacht altijd dat ik daarboven stond. Dat ik in een vervelende, rottige wereld kon wonen en zelf niet zo zou worden. Maar ik heb gemerkt dat dat niet kan. Niet als je nog een jaar verder wilt leven. Ik leef nog omdat andere mensen dood zijn, en sommigen daarvan heb ik eigenhandig gedood. Dat is geen moed. Dat is gewoon iets als dat daar.' Ik wees naar de opgezette antilopenkop aan de muur. 'Hij begrijpt wat ik bedoel, zelfs als jij het niet begrijpt. De wet van de jungle. Doden of gedood worden.'

Noreen schudde haar hoofd. 'Onzin,' zei ze. 'Je kletst. Dat was de oorlog. Toen was het inderdaad doden of gedood worden. Zo is oorlog nu eenmaal. En dat is tien jaar geleden. Heel veel mannen voelen hetzelfde als jij over hun daden tijdens de oorlog. Je oordeelt veel te hard over jezelf.' Ze pakte me vast en legde haar hoofd tegen mijn borst. 'Ik laat niet toe dat je die dingen over jezelf zegt, Bernie. Je bent een goed mens. Dat weet ik.'

Ze keek naar me op, wilde dat ik haar kuste. Ik stond daar, liet me door haar omhelzen. Ik trok me niet terug en duwde haar niet weg, maar ik kuste haar niet. Hoewel ik dat vreselijk graag wilde. In plaats daarvan keek ik haar grijnzend aan, honend.

'Hoe zit het met Fredo?'

'Laten we nu niet over hem praten. Ik ben dom geweest, Bernie. Dat besef ik nu. Ik had vanaf het begin eerlijk tegen je moeten zijn. Je bent niet echt een moordenaar.' Ze aarzelde. Haar ogen vulden zich met tranen. 'Of wel?'

'Ik hou van je, Noreen. Zelfs na al die jaren. Ik wist het zelf niet tot zeer onlangs. Ik hou van je, maar ik kan niet tegen je liegen. Een man die je echt zou willen hebben, zou dat doen, denk ik. Tegen je liegen, bedoel ik. Hij zou alles zeggen om je terug te krijgen, hoe dan ook. Dat weet ik zeker. Nou, dat kan ik niet. Er moet iemand in de wereld zijn tegen wie je de waarheid kunt vertellen.'

Ik pakte haar ellebogen vast en keek haar recht aan.

'Ik heb je boeken gelezen, engel. Ik weet wat voor iemand je bent. Het zit er allemaal in, tussen de kaften, verboden onder het oppervlak als een ijsberg. Jij bent een fatsoenlijk mens, Noreen. Nou, ik niet. Ik ben een moordenaar. En dan heb ik het niet alleen over de oorlog. Om eerlijk te zijn, ik heb vorige week nog iemand vermoord, en dat was zeker geen geval van doden of gedood worden. Ik heb een man gedood omdat hij het verdiende en omdat ik bang was wat hij zou doen. Maar ik heb hem vooral gedood omdat ik hem wilde doden.

Het was niet Dinah die Max Reles heeft gedood, engel. En ook niet een van zijn maffiavriendjes in het casino. Ik was het. Ik heb hem vermoord. Ik heb Max Reles doodgeschoten.'

24

'Zoals je weet had Reles me een baan in het Saratoga-hotel aangeboden. Ik had die baan geaccepteerd, maar alleen om een gelegenheid te zoeken waarbij ik hem kon vermoorden. Hoe ik dat moest doen leek moeilijker. Max werd zwaar bewaakt. Hij woonde in een penthouse in het Saratoga dat je alleen kon bereiken door een lift die met een sleutel werd bediend. En de liftdeuren in het penthouse werden nauwlettend in de gaten gehouden door Waxey, de lijfwacht van Max, die iedereen fouilleerde die het penthouse in ging.

Maar ik wist meteen hoe ik het moest doen toen ik de revolver zag die je van je vriend Hemingway had gekregen. Die Nagant. Ik ben zo'n revolver vaak tegengekomen tijdens de oorlog. Het was het standaard handvuurwapen voor het hele Russische leger en voor de politie, en met één wezenlijke verandering – een Bramit-geluidsdemper – was het het executiewapen bij uitstek van de Russische speciale diensten. Tussen januari 1942 en februari 1944 heb ik gewerkt voor het Wehrmacht War Crimes Bureau dat zich bezighield met het onderzoeken van zowel geallieerde als Duitse gruweldaden. Een van de misdaden die we onderzochten was de massamoord in het bos van Katyn. Dat moet in april 1943 zijn geweest nadat een stafofficier van de inlichtingendienst van het leger een massagraf had gevonden waarin vierduizend Polen lagen begraven, ongeveer twintig kilometer ten westen van Smolensk. Alle mannen waren militairen van het Poolse leger. Ze waren geëxecuteerd met een enkel schot in het achterhoofd door doodseskaders van de NKVD. Altijd werd daarbij hetzelfde type revolver gebruikt: de Nagant.

De Russen gingen sluw en methodisch te werk. Zoals ze altijd te werk gaan, met alles. Sorry, maar dat is nou eenmaal zo. Het zou onmogelijk zijn geweest vierduizend man te executeren tenzij bepaalde voorzorgsmaatregelen werden genomen om het geluid van die executies te verbergen voor degenen die gingen sterven. Anders was het tot een opstand gekomen en hadden ze hun bewakers overmeesterd. De moorden zelf vonden 's nachts plaats, in raamloze cellen die geluidsdicht waren gemaakt met behulp van matrassen en daarnaast werden Nagant-revolvers gebruikt met geluidsdempers. Een van die geluidsdempers kreeg ik tijdens het onderzoek in handen. Ik kon het ontwerp ervan bestuderen en het wapen met demper en al testen op een schietbaan. Zodra ik jouw revolver zag wist ik dat ik een Bramit-geluidsdemper kon vervaardigen in mijn werkplaats thuis.

Mijn volgende probleem was: hoe kon ik met een revolver het penthouse betreden? Toevallig was het zo dat Max me een cadeau had gegeven – een handgemaakt backgammonspel in een koffertje dat alle stenen, dobbelstenen en bekers bevatte. Maar er was genoeg ruimte in voor een revolver en de zojuist gemaakte geluidsdemper. En het leek me dat de kans klein was dat Waxey hem zou doorzoeken, te meer omdat er een cijferslot op zat.

Max had me verteld dat hij een keer per week kaartte met vrienden uit de onderwereld van Havana. Hij vertelde me ook dat het spel altijd werd beëindigd om half twaalf, precies vijftien minuten voordat hij naar zijn kantoor ging om een telefoongesprek te voeren met de president, die eigenaar is van een deel van het Saratoga-hotel. Hij vroeg of ik met hem mee wilde lopen, en toen ik dat deed, nam ik het koffertje met de revolver en geluidsdemper mee en legde die op het terras bij zijn zwembad. Toen ik het penthouse samen met de anderen om half twaalf verliet, ging ik naar het casino en wachtte een paar minuten. Het was Chinees nieuwjaar, en in de Barrio Chino werd veel vuurwerk afgestoken. Nogal oorverdovend, uiteraard. Vooral op het dak van het Saratoga-hotel.

Vanwege het vuurwerk nam ik aan dat Reles zijn telefoongesprek met de president kort zou houden. En zodra ik me had laten zien bij de casinomanager na mijn eerste bezoek aan het penthouse, keerde ik terug naar de achtste verdieping. Verder kon ik niet komen, omdat ik die liftsleutel niet had.

Maar op de hoek van het gebouw wordt de lichtreclame van het Saratoga-hotel gerepareerd. Daarom stonden er steigers waarop je van de achtste verdieping naar het penthouse kon klimmen. Als je iemand was die geen last had van hoogtevrees. Of iemand die Max Reles ten koste van wat dan ook wilde vermoorden. Het was nog een hele klim, dat kan ik je verzekeren. En ik had er mijn beide handen voor nodig. Ik had het zeker niet gered met een revolver in mijn hand of achter mijn broeksriem ge-

441

stoken. Daarom was het nodig om het wapen op het terras bij Max achter te laten.

Max zat nog aan de telefoon toen ik arriveerde. Ik hoorde hem met
Batista praten over de inkomsten. Zo te horen nam de president zijn aandeel van dertig procent in het Saratoga-hotel erg serieus. Ik opende het
koffertje, pakte de revolver eruit en liep stilletjes naar het open raam.
Misschien heb ik toen een paar tellen nagedacht. En toen dacht ik terug
aan 1934 en hoe hij twee mensen in koelen bloede voor mijn neus had
vermoord, toen we op een boot op de Tegel-meer zaten. Jij was al op de
terugweg naar de Verenigde Staten toen dat gebeurde, maar hij dreigde
zijn broer Abe jou te laten vermoorden als je weer in New York was, tenzij ik met hem samenwerkte. Ik wist dat ik veilig was. Min of meer. Ik had
al bewijs van zijn corruptie waarmee ik hem kon laten oppakken. Maar
ik kon niet voorkomen dat zijn broer jou zou vermoorden. Daarna hielden we elkaar zo'n beetje in bedwang, in ieder geval tot de Olympische
Spelen voorbij waren en hij terugging naar de Verenigde Staten. Maar
zoals ik al eerder zei: hij verdiende het. En zodra hij de telefoon had neergelegd, schoot ik. Nee, dat is niet helemaal juist. Hij zag me, net voordat
ik de trekker overhaalde. Ik geloof zelfs dat hij nog even glimlachte.

Ik heb zeven kogels op hem afgevuurd. Ik liep naar de rand van het
terras en smeet de revolver in een mand met handdoeken die op de achtste verdieping naast het zwembad stond. Toen klom ik naar beneden. Ik
bedekte de revolver met nog wat handdoeken en liep naar een badkamer
om mezelf op te frissen. Tegen de tijd dat het vuurwerk begon stond ik al
in de lift, op de terugweg naar het casino. Feit is dat ik het vuurwerk was
vergeten toen ik de geluidsdemper maakte, anders had ik al die moeite
wellicht niet genomen. Maar nu kon ik het vuurwerk achteraf gebruiken
als dekmantel.

De volgende dag ging ik terug naar het Saratoga-hotel, alsof alles
normaal was. Dat moest wel. Ik moest zo gewoon mogelijk doen om te
verkomen dat de verdenking op mij zou vallen. Inspecteur Sanchez
had al meteen vanaf het begin in de gaten dat ik een mogelijke dader
was. Hij had zijn verdenking rond kunnen krijgen, totdat ik erin slaagde Lansky ervan te overtuigen dat de moord niet was gepleegd onder
dekking van het vuurwerk, zoals iedereen leek te denken. En de politie
was wat dat betreft erg behulpzaam. Ze hadden niet eens naar het
moordwapen gezocht. Ik liet me van mijn beste kant zien als huisdetective van het Adlon-hotel en stelde voor dat ze de wasmanden zou-

den doorzoeken. Niet lang daarna vonden ze de revolver.

Zodra die gangsters de geluidsdemper op de revolver zagen, begonnen ze te denken aan een professionele moord die te maken had met hun zaken in Havana. Ze dachten waarschijnlijk niet aan iets dat twintig jaar geleden was gebeurd. Nog beter, ik kon suggereren dat de geluidsdemper betekende dat de moord op elk moment gepleegd kon zijn, niet noodzakelijkerwijs tijdens het vuurwerk, zoals de inspecteur had geopperd. Dat maakte zijn theorie over mij als moordenaar ongeloofwaardig en maakte een soort Nero Wolfe van mij. Hoe dan ook, Gunther was vrij van verdenkingen, alleen was ik iets té overtuigend te werk gegaan. Meyer Lansky waardeerde de manier waarop ik Sanchez van repliek had gediend en Max had hem al iets verteld over mijn achtergrond als rechercheur bij Moordzaken in Berlijn. Om een maffiaoorlog in Havana te voorkomen, leek het Lansky het beste dat ik nu het onderzoek naar de dood van Max Reles op me nam.

Even was ik vervuld van afschuw. En toen begon ik de mogelijkheden te zien om mezelf helemaal van elke verdenking te zuiveren. Ik hoefde er alleen maar voor te zorgen dat het aanwijzen van een schuldige niet tot gevolg zou hebben dat er nog iemand werd vermoord. Ik had geen idee dat ze Waxey zouden vermoorden, de lijfwacht van Max, als een soort verzekeringspolis, voor het geval hij er werkelijk iets mee te maken had. Dus je zou kunnen zeggen dat ik hem ook heb vermoord. Dat was betreurenswaardig. Hoe dan ook, door een gelukkig toeval, voor mij althans, niet voor hem, was een van de toezichthouders van het Saratogahotel, iemand die Irving Goldstein heette, betrokken bij een affaire met een acteur die vrouwenrollen speelde in de Palette Club. Toen ik erachter kwam dat hij zelfmoord had gepleegd omdat Max op het punt stond hem te ontslaan omdat hij homo was, leek hij de aangewezen persoon om de schuld op te schuiven. Eergisteravond ging ik samen met inspecteur Sanchez naar zijn appartement. Ik liet de technische tekening die ik van de Bramit-geluidsdemper had gemaakt in zijn huis achter en zorgde ervoor dat Sanchez hem vond.

Later liet ik Lansky de tekening zien en ik vertelde hem dat dit op het eerste gezicht het bewijs leek dat Goldstein degene was geweest die Max Reles had vermoord. En Lansky was het daar mee eens. Hij was het ermee eens omdat hij dat wilde, omdat elk ander resultaat slecht voor de zaken zou zijn geweest. Belangrijker was dat ik van alle blaam was gezuiverd. Nou, dat was het. Je hoeft niet meer bang te zijn. Het was beslist

443

niet je dochter die hem heeft vermoord. Ik heb het gedaan.'

'Ik weet niet hoe ik haar ooit heb kunnen verdenken,' zei Noreen. 'Wat ben ik voor een moeder?'

'Vergeet dat maar,' zei ik met een ironisch lachje. 'Toen zij het moordwapen in het penthouse zag liggen, herkende ze het meteen. Later vertelde ze me dat ze dacht dat jij Max had vermoord. Ik kon niet meer doen dan haar vertellen dat dat wapen heel vaak voorkwam in Cuba. Hoewel dat niet zo is. Het was het eerste Russische wapen dat ik ooit in Cuba heb gezien. Ik had haar natuurlijk de waarheid kunnen vertellen, maar toen ze aankondigde dat ze terugging naar de Verenigde Staten, leek me dat zinloos. Ik bedoel, als ik haar dat had verteld, had ik net zo goed al het andere kunnen vertellen. Ik bedoel, dat wilde je toch? Dat ze Havana verliet en naar de universiteit ging?'

'En daarom heb je hem vermoord,' zei ze.

Ik knikte. 'Je had volkomen gelijk. Je kon haar niet achterlaten bij zo'n man. Hij wilde haar ergens mee naartoe nemen waar ze opium konden roken, en god mag weten wat nog meer. Ik heb hem vermoord omdat ze naar de donder had kunnen gaan als ze echt met hem was getrouwd.'

'En vanwege hetgeen Fredo je heeft verklapt toen je naar zijn kantoor in het Bacardi-gebouw bent geweest.'

'Heeft hij dat verteld?'

'Onderweg naar het ziekenhuis. Daarom heb je hem geholpen, nietwaar? Omdat hij je heeft verteld dat Dinah jouw dochter is.'

'Ik wilde het van jou horen, Noreen. En nu je het erover hebt, kan ik het wel vragen. Is het waar?'

'Is het niet een beetje laat voor die vraag? Gezien wat er met Max is gebeurd?'

'Ik zou hetzelfde tegen jou kunnen zeggen, Noreen. Is het waar?'

'Ja, het is waar. Het spijt me. Ik had het tegen je moeten zeggen, maar dat zou betekenen dat ik Dinah moest laten weten dat Nick niet haar vader was. En tot zijn dood heeft ze altijd een veel betere relatie met hem dan met mij gehad. Ik kon die goede verhouding niet verstoren want ik wilde per se enige invloed op haar houden, snap je? Als ik het haar had verteld, weet ik niet wat er had kunnen gebeuren. Toen het gebeurde – ik bedoel, toen ze in 1935 werd geboren, heb ik erover gedacht je te schrijven. Verschillende keren. Maar elke keer als ik eraan dacht, zag ik hoe goed Nick met haar omging, en ik kon het niet. Hij heeft altijd gedacht dat Dinah zijn dochter was. Maar een vrouw weet dat soort dingen altijd.

Terwijl de maanden en jaren voorbijgingen, leek het steeds minder van belang. Uiteindelijk brak de oorlog uit, en daarmee kwam voorgoed een einde aan het idee om jou te laten weten dat je een dochter had. Ik zou niet geweten hebben naar welk adres ik moest schrijven. Toen ik je terugzag, in die boekhandel, kon ik het niet geloven. En uiteraard heb ik eraan gedacht om je die avond op de hoogte te brengen. Maar je maakte een nogal smakeloze opmerking die me het idee gaf dat jij zelf ook bij de slechte invloeden van Havana hoorde. Je leek zo verbeten en cynisch dat je bijna niet herkende.'

'Ik ken dat gevoel. Ik herken mezelf tegenwoordig haast niet meer. Of nog erger, ik herken mijn eigen vader. Ik kijk in de spiegel en zie hem naar me terugkijken met een blik van geamuseerde minachting omdat ik nooit wilde begrijpen dat ik altijd op hem had geleken en dat dat ook altijd zo zou blijven. Om niet te zeggen dat ik precies hetzelfde als hij was. Maar je had groot gelijk haar niet te vertellen dat ik haar vader ben. Max Reles was niet de enige man die geen goed gezelschap was voor Dinah. Dat geldt ook voor mij. Dat weet ik. En ik ben niet van plan contact met haar op te nemen of of andere relatie met haar te onderhouden. Daar is het een tikkeltje te laat voor, denk ik. Dus wat dat betreft hoef je je geen zorgen te maken. Het is genoeg voor me dat ik weet dat ik een dochter heb en dat ik haar heb ontmoet. Allemaal dankzij Alfredo Lopez.'

'Zoals ik al zei, wist ik pas dat hij het je had verteld toen we onderweg waren naar het ziekenhuis. Advocaten mogen immers niet met vreemdelingen praten over de aangelegenheden van hun klanten?'

'Nadat ik hem had gered met die pamfletten, vond hij dat hij me iets schuldig was en dat ik het soort vader was dat haar op de een of andere manier kon helpen. Dat zei hij tenminste.'

'Hij had gelijk. Ik ben blij dat hij het heeft verteld.' Ze trok me steviger tegen zich aan. 'En je hebt haar geholpen. Ik zou Max zelf hebben vermoord als ik dat had gekund.'

'Iedereen doet wat hij kan.'

'En daarom ben je naar het SIM-hoofdkwartier gegaan en heb je hen proberen te overreden Fredo vrij te laten. Omdat je Fredo dankbaar was.'

'Zoals hij al zei. Het gaf me enige hoop dat mijn leven niet helemaal voor niets is geweest.'

'Maar hoe? Hoe heb je hen kunnen overhalen hem vrij te laten?'

'Een tijdje geleden heb ik een geheime wapenbergplaats ontdekt op de weg naar Santa Maria del Rosario. Die kennis heb ik geruild voor zijn leven.'

445

'Verder niets?'

'Wat zou er verder nog kunnen zijn?'

'Ik weet niet hoe ik je ooit kan bedanken,' zei ze.

'Ga jij maar verder met boeken schrijven. Ik ga door met backgammon spelen en sigaren roken. Zo te zien ben je al een aardig eind op streek met je verhuizing naar je nieuwe huis. Ik heb gehoord dat Hemingway hier snel terugkomt.'

'Ja, in juni. Ernest mag blij zijn dat hij nog leeft. Hij is ernstig gewond geraakt bij twee opeenvolgende vliegtuigongelukken. En daarna heeft hij zware brandwonden opgelopen bij een bosbrand. Hij zou eigenlijk dood moeten zijn. Sommige Amerikaanse kranten hadden al een overlijdensbericht over hem gepubliceerd.'

'Dus hij is uit de dood herrezen. Dat kan niet iedereen zeggen.'

Later liep ik buiten naar mijn auto en in de schimmige duisternis dacht ik de gestalte van de dode tuinman te zien, naast de put waarin hij was verdronken. Misschien waarde hier inderdaad een spook rond. En anders wel bij mij, en dat zou altijd zo blijven. Sommige mensen sterven in één dag. Anderen, zoals ik, doen daar veel langer over. Misschien wel jaren. We zijn, net als Adam, allemaal sterfelijk, dat is waar, maar niet iedereen komt weer tot leven, zoals bij Ernest Hemingway het geval was geweest. Als de doden niet herrijzen, wat gebeurt er dan met de geest van een mens? En als ze wel herrijzen, met welk lichaam leven we dan voort? Ik had daar geen antwoord op. Niemand wist het. Als de doden konden herrijzen en daarna integer konden zijn en ik in een oogwenk voor altijd zou kunnen veranderen, dan was gedood worden of zelf doden misschien de moeite van het sterven waard.

Toen ik weer in Havana was, ging ik naar de Casa Marina. Ik bracht de nacht door met een stel gewillige meiden. Niet dat ik me daardoor minder alleen voelde. Ze hielpen me de tijd te doden, meer niet. De weinige tijd die ons nog rest.